J'attends un enfant

LAURENCE PERNOUD

J'attends un enfant

édition 2013 2014

Mis à jour sous la direction d'**Agnès Grison**

HORAY

DU MÊME AUTEUR, CHEZ LE MÊME ÉDITEUR :

J'élève mon enfant

© EDITIONS HORAY 2013
22 Bis Passage Dauphine - 75006 Paris
ISBN 978-2-7058-0513-5
editions@horay-editeur.fr
lpernoud@horay-editeur.fr
www.horay-editeur.fr

Sommaire

J'attends un enfant   1

La vie quotidienne   2

Bien se nourrir   3

4 Belle en attendant un bébé

5 La vie avant la naissance

6 Si vous attendez des jumeaux

Trois questions que vous vous posez — 7

Les malaises courants — 8

La surveillance médicale de la grossesse — 9

Dans ce tableau, voici rassemblés consultations et examens à passer, formalités à accomplir, préparatifs à faire. Vous pourrez également suivre les grandes étapes du développement de votre bébé. Un tableau à lire au présent ou au futur.

10 Et si une complication survient ?

11 Quand accoucherai-je ?

L'accouchement et la naissance 12

La douleur et l'accouchement 13

Comment préparer son accouchement 13

15 Votre enfant est né

16 Après la naissance : votre bébé et vous

17 Mémento pratique

Complétant ce sommaire, l'index des pages 471 et suivantes vous permettra de trouver rapidement une réponse à toutes vos questions. Consultez-le chaque fois que vous voudrez en savoir plus sur un mot rencontré dans le texte

SOMMAIRE DES TABLEAUX

Voici l'édition 2013 de *J'attends un enfant*, le « Laurence Pernoud », riche de l'expérience des années et des compétences d'aujourd'hui. Ce livre a été écrit pour vous, chers futurs parents, pour répondre à toutes les questions qui jaillissent dès le premier jour de la grossesse, parfois avant, dès le désir d'enfant

Comment un œuf, dont on peut à peine imaginer la taille, deviendra-t-il en neuf mois un bébé de trois kilos ? Quel est le processus de cette croissance prodigieuse qui ne se reproduira plus jamais au cours de la vie ? Quelles en sont les grandes étapes ? Comment le bébé se nourrit-il ? Que ressent-il ? Quelles précautions prendre pour lui assurer le meilleur développement ? Faut-il changer de mode de vie ? Et de façon de se nourrir ? Comment se déroule une grossesse ? Quand passer la première échographie ? La péridurale est-elle possible partout ? Comment être sûr que l'accouchement a bien commencé ? Et si notre bébé naissait prématurément ? ... Les questions affluent, parfois aussi des inquiétudes. *J'attends un enfant* est là pour vous informer, vous rassurer, vous donner confiance dans vos capacités à attendre un enfant, à le mettre au monde, à devenir parents.

CHÈRE LECTRICE, CHER LECTEUR

Laurence Pernoud était déjà très connue lorsque je l'ai rencontrée. Avoir eu l'idée d'écrire un livre s'adressant directement aux futurs parents, le faire dans un langage clair et chaleureux, tout en donnant une information rigoureuse, lui avait rapidement fait connaître le succès. *J'attends un enfant* puis *J'élève mon enfant* sont vite devenus la référence pour les parents. Ils le restent aujourd'hui.

Rencontrer Laurence Pernoud a été pour moi un grand événement. Lorsqu'elle m'a proposé de travailler avec elle, j'ai accepté sans hésiter. Cela a été le début d'une aventure passionnante qui se poursuit aujourd'hui. Laurence m'a aussitôt fait confiance et m'a peu à peu donné une place particulière au sein de l'équipe qu'elle rassemblait autour d'elle. Je suis devenue sa principale collaboratrice, « son bras droit », disait-elle. Ensemble, chaque année, nous mettions sur pied la nouvelle édition, décidions des sujets à traiter, discutions chaque nouveau chapitre jusqu'à ce qu'il ait pris sa forme définitive, recherchions des photos, etc. Ensemble, nous choisissions les nouveaux collaborateurs de notre équipe qui, au fil des années, s'est étoffée. Ensemble, nous répondions à l'abondant courrier des lecteurs, dont les témoignages et les suggestions ont enrichi notre expérience. Lorsqu'elle s'est peu à peu mise en retrait, Laurence a souhaité que je poursuive son œuvre, celle de toute une vie. Je continue aujourd'hui ce travail avec le même enthousiasme, le même plaisir, fidèle aux principes de qualité et de rigueur qui nous ont toujours animées.

Maintenant je vous laisse à votre lecture, en espérant que *J'attends un enfant* sera le compagnon de ces mois à venir. Une nouvelle vie vous attend : plus rien ne sera comme avant.

AGNÈS GRISON

La mise à jour régulière de *J'attends un enfant*, dans des domaines aussi variés que l'obstétrique, la psychologie, la diététique, le sport, la beauté, la législation, etc., représente un travail permanent de rencontres, de contacts, de lectures. Elle nécessite également le concours d'une équipe de spécialistes. Chaque collaborateur, fier de participer à cet ouvrage, apporte son expérience, son dynamisme. Ce travail entraîne des discussions passionnées : parler de la vie est une œuvre délicate, parler de l'avenir aussi. Chacun est conscient de l'enjeu et l'assume. Voici l'équipe qui m'entoure et participe à la mise à jour annuelle.

Le docteur **ANDRÉ BENBASSA**, ancien chef de clinique au CHU de Grenoble, directeur médical d'une importante maternité de la région Rhône-Alpes, est le gynécologue obstétricien de *J'attends un enfant*. Il est membre du Collège National des Gynécologues Obstétriciens Français (CNGOF). Le docteur André Benbassa fait profiter nos lecteurs de son expérience et de sa compétence et nous apprécions qu'il

L'ŒUVRE D'UNE ÉQUIPE

sache allier la confiance envers la médecine et une certaine réserve devant les risques d'une hypermédicalisation de la grossesse.

DANIELLE RAPOPORT, psychanalyste, psychologue, ancienne titulaire de l'Assistance Publique-Hôpitaux de Paris, est fondatrice de l'association « Bien-traitance formation et recherches ». Elle collabore à *J'attends un enfant* depuis de nombreuses années et elle sait parler des situations psychologiques les plus délicates avec finesse et clarté.

MARIE-NOËLLE BABEL, sage-femme libérale, participe à un groupe d'accueil parents-enfants. Avec elle, nous avons approfondi différents sujets, comme l'entretien prénatal précoce, la contraception après l'accouchement, la décision des futures mères d'allaiter au sein ou au biberon.

SYLVIE MORIETTE est psychologue dans une maternité. Son implication dans l'accompagnement des femmes, de leur conjoint, de leur famille nous fait apprécier ses éclairages pertinents sur de nombreux sujets : le ressenti des futures mères face aux modifications de leur corps, le soutien qui peut être apporté lors des moments difficiles de la grossesse, le cheminement parfois délicat pour devenir parent, les transformations du couple, de la famille après une naissance, etc.

DOMINIQUE FAVIER, cadre socio-éducatif à l'Assistance Publique-Hôpitaux de Paris, a rejoint notre équipe. Elle s'occupe avec rigueur et efficacité du Mémento pratique, chapitre si utile aux lecteurs.

BRIGITTE COUDRAY, diététicienne, sait concilier les bons principes alimentaires avec le plaisir de manger.

AUDE WEILL-RAYNAL, avocate, spécialisée en droit de la famille, a en charge toutes les questions juridiques qui peuvent intéresser les futurs parents.

Nous remercions également pour leurs précieux avis :

le docteur **MARC ALTHUSER**, échographiste, qui nous a communiqué de très beaux documents

le docteur **JEAN-LOUIS BENASSAYAG**, gynécologue-obstétricien et echographiste, pour les superbes échographies sur la vie avant la naissance

le professeur **T. BERRY BRAZELTON**, pédiatre mondialement reconnu pour ses travaux sur la compétence du nouveau-né, les interactions parents-enfants et l'attachement précoce

le docteur **NADIA BRUSCHWEILER-STERN**, pédiatre et pédopsychiatre, spécialiste des relations précoces parents-enfants

MARIE-CLAIRE BUSNEL, spécialiste de l'éveil sensoriel chez le fœtus et le bébé

le docteur **ODILE COTELLE**, spécialiste en uro-dynamique et en rééducation périnéale

le professeur **THIERRY DEBILLON**, néonatologiste, pour ses intéressants commentaires sur les pages consacrées au nouveau-né

le docteur **BERNADETTE DE GASQUET** qui s'occupe particulièrement de positions d'accouchement ;

le docteur **FRANCOISE DEVILLARD**, généticienne

le docteur **ALBERT GOLDBERG**, gynécologue-obstétricien, spécialiste de l'haptonomie

le docteur **JEAN-MARC MASCARO**, anesthésiste-réanimateur, à propos de l'hypnose

le professeur **JEAN-CLAUDE PONS**, gynécologue-obstétricien, spécialiste reconnu des grossesses gémellaires, pour sa contribution au chapitre sur les jumeaux

le docteur **ÉLISABETH ROBERT-GNANSIA**, spécialiste des risques malformatifs, à propos de grossesse et environnement.

Cette année, nous remercions particulièrement pour leurs contributions :

STÉPHANIE CELLIER et **DAMIEN ROBERT**, pharmaciens

CATHERINE SORS et **SYLVIE VANAQUER**, sages-femmes.

La maquette de *J'attends un enfant* a été réalisée avec talent par **PHILIPPE** et **NICOLAS MARCHAND** qui ont su allier sens artistique et exigences professionnelles. Nous apprécions qu'ils aient donné à notre livre cette allure fraîche et colorée.

1

J'attends un enfant

28... 29... 30...

Deux, trois jours se sont déjà glissés depuis la date régulière. Vous comptez encore une fois, 28, 29, 30 ; c'est le calcul de l'espoir : suis-je vraiment enceinte ? Vous vivez ce moment d'incertitude avec intensité, tous les rêves sont permis.

Lorsque le désir sera devenu certitude, lorsque la première émotion sera passée, à peine le temps de savourer le bonheur réalisé, vous allez sûrement faire un autre calcul. Non plus en jours mais en mois cette fois : quand accoucherai-je ?

C'est ainsi que la plus belle histoire d'amour, le rêve qui prend forme, s'accompagne très vite de calculs et de prévisions dans d'autres domaines concernant la vie du bébé : à 4 semaines son cœur va se mettre à battre ; à 12 semaines vous le verrez à l'échographie ; à 4 mois ses mouvements vous réveilleront.

Et voici comment chiffres et émotions se mettent à dialoguer, mais c'est la vie ! Précisément c'est de la vie qu'il s'agit ; c'est la vie qui se prépare.

D'autres interrogations vont surgir : est-ce une fille, est-ce un garçon ? Et si c'était des jumeaux ? Faut-il déjà s'inscrire à la maternité ?

Mais pour commencer le chapitre, revenons à votre espoir de grossesse, à votre désir d'enfant.

De l'espoir à la certitude

Comment savoir si vous êtes vraiment enceinte ? Certains signes accompagnent le début de la grossesse : les voici dans le désordre et sans obligation pour vous de les ressentir tous. Vous pouvez aussi faire un test qui vous donnera une réponse rapide.

LES SIGNES DE LA GROSSESSE

Le plus important, et en général le premier, est l'arrêt des règles, ou *aménorrhée* en terme médical. Mais ce signe n'a pas de valeur absolue. Même si vos règles ont un retard de deux ou trois jours, vous ne pouvez pas en conclure que vous êtes enceinte, vous pouvez seulement le présumer, à condition :
• que vous ayez un cycle régulier, tout en sachant qu'un retard de quelques jours peut se produire en dehors de toute grossesse
• que vous soyez en bonne santé. En effet certaines perturbations psychologiques ou certaines maladies, même les plus bénignes, suffisent parfois à provoquer un retard de règles
• que vous ne soyez pas dans des circonstances particulières telles que voyage, changement de climat, vacances, ou bien choc émotionnel, qui peuvent perturber le cycle

• que vous soyez loin de la puberté et de la ménopause, périodes où les cycles sont souvent irréguliers.

Vous pourrez aussi remarquer certains symptômes ou malaises qui sont parfois présents au début de la grossesse :

• simples nausées s'accompagnant, dans 50 % des cas, de vomissements bilieux au réveil, alimentaires dans la journée

• manque d'appétit pour tous les aliments ou dégoût pour certains

• parfois, au contraire, augmentation de l'appétit ou goût très prononcé pour certains aliments

• modification de l'odorat : certaines odeurs deviennent insupportables, même s'il s'agit du parfum le plus raffiné

• sécrétion inhabituelle de salive

• aigreurs d'estomac, lourdeurs après les repas ; envie de dormir, notamment après les repas : envie de sieste, besoin de se coucher tôt

• constipation

• envies fréquentes d'uriner

• augmentation précoce du volume des seins qui deviennent lourds, tendus, et souvent sensibles. L'aréole, partie brune et concentrique qui entoure le bout du sein, gonfle. Enfin, signe important mais que vous aurez peut-être du mal à apprécier vous-même, sur l'aréole apparaissent de petites saillies, qu'on appelle les tubercules de Montgomery.

UNE FEMME ENCEINTE N'A PAS DE RÈGLES
C'est vrai. Mais il peut arriver, quelques jours après la date théorique des règles (parfois même avant), que des saignements apparaissent. Ces saignements doivent alerter : ils peuvent être bénins mais ils peuvent aussi être le signe d'une grossesse anormale (fausse couche ou grossesse extra-utérine, voir ces mots). Il est préférable de consulter le médecin ou la sage-femme.

Vous venez de voir les signes qui peuvent accompagner le début d'une grossesse. Il ne faut pas que cette énumération vous effraie car la grossesse peut aussi débuter et se poursuivre sans qu'aucun de ces petits malaises n'apparaisse ; ou bien ceux-ci peuvent être si atténués qu'ils passeront inaperçus.

Mais même si vous avez remarqué un ou plusieurs de ces symptômes, vous ne pouvez avoir la certitude que vous recherchez. La seule idée que vous êtes peut-être enceinte a pu les faire naître. Dites-vous seulement que vos chances augmentent, que l'hypothèse se renforce.

Dans ce cas, vous savez que vous pouvez acheter un test qui vous donnera une réponse rapide (p. 21). Vous pouvez aussi aller voir le médecin qui vous fera faire un dosage de l'hormone BHCG (p. 21).

Certaines femmes, rares il est vrai, n'ont besoin d'aucun des signes décrits plus haut, ni de faire un test, pour savoir qu'elles sont enceintes ; elles disent qu'elles le savent, on pourrait dire qu'elles le sentent, deux ou trois jours après la conception, surtout s'il ne s'agit pas de leur première grossesse.

LA CERTITUDE : LES TESTS DE GROSSESSE

Ces tests reposent sur la recherche d'une hormone sécrétée par l'œuf (donc caractéristique de la grossesse), hormone appelée *gonadotrophine chorionique* (ou βHCG). Le procédé de recherche est dit immunologique car il fait appel à des anticorps qui réagissent électivement à la présence de cette hormone.

LES TESTS À FAIRE SOI-MÊME

Ces tests recherchent l'hormone βHCG dans les urines. Ils sont vendus en pharmacie, sans ordonnance, sous forme de coffrets contenant tous les accessoires nécessaires. Ils ne peuvent servir qu'une seule fois ; mais certains sont vendus par boîte de deux, ce qui permet de recommencer le test quelques jours plus tard, en cas de doute. Ils peuvent être faits dès les premiers jours de retard.

Différentes marques existent. Les prix varient entre 5 et 15 €. Ils ne sont pas remboursés par la Sécurité sociale. Le mode d'emploi, très clair, est donné dans chaque coffret. Il doit être suivi fidèlement pour éviter les erreurs.

• Si votre test est positif, il signifie presque certainement que vous êtes enceinte. Les fausses réponses positives sont très rares.

• Par contre, si le test est négatif, l'hypothèse de la grossesse ne peut être formellement éliminée ; notamment si le test est fait très tôt, avec un retard de règles de quelques jours seulement.

En effet, malgré une fiabilité de plus en plus grande, il y a une limite, un seuil en dessous duquel la réponse n'est pas possible. Il faut en effet une concentration suffisante d'hormone dans les urines pour rendre la réaction positive. C'est pourquoi il est conseillé d'utiliser plutôt les urines du matin, en ayant peu bu la veille à partir de 18 h. On obtient ainsi des urines plus concentrées avec un taux d'hormone plus élevé.

• Pour résumer : si votre test est positif, vous pouvez considérer avec quasi-certitude que vous êtes enceinte.

Si le test est négatif, et surtout s'il a été effectué précocement, attendez une semaine pour le refaire. Si après ce délai le test est toujours négatif, et si votre retard de règles se prolonge, il est préférable de consulter un médecin, qui fera probablement faire un examen de laboratoire.

LES TESTS FAITS PAR LES LABORATOIRES

Habituellement pratiqués sur le sang, ces tests permettent non seulement de détecter la présence d'hormone βHCG (comme les tests précédents pour les urines), mais aussi d'en doser la quantité. Ainsi, ils sont plus fiables que les tests à faire soi-même et donnent des résultats plus précoces, avant même le retard de règles. En plus, ces tests permettent, en comparant les chiffres à des moyennes statistiques, de préciser l'évolution normale ou non de la grossesse en question.

Ces tests pratiqués par les laboratoires sont remboursés par la Sécurité sociale quand ils sont prescrits par un médecin. Cette prescription doit être médicalement justifiée.

L'HORMONE βHCG
L'hormone βHCG apparaît au tout début de la grossesse : elle est sécrétée par le trophoblaste – le futur placenta – dès que l'œuf s'implante dans la muqueuse utérine. Elle peut être dosée dans l'urine ou dans le sang dès le 10e-12e jour après la fécondation : c'est sa présence qui rend positifs les tests de grossesse. Son taux augmente jusqu'à 13 semaines – ce qui expliquerait les nausées du premier trimestre – pour diminuer ensuite.

• Il y a enfin un moyen plus simple et plus rapide de connaître une grossesse à son début, mais il n'est possible que pour les femmes qui font leur courbe de température (p. 25). En effet, lorsqu'il y a grossesse, au lieu de baisser, la température reste haute. Et c'est ainsi que la persistance de la température haute en l'absence de règles est un signe précoce de grossesse. Elle permet de reconnaître celle-ci dès les premiers jours de retard : dès le 16e jour de température élevée, il y a présomption de grossesse, et, au 20e jour, c'est-à-dire après une semaine de retard, cette présomption devient une certitude. La montée de la température est liée à la sécrétion de progestérone par le corps jaune, qui apparaît dans l'ovaire après l'ovulation (chapitre 5).

IL EST IMPORTANT D'ÊTRE FIXÉE RAPIDEMENT

Il est mieux de savoir de bonne heure si vous êtes enceinte, car il y a des précautions à prendre pendant les trois premiers mois, ceux où l'embryon a le plus besoin d'être protégé car il est le plus vulnérable. En effet, tous les organes de votre bébé vont se former dans ces premiers mois de la grossesse. Il faut donc être particulièrement prudente pendant cette période, notamment vis-à-vis de la prise de médicaments : tout ce qui n'est pas formellement indiqué est contre-indiqué.

Si vous suivez un traitement, demandez au médecin si vous devez le poursuivre. Évitez de voir un malade contagieux. Ne faites pas de vaccination sans savoir si elle est permise. Si vous devez voyager, renseignez-vous sur d'éventuelles précautions sanitaires à prendre. Au cas où une radiographie vous serait prescrite, signalez que vous êtes peut-être enceinte. Ne mangez pas de viande crue ou peu cuite. Lavez bien les salades et les fruits. Évitez les fromages au lait cru. Vous verrez au cours des chapitres suivants le pourquoi de ces différentes recommandations.

PAS D'ALCOOL, PAS DE TABAC
DÈS QUE LA GROSSESSE EST ÉVOQUÉE : VOYEZ PAGES 56 ET 57.

C'est non,
vous n'êtes pas enceinte

Vous venez d'apprendre que vous n'êtes pas enceinte. Le retard de règles qui vous avait fait croire à une grossesse avait une autre cause. Avec le retour de vos règles et la reprise de cycles normaux reviendra la possibilité d'une grossesse.

Si vous êtes déçue de ne pas être enceinte, sachez que la survenue d'une grossesse est moins facile ou se fait attendre plus longtemps chez certaines femmes que chez d'autres. C'est pourquoi il peut être important pour vous de connaître la période la plus propice à la fécondation, celle que l'on appelle la période fertile. Vous verrez plus loin (chapitre 5) que la fécondation ne peut avoir lieu qu'au moment où un événement important se produit dans l'organisme : l'ovulation, c'est-à-dire la « ponte » de l'ovule. Cette ovulation se produit généralement chez les femmes qui ont un cycle de 28 jours, vers le 14e jour (en comptant à partir du premier jour des règles).

Mais cette ovulation ne se produit pas toujours à date fixe, ni chez une même femme, ni d'une femme à l'autre (elle varie par exemple avec la longueur du cycle). Vous pouvez en connaître le moment (donc la période où vous êtes fertile) grâce à la courbe de température ou aux tests d'ovulation (voyez plus loin).

De plus, même lorsque les rapports sexuels ont lieu en période fertile, ils ne sont pas toujours immédiatement fécondants et les chiffres montrent qu'environ 40 % des couples voient survenir la grossesse désirée dans les six premiers mois. Les autres devront attendre plus longtemps. Faire enlever son stérilet, arrêter de prendre la pilule ne veut pas dire que l'on sera enceinte dès le cycle suivant. Cela signifie simplement que l'on se donne la possibilité de concevoir, et que la nature (ou la Providence) décidera. Cette notion d'attente possible va certes à l'encontre de l'idée actuelle que l'on programme une naissance comme un voyage, mais les choses sont moins mathématiques.

« Un enfant si je veux, quand je veux », ce slogan qui a eu son heure de célébrité peut induire les couples en erreur, et les plonger dans le désarroi : « J'ai passé l'agrégation sans problème, et je ne vais pas arriver à avoir un enfant ? » L'impatience des couples à avoir un enfant à la minute où ils le souhaitent est certes compréhensible ; elle est d'ailleurs souvent d'autant plus grande que la période de non-désir a été plus longue.

Mais l'impatience ne doit pas pour autant conduire les couples à penser à la possibilité d'une stérilité, et à consulter trop rapidement un médecin. On conseille en général cette consultation après – au minimum – un an, voire deux ans sans grossesse, surtout si la femme est encore jeune.

Et si le médecin lui-même parlait d'infertilité, ne pensez pas que tout espoir soit perdu. L'infertilité peut avoir de nombreuses causes dont la prise en charge est le plus souvent possible.

ET L'ÂGE, QUELLE INFLUENCE A-T-IL SUR LA CONCEPTION ?

Théoriquement, la conception est possible tant qu'il y a ovulation, c'est-à-dire jusqu'à la ménopause. Pratiquement, la fertilité de la femme commence à diminuer légèrement à partir de 30 ans. Et après 35 ans, la baisse de la fertilité s'accentue (voyez la courbe page suivante). Au fur et à mesure que passent les années, une grossesse survient plus difficilement : l'ovule est moins fécondable ; de plus, l'embryon, même s'il réussit à s'implanter, peut ne pas être de bonne qualité : dans ce cas, la fausse couche est inévitable, dépassant 30 % après la quarantaine.

Et pourtant le nombre de femmes désirant avoir un enfant au-delà de 30 ans augmente régulièrement. Elles sont alors confrontées à la force, presque à l'urgence de leur désir d'enfant et à la difficulté à le réaliser. À vous qui avez dépassé la trentaine et qui souhaitez être enceinte, nous disons de ne pas attendre et de ne pas idéaliser le meilleur moment pour avoir un enfant (« Ce sera mieux plus tard, nous serons mieux installés », « Ma situation professionnelle sera meilleure » « Nous nous sentirons vraiment prêt à accueillir notre bébé »). Les chiffres sont là : plus l'âge avance, plus la fécondité diminue.

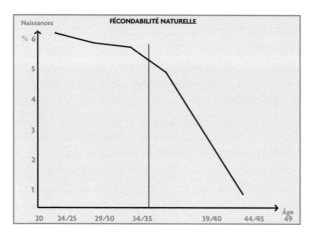

Comme le montre cette courbe, la fécondabilité (c'est-à-dire la probabilité de naissance) de la femme diminue après 30 ans et la baisse s'accentue après 35 ans.

ÀGE ET FERTILITÉ MASCULINE

L'âge joue chez la femme, mais aussi chez l'homme. On croyait jusqu'ici que tous les hommes pouvaient enfanter jusqu'à 80 ans. Des statistiques montrent que la fertilité masculine diminue avec l'âge. Mais par rapport à la diminution de la fertilité féminine, celle des hommes est plus tardive, plus progressive, en un mot moins brutale. Les chiffres montrent également que, quelque soit son âge, l'homme d'aujourd'hui est moins fertile que celui d'hier. Et c'est le plus souvent l'homme qui est en cause dans l'infécondité des couples (p. 108). Enfin le tabac semble diminuer la fertilité aussi bien de l'homme que de la femme, ainsi qu'un environnement de plus en plus défavorable.

POUR CONNAÎTRE LES JOURS FERTILES

Pour connaître le moment de l'ovulation, donc vos périodes de fécondité, vous pouvez établir une courbe de température ou bien utiliser des tests d'ovulation. Mais ne soyez pas obsédée par cette date de l'ovulation. Certaines femmes, tellement désireuses d'être enceintes, axent leur sexualité sur ce moment, ce qui peut être perturbant pour elle et leur conjoint. Elles font des courbes de température tous les mois pendant des années (c'est fastidieux), ou bien utilisent régulièrement des tests d'ovulation ou des tests de grossesse (c'est coûteux). Pour repérer le moment de l'ovulation, il est en général suffisant d'établir des courbes pendant trois mois.

LA COURBE DE TEMPÉRATURE

Prenez votre température tous les matins, avant de vous lever : une activité même minime peut faire monter la température de quelques dixièmes. Notez-la sur un graphique spécial que vous aurez demandé au pharmacien. Commencez à prendre votre température dès la fin des règles. À mesure que les jours passent, vous constatez des hauts et des bas dans votre tracé. Ils sont minimes. Mais, un jour, vous remarquerez une nette élévation de niveau : si, par exemple, la courbe se situait jusqu'alors aux alentours de 36°5, vous verrez que le tracé est monté à 37°, même s'il y a des hauts et des bas minimes autour de ce chiffre. Puis, un jour, la température redescend à son niveau initial (36°5 dans l'exemple choisi). Ce jour est celui de la veille des nouvelles règles.

Regardez maintenant la courbe qui s'est dessinée au cours du cycle. Vous remarquerez qu'il y a une période de température basse et une période de température haute. C'est ce décalage qui permet de repérer le moment où a lieu l'ovulation : le décalage de la température peut se produire en 24 heures, mais parfois aussi en quelques jours. Dans le premier cas, l'ovulation se situe le dernier jour de la température basse. Dans le second cas, elle se situe le premier jour où la température commence à monter. Connaissant le moment où se produit l'ovulation, vous saurez les jours où les rapports peuvent être fécondants. Ce sont :
• le jour de l'ovulation, bien sûr
• les quelques jours qui précèdent cette ovulation.

Cette courbe de température qui vous a permis de repérer le moment de l'ovulation pourra aussi vous indiquer si une grossesse a commencé, car dans ce cas la température ne descend pas : la température haute se maintient au-delà des 14 jours. Cette température haute, en l'absence de règles, est même un des premiers signes de grossesse.

Certaines femmes se rendent compte très naturellement du moment de l'ovulation : quelques heures, voire une journée avant, elles sentent nettement une douleur au moment où le follicule se rompt et où l'ovule est expulsé. La douleur peut être importante mais toujours brève : c'est le syndrome ovulatoire, parfois accompagné d'une goutte de sang.

LES TESTS D'OVULATION

Il existe des tests vendus en pharmacie (entre 15 et 45 € les sept dosages) qui permettent de dépister soi-même l'ovulation. Leur principe est de déceler l'apparition dans les urines d'une hormone fabriquée par l'hypophyse (appelée en abrégé LH), chargée de provoquer l'ovulation qui a lieu 24 à 36 heures plus tard. Pratiquement, le mieux est de faire un test chaque jour dans la période qui précède l'ovulation. Dès que le test devient positif, vous savez que l'ovulation aura lieu dans les 24 à 36 heures.

| **EXEMPLE DE COURBE DE TEMPÉRATURE** | **PÉRIODE INCERTAINE** | **FÉCONDITÉ MAXIMUM** | **PÉRIODE STÉRILE** |

Dans ce cas, la température a décalé en 24 heures : l'ovulation se situe au dernier point de température basse. (Horizontalement chaque carreau représente un jour)

37°5

37°

36°5

Règles   Ovulation

À QUELLES FEMMES CONSEILLER UNE CONSULTATION AVANT LA CONCEPTION ?

Il y a quelques années, les femmes passaient au moment de leur mariage une consultation médicale. Aujourd'hui la consultation prénuptiale a pratiquement disparu et, de toute façon, la moitié des mamans qui accouchent ne sont pas mariées. C'est pourquoi une consultation avant la conception peut être utile à certaines femmes souhaitant être enceintes ; elle sera l'occasion de faire le point et de s'assurer que la grossesse espérée ne va pas poser de problème pour leur santé et celle de leur futur bébé.

DANS QUELLES SITUATIONS MÉDICALES EST-IL RAISONNABLE DE DEMANDER UN AVIS ET À QUI S'ADRESSER ?

Le gynécologue-obstétricien est le mieux placé pour donner cet avis et, dans certains cas particuliers, il prendra éventuellement l'avis de confrères spécialistes, comme un cardiologue, un diabétologue, un neurologue, un psychiatre, notamment si vous êtes hypertendue, diabétique, soignée pour épilepsie ou pour des troubles psychiatriques. Si vous souffrez d'une de ces maladies, vous êtes sûrement au courant des risques que peut constituer la grossesse et il est particulièrement important de contrôler ou de modifier le traitement en cours ; il en est de même en cas de maladie de cœur. Mais ne modifiez pas ni n'interrompez votre traitement sans avis médical : c'est ce que font certaines femmes, craignant que leur traitement soit néfaste pour leur bébé si une grossesse survient.

• Il existe d'autres situations médicales dans lesquelles il est vivement recommandé d'avoir un avis médical, ce que les femmes ne savent pas toujours. C'est le cas de l'obésité, de l'asthme, des antécédents de thrombose, des affections de la glande thyroïde ou des maladies auto-immunes comme le lupus.

• Si vous avez déjà été enceinte et si vous avez eu des complications comme des fausses couches à répétition, la perte d'un bébé au cours de la grossesse ou au moment de la naissance, un accouchement prématuré, si vous avez eu une césarienne notamment à cause d'une pré-éclampsie : là encore il est souhaitable de consulter un obstétricien ; il en est de même si vous savez que vous avez une malformation utérine, ou si votre mère a pris du Distilbène.

• Par ailleurs, sachez qu'il existe des consultations de génétique dans les CHU (Centres Hospitalo-Universitaires, dans toutes les grandes villes) et que chaque fois qu'un risque génétique est connu dans la famille, il vous sera précisé le niveau de risque d'avoir la même maladie et si celle-ci peut être dépistée avant la naissance.

• Si vous fumez (tabac ou cannabis), s'il vous est difficile de ne pas boire d'alcool, n'hésitez pas à prendre contact avec une consultation de tabacologie ou d'addictologie afin de vous faire aider.

Tous ces motifs de consultation avant la conception sont traités dans ce livre à chaque maladie ou trouble évoqués ici.

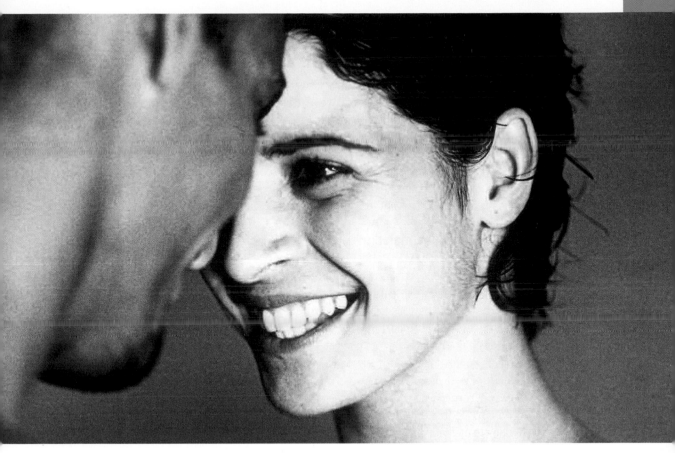

C'est oui, et tout va changer dans votre vie

« J'attends un enfant » : il est peu de mots qui ont autant de résonances dans l'esprit d'une femme. Dès le moment où elle est sûre d'être enceinte, des sentiments nombreux et contradictoires l'envahissent.

Ce n'est jamais tout simplement : « Je suis très heureuse » ou bien « Vraiment, ce n'était pas le moment. » À la joie se mêle la crainte devant l'inconnu, à une éventuelle déception se mêle la fierté d'être capable d'avoir un enfant.

Et à ces différents sentiments s'ajoutent mêlés : la joie d'avoir un enfant de l'homme qu'on aime, l'émotion d'être en face d'un événement lourd de conséquences, l'excitation, car l'on devine que l'on ira de découverte en découverte, parfois le désarroi devant une situation inconnue si c'est un premier enfant, la curiosité de vivre à son tour l'aventure de la maternité, l'inquiétude de voir son corps se déformer, la crainte de moins plaire à son mari, etc. Mais, dans tous les cas, domine une certitude : rien ne sera plus comme avant.

« J'attends un enfant » : en entendant ces mots dits par sa femme, l'homme se sent ému, bouleversé même. Il est soudainement confronté à un événement exceptionnel, sans avoir eu le temps de se préparer, sans avoir vécu dans son corps les signes annonciateurs de la grossesse. Cette forte émotion provoque souvent des sentiments contradictoires : plaisir et déception, excitation et désarroi, fierté et inquiétude. Et lui aussi sait que maintenant une nouvelle vie l'attend.

Il est difficile, même avec beaucoup d'imagination, de prévoir le bouleversement qu'amènera dans la vie d'une femme, dans la vie d'un couple, la venue d'un enfant. Tout va dépendre du caractère de chacun, de sa personnalité, de ses préoccupations particulières. Les changements vont concerner aussi la vie quotidienne. C'est le moment où tous les jeunes couples se posent la question : « Qu'est-ce qui va changer dans la vie de tous les jours, qu'est-ce qui devrait changer ? » À cette question, nous répondons dans le chapitre suivant, où nous parlerons travail, voyage, sport, etc.

La grossesse n'est pas une maladie

Pendant ces neuf mois, vous allez vous rendre régulièrement à une consultation médicale, passer des échographies, faire des examens de laboratoire. Tout cela est fait pour s'assurer que votre grossesse évolue de façon naturelle, ce qui est le plus souvent le cas. Et vous serez informée des quelques précautions à prendre dans la vie de tous les jours pour protéger au mieux la santé de votre bébé.

Malgré cette si nécessaire et importante surveillance médicale, malgré une certaine vigilance à observer, vous n'êtes pas « malade » parce que vous attendez un enfant. Entourée d'appareils et de soins de plus en plus sophistiqués, la future maman pourrait se croire patiente d'un nouveau type : saine mais à soigner. Non, la grossesse n'est pas une maladie, elle est un état normal, physiologique, un état prévu, auquel l'organisme tous les mois se prépare. Vous le lirez au chapitre 5 : chaque mois, un ovule s'attend à rencontrer un spermatozoïde pour former l'œuf, la première cellule d'un nouvel être humain. Et dès le moment où l'œuf est formé, où l'enfant a été conçu, l'organisme se modifie ; mois après mois, le corps d'adapte à son nouvel état et se prépare à l'accouchement. C'est cela la grossesse, elle entre dans le processus normal de la vie d'une femme. Voyez le chapitre 2, concernant la vie quotidienne : il y a certes des précautions à prendre, vous serez parfois fatiguée, vous pourrez avoir envie de vous coucher plus tôt ; mais la vie ne s'arrête pas lorsqu'on est enceinte : on peut travailler, se déplacer, se divertir, faire du sport, etc.

Et si au cours des consultations, avec le résultat des différents examens, le médecin, ou la sage-femme, constatait la présence ou la survenue d'éléments anormaux susceptibles d'avoir un retentissement sur vous-même ou votre bébé, il prendrait toutes les mesures qui conviennent afin que la grossesse se poursuive dans les meilleures conditions : échographies supplémentaires, examens particuliers, voire brève hospitalisation. Vous seriez alors surveillée plus étroitement et bénéficieriez d'une prise en charge particulière. Nous parlons de tout cela en détail au chapitre 9, *La surveillance médicale de la grossesse*.

VOUS SEREZ PEUT-ÊTRE INQUIÈTE

Passée la première émotion, cette certitude : « J'attends un enfant » va mettre un certain temps à s'imposer dans votre vie. C'est peu à peu que vous allez vous habituer à cette idée, vivre avec elle. Puis l'idée prendra forme et deviendra un visage : vous essaierez d'imaginer cet enfant. Sera-t-il blond ou brun, aura-t-il les yeux bleus ou gris, vous l'imaginerez déjà dans vos bras, vous vous verrez l'entourant de tous vos soins.

Mais pourquoi attendre ? Mettez tout ce futur au présent, il est là, votre enfant, il est déjà blond ou brun, tous ses caractères physiques ont été déterminés dès l'instant de la conception. Et la couleur de ses yeux, et la taille qu'il aura, et la couleur de ses cheveux. Il est en vous, il vit.

L'enfant est vivant dès la conception : c'est dès cet instant, et surtout les premières semaines suivant sa conception, qu'il a besoin de vos soins. En ce moment, il édifie ses os, ses muscles. C'est votre corps, par l'intermédiaire du placenta, qui lui fournit la nourriture et l'oxygène dont il a besoin. Mais certains microbes, certaines toxines peuvent traverser la barrière placentaire et risquent d'infecter le bébé. C'est pour cela qu'il est important de savoir rapidement si on est enceinte ou non.

Vous serez peut-être inquiète, beaucoup de futures mères le sont et le disent, surtout si c'est la première fois qu'elles sont enceintes. Voici quelques unes des préoccupations qui reviennent souvent :

« - Je suis devenue enceinte le premier mois après l'arrêt de la pilule.

- J'ai continué de faire de l'aérobic sans savoir que j'étais enceinte.

- J'ai, au cours d'une ou deux soirées, bu un peu trop d'alcool.

- J'ai continué de fumer pendant quelques jours.

- J'ai pris de l'aspirine pour un mal de tête ou de dos... »

Rassurez-vous. Aucun de ces éléments n'est dangereux en soi. Par contre, maintenant que vous vous savez enceinte, prenez les précautions dont nous parlons dans ce livre. *J'attends un enfant* a été écrit pour vous informer. Cette information est l'élément primordial de cet ouvrage, c'est elle qui saura le mieux vous rassurer. Cela ne nous empêchera pas de vous signaler, chemin faisant, les symptômes vraiment inquiétants et de vous alerter pour que, le cas échéant, vous preniez au sérieux tel signe qui vous aurait paru anodin. En revanche, chaque fois que vos craintes seront injustifiées, chaque fois que vous serez inquiète pour avoir cru un des préjugés qui entourent encore la grossesse, nous vous rassurerons.

Grâce à ce livre, nous l'espérons et le souhaitons, vous serez bien informée, alertée si nécessaire, rassurée à bon escient. C'est ainsi que vous aurez confiance en vous, en votre capacité à mener à bien cette tâche exceptionnelle : porter votre bébé et le mettre au monde.

Vous avez peut-être d'autres craintes : en devenant mère, saurez-vous préserver votre identité ? Cet enfant ne va-t-il pas submerger toutes vos occupations et préoccupations actuelles ? Et ces craintes peuvent être renforcées par l'entourage qui complaisamment répète : « Tu vas voir, ta vie va complètement changer. » C'est vrai et c'est faux. Oui, au début les tâches matérielles vont être envahissantes, mais après la période d'organisation, peu à peu, vous saurez les dominer ; et les progrès rapides et spectaculaires du bébé empêcheront toute routine de s'installer. En plus, avoir une nouvelle responsabilité peut vous permettre de vous affirmer, vous rendre plus indépendante de votre entourage.

Profitez de vos mois de grossesse. Attendre un enfant est une aventure de maturité, une étape dans l'histoire d'une femme, dans une vie. C'est une attente riche de sensations nouvelles, de surprises, de projets, de rêveries.

QUAND ACCOUCHERAI-JE ?
SI C'EST LA QUESTION QUE VOUS VOUS POSEZ DÈS MAINTENANT, LISEZ LA PREMIÈRE PARTIE DU CHAPITRE 11, « DATE PRÉVUE ».

DES CHIFFRES RASSURANTS
SACHEZ QUE 90 % DES GROSSESSES ÉVOLUENT NATURELLEMENT, SANS INCIDENT PARTICULIER ET QUE LA PLUPART (AUTOUR DE 93 %) SE POURSUIVENT HEUREUSEMENT JUSQU'AU TERME.

Attendre à deux
L'évolution psychologique des futurs parents

S'il est vrai que la femme porte l'enfant dans son corps, psychologiquement, affectivement, intellectuellement, un enfant s'attend à deux, ce que les futures mères apprécient. Aujourd'hui, les pères se sentent très concernés par l'attente, ils souhaitent se préparer à la paternité. Ils assistent aux échographies, parfois aux consultations prénatales, aux séances de préparation à l'accouchement. Ils sont de plus en plus nombreux à être présents à la naissance de leur enfant. Le domaine si longtemps fermé de la grossesse et de l'accouchement s'est peu à peu ouvert aux hommes.

Mais pour que « attendre à deux » ne reste pas qu'une formule, encore faut-il que chacun comprenne les réactions de l'autre. L'attente d'un enfant provoque chez la mère, comme chez le père, des transformations, des remaniements psychologiques qui peuvent être déroutants. Contrairement aux idées reçues, la grossesse n'est pas seulement un moment de pur bonheur. Des souvenirs enfouis peuvent ressurgir, des émotions peuvent provoquer de la tristesse, la relation avec sa propre mère se modifier. L'équilibre du couple est parfois perturbé. Il n'est pas toujours facile de se comprendre : ce que chacun ressent, désire, n'est plus en harmonie, cela peut créer des tensions et des doutes. Dès le début de la grossesse, il est important que la mère et le père prennent le temps de parler ensemble, soient attentifs aux émotions et sentiments de l'autre.

DEVENIR MÈRE

Certaines femmes, en devenant enceintes, changent complètement. Chez d'autres, ni le caractère ni le comportement ne semblent apparemment modifiés. C'est pourquoi vous estimerez peut-être en lisant ce chapitre que nous avons trop insisté sur telle ou telle particularité de la future mère, ou au contraire que nous l'avons insuffisamment mise en valeur. La psychologie n'est pas une science exacte ; chaque femme a sa manière à elle de devenir mère, chaque femme vit une expérience singulière qui dépend de son histoire, de son caractère, de son éducation, de son entourage. Mais, d'une manière générale, la future mère a une psychologie particulière qui évolue avec les mois. Cette évolution est si intimement liée aux transformations physiques qu'on a pris l'habitude de diviser la grossesse en trois trimestres, comme on la divise en trois trimestres du point de vue physiologique.

AU PREMIER TRIMESTRE : INCERTITUDE ET AMBIVALENCE DES SENTIMENTS

La période d'incertitude se réduit de plus en plus avec la précocité et la rapidité des tests. « Est-ce que je suis enceinte ? » Dès les premiers jours de retard, il suffit de quelques heures, parfois même de quelques minutes, pour avoir la réponse. Mais cela n'empêche pas que, même lorsqu'une femme sait qu'elle attend un enfant, elle a parfois de la peine à y croire (« Est-ce bien moi, est-ce bien vrai ? »). Souvent, elle n'en est vraiment convaincue que lorsqu'elle sent son enfant vivre en elle ou qu'elle a vu son « image » lors d'une échographie. C'est d'ailleurs le moment que le couple choisit pour annoncer la nouvelle et partager avec la famille, les amis, la joie d'attendre un enfant.

Des sentiments contradictoires

Dans les premiers temps de la grossesse, même chez les femmes très heureuses d'être enceinte, la joie peut alterner avec des moments d'anxiété, de doutes, une irritabilité. Ce n'est pas encore la crainte de l'accouchement mais une crainte diffuse faite de plusieurs éléments : peur de l'inconnu (surtout pour un premier enfant), ignorance de « ce qui se passe », de cette vie intra-utérine, peur d'avoir un enfant anormal, inquiétude liée aux changements qui s'annoncent, interrogations sur ses capacités à être mère, peur de ne pas être à la hauteur, de décevoir, crainte que le conjoint ne s'écarte pendant ces quelques mois, etc.

Désir de grossesse et désir d'enfant ne coïncident pas toujours. Une femme peut chercher avant tout à se prouver qu'elle peut devenir mère, elle veut se rassurer sur sa fertilité, son pouvoir de procréation, sans penser nécessairement à l'enfant. Et même si le désir d'enfant a été très présent, la grossesse peut être perturbante : attendre un enfant diffère vraiment de la volonté d'avoir un enfant. Cela explique les sentiments (conscients et inconscients) plus ou moins ambivalents que les futures mères éprouvent à l'égard du bébé qu'elles portent.

Une autre crainte peut dominer le premier trimestre : celle d'un accident car les femmes savent en général que les fausses couches se produisent surtout au cours des trois premiers mois (c'est souvent pour cette raison que les mères attendent pour annoncer la nouvelle à l'entourage). Écoutez cette mère : « Au début c'était la joie d'être enceinte. Puis j'ai eu quelques saignements et peur d'une fausse couche. Une échographie m'a heureusement montré que le bébé était bien vivant, je me suis sentie apaisée. J'avais l'impression que rien ne pourrait me sortir du bien-être que j'éprouvais.»

Le temps de la grossesse est parfois comparé à la période de l'adolescence, ce passage entre l'enfance et l'âge adulte. Devenir mère est un temps particulier, entre un « avant » et un «après » ;

ce changement d'identité, accompagné de transformations corporelles, hormonales, psychiques, fait en effet penser à la période adolescente et au mal-être qui peut en découler. Voir son corps se transformer, prendre du poids, avoir des nausées, se sentir fatiguée, peut déstabiliser, déprécier l'image que la femme enceinte a d'elle-même. Les couples sont surpris, voire inquiets, des émotions qui surviennent. Les mères se sentent vulnérables, sans vraiment savoir pourquoi. « Je porte un enfant, donc la vie, et je ressens comme un malaise ; je ne sais pas ce qui m'arrive. », disent certaines femmes. On peut comprendre qu'attendre un enfant soit d'une telle importance, un tel enjeu, personnel, familial, social, que cet événement puisse être une source de fragilité. Il ne faut pas s'inquiéter, cet état est passager et se transforme le plus souvent en une expérience enrichissante qui fait mûrir et prépare le couple à devenir parents.

Entre mère et fille

La crainte de l'inconnu entraîne souvent une sorte de régression, la femme se sent démunie, dépendante. C'est peut-être cette peur de l'inconnu qui la rapproche de sa mère qui a l'expérience de la maternité. Selon les cultures, l'entourage favorise d'ailleurs cet état un peu régressif et y répond avec un certain empressement : par exemple dans les pays maghrébins, la période de la grossesse est tout à fait valorisée ; dans nos pays, bien que moins attentifs, la femme enceinte est en général l'objet de sollicitude de la part de son entourage.

D'ailleurs, plus ou moins consciemment, la future mère se plaît à cet état un peu particulier, d'autant qu'elle se sent plus émotive, plus fragile, physiquement et psychologiquement ; elle a envie qu'on s'occupe d'elle, qu'on l'entoure. Elle balance entre peur et fierté d'accéder à ce nouveau monde. Mais en même temps qu'elle vit cette sorte de régression, la future mère se sent devenir pleinement adulte, puisqu'à son tour elle va avoir un enfant.

Lorsqu'elle attend un enfant, surtout au cours de la première grossesse, la femme est entraînée dans un mouvement d'identification à sa propre mère ; les liens, les échanges qu'elle a eus avec elle dans sa toute petite enfance, la chaleur, la tendresse, le dévouement dont elle a été entourée, tout ceci affleure plus ou moins à la conscience. Lorsque mère et fille s'entendent bien, leurs relations se transforment, s'approfondissent. Elles sont heureuses d'évoquer des souvenirs anciens, de regarder des photos. C'est en s'appuyant sur son histoire personnelle, sur ces relations précoces, que la future mère va développer les premiers liens avec son enfant. Les femmes qui n'ont pas de références maternelles positives s'inquiètent souvent de ne pas pouvoir être à la hauteur dans leur nouveau rôle. Si vous êtes dans cette situation, n'hésitez pas à demander de l'aide si vous en ressentez le besoin. Devenir parent est parfois complexe, jamais impossible.

Devenir mère, c'est aussi pour la femme se détacher de sa propre mère pour assumer les responsabilités qui découlent de son nouveau statut. Certaines grands-mères acceptent difficilement de s'effacer ; elles maintiennent avec leur fille des rapports de proximité, voire de domination ou de rivalité.

POUR EN SAVOIR PLUS
À celles qui sont intéressées par l'expérience intérieure de la maternité, nous recommandons le livre de Monique Bydlowski, psychiatre, psychanalyste, directeur de recherches à l'INSERM : **Je rêve un enfant***, Odile Jacob Poche. Ambivalence du désir d'enfant et du sentiment maternel, sensibilité et vulnérabilité des femmes enceintes, complexité du lien mère-fille, crise maturative de la grossesse, angoisse de l'accouchement, etc. : à travers ces différents thèmes, ce livre veut aider les futures mères à comprendre la richesse intérieure qu'elles vivent. L'auteur s'adresse aussi à celles qui ont des souvenirs douloureux de perte d'enfants avant la naissance, ou d'infertilité.*

Ce qui peut provoquer des tensions. Les mères, ou belles-mères, trop interventionnistes sont souvent mal supportées par les futurs parents. Ainsi cette jeune femme agacée par tous les achats que sa mère fait pour le bébé ; ou bien ce futur grand-père, qui investit trop dans son prochain petit-enfant, en parle tout le temps, fait des projets, etc., et du coup se fait rejeter. Mais d'autres pères savent rester apaisants, discrets, tout en manifestant à leur fille leur fierté et leur reconnaissance d'avoir un petit-enfant.

Lorsqu'une mère voit sa fille devenir mère, il arrive que ce soit un passage pour elle aussi. Elle prend conscience de la force des liens qui existent entre sa fille et son compagnon et elle peut éprouver un sentiment d'abandon, d'exclusion. Cela d'autant plus fortement qu'elle sait que, pour elle, le temps de la maternité est dépassé. Devenir grand-mère n'est pas toujours facile, un équilibre est à trouver. Être conscientes de ces ressentis permet de mieux se comprendre et de garder des limites, de part et d'autre, sans dramatiser.

Bien souvent, heureusement, la prochaine naissance rapproche mère et fille : plaisir bien sûr d'avoir un petit-enfant, mais aussi que sa fille puisse être mère à son tour, dans la continuité des générations ; bien des nouvelles grands-mères aiment offrir à leur fille un bijou pour marquer le nouveau lien qui les unit. De son côté, sa fille éprouve un sentiment de gratitude, elle sait qu'elle peut compter sur l'expérience et la bienveillance de sa mère.

La première échographie

Il n'y a pas si longtemps, il fallait attendre neuf mois pour découvrir le sexe du bébé, connaître son poids et sa taille, être parfois confronté à une anomalie de développement. Aujourd'hui, l'échographie montre une réalité de l'enfant alors que la mère se sent à peine enceinte. La première échographie dévoile l'existence d'un être qui vit en elle et se développe lui-même, indépendamment d'elle. L'échographie peut être vécue comme une intrusion. « J'ai l'impression d'être transparente et d'exposer ce que j'ai de plus intime » disent certaines femmes. En voyant à la fois son corps et celui de son bébé, la mère éprouve un sentiment étrange, parfois inquiétant. En même temps, l'échographie marque une étape importante au début de la grossesse. La nomination par l'échographiste des différentes parties du corps du bébé donne à cette image un statut particulier, le petit être en devenir acquiert une réalité, la mère a la preuve que les mouvements perçus à l'intérieur de son ventre correspondent à un enfant réel. Et pour le père, même si la première échographie est une représentation « obscure », elle favorise la rencontre avec son enfant. Les premiers liens des parents avec leur bébé se tissent.

Des situations particulières

Après une fausse couche, une interruption médicale de grossesse, la perte d'un bébé avant la naissance, la femme peut avoir de la peine à se sentir enceinte. Les couples sont surpris de ne pas éprouver de joie à l'annonce de la grossesse. Ils craignent un nouveau drame. Au cours des premiers mois, la femme vit sa grossesse avec une certaine distance, elle ne veut pas y croire. Elle ne parle pas de son bébé, elle hésite à penser à lui. Le couple attend souvent plusieurs mois avant d'informer son entourage de la nouvelle grossesse. L'angoisse est présente à chaque examen qui est vécu comme une étape, un obstacle surmonté, dans un parcours difficile ; elle peut persister jusqu'à l'accouchement. La plupart des couples ne seront soulagés que lorsqu'ils verront leur bébé bien portant. Pour rassurer la future mère, l'aider à se représenter cette grossesse comme différente des précédentes, le soutien de l'équipe de la maternité est particulièrement important.

D'autres femmes, bien qu'émues de se savoir enceintes, n'éprouvent pas de sentiment de bonheur, elles acceptent difficilement leur grossesse ; elles sont inquiètes des responsabilités à venir, surtout si celle-ci survient à un moment de grandes difficultés (financières, de logement, tensions dans le couple, etc.), parfois aussi sans raison apparente. Vous pouvez vous entretenir de ce qui vous préoccupe avec une personne de votre choix : médecin de famille, sage-femme, psychologue, assistante sociale. Parler est un acte difficile mais c'est souvent le moyen privilégié pour comprendre ce qui se passe, pour soulager un malaise et du coup avoir accès à l'émerveillement de cette prochaine naissance.

LE DEUXIÈME TRIMESTRE EST CELUI DE L'ÉQUILIBRE

Il est possible d'essayer d'expliquer à un homme l'état d'esprit d'une future mère, mais il est difficile de lui décrire les sentiments d'une femme qui pour la première fois sent vivre en elle son enfant.

L'émotion est si forte, si profonde qu'une femme n'en parle d'ailleurs pas facilement, comme si la pudeur l'en empêchait. Avec ces premiers mouvements commence entre elle et son enfant une relation qui se prolongera bien au-delà de la naissance, un lien singulier et mystérieux s'établit entre eux.

COMMENT UNE FEMME DEVIENT-ELLE MÈRE ?
*Par quelles étapes passe-t-elle pour acquérir sa nouvelle identité ? À ce sujet, Daniel Stern et Nadia Bruschweiler-Stern ont consacré tout un livre très intéressant : **La naissance d'une mère** (Odile Jacob Poche).*

Ces premiers mouvements ont une grande importance pour toutes les femmes. Celles qui n'osaient montrer leur plaisir s'y abandonnent maintenant qu'elles sont sûres d'une présence. Et pour celles qui au début ont de la peine à accepter cet enfant, cette période des premiers mouvements est capitale. Souvent ce signal, venu de l'enfant lui-même, apaise leurs hésitations.

La mère a déjà eu d'autres preuves de la présence de son enfant. Le médecin lui a fait entendre les bruits du cœur, puis grâce à l'échographie, elle a vu battre ce cœur. Mais souvent ces preuves lui font moins d'impression que les premiers mouvements. La mère les perçoit au plus profond d'elle-même. « J'ai vu battre son cœur, je l'ai entendu, j'étais émue mais un seul petit mouvement de son pied dans mon ventre m'a bouleversée », nous a écrit une lectrice. Ce signe – celui-là ou un autre – qui donne à la future maman la confirmation « objective » de sa maternité est un moment important : il lui permet de se laisser aller à imaginer son bébé. En l'imaginant, elle le fait exister, elle lui donne une place bien avant la naissance.

Cette présence de l'enfant agit sur les pensées et l'imagination : les changements d'humeur, les angoisses diminuent lorsque la réalité de la grossesse est mieux perçue (mouvements, échographie). Elle agit aussi sur le corps, ce qui montre à quel point l'un et l'autre sont liés : par exemple, les nausées disparaissent, le sommeil revient, l'appétit également. Ce deuxième trimestre s'ouvre sous les meilleurs auspices. Il s'écoule plus paisible ; les incidents sont rares, les complications exceptionnelles. Vers 4-5 mois, la grossesse commence à se voir, mais elle n'est pas gênante. C'est souvent le moment que les mères choisissent pour acheter quelques vêtements adaptés et ainsi se sentir plus à l'aise. Selon leurs goûts, leur personnalité, certaines chercheront plutôt à cacher leur ventre, d'autres aimeront le mettre en valeur avec un bandeau de couleur ou des tenues ajustées.

TROP D'ÉCHOGRAPHIES
ou de plus en plus sophistiquées, comme celles en 3D, peuvent appauvrir le mystère de l'attente, la rêverie nécessaire à l'imaginaire, si importants dans l'établissement des premiers liens maman-bébé. Elles peuvent aussi inquiéter. C'est ce que disent des équipes de maternité, obstétriciens, sages-femmes, psychologues.

Pendant la grossesse, le corps de la femme se transforme pour accueillir son enfant. C'est tout le corps qui s'adapte au développement du bébé et se prépare à accoucher dans les meilleures conditions : le ventre s'arrondit, le poids change, les seins gonflent et deviennent fermes. Beaucoup de femmes craignent de n'être plus désirable aux yeux de leur conjoint. Arriver à s'accepter telle que l'on est pour le bien-être de son bébé aide à mieux vivre ces transformations corporelles. En plus, il s'avère que beaucoup d'hommes trouvent leur femme attirante pendant la grossesse, même avec quelques rondeurs. Ils sont émus et attendris par la beauté de ce corps qui porte leur enfant.

La grossesse est une période où les moindres gestes ou comportements, remarques ou questions autour de leur corps peuvent être mal interprétés ou susciter des émotions inhabituelles chez les femmes enceintes. Certaines supportent mal qu'une personne, pourtant de leur entourage, s'autorise à toucher leur ventre, sous prétexte par exemple que cela porte bonheur ; elles trouvent ce geste indélicat, une intrusion dans une intimité que l'on ne veut pas nécessairement partager. Le regard des autres sur ses rondeurs peut produire une certaine gêne chez la future mère. Mais les regards peuvent aussi être chaleureux et empathiques. Aude vient d'annoncer sa toute nouvelle grossesse à ses collègues. Elle est étonnée, et touchée, de voir que dès le lendemain son siège habituel a été remplacé par un fauteuil très confortable.

À la fin du second trimestre, le bébé commence à réagir au monde extérieur : il perçoit son environnement, la voix de ses parents, les sons, les émotions de sa mère, les caresses sur le ventre. La mère se sent disponible pour accueillir les premiers signes de vie de son bébé, c'est un temps propice à une rencontre intime prénatale. Il peut arriver que cette rencontre soit difficile, pour différentes raisons (grossesse compliquée, soucis personnels, etc.), osez demander de l'aide aux professionnels qui vous accompagnent.

AU TROISIÈME TRIMESTRE : DU BÉBÉ IMAGINAIRE AU BÉBÉ RÉEL

Au premier trimestre l'enfant était un espoir, puis une certitude ; au deuxième, il est devenu présence ; au troisième trimestre, la date de l'accouchement se rapproche, l'enfant monopolise les pensées, les intérêts, les préoccupations de la mère.

Tandis que les événements qui font la trame de la vie quotidienne paraissent la toucher de moins en moins au fur et à mesure que passent les semaines, la mère est attentive au moindre signe de développement de son bébé, à sa croissance, à sa position, à ses périodes de calme ou d'agitation. À partir de ses rêveries, de ses pensées, de la perception des mouvements, des images échographiques, la femme a peu à peu imaginé son bébé. Maintenant, elle lui attribue des qualités, l'intègre dans le cadre familial, fait des projets avec lui. Avec la naissance qui s'approche, l'enfant réel prend progressivement la place de l'enfant imaginaire. La mère, le père, se préparent à accueillir leur bébé tel qu'il est.

Cette préoccupation de l'enfant à venir est le fait saillant de ce troisième trimestre ; il est important que le père en soit averti et le comprenne. Sa participation à des groupes de paroles, aux consultations prénatales, à des séances d'haptonomie, lui permettra de ne pas se sentir exclu de la relation privilégiée que sa femme entretient avec leur enfant.

Au cours du troisième trimestre, certaines mères deviennent moins performantes sur le plan intellectuel : elles ont de la peine à s'intéresser à leur travail, elles sont moins attentives, elles ont des défaillances de mémoire. Des sentiments ou des pensées dépressives peuvent parfois apparaître.

Il ne faut pas hésiter à prendre contact avec le médecin généraliste, à en parler au cours d'une consultation obstétricale ou à s'adresser à un psychologue.

Les aînés

L'enfant bouge de plus en plus, même et surtout pendant le sommeil de sa mère et, par ses mouvements, il attire chaque jour un peu plus son attention. Cette présence rappelle les préparatifs à faire : un berceau à acheter, une layette à compléter, une préparation d'accouchement à suivre. On dirait parfois que la future mère désire s'isoler, même de ceux qu'elle aime, ce que sentent bien les aînés. Tout enfant sachant que sa mère est enceinte est habité par des sentiments ambivalents, à la fois positifs et agressifs car il désire rester le seul, l'unique, pour ses parents. Les signes de régression de l'aîné traduisent cette inquiétude de perdre sa place privilégiée : les enfants cherchent à provoquer par tous les moyens l'attention et le contact avec leur mère ; ils refusent de s'habiller, de manger seuls, ils exigent leur maman au coucher, ils l'appellent au cours de la nuit, ils mouillent de nouveau leur lit. Les enfants expriment ainsi leur crainte et c'est aux parents de les rassurer en leur montrant l'attachement qu'ils leurs portent, tout en parlant du bébé qui va naître comme d'un événement familial naturel.

Après la naissance, les aînés sont en général ravis et curieux. Dans certains cas, ils conservent une jalousie et une agressivité à l'égard du bébé. Ils n'osent pas en parler mais leur comportement le montre. Si les manifestations deviennent excessives, il peut être bon pour eux de bénéficier d'un entretien avec un confident extérieur à la famille, parlez-en avec votre pédiatre.

Rêves et cauchemars

Lorsqu'on attend un enfant on rêve beaucoup, souvent d'une manière très intense, et en plus on s'en souvient (d'ailleurs tout au long de la grossesse, pas seulement à la fin). Des rêves de plénitude, d'enveloppement, d'eau ; mais ils se transforment parfois en cauchemars et peuvent être extrêmement violents, nous le signalons car c'est fréquent et cela inquiète. Il y a des mères qui craignent que ces rêves ne soient prémonitoires ; nous pouvons vraiment les rassurer, ce qui se passe est normal. Cette activité onirique est due à l'important remaniement psychologique de la grossesse ; il se passe la même chose dans toutes les périodes décisives de la vie, vous l'avez certainement observé, on rêve davantage. Ces rêves s'expliquent par ce que Monique Bydlowski appelle la *transparence psychique* de la femme enceinte. Pendant cette période, la mère revit avec intensité des événements qui ont traversé son enfance ; des souvenirs très anciens, parfois douloureux, jusque-là refoulés, affleurent à la conscience, émergent avec une facilité inhabituelle et se manifestent dans les rêves. Le passé peut aussi resurgir sous forme d'une tristesse sans motif, mais qui n'est pas une dépression. Dans certaines maternités, les femmes enceintes peuvent avoir quelques entretiens avec un psychologue pour parler de ce qui les préoccupe : angoisses, phobies, cauchemars, etc., et y trouver un sens.

Les dernières semaines

Tout entière concentrée sur le bébé, la future mère n'en conserve pas moins son caractère. La grossesse est une évolution et non pas une révolution. Qu'elle soit de tempérament actif, elle courra les magasins, voudra installer le coin du bébé ; qu'elle soit plus nonchalante, elle s'évadera dans ses rêveries. Mais dans les deux cas, ses pensées, ses préoccupations tourneront autour de l'enfant et la future mère recherchera des livres de maternité ou de puériculture. Le troisième trimestre est souvent un moment où les mères, malgré le poids du bébé, malgré sa présence encombrante, le portent avec un bonheur manifeste qui suscite encore plus l'empathie.

Puis, à mesure que les semaines passent, que le bébé pèse plus lourd, que la future mère est moins alerte, une certaine lassitude apparaît et, avec elle, le désir que maintenant les événements se précipitent. Certaines mères s'inquiètent d'en vouloir à leur bébé qui tarde à venir. Qu'elles se rassurent, c'est un sentiment normal. Les dernières semaines semblent alors plus longues que celles qui ont précédé. D'ailleurs, cette impatience a un avantage : elle estompe l'appréhension de l'accouchement qui persiste toujours plus ou moins. On peut se demander pourquoi cette crainte demeure si souvent présente aujourd'hui alors que les progrès médicaux devraient rassurer. Cette peur est sans doute liée à l'inconnu, à cette expérience singulière vécue comme un passage initiatique. « Est-ce que tout va bien se passer ? » interrogent les mères. « Est-ce que la maman et le bébé vont bien ? » demande l'entourage lorsqu'on lui annonce la naissance.

À la veille d'accoucher, la mère est souvent saisie d'une grande activité, d'une envie de rangements, de nettoyage, de mise en ordre, de déménagement de mobilier, énergie qui contraste avec la lassitude des jours précédents. Elle est comme « un oiseau qui prépare le nid pour son petit ». C'est signe que la naissance est proche. Les pères, eux aussi, préparent le nid en bricolant, en installant la chambre.

DES DÉCISIONS À PRENDRE

En plusieurs occasions, la future maman peut avoir à entendre les conseils et expériences des uns et des autres : sa mère « parce qu'elle l'a mise au monde » ; le médecin ou la sage-femme auréolés d'expérience, de technique et de pouvoir ; l'amie, une sœur qui a déjà eu des enfants, parce que « je suis de ta génération et pas de celle de ta mère ».

Ces conseils sont utiles. Avoir une famille, un entourage, qui vous soutient est un confort appréciable à tous points de vue. Mais ce souci de protection peut devenir pesant, voire étouffant pour la future mère. Il est souhaitable que la société, la famille, les amis, gardent une bonne distance et n'exercent pas une forme de domination.

Lorsque vous serez bien renseignée sur ce qui se passe dans votre corps, bien au courant du développement de votre enfant, bien suivie par le médecin ou la sage-femme, c'est-à-dire assurée que du côté santé tout va bien, faites-vous confiance pour les décisions à prendre ; c'est d'abord vous qu'elles concernent. Qu'il s'agisse de votre désir – ou non – de connaître le sexe de l'enfant avant la naissance, de votre souhait – ou non – que votre conjoint assiste à l'accouchement, de votre désir – ou non – d'allaiter, de votre désir – ou non – de péridurale, renseignez-vous, écoutez les autres, discutez-en, mais qu'en dernier ressort ce soit votre choix qui l'emporte.

C'est vous qui êtes la plus impliquée dans cet événement, c'est de votre corps qu'il s'agit, c'est donc normal que ce soit d'abord à vous de choisir. Et c'est avec votre mari, votre compagnon, que vous aurez envie de partager les décisions.

FRAGILITÉ PSYCHOLOGIQUE OU ÉTAT DÉPRESSIF ?

Ce livre souhaite vous accompagner dans tous les temps de votre attente, ceux de bonheur et de sérénité, mais aussi dans les périodes difficiles. Chez certaines femmes, la grossesse représente une véritable épreuve physique et psychique. Des futures mamans peuvent ressentir des difficultés à appréhender le passage du statut de fille à celui de mère, sans pour autant traverser une dépression. Elles sont plus sensibles, plus fragiles.

Au premier trimestre, cette fragilité se manifeste par des changements rapides de l'humeur, la femme enceinte passe par des moments d'anxiété, d'irritabilité, qui peuvent exprimer la peur d'avoir un enfant anormal, ou de le perdre. Au cours du deuxième trimestre, l'instabilité émotionnelle diminue souvent, la mère est rassurée par les mouvements de son bébé et par les échographies. Au troisième trimestre, l'angoisse se focalise sur la peur de l'accouchement.

Quant aux états dépressifs de la grossesse, ils sont favorisés par des circonstances psychologiques ou des situations médico-sociales (difficultés affectives ou matérielles, antécédents personnels ou familiaux, grossesse à risques, grossesse à l'adolescence). Ils sont en général passagers ; plus rarement, ils peuvent durer toute la grossesse. Les manifestations sont les mêmes que dans une dépression classique : ralentissement de l'activité, manque de vitalité physique et psychique, perte de l'appétit, crises de larmes, sentiments d'impuissance et d'incapacité, de honte, de culpabilité. L'entourage ne sait comment aider la future maman et prodigue des conseils souvent inadaptés du genre : « Prends sur toi, pense à ton bébé, tu as tout pour être heureuse. »

D'une manière générale, une dépression pendant la grossesse ne permet pas de prévoir un état dépressif après la naissance. Mais il faut être vigilant lorsqu'une dépression se manifeste à proximité du terme car elle pourrait se prolonger au-delà de l'accouchement. N'hésitez pas à demander de l'aide à l'équipe qui vous suit : assistée de psychologues, elle est formée pour vous soutenir dans ces moments difficiles, pour soulager votre souffrance et conseiller votre compagnon. Et lorsque ces difficultés seront dépassées, vous sentirez qu'une étape de maturité aura été franchie.

LA NAISSANCE D'UN PÈRE

Chez l'homme, le désir d'enfant s'exprime rarement directement. C'est souvent sa compagne qui en parle et, s'il se sent prêt, l'homme adhère à ce projet d'enfant. Il arrive aussi que la femme recule la décision et finalement accepte le souhait de son conjoint à cause de l'âge qui avance.

Même lorsque la grossesse est attendue, l'homme est souvent surpris de l'annonce : « J'ai appris cela un soir en rentrant, dit Yves. C'est une surprise vraiment formidable. Même si on a voulu l'enfant, on a du mal à y croire. » « Moi, j'ai mis une semaine à le réaliser, dit Jean. Je ne cessais de dire à ma femme : en es-tu bien sûre ? » « J'ai été le premier à savoir, dit ce père. Ma femme était trop émue, elle m'a demandé de lire le résultat du test. »

L'idée qu'il va avoir un enfant suscite chez l'homme de nombreux sentiments, souvent contradictoires, tant en ce qui le concerne que vis-à-vis de sa femme.

Tout d'abord il est heureux puis il est fier de savoir qu'il peut procréer : la découverte de la grossesse est généralement ressentie comme une confirmation de sa virilité.
Futur père, il se rapproche de son père, il devient son égal et lui donne une nouvelle place, celle de grand-père. Ce changement peut l'inquiéter : il va devenir un autre. Sera-t-il à la hauteur ? Ce sentiment est parfois renforcé par l'entourage, les amis qui se font un plaisir de lui répéter : « Tu vas voir comme c'est difficile d'élever un enfant. » « La liberté c'est bien fini, adieu les sorties à l'improviste. » Mais d'autres trouvent les mots qui rassurent, ils savent transmettre les émotions éprouvées lors de la naissance de leur bébé et les joies qu'ils ont à s'occuper de leurs enfants.

Le père appréhende parfois de se sentir exclu du lien privilégié qui va se nouer entre sa femme et leur bébé. Il peut redouter que sa compagne organise un monde à deux, que l'enfant prenne sa place. Heureusement, malgré leur grande proximité avec le bébé, malgré leur préoccupation pour lui, bien souvent les mères ont l'intuition de ce sentiment et laissent le père prendre la place qui lui revient. Les échographies, les consultations prénatales, l'haptonomie, peuvent aider le futur père à se représenter son enfant, à lui donner une réalité, à se sentir proche de lui.

Même s'il ne ressent pas ces craintes, le père se rend compte que matériellement la vie va changer : les projets ne seront plus à faire pour deux mais pour trois, certains deviendront même impossibles – au moins au début. Et l'homme se sent d'autant plus responsable de cette nouvelle organisation que souvent sa femme attend de lui un soutien, des initiatives, de l'empathie.

La fierté d'un homme à l'idée d'avoir un enfant lui fait éprouver pour sa femme de l'admiration, de la reconnaissance, de la tendresse. Mais en même temps, cette femme qui va devenir mère lui semble tout à coup étrangère : il sent qu'elle devient une autre personne – il a raison d'ailleurs –, une personne qu'il lui faudra redécouvrir. L'irritabilité, la fragilité de sa compagne le surprennent, le désir sexuel s'estompe, le bébé à venir est au cœur des échanges. Il est important que la mère et le père prennent le temps de parler entre eux, de s'exprimer sur l'évolution de leurs relations sexuelles et amoureuses, d'être à l'écoute de ce que chacun ressent.

Ces sentiments sont plus ou moins ressentis d'un père à l'autre. Mais chez certains hommes, il y a parfois en plus de l'appréhension : l'homme a peur pour la santé de sa femme, souvent plus qu'elle-même d'ailleurs. Il se sent soit responsable, soit impuissant de ce qui peut lui arriver. Il peut s'inquiéter également pour son enfant. La crainte qu'il ne soit pas normal poursuit certains pères surtout en fin de grossesse, peut-être plus que la mère : parce que sentir bouger l'enfant est rassurant alors que dans la tête du père, l'imagination court vite.

Attendre un enfant est un tel bouleversement que certains hommes manifestent leur fragilité de différentes façons : troubles du sommeil, troubles digestifs, prise de poids. On sait aujourd'hui, notamment en écoutant les pères dans des groupes de paroles, que ce qu'ils ressentent est souvent méconnu.

Les sentiments d'un futur père sont donc variés, et contradictoires en apparence : il a le sens de ses responsabilités nouvelles, parfois il a peur d'être mis à l'écart ; il est reconnaissant envers sa femme, et jaloux à la fois ; il se sent renforcé dans sa valeur d'homme, en même temps qu'il a une impression d'inutilité vis-à-vis de sa femme ; il s'inquiète pour sa santé et parfois il a envie d'oublier qu'elle est enceinte ; devant sa femme, il est comme intimidé et, en même temps, il sent qu'il prend de l'assurance, qu'il mûrit en étant bientôt père.

Ces réactions sont d'autant plus fortes qu'il s'agit d'un premier enfant, puisque tout est nouveau, tout est à découvrir. Au deuxième, au troisième… les pères se sentent tout aussi concernés, s'impliquent autant pendant la grossesse, mais vivent cette période avec plus de sérénité.

À QUEL MOMENT L'HOMME SE SENT-IL PÈRE ?

Il y a des hommes qui se sentent pères dès le jour de la conception. Il y en a pour qui la révélation se produit lorsqu'ils entendent les bruits du cœur de leur bébé ou le jour de la première échographie. Il y en a qui découvrent la paternité en prenant pour la première fois leur enfant dans les bras. Il y en a enfin qui ne prennent vraiment conscience de leur paternité que plusieurs mois après la naissance. La paternité ne naît pas un jour précis, la naissance d'un père se fait par étapes. L'homme ne vit pas la grossesse dans son corps mais dans sa tête et dans son cœur ; ne pas sentir l'enfant se développer dans sa chair, mois après mois, ne l'empêche pas de se préparer à la paternité.

LES FUTURS PÈRES AU JOUR LE JOUR

Aujourd'hui, attendre un enfant n'est plus le domaine réservé de la femme, le père participe à la grossesse, il peut assister à la naissance, il entre très tôt en relation avec son bébé. Présents à l'échographie, les pères écoutent les bruits du cœur, ils guettent et commentent les premiers mouvements de l'enfant, qui sont pour certains un des révélateurs de la paternité ; ils savent que l'enfant les entend et même qu'il reconnaît leur voix : « Je disais à ma femme, je suis sûr qu'il sait que c'est moi qui parle. » Les pères sont heureux de parler du contact physique qu'ils ont avec leur enfant en posant la main sur le ventre de leur femme : « J'ai vécu la grossesse de Carole à 100 %... Le soir, j'aimais câliner son ventre. La première fois que je l'ai fait, j'ai senti que cet enfant était à nous deux. » Les pères qui pratiquent l'haptonomie ressentent encore plus cette relation particulière. Les pères apprécient la visite de la maternité, ils aiment connaître le chemin de la salle de naissance, ils ont besoin de visualiser l'endroit.

Mais les futurs pères ne participent pas tous de la même manière à la grossesse de leur femme. Certains la vivent vraiment avec elles, c'est ce que dit Michel : « J'ai vécu la grossesse de Carole du début jusqu'à la fin. Je demandais à partir plus tôt. Pour un peu, j'aurais arrêté de travailler en même temps qu'elle ! » Ces pères vont aux séances de préparation à la naissance : « J'ai manqué quelques séances à cause de mon travail et je l'ai regretté. Je trouve que les pères posent des questions pratiques que les mamans n'osent pas poser : quand aller à la maternité ? Est-ce qu'il faut appeler une ambulance ? etc. Vers la fin de la grossesse, des parents sont venus nous raconter comment cela s'était passé, ce que nous avons fait par la suite aussi. »

Certains pères suivent la préparation par femme interposée : « Ma femme me racontait en rentrant, comme ça j'étais prêt pour l'accouchement » ; d'autres y vont une fois, mais n'y retournent pas : se retrouver seul homme parmi tout un groupe de futures mamans peut faire peur, reconnaissons-le. Et les femmes ne tiennent pas trop à la présence des hommes, elles n'osent plus parler aussi librement. D'ailleurs, bien souvent, la préparation n'a pas été pensée ni prévue pour les pères. Les hommes n'ont d'autre possibilité que de faire comme leurs compagnes : respirer, faire quelques mouvements. Ils se sentent ridicules. « Je n'avais pas envie d'y aller, mais j'étais bien obligé car c'est moi qui faisais le chauffeur. » D'autres hommes ne peuvent aller à la préparation pour des raisons pratiques, puisque malheureusement la plupart du temps les séances ont lieu dans la journée. Certains préfèrent les entretiens où les couples se retrouvent. Certaines maternités proposent des groupes où il n'y a que des pères, ce qui leur permet de parler plus facilement de ce qui les préoccupe, d'aborder la question de la sexualité pendant la grossesse. Et la plupart de ces pères seront présents à la naissance.

Les pères sont peu nombreux à se rendre aux consultations prénatales. Ils disent qu'ils n'ont pas le temps, qu'il faut garder l'aîné. Souvent, ils considèrent leur présence comme inutile car l'examen se termine en général par « tout va bien madame ». Parfois aussi le père est gêné d'être spectateur de cet examen intime. D'autres pères, tout en étant très attentifs et en veillant à la santé de leur femme, ne vont pas avec elle aux séances de préparation, ils ne tiennent pas à assister à l'accouchement. Et s'ils y vont, c'est qu'ils s'y sentent vraiment forcés. Pascal dit carrément : « J'aurais culpabilisé si je n'y étais pas allé. Si on n'est pas le superpapa vanté à la télévision, on est nul. » Ces pères ne veulent pas trop s'immiscer dans un domaine qui, pour eux, reste une affaire de femmes. Mais ils se sentent concernés par l'attente de leur bébé et leur contribution est différente, elle est plus sentimentale, plus affective ; ils aident par des gestes, par des mots, ils se chargent de différents achats (mobilier, couches), ils bricolent, certains souscrivent une assurance. Ils participent à la construction du nid de leur bébé et leur femme peut compter sur eux.

Certains hommes hésitent entre la participation à la grossesse et l'envie de ne pas s'en mêler (ce sont ceux qui, jusqu'à la dernière minute, hésiteront à la porte de la salle d'accouchement). Voici François : « J'ai participé, j'ai été aux consultations, aux échographies mais j'ai gardé mon autonomie. Je partais avec mes copains faire des balades en montagne, je n'avais pas envie que ma vie change. »

Certaines femmes ne souhaitent pas que leur mari assiste à l'accouchement. Elles veulent préserver leur intimité. C'est une pudeur compréhensible. Et si c'est le père qui ne souhaite pas être présent à la naissance, il faut aussi respecter ce désir.

La plupart des propos cités ci-dessus ressortent d'une enquête faite auprès de pères âgés de 25 à 35 ans. Ces témoignages montrent que les pères s'intéressent de plus en plus tôt à leurs enfants. Nombreux sont d'ailleurs ceux qui prévoient de prolonger le congé de paternité de quelques jours.

Les pères et l'échographie

La première est souvent la plus importante : « Ça officialise, dit Gaël. À partir de là, j'ai commencé à faire des projets. » Pour Bertrand : « C'est comme un rendez-vous avec mon bébé. C'est magique : on voit son enfant "en entier", on voit son cœur battre, on le voit bouger par de toutes petites secousses. J'en ai frissonné d'émotion. »

Une étude, réalisée par des échographistes, pédiatres et psychologues, apporte d'autres éclairages sur la rencontre père-bébé avant la naissance (1). Première constatation : la plupart des pères présents à l'échographie viennent de leur propre initiative mais c'est tout d'abord pour soutenir moralement leur femme, pour ne pas la laisser seule en face de cet examen. Ensuite, les pères disent venir pour découvrir leur bébé. Les pères les plus intéressés ne sont d'ailleurs pas les plus jeunes (peut-être que la grossesse n'a pas été réellement désirée) ni les plus âgés (ils ont déjà assisté à plusieurs échographies). Certains pères disent, avec pragmatisme, être venus parce qu'on avait besoin d'eux comme chauffeur, mais ce n'est pas la majorité !

La plupart des pères se sont dit rassurés par l'examen, quelques-uns inquiets, très peu sont indifférents. Découverte, satisfaction, étonnement, soulagement, joie, émerveillement, sont des mots qui reviennent souvent. D'autres pères ajoutent :

« - Le bébé devient plus visible, donc plus réel, plus présent... Enfin voir le bébé pour de vrai.

- Le premier regard sur mon enfant... On sent la vie.

- On connaît le sexe, les mensurations.. Je ne l'imaginais pas si développé pour 12 semaines.

- On comprend mieux l'évolution du bébé et les réactions de la maman... Cela permet de sortir du côté flou qu'est la grossesse pour un homme.

- Je suis encore plus heureux... Il vit déjà avec nous. »

L'échographie a permis au père d'être concerné plus tôt par la grossesse de sa femme : il se sent témoin mais aussi partenaire à part entière de cette aventure. Il perçoit son bébé différemment : celui-ci acquiert une vraie présence. Il se sent père avant la naissance, comme le disent Raymond Belaiche et Bernard This dans leur livre *Déjà père avant la naissance* (Belin).

POUR AIDER VOTRE FEMME PENDANT CES NEUF MOIS

Sur le plan pratique, voici quelques suggestions : rappelez-vous, et rappelez-le à votre femme, que tant que la grossesse est normale, elle ne nécessite qu'un minimum de précautions, elle ne doit pas devenir une obsession. C'est vrai pour l'alimentation (chapitre 3) ; c'est valable pour les sports : il y en a peu de contre-indiqués ; c'est vrai pour les rapports sexuels (p. 52) ; c'est vrai pour les voyages ;

(1) Étude réalisée sous la direction du docteur Christine Eglin.

et également pour le travail. Mais si, devant des phénomènes pathologiques, le médecin impose des mesures temporaires désagréables (régime, surveillance plus stricte, repos, si nécessaire hospitalisation), la femme les acceptera d'autant mieux qu'on ne lui aura pas rendu la vie impossible jusque-là avec des interdits, des prescriptions inutiles.

Cela dit, aucune future maman ne se plaindra d'être épaulée dans la vie quotidienne, surtout quand arrive le troisième trimestre. D'ailleurs, c'est une réaction qu'ont naturellement la plupart des pères. « Si tu es fatiguée, tu te reposes, je ferai tout », dit Maxime. Parfois l'aide du père est imposée par les circonstances : « Avant 6 mois, j'étais spectateur ; quand Anne s'est retrouvée au lit avec des contractions, j'ai été tout à coup très impliqué, devant materner Anne pour qu'elle puisse materner le bébé. Je faisais tout. Cela faisait beaucoup. Mais c'était mon nouveau rôle. »

On s'attend souvent à ce qu'une future mère soit de temps en temps irritable, nerveuse, comme on s'attend à ce qu'elle ait mal au cœur. Cela n'étonne pas. Mais il y a des comportements plus difficiles à comprendre, parce que plus inattendus, en particulier le repli du troisième trimestre. Il y a aussi cette tristesse si fréquente après la naissance, qui étonne toujours l'entourage car elle cadre mal avec l'événement heureux qui vient de se produire. S'il vous arrive de ne pas comprendre certains de ces comportements, n'hésitez pas à en parler ensemble, ainsi qu'avec l'équipe qui suit la grossesse, et lors des séances de préparation.

Comme vous le verrez au chapitre 4, la grossesse se porte bien aujourd'hui ; les femmes sont moins complexées par leur ventre, et les maris trouvent en général leur femme belle ; il n'empêche que certaines femmes vivent dans la crainte que leur compagnon ne les délaisse et maintenant, et après la naissance. Si votre femme vit dans cette crainte, une personne peut la réconforter : c'est vous. Quand on doute de soi, il suffit souvent de quelques mots pour reprendre confiance.

Et si votre femme a peur d'un accident, peur de l'accouchement, d'abord, écoutez-la : savoir qu'elle peut vous parler la libérera déjà un peu de ses peurs ; puis essayez de la rassurer, dites-vous bien d'ailleurs qu'elle ne demande que cela, et n'oubliez pas que les mots ont un pouvoir magique : ils peuvent inquiéter lorsque, par exemple, une amie raconte un accouchement difficile ; mais les mots peuvent aussi rassurer. Ces paroles, vous saurez les trouver.

En ce moment, chez votre femme, une force prodigieuse s'exerce. C'est la plus grande force qui existe dans la nature : celle qui est capable de faire se développer et naître un enfant ; aucune autre ne peut lui être comparée. Cela demande à la femme beaucoup d'énergie. Parfois elle en éprouve une lassitude, une certaine faiblesse, cela se comprend.

D'autres futures mères deviennent vulnérables, particulièrement sensibles ; une phrase mal comprise ou mal interprétée peut les impressionner. Par exemple, au cours d'une échographie, le médecin dit : « Là, je vois une jambe. » La mère, anxieuse, traduisit : « Mon bébé n'a qu'une jambe. » Il fallut une autre échographie pour la persuader du contraire.

Une autre future mère sort bouleversée du cabinet de son médecin et téléphone à une amie sage-femme en lui disant qu'elle souhaite la voir tout de suite. Que s'était-il passé ? À la fin de l'examen, la gynécologue avait dit avec un air très sombre et les sourcils froncés :

« - Col long, fermé, postérieur.

- Mais c'est parfait, lui dit son amie sage-femme, c'est que tout va bien.

- Alors pourquoi la gynécologue faisait-elle cette tête-là ?

- Elle pensait peut-être tout simplement à sa voiture qui était mal garée... »

DU COUPLE À LA FAMILLE

Aujourd'hui, le père a vraiment sa place auprès de sa femme pendant la grossesse. Bien que physiquement absent du processus biologique, il se sent très concerné psychologiquement et affectivement pendant cette période. La perspective de la naissance modifie l'équilibre du couple : le bébé prend de plus en plus de place dans les pensées et les préoccupations des parents. La naissance accentue cette évolution : l'enfant devient la priorité. Les premières semaines, les premiers mois, la vie va tourner autour de lui. Les parents auront à s'adapter à son rythme, à ses besoins. Ils n'auront plus beaucoup de temps à passer à deux, il va leur falloir trouver un nouvel équilibre. Ce passage sera facilité par l'implication du père dans la vie du bébé. Plus le père s'occupera de son enfant, plus la mère aura du temps pour elle, plus elle pourra retrouver sa place de femme et exprimer ses besoins et ses envies. Cela l'aidera aussi à sortir de cette « préoccupation maternelle primaire » (selon l'expression du psychanalyste D.W. Winnicott) qui la concentre exclusivement sur son bébé. Il n'en reste pas moins vrai qu'une naissance renforce les liens à l'intérieur du couple, lui donne une autre dimension, un autre avenir.

PARENTS VULNÉRABLES

La façon dont un homme et une femme vivent l'attente de leur enfant dépend aussi d'événements extérieurs qui peuvent fragiliser (deuil, perte d'emploi, problème de logement ou financier, conflit ou instabilité dans le couple...). Dans ces situations de vulnérabilité, il est important de ne pas rester seul, d'en parler, par exemple au médecin, aux sages-femmes de la maternité ou de la PMI, à une assistante sociale, à une psychologue.

Si vous êtes seule

Si vous êtes seule pour attendre votre enfant, ce qui précède vous aura peut-être donné un pincement au cœur. Attendre à deux ? Vous voudriez bien, mais le père n'est pas là. Il est peut-être parti avant de savoir que vous étiez enceinte, ou lorsque vous le lui avez annoncé. C'est au moment où l'homme prend conscience de la vie qui se prépare qu'il se sent parfois incapable de l'affronter.

Céline partage la vie d'un homme nettement plus âgé qu'elle ; elle aimerait un enfant, mais Marc ne le souhaite pas : « Ce n'est plus de mon âge », lui dit-il chaque fois qu'ils abordent la question. Malgré cela, Céline attend un enfant, mais ne révèle sa grossesse qu'au 4e mois pour être sûre de pouvoir garder le bébé. Son compagnon se sent pris au piège, floué, et la quitte. Mais on sait, par ailleurs, que des pères plus âgés que leur femme peuvent être émerveillés de la prochaine naissance et être très impliqués dans l'attente de leur bébé.

Quelles que soient les difficultés que la mère a, ou aura, à affronter dans de telles circonstances, au départ l'enfant aura été une histoire d'amour entre un homme et une femme, cela semble un élément positif.

Il arrive qu'une femme choisisse délibérément d'avoir un enfant et de l'élever seule. Ce choix peut provenir du rejet volontaire d'une présence masculine. Ou bien la femme cherche une compagnie pour sa vie quotidienne, un but. Ou encore, c'est le cas le plus fréquent, la femme souhaite avoir un enfant parce que les années passent et cet enfant, elle est prête à l'élever sans père. Ce n'est pas si simple de tourner la page, d'accepter de ne plus avoir la possibilité de porter la vie.

RENSEIGNEMENTS PRATIQUES

SI VOUS ÊTES SEULE ET À LA RECHERCHE D'UNE ADRESSE OU D'UNE AIDE, VOUS TROUVEREZ DE NOMBREUX RENSEIGNEMENTS AU CHAPITRE 17, AINSI QUE DES INFORMATIONS JURIDIQUES.

Ces choix sont volontaires, mais souvent, à l'origine de ce désir d'enfant, il y a une motivation inconsciente, elle peut resurgir plus tard. Florence décide à 37 ans d'avoir un enfant. Elle a une bonne situation, elle rencontre un homme avec qui elle ne souhaite pas vivre, mais qui comble le désir d'enfant qu'elle a depuis quelques années. Le bébé naît, tout va bien. Ce n'est que quelques mois plus tard, lors des difficultés que rencontre toute mère, que Florence réagit d'une façon excessive, elle se sent très nerveuse, presque déprimée. Florence prend alors conscience que ce rejet d'un homme et d'un couple a des racines profondes, et remonte à une déception amoureuse qu'elle a éprouvée lors de l'adolescence. Cette déception a été si grande que Florence n'est jamais arrivée à nouer une relation amoureuse satisfaisante avec aucun homme. C'est pourquoi elle a choisi d'avoir un enfant et a rejeté le père. Cette prise de conscience a été bénéfique pour Florence ; elle qui voyait dans son enfant la cause de sa dépression, s'est alors détendue.

Qu'on ait choisi d'être seule pour élever son enfant, ou qu'on se retrouve seule, il est rare qu'il n'y ait pas de difficultés en chemin. D'autant plus que l'entourage n'est pas toujours tendre ni solidaire de ces mamans, comme si elles étaient seules responsables de cette situation. Ce sentiment peut être accentué par le fait qu'on sait aujourd'hui combien la présence du père est importante. Sonia, abandonnée au 4ᵉ mois de grossesse alors qu'elle et son compagnon avaient désiré ensemble leur enfant, nous écrit : « J'en arrive à culpabiliser car on nous dit partout que le papa est indispensable à l'équilibre d'un enfant. Pourtant ce n'est pas moi qui me suis mal conduite. »

Dans certaines situations très difficiles, la femme ne se sent pas toujours capable d'élever l'enfant qu'elle attend. Elle souhaite le mettre au monde dans l'anonymat et qu'il soit ensuite confié pour être adopté. Voir pp. 323 et 450.

Lorsqu'une femme se retrouve seule, elle risque de compenser l'absence de son ex-conjoint en développant avec l'enfant des relations très protectrices qui peuvent devenir fusionnelles et le freiner dans l'acquisition de son autonomie. Il est important pour la mère de trouver quelqu'un à qui parler, en dehors de ses amis, de sa famille, une personne qui ne soit pas impliquée dans son histoire personnelle. Par exemple la sage-femme, la psychologue de la maternité, le médecin. L'entretien du 4ᵉ mois est un moment propice pour aborder ses difficultés, sa solitude et bénéficier d'un accompagnement adapté pendant la grossesse et après la naissance.

Dans bien des cas cependant, la famille et les amis apportent un soutien affectueux et compréhensif, des aides matérielles. Rencontrer d'autres mères qui sont dans la même situation encourage et réconforte : les groupes de paroles de mères montrent la grande solidarité des femmes entre elles.

Quelles que soient les circonstances, attendre un enfant est un événement si important qu'il peut être riche d'émotions et d'apprentissages, il est pour toutes les mères une étape de maturation.

Le père de naissance

Parlons un peu de l'absent, le père. Il compte pour l'enfant, même s'il n'est pas là. Si la mère a de cet homme une image traumatisante et dévalorisante, elle risque de projeter sur son enfant ses sentiments d'amertume, de frustration, de rejet. Or, ce qui est important, c'est que la mère essaie de séparer son bébé de cette image négative, qu'elle lui permette de se développer comme un être indépendant affectivement. Car si au départ l'enfant est accablé par un passé si lourd, son développement pourrait s'en ressentir et les relations entre la mère et l'enfant risqueraient alors d'être perturbées. Tandis que si l'enfant peut être associé à des projets positifs et chaleureux, la vie de tous les jours sera plus facile.

Mais quelle que soit son image, et bien que physiquement il ne soit pas là, ce père devra prendre une place dans la vie de l'enfant ; cette place, c'est la mère qui la lui donnera en parlant de lui. Dire, comme certaines femmes (c'est une psychologue de maternité qui nous l'a rapporté), « Son père est mort » ou « Il n'a pas de père » est pour l'enfant une rupture de la filiation. C'est faire comme si cet enfant avait été conçu sans père. Ce n'est pas toujours facile de parler à l'enfant de son père, mais si la mère n'y arrive pas, tôt ou tard, ce père, l'enfant le recherchera et il en voudra à sa mère de le lui avoir caché, quelles qu'aient été les circonstances. Dans la mesure du possible, essayez de garder un lien avec le père, votre enfant pourrait en avoir besoin pour se construire, développer sa personnalité. Sinon, gardez au moins une photo afin que l'enfant puisse avoir une image de son père. Mieux encore, une photo où figurent et son père et sa mère le confirmera dans l'idée qu'il est né de l'union de deux personnes qui s'aimaient.

La séparation, l'absence du père, engendrent souvent chez la mère d'intenses émotions, de l'angoisse que l'enfant peut percevoir. Ne restez pas seule : prenez contact avec des groupes de paroles de femmes ; des professionnels sont là pour vous aider, non pas à effacer une histoire douloureuse, mais à vivre avec elle, à la tenir à distance pour que vous puissiez profiter au mieux de votre bébé, et réciproquement.

Enfin, quel que soit votre cas, ne prenez pas de décisions hâtives (demander le divorce, déménager, aller vivre ailleurs). Il est certes important que vous connaissiez vos droits, par exemple les obligations financières du père, les aides que vous pouvez demander. Mais concentrez-vous sur votre bébé et votre grossesse, essayez de ne pas vous laisser envahir par vos difficultés actuelles et profitez de ces moments précieux.

« SI VOUS ÊTES SEULE »

C'est le titre de ce chapitre, mais en fait, vous ne le serez jamais vraiment. Jour après jour, votre bébé va vous accompagner. Si vous l'attendez, lui aussi vous attend, et même plus, il est là en vous, il vous sent près de lui, vous le sentez tout proche. En lisant certaines pages de ce livre, vous verrez à quel point le dialogue se noue très tôt, et comment, bien avant la naissance, un enfant et sa mère peuvent faire connaissance, et déjà s'aimer.

2

La vie quotidienne

Qu'est-ce qui va changer dans votre vie ?

Psychologiquement, tout va changer, jour après jour, semaine après semaine. L'attente n'est au début qu'une idée, puis elle se précise et prend forme, puis mouvement. Et vos réactions suivent. Vous étiez une, vous commencez à vous sentir deux, vous imaginez votre vie à trois : le père, votre bébé et vous. Alors peu à peu, vous réalisez que tout sera désormais différent. Cette évolution psychologique était l'objet du précédent chapitre.

Dans celui-ci, nous allons parler de la vie pratique, quotidienne, celle au sujet de laquelle vous vous posez les premières questions : travail, voyages, sports, etc. Vous allez voir que les changements, car il y en aura, seront le plus souvent progressifs ; ils dépendront de votre état de santé, de vos activités, de vos goûts. Ils dépendront aussi de votre bébé : il va se développer, prendre plus de place, se faire plus lourd, il est normal qu'une certaine fatigue s'ensuive, et que vous deviez modifier un peu votre façon de vivre.

Certaines grossesses nécessitent des précautions particulières, par exemple lorsqu'on attend des jumeaux (chapitre 6). Ou si la grossesse présente un risque (chapitre 9).

VOTRE TRAVAIL

Parlons d'abord du travail. Quelle incidence peut-il avoir sur l'avenir de la grossesse, donc sur celui de l'enfant ? C'est ce que plusieurs enquêtes ont étudié, voici leurs conclusions :

• effectué dans des conditions normales, le travail, qu'il soit fait à l'extérieur ou à domicile, ne nuit pas à la grossesse

• lorsqu'une femme travaille, elle est souvent plus à même de prendre sa santé en charge car dans son milieu professionnel, elle est mieux informée

• mais il y a certains facteurs qui augmentent les risques de prématurité, par exemple des conditions de travail particulièrement pénibles physiquement. De ce fait, de nombreuses dispositions ont été prises pour la protection des futures mères.

Si vous effectuez un travail fatigant, consultez le médecin du travail : celui-ci pourra demander à l'employeur un aménagement de poste, ou un changement temporaire, et/ou une réduction de la durée du travail. Si cela n'a pas été possible, adressez-vous à votre médecin traitant. Les médecins sont aujourd'hui bien informés des risques que représentent des travaux particulièrement pénibles ; et, s'ils le jugent nécessaire, ils prescrivent un arrêt de travail.

Il en est de même pour le travail fait chez soi : son incidence sur le déroulement de la grossesse dépend des conditions dans lesquelles vit la future mère. Si elle est bien informée, bien suivie, et s'il le faut aidée, tout ira bien. Mais si elle vit dans de mauvaises conditions socio-économiques, elle risque d'avoir des difficultés à mener sa grossesse à terme. On ne peut donc établir l'équation travail = danger, ou travail = protection, tout dépend des circonstances. Mais regardons les choses de plus près.

SI VOUS AVEZ UNE ACTIVITÉ PROFESSIONNELLE

Si vous êtes salariée, vous savez probablement que la loi prévoit que vous pouvez prendre six semaines de repos avant la date prévue pour l'accouchement, et dix semaines après. Plus qu'une possibilité, ce repos est d'ailleurs une obligation pour recevoir les indemnités journalières. En fait, vous pouvez vous reposer moins longtemps, mais pour recevoir vos indemnités journalières, il faut vous arrêter au moins huit semaines en tout.

Ce temps de repos peut paraître court mais il est en général suffisant si votre grossesse se déroule bien et si votre travail est physiquement peu fatigant. Par contre, six semaines de repos avant l'accouchement sont insuffisantes dans certains cas et il appartiendra à votre médecin de prescrire un repos prénatal supplémentaire de deux semaines en cas d'*état pathologique,* ou même plus si votre état de santé le justifie.

Nous vous signalons dès maintenant (vous trouverez les détails chapitre 17) que si vous étiez malade et obligée d'interrompre votre travail, vous ne pourriez pas être licenciée, et vous seriez indemnisée par la Sécurité sociale au tarif maladie pour le temps de votre absence.

D'autres raisons indépendantes de la fatigue causée par un travail pénible entraînent un changement de poste pour tout ou partie de la grossesse :
• dès le début de la grossesse pour les femmes travaillant dans un laboratoire de radiologie médicale ou industrielle, à cause de l'exposition aux rayonnements
• également dès le début de la grossesse pour les femmes amenées à manipuler des produits chimiques, des toxiques ou des solvants ; la réglementation prévoit l'interdiction d'utiliser certains produits chimiques par les femmes enceintes. En outre, dans des situations de travail exposant à des substances cancérogènes, mutagènes ou toxiques pour la reproduction, il existe une obligation d'informer des effets que peuvent avoir ces substances : sur la fertilité, l'embryon, le fœtus et l'enfant (en cas d'allaitement) ;
• pendant les trois premiers mois de la grossesse, en cas d'épidémie de rubéole, pour les femmes que leur métier met en rapport avec des enfants, institutrices par exemple, si elles ont un sérodiagnostic négatif (c'est-à-dire si elles ne sont pas protégées contre la rubéole).

Si vous travaillez, vous trouverez d'autres précisions et renseignements pages 430-431.

CONGÉ DE MATERNITÉ
IL EST MAINTENANT POSSIBLE DE REPORTER UNE PARTIE DU CONGÉ PRÉNATAL SUR LE CONGÉ POSTNATAL. AU CHAPITRE 17, VOUS TROUVEREZ TOUS LES RENSEIGNEMENTS CONCERNANT LES CONGÉS AVANT ET APRÈS LA NAISSANCE.

QUESTIONS PRATIQUES
- QUAND DÉCLARER SA GROSSESSE ?
- QUAND PRÉVENIR SON EMPLOYEUR ?
- QUAND INSCRIRE BÉBÉ À LA CRÈCHE ?...
REPORTEZ-VOUS ÉGALEMENT AU CHAPITRE 17.

QUELQUES MOUVEMENTS DE DÉTENTE

Si vous travaillez de longs moments assise ou de longs moments debout, il est bien de prendre l'habitude, le plus souvent possible, de « casser » les tensions musculaires liées aux positions gardées un peu trop longtemps : station assise devant un ordinateur, station debout avec le bras en l'air, pour écrire au tableau.

Pour vous détendre, faites le mouvement qu'on fait spontanément le matin au réveil : étirez haut les bras au-dessus de la tête, ou bien, si cela n'est pas possible socialement, voici quelques exercices plus discrets :

• haussez les épaules en inspirant, tenez quelques secondes, puis relâchez en soupirant
• faites 2 ou 3 mouvements des épaules en rotation avant et arrière ou roulez « des mécaniques » 2 ou 3 fois
• faites 2 ou 3 « cercles de chevilles » ou flexions-extensions des chevilles pour faire circuler le sang dans les membres inférieurs.

Ce ne sont pas des exercices à faire en série de 10 ou de 20, mais simplement des mouvements de détente à faire de temps en temps.

COMBIEN Y A-T-IL DE FUTURES MÈRES QUI TRAVAILLENT ?
D'après l'enquête de l'INSERM (2010), 67,2 % des femmes avaient un emploi à la fin de leur grossesse. 12,1 % étaient au chômage et 13,2 % se déclaraient femmes au foyer. Quant au niveau général des études faites par les mères, il continuait de s'améliorer.

CHEZ VOUS

Vous aurez, comme toutes les femmes qui attendent un enfant, l'envie de tout ranger dans la maison, ce qui est nécessaire comme ce qui l'est moins ; la chambre où sera le berceau, mais les autres aussi, pour qu'en arrivant « il » trouve tout net, joli, bien soigné. C'est normal. Mais évitez les efforts excessifs. D'ailleurs, vous vous rendrez bien compte vous-même de vos limites. Et ne remuez pas vous-même la grosse commode aux tiroirs pleins à craquer, ne décidez pas à un mois de votre accouchement qu'il est indispensable de tapisser tout l'appartement (sur les travaux de bricolage et de peinture, voyez p. 55). Pensez à ces recommandations si vous êtes obligée de déménager, ce qui arrive souvent quand on attend un enfant. Essayez de déménager au milieu de votre grossesse, c'est-à-dire pendant la meilleure période, plutôt qu'à la fin.

Au cas où le médecin vous aurait prescrit de vous reposer, mais que vous n'ayez pas les moyens de vous faire aider pour les travaux ménagers ou les soins de vos enfants, demandez à l'assistante sociale de votre mairie si vous ne pouvez pas bénéficier d'une aide familiale ; elle vous donnera également la liste des associations qui pourraient vous aider.

LE SOMMEIL

Si vous le pouvez, dormez au moins huit heures. En fait, au début cela ne pose guère de problème : les premiers mois, une future maman a de grands besoins de sommeil.

Et si vous êtes chez vous, ou si dans votre travail vous avez la possibilité de vous reposer après le déjeuner : ôtez vos chaussures, posez vos pieds sur un coussin pour soulever vos jambes, et détendez-vous. Si vous êtes allongée, installez le coussin sous les pieds et les jambes, c'est plus confortable. Vous sentirez vous-même le bienfait de ce repos, de cette détente au milieu de la journée, surtout si vous avez de la peine à digérer, ou si vous avez une mauvaise circulation.

Vous pouvez dormir dans n'importe quelle position sans crainte d'écraser ou de gêner votre enfant. Il est bien à l'abri.

Si vous avez des insomnies en fin de grossesse, reportez-vous au paragraphe « Troubles du sommeil » (p. 200).

LES RELATIONS SEXUELLES

La première question que se posent en général les couples est la suivante : peut-on continuer à avoir des relations sexuelles pendant la grossesse ? C'est sans raison valable que l'on a, pendant longtemps, recommandé l'abstention. Rien n'a jamais justifié cette recommandation, si ce n'est les mythes qui entouraient la grossesse et plaçaient la femme enceinte en dehors de la vie.

Sauf contre-indications médicales précisées plus loin, il est normal de continuer à avoir des relations sexuelles pendant la grossesse, même si la sexualité est naturellement transformée pendant cette période.

En ce qui concerne les positions les plus confortables à ce moment de la vie, chaque couple trouvera lui-même celle qui convient le mieux à chaque âge de la grossesse, à la transformation du corps féminin, au désir de chacun.

Quant à la fréquence des rapports amoureux, là aussi il n'y a pas de règles, c'est une question vraiment personnelle, chaque couple y répondra selon son désir.

La visualisation régulière du bébé sur l'écran de l'échographie rend peut-être plus fréquente la crainte de lui faire mal, de le heurter lors d'un rapport sexuel. Que les parents se rassurent, le bébé ne risque rien. Redouter que le pénis puisse toucher l'enfant, craindre que des rapports fougueux puissent provoquer une fausse couche ou un accouchement, est une peur répandue, normale, mais non fondée : le bébé est bien protégé dans sa petite bulle, entouré du liquide amniotique qui l'isole du monde extérieur.

Certains parents sont mal à l'aise de la présence de ce bébé dont on leur a dit qu'il était déjà capable avant la naissance d'éprouver tant de sensations. Quel effet peut avoir sur l'enfant la relation amoureuse de ses parents ? Vous comprendrez que personne ne peut vraiment répondre à cette question. Naturellement, certains couples espacent leurs relations sexuelles lorsqu'ils ont constaté que le bébé semblait réagir fortement et que cela provoquait des contractions utérines, surtout au moment de l'orgasme. Ce qui semble essentiel, au-delà de la préoccupation pour le bébé, c'est que les relations se passent dans la douceur et le respect du corps maternel.

LES VARIATIONS DU DÉSIR

Les premiers mois, le corps s'adapte à son nouvel état. Certaines femmes enceintes se sentent aussitôt épanouies et elles vont vivre leur grossesse d'une façon sensuelle. D'autres ressentent une baisse de désir sexuel tant les sensations qu'elles éprouvent sont nouvelles : leur corps prend une valeur différente, mystérieuse ; le désir peut aussi diminuer si les femmes se sentent envahies par les malaises du début de grossesse, nausées, vomissements, fatigue. À cela s'ajoute parfois la culpabilité de ne pas répondre aux attentes de leur compagnon. Ce qui peut déboucher sur des alibis, ou des drames, selon le climat d'entente et d'amour du couple.

Pour le père, une fois passée la joie de l'annonce de sa paternité, commence en général une période de doute. Il peut s'inquiéter de cette baisse de désir chez sa femme : est-ce l'amorce d'un changement définitif dans leurs relations ? Certains se sentent rejetés, frustrés, en évaluant mal à l'avance la place que le bébé va prendre dans leur vie. L'homme peut également ressentir une baisse ou une absence de désir : blocage en face de ce corps différent, inquiétude devant les changements à venir…

Au deuxième trimestre, le bonheur à deux est en général retrouvé. Cet enfant qui va naître est le symbole de l'harmonie de leur couple, de leur épanouissement de femme et d'homme. La féminité, la virilité sont comblés. Il y a aussi des couples qui apprécient cette période de leur vie sexuelle où ils n'ont pas à se préoccuper d'un moyen de contraception, quel qu'il soit. La période d'adaptation du début est passée, l'inquiétude qui parfois apparaît au troisième trimestre n'est pas encore présente. Cette période peut créer des liens très forts entre l'homme et la femme.

Certains hommes sont éblouis et impressionnés par la transformation du corps féminin : ils le trouvent beau, mystérieux, fascinant. L'homme est souvent séduit par ces seins épanouis. Et certaines femmes qui ont en temps normal de petits seins, les découvrent avec fierté, si beaux, si attirants.

À signaler que les bouts de seins sont souvent plus sensibles, certaines caresses peuvent devenir désagréables ; les seins augmentent de volume et peuvent gêner certains mouvements, certaines postures, s'ils sont comprimés. Si des sensations inattendues, ou des impressions inhabituelles surviennent, n'hésitez pas à en parler entre vous. Le dialogue dans un couple est essentiel pour que l'homme puisse comprendre ce qui se passe dans le corps de sa compagne et ne se sente pas rejeté.

Puis arrive le dernier trimestre, l'enfant prend plus de place, il bouge beaucoup ; l'activité sexuelle se ralentit en général, peut-être parce que la future mère est davantage centrée sur ce qu'elle vit à l'intérieur de son corps, attentive aux réactions de son bébé ; elle est peut-être tout simplement fatiguée.

Les couples amoureux trouvent alors d'autres mots, d'autres gestes qu'ils connaissaient déjà ou qu'ils découvrent ensemble. Cela devient souvent le temps des conversations amoureuses, des gestes tendres. « Avec ma femme nous réinventons le flirt », écrit un lecteur. Avec ce nouveau corps, l'homme et la femme découvrent de nouveaux rapports empreints de délicatesse.

Les femmes ne sont pas toutes épanouies pendant leur grossesse, certaines assument mal de voir leur corps se transformer. Elles ont peur que leur compagnon s'éloigne, que leur « gros ventre » lui déplaise. Cela arrive parfois, c'est une situation plus fréquente qu'on ne croit. « C'est injuste, m'écrit Florence, je porte notre enfant et il s'écarte de moi. »

Heureusement l'expérience montre que dans la plupart des cas le couple retrouve après la naissance un équilibre affectif et sexuel. Mais il faut parfois un peu de temps.

Y a-t-il des contre-indications aux rapports sexuels ?

Voici les cas où les médecins conseillent la diminution ou même la suppression des rapports sexuels :
• au début de la grossesse, quand il y a eu des petits saignements (une échographie a sûrement été faite)
• en cas de placenta *prævia* (placenta bas inséré) et de saignements répétés.

Il est fréquent que des rapports sexuels, avec orgasme, provoquent des douleurs (comme celles des règles) qui sont en fait des contractions. Il n'y a pas à s'inquiéter.

Il peut arriver qu'après un rapport sexuel vous constatiez l'apparition de quelques gouttes de sang. Ceci est habituellement dû au fait que la grossesse rend le col de l'utérus plus fragile ; parlez-en au médecin, surtout si la perte de sang se prolonge ou se répète.

BAINS ET DOUCHES

Pendant la grossesse, la transpiration est nettement augmentée. Un cinquième de l'élimination de l'eau se fait par les glandes sudoripares, celles qui sécrètent la sueur. Elles aident les reins qui ont fort à faire pour éliminer les déchets rejetés par la mère et l'enfant. Les bains ne sont pas contre-indiqués pendant la grossesse. Au contraire, ils ont une action sédative générale. Si vous avez de la peine à vous endormir, prenez votre bain le soir. Si vous transpirez beaucoup, salez l'eau de vos bains. La douche est plus stimulante qu'un bain. Pensez à mettre un petit tapis antidérapant dans le fond de la douche, ce n'est pas le moment de tomber.

LA TOILETTE INTIME

Les sécrétions vaginales sont souvent augmentées au cours de la grossesse, et les hémorroïdes ne sont pas rares ; il est conseillé dans ces cas de faire des toilettes locales à l'eau et au savon ordinaire, ou avec un savon gynécologique (savon liquide ou poudre à diluer, vendus en pharmacie). N'utilisez pas des produits acides qui sont trop agressifs pour la muqueuse vaginale. Et toujours pour respecter cette muqueuse, vous ferez une toilette externe, sans pénétrer à l'intérieur du vagin.

Les pertes blanches abondantes sont fréquentes. Si elles sont malodorantes, ou s'accompagnent de démangeaisons ou de brûlures, parlez-en au médecin (p. 196).

UN ENVIRONNEMENT SAIN

On parle beaucoup aujourd'hui des risques pour notre santé liés à l'environnement, qu'il s'agisse de l'alimentation, des produits de beauté ou de ménage, des appareils d'usage courant comme les téléphones mobiles, ordinateurs ou autres moyens électroniques de communication.

Quels sont les effets sur le développement de l'enfant de l'exposition à des éléments physiques ou chimiques pendant la grossesse et l'allaitement ? Les futurs parents se posent la question et les études sur ce sujet sont nombreuses, souvent contradictoires, parfois inquiétantes. Que faire dans ce contexte pour préserver au mieux la santé de votre bébé à venir ?

Certaines substances sont néfastes pour le développement du bébé, c'est aujourd'hui prouvé : il s'agit du tabac, de l'alcool et de toutes les drogues. Il faut vraiment éviter de consommer ces produits lorsqu'on attend un enfant. C'est un fait connu, et pourtant les futurs parents sont parfois plus inquiets de risques hypothétiques que de ceux-là bien établis.

Pour les expositions plus controversées, il convient de tenter de les éviter, en prenant garde cependant de ne pas exagérer les mesures de protection qui pourraient provoquer une anxiété inutile, ce qui n'est souhaitable ni pour vous-même ni pour votre bébé. Informer des risques potentiels est difficile : ne pas inquiéter inutilement tout en ne minimisant pas les risques éventuels. Voici ce qu'on peut dire aujourd'hui sur ces sujets.

DANS LA MAISON

Pour vivre dans un environnement sain, un geste simple, conseillé pour tous, est d'aérer son logement pendant 15 minutes chaque jour pour évacuer les odeurs, les polluants et l'humidité. De nombreux polluants sont en effet apparus dans les logements ces dernières années en raison de l'utilisation de nouveaux matériaux de construction, de nouvelles classes de détergents, et du fait de l'isolation de plus en plus efficace des bâtiments qui réduit la pénétration de l'air. Évitez autant que possible les aérosols, désodorisants d'ambiance, insecticides.

> **ENVIRONNEMENT ET SANTÉ**
> *Voici quelques sites qui peuvent vous intéresser :*
> *Observatoire de la qualité de l'air intérieur*
> www.air-interieur.org
> *Société française de santé environnement*
> www.sfse.org
> *Agence nationale de sécurité sanitaire de l'alimentation, de l'environnement et du travail*
> www.anses.fr

Pour les produits d'entretien, respectez les doses d'utilisation prescrites et privilégiez les produits ayant les labels *NF environnement* ou *Éco-label européen*. Au-delà des labels, il existe aussi des alternatives aux produits industriels prêts à l'emploi. Ce sont les recettes traditionnelles, un peu oubliées et de nouveau appréciées ; elles sont basées sur l'utilisation d'ingrédients qui, bien utilisés, sont également moins nocifs pour l'environnement, et souvent moins onéreux : le vinaigre blanc nettoie, désinfecte, détartre ; le savon noir dégraisse ; le bicarbonate de soude nettoie et désodorise ; il y a aussi le savon de Marseille, etc.

Pour vous occuper de vos plantes d'intérieur ou de votre jardin, n'utilisez pas de pesticides.

BRICOLAGE ET PEINTURE

Vous êtes enceinte, ne faites pas vous-même de travaux de rénovation, éloignez-vous des peintures, vernis, colles et solvants. Ceci est encore plus important si vous décapez des peintures anciennes, susceptibles de contenir du plomb.

Les revêtements des murs, des sols (parquets, papiers peints, lambris...), le bois prétraité, l'aggloméré ou le contreplaqué, présents dans les meubles ou les revêtements, les matériaux d'isolation (mousses isolantes, laines minérales...) peuvent diffuser des substances chimiques, parfois pendant plusieurs mois. Pour les panneaux en bois, recherchez la référence EN indiquant l'absence de « formaldéhyde », un solvant susceptible de passer dans la circulation générale lorsqu'il est inhalé.

Pour tous ces matériaux, prenez conseil auprès de votre fournisseur et préférez les produits marqués *NF environnement* ou *Éco-label européen*. Aérez au maximum les jours suivant la mise en place de ces matériaux, sans pénétrer vous-même dans les pièces rénovées.

ÉQUIPEMENTS ÉLECTRIQUES ET ÉLECTRONIQUES

Les ondes et champs électromagnétiques produits par les appareils dont nous sommes entourés quotidiennement — téléphone mobile avec ses antennes relais, ordinateurs et wifi, téléviseurs, fours à micro-ondes et plaques de cuisson à induction — ont fait l'objet d'études et de débats souvent passionnés.

Aucun effet indésirable des champs électromagnétiques sur la grossesse n'a été mis en évidence. Le conseil dans ce domaine relève de la précaution en situation d'incertitude, et il est le même que pour la population dans son ensemble : évitez les excès. De façon générale, et plus particulièrement pendant la grossesse, limitez l'utilisation du téléphone mobile. Utilisez un kit mains libres, ou le haut-parleur, et ne placez pas le téléphone près de votre ventre, afin de protéger l'enfant à naître des ondes électromagnétiques, dont les effets restent difficiles à évaluer.

LES SOINS DE BEAUTÉ

Pendant la grossesse, réduisez autant que possible l'usage de lotions et de crèmes sur des plages de peau très étendues, ce qui augmente les doses de substances susceptibles de passer dans le sang, et donc du côté du fœtus ou dans le lait maternel. Nous parlons en détail des soins de beauté page 92.

AUTRES PRÉCAUTIONS

Voici quelques précautions supplémentaires à prendre dans votre vie quotidienne :
• évitez toute source de contamination éventuelle, c'est-à-dire abstenez-vous de rendre visite à des malades ayant une affection contagieuse
• méfiez-vous des chats qui peuvent transmettre la toxoplasmose (p. 246). Si vous n'êtes pas immunisée contre la toxoplasmose, vous n'êtes pas obligée de vous séparer de votre chat, mais demandez à quelqu'un de votre entourage de changer sa litière ou mettez des gants pour le faire ; le bac sera lavé à l'eau chaude avec un peu d'eau de Javel
• respectez bien les précautions alimentaires de base (lavage des mains, consommation ou conservation de certains aliments, etc. pp. 81- 82).

LES CIGARETTES

Il est important de s'arrêter de fumer lorsqu'on attend un enfant. L'Académie de médecine recommande cet arrêt dès que la grossesse est constatée. Les statistiques montrent en effet qu'il y a un rapport entre le poids de l'enfant à la naissance et le nombre de cigarettes fumées par une future mère : 9 % des bébés de mères non fumeuses ont un poids inférieur à la moyenne ; ce chiffre passe à 16 % lorsque la future mère fume de 1 à 10 cigarettes par jour et à 27 % pour plus de 10 cigarettes quotidiennes.

D'autre part, chez les grandes fumeuses (plus de 15 à 20 cigarettes) les accouchements prématurés sont deux fois plus fréquents. Des études récentes semblent montrer qu'il peut y avoir d'autres conséquences lorsqu'une femme enceinte fume beaucoup, en particulier une augmentation de certaines malformations et un retentissement sur le développement psychomoteur de l'enfant. L'emploi de patchs à la nicotine – pour aider à s'arrêter – est autorisé sous surveillance médicale.

C'est le bon moment pour suggérer à votre mari de s'arrêter lui aussi de fumer… Vous vous encouragerez mutuellement et votre bébé en profitera.

Et demandez également à votre entourage de ne pas fumer : on connait l'influence néfaste du tabagisme passif. La fumée des autres peut vous faire du mal à vous et à votre bébé.

Si vous ne réussissez pas à supprimer le tabac avec votre seule volonté, vous pourrez trouver de l'aide dans des consultations hospitalières spécialisées, qui aident à s'arrêter de fumer. Certaines maternités ont mis en place des consultations de tabacologie, assurées par des sages-femmes tabacologues. Vous pouvez également contacter Tabac Info Service : par téléphone (39 89) ou internet www.tabac-info-service.fr.

Le tabac est également contre-indiqué au cours de l'allaitement : on trouve de la nicotine dans le sang des bébés allaités par des mères qui fument.

LE CANNABIS
Puisque le tabac est déconseillé aux futures mères, on comprend que le cannabis le soit aussi. Et même encore plus car cette drogue peut provoquer des troubles de type neuro-sensoriel chez le nouveau-né.

ET L'ALCOOL ?

On connaît de mieux en mieux le rôle néfaste de l'alcool absorbé pendant la grossesse. L'alcool, comme le tabac, passe très vite dans le sang. On peut d'ailleurs en doser la quantité, après un accident par exemple. Mais l'alcool passe aussi dans le sang du bébé car le placenta ne lui fait pas barrage. Vous comprendrez qu'on ne doit pas boire d'alcool lorsqu'on attend un enfant.

PAS D'ALCOOL PENDANT LA GROSSESSE
Une mention figure sur les bouteilles de boissons alcoolisées (vin, bière, whisky, etc) qui informe du risque encouru à consommer de l'alcool pendant la grossesse.

Dès que la grossesse est évoquée, il faut supprimer toute boisson alcoolisée, y compris le vin, le cidre et la bière. Contrairement à une idée reçue, boire de la bière n'augmente pas du tout la production du lait.

Vous êtes inquiète d'avoir bu une coupe de champagne alors que vous ne saviez pas que vous étiez enceinte ? Rassurez-vous, mais à partir de maintenant il est raisonnable de ne plus consommer d'alcool, même de façon occasionnelle, car on ne connaît pas la dose minimale qui est toxique pour le bébé.

Nous ne parlons pas ici de l'alcoolisme. C'est un sujet différent qui est traité page 257.

LES VOYAGES ET LES DÉPLACEMENTS

Pendant longtemps on a déconseillé aux femmes enceintes tout déplacement et tout voyage, notamment en voiture : celle-ci, disait-on, favorisait les fausses couches et autres accidents de la grossesse. Ce qui n'a pas été démontré. Cependant, il est bon de rappeler certains conseils.

Premier principe, de simple bon sens : on ne doit pas voyager avec une grossesse « à problèmes ». Car, dans ce cas, il vaut mieux ne pas trop s'éloigner de la maternité qu'on a choisie.

Second principe : il concerne le choix du moyen de transport. Ce ne sont pas tant les secousses – du train ou de la voiture – qui sont à craindre, que la fatigue. D'ailleurs les trains n'ont plus de secousses, et de toute manière, votre enfant est solidement accroché, vous ne risquez pas de le faire naître en le secouant.

En revanche, tout voyage fatigue (mal au dos, notamment). Il faut donc prendre le moyen de transport le moins fatigant : pour un long voyage, choisissez plutôt le train ou l'avion. Et de toute manière, après 7 mois, le long voyage est à éviter, quel que soit le moyen de transport.

EXAMINONS DE PLUS PRÈS QUELQUES MOYENS DE TRANSPORT

Voiture

Pour éviter la fatigue et les douleurs lombaires, si fréquentes, placez un coussin au creux du dos, faites des étapes courtes de 200 à 300 km, et arrêtez-vous de temps en temps cinq à dix minutes pour marcher et vous dégourdir les jambes.

À part la fatigue que l'on peut diminuer en prenant ces précautions, la voiture présente un vrai danger : celui de l'accident. N'oubliez pas de mettre votre ceinture de sécurité. Encore faut-il pour qu'elle soit efficace :
• qu'elle soit correctement placée comme indiqué sur le dessin ci-dessous
• qu'il n'y ait aucun espace entre la ceinture et le corps, que la ceinture soit tendue en permanence.

Les statistiques montrent que la sécurité du passager est plus grande à l'arrière de la voiture, et avec une ceinture. D'ailleurs la ceinture est obligatoire aussi bien à l'arrière qu'à l'avant.

Si vous conduisez, prenez ces éléments en considération :
• d'abord que les réflexes sont souvent un peu ralentis et l'attention émoussée au cours de la grossesse
• ensuite que, au moins dans les derniers mois, votre ventre vous gênera et rendra difficiles les mouvements rapides parfois nécessaires à la conduite.

Bateau

Partir, enceinte de 8 mois, pour faire le tour des îles grecques n'est guère raisonnable : pas de médecin sur le bateau, pas de médecin sur la petite île. Mais faire une promenade en bateau le week-end ne pose pas de problème.

BIEN METTRE SA CEINTURE DE SÉCURITÉ

BONNE POSITION   **MAUVAISE POSITION**

Avion

Pour les longues distances, c'est le moyen de transport le plus recommandé parce que le moins fatigant. Mais attention, il peut être indiqué, selon votre état veineux, de prendre un traitement avant de partir car le risque de thrombose vasculaire (phlébite) est augmenté par la position assise prolongée. Parlez-en avec votre médecin. Et il est conseillé à toutes les futures mères d'éviter de rester trop longtemps en position assise, ce qui favorise les troubles circulatoires dans les jambes : promenez-vous de temps en temps dans la cabine, et portez pour le voyage des chaussettes ou collants de contention. Sur les vols long courrier, des conseils pour bouger les jambes sont donnés sur les écrans vidéo. Pensez également à boire suffisamment pendant le voyage car le degré d'humidité est faible à l'intérieur de l'avion. Il n'existe pas de législation concernant le transport aérien des femmes enceintes, mais la plupart des compagnies acceptent les femmes jusqu'à 7 mois révolus. Une précision : il n'y a aucun risque à passer dans les portails de détection-sécurité.

Votre destination

Elle ne pose guère de problème, la longueur éventuelle du voyage mise à part, si vous allez dans un pays sans risque sanitaire. Rappelez-vous cependant qu'il n'est guère raisonnable d'envisager un long voyage après 7 mois. Il y a toujours un risque non négligeable d'accouchement prématuré. Ce risque se doublerait de l'inconvénient d'accoucher dans une maternité que vous n'auriez pas choisie et qui n'est peut-être pas équipée pour une naissance prématurée.

Voyager outre-mer

Si vous souhaitez vous rendre dans un pays où il faut prendre des précautions sanitaires, la plus grande prudence s'impose. Demandez conseil à votre médecin, ou au Centre de vaccinations situé dans l'hôpital le plus proche de votre domicile. En effet, les vaccinations, parfois nécessaires, peuvent être contre-indiquées (p. 223). Ensuite, le risque d'y contracter certaines maladies infectieuses ou parasitaires est augmenté, ce risque se doublant du fait que leur traitement peut nécessiter la prise de médicaments contre-indiqués chez une femme enceinte.

Il s'agit en particulier du **paludisme** auquel les femmes enceintes sont particulièrement sensibles, et le restent d'ailleurs pendant deux à trois mois après l'accouchement : les médicaments préventifs varient selon les endroits où sévit la maladie, et certains sont tout à fait déconseillés pendant la grossesse. Si vous devez partir malgré tout, demandez conseil à votre médecin. Une fois sur place, n'hésitez pas à prendre un surcroît de précautions ; utilisez tous les moyens pour lutter contre les piqûres de moustiques : portez des vêtements amples, serrés aux poignets et aux chevilles, mettez sur la peau un produit qui repousse les moustiques, utilisez une moustiquaire imbibée d'un produit insecticide, etc. Contre les **autres maladies infectieuses et parasitaires**, prenez un certain nombre de précautions. Prenez régulièrement des douches. Ne marchez jamais pieds nus sur un sol humide. Évitez les baignades en eau douce. Lavez-vous les mains avant les repas. Évitez glaçons, glaces et préférez toujours eau en bouteille et lait capsulé. Pelez les fruits. Évitez crudités et coquillages. Mangez viandes et poissons bien cuits.

> **IMPORTANT**
> PLUS ON S'APPROCHE DU TERME DE LA GROSSESSE, MOINS ON DOIT S'ÉLOIGNER DE LA MATERNITÉ.

Pour conclure, quel que soit le moyen de transport utilisé, on peut dire ceci :
• vous allez très bien, mais vous voulez aller loin, ne partez pas sans demander l'avis du médecin
• votre grossesse ne se déroule pas tout à fait normalement, parlez-en au médecin avant tout déplacement.

VOUS AVEZ BESOIN D'EXERCICE PHYSIQUL

Vous êtes peut-être de ces femmes qui ne font aucun sport, jamais de gymnastique, et qui n'ont pas l'habitude de marcher. Maintenant que vous êtes enceinte, c'est le moment de prendre l'habitude de faire au moins un peu d'exercice physique, et peut-être, ayant découvert comme c'est agréable de faire de la gymnastique et de marcher régulièrement ou d'aller à la piscine, continuerez-vous après la naissance de votre enfant. Car le minimum d'exercice dont vous avez besoin – et pour vous et pour votre enfant – vous le trouverez en marchant chaque jour, et en faisant tous les matins quelques mouvements.

La marche est le sport de la grossesse
Elle n'est jamais dangereuse, elle active la circulation, particulièrement dans les jambes, la respiration, le fonctionnement de l'intestin, souvent paresseux ; elle renforce la sangle abdominale. L'idéal est de pouvoir marcher tous les jours une bonne demi-heure, dans un endroit bien aéré, ce qui permet d'absorber plus facilement les 25 % d'oxygène supplémentaire dont la future mère a besoin. D'ailleurs marcher tous les jours est une recommandation faite aujourd'hui à tous, quel que soit l'âge.

Si la marche est excellente pendant la grossesse, elle n'a pas d'action sur le déclenchement de l'accouchement ; il ne sert à rien de vous forcer à marcher pour accoucher plus tôt, cela vous fatiguerait inutilement.

Des exercices bien choisis présentent un triple avantage :
• tout d'abord, ils facilitent le bon déroulement de la grossesse : circulation activée ; meilleure oxygénation ; bonne position du corps qui permet de porter l'enfant sans fatigue ; meilleur équilibre nerveux
• ensuite, ils préparent un accouchement plus facile et plus rapide par le raffermissement des muscles appelés à jouer un rôle important au cours de l'accouchement, et par l'assouplissement des articulations du bassin
• enfin, ils permettent aux différentes parties du corps de retrouver leur état normal plus rapidement après l'accouchement : ventre plat, taille fine, seins bien soutenus, etc.

Les exercices recommandés se divisent en trois catégories : exercices respiratoires, exercices proprement musculaires, exercices de relaxation (chapitre 14). Vous comprendrez mieux l'utilité de ceux qui sont destinés à préparer l'accouchement, quand vous saurez comment il se déroule et ce que vous aurez à faire. Si vous le souhaitez, vous pouvez commencer ces exercices dès le début de votre grossesse.

Tenez-vous en aux exercices décrits. Ils sont tout à fait suffisants. Il ne s'agit pas de vous transformer en athlète ni de faire de la musculation, mais de faciliter votre grossesse et votre accouchement par quelques mouvements simples. En fin d'exercice, pensez à consacrer quelques minutes à la relaxation (p. 348) pour bien vous détendre. Il y a peu de contre-indications à cette activité physique modérée durant la grossesse.

Vous pouvez faire les exercices chez vous. Vous pouvez aussi les faire dans un groupe de préparation à la naissance ; c'est toujours intéressant et agréable de rencontrer d'autres futures mères.

LES SPORTS

Peut-on continuer à pratiquer un sport pendant la grossesse ? Tout dépend du sport envisagé, de l'entraînement de la future mère, de la manière dont elle le pratique (avec modération ou avec excès) et de son état de santé. Il faut aussi tenir compte de ce fait : en cas de blessure (entorse, fracture), vous serez gênée physiquement par l'immobilisation d'un membre (jambe ou bras).

Votre grossesse est normale, vous êtes sportive et entraînée : continuez à pratiquer un sport, sauf s'il est contre-indiqué pendant la grossesse (voir la liste ci-dessous), mais faites-le avec modération, en connaissant vos limites : tout excès peut être dangereux car il peut entraîner un risque d'hypoxie (manque d'oxygénation) chez le bébé. L'excès, c'est le surmenage, l'essoufflement et une femme enceinte se fatigue vite. En effet, dès le début de la grossesse, l'activité de base de l'organisme s'accroît de 10 % : le cœur augmente ses pulsations cardiaques, la femme consomme plus d'oxygène. La grossesse peut être assimilée à une activité sportive d'endurance. Tout surcroît d'activité physique s'ajoutera à cette augmentation de base et sera d'autant plus fatigant.

À cause de cette fatigue, et des risques qu'elle entraîne, les exercices et sports violents, notamment de compétition, seront interdits. D'une façon générale, les sports collectifs (volley, basket, etc.) sont contre-indiqués car il est difficile de limiter son effort quand on est au milieu d'un groupe. Et même si tout va bien, mieux vaut – à l'exception de la marche et de la natation – ne plus pratiquer de sport pendant la deuxième moitié de la grossesse. Ceci est d'autant plus recommandé qu'il s'agit d'un sport fatigant ou exposant au risque de fracture.

Mais si la grossesse n'est pas normale, le sport est déconseillé. Passons maintenant en revue quelques sports courants.

Danse classique, danse rythmique
Oui, tout à fait possible.

Équitation
Non, le risque de chute est trop grand.

Exercices en salle
Oui, on peut pratiquer des exercices en salle mais de façon mesurée : pas d'effort maximum et récupération rapide (moins de 15 mn) en fin d'exercice.

Golf
Excellent, puisqu'il concilie grand air et marche. Mais vous serez très vite gênée par votre ventre.

Jogging

Au premier trimestre, celles qui aiment le jogging peuvent le pratiquer mais avec modération : il ne faut jamais être exténuée.

Judo

Ce n'est pas le sport idéal pour une femme enceinte : sport violent, risques de chutes, etc. Seules les femmes qui le pratiquent peuvent continuer au moins au début de la grossesse, en essayant de limiter les risques (mais cela semble difficile). Il ne faut certainement pas qu'une femme enceinte commence le judo quand elle n'en a jamais fait auparavant.

Natation

C'est, avec la marche, le meilleur sport pour la femme enceinte. Une femme sportive obligée de renoncer à un sport incompatible avec la grossesse, aura en nageant, la faculté de s'adonner à une activité physique, à la fois agréable et utile. Dans l'eau, une femme enceinte se sent plus légère. Plus légère, elle se détend plus facilement. D'autre part, la natation est un excellent exercice musculaire et respiratoire.

Pour ces raisons, la natation est bonne pour la future mère. Certaines séances de préparation à l'accouchement se font en piscine. Les futures mères qui ont eu l'occasion de participer à une telle préparation n'y ont trouvé que des avantages, notamment l'agrément de pratiquer dans l'eau plutôt que dans une salle, les exercices de détente et de respiration (p. 347). Si la natation est bonne, comme pour les autres sports, pas d'excès, pas de compétition, pas de plongeon. Et préférez la natation sur le dos ou le crawl qui ne provoquent pas de douleurs lombaires.

Aquagym

Comme son nom l'indique, c'est une gymnastique qui se fait en milieu aquatique. Elle se répand de plus en plus, elle est tout à fait bénéfique pour les femmes enceintes ; elle comporte des exercices de respiration, de marche dans l'eau, des jeux de groupe (avec un ballon par exemple). Même les femmes qui ne savent pas nager peuvent pratiquer l'aquagym.

Patinage

Oui, si vous êtes une habituée, sinon vous risquez les chutes.

Planche à voile

Finalement il apparaît, à cause des risques de chutes et de chocs, que la planche à voile est déconseillée dans tous les cas, même si vous n'êtes pas une débutante.

Plongée sous-marine

Elle est contre-indiquée en raison du risque d'hypoxie (manque d'oxygène pour le bébé).

RASSUREZ-VOUS
Une chute dans la vie quotidienne, ou lors de la pratique d'un sport, n'entraîne en général aucune conséquence sur la santé de votre bébé. Celui-ci est bien protégé.

Randonnées en montagne

Oui, mais en évitant de faire trop de dénivelé en une journée, ainsi que d'évoluer en haute altitude. De l'ascension sportive, du rocher, de la varappe, non. Le risque à éviter (nous y reviendrons souvent), c'est la chute.

Roller

Il doit être considéré, sinon comme un sport violent, du moins comme un sport à risques (chutes). Il est, de ce fait, tout à fait déconseillé.

Scooter et moto

Ils sont fortement déconseillés à cause des risques d'accidents.

Ski alpin

À déconseiller au-delà du 4e - 5e mois, sauf aux bonnes skieuses qui ne tombent pas.

Ski de fond

S'il s'agit de ski de fond de promenade, sa pratique ne pose pas de problème. En revanche, le ski de fond pratiqué intensément et de façon sportive n'est pas conseillé : risque d'être exténuée.

Ski nautique

Non, comme tout sport mécanique. Risque de chute important.

Tennis

Oui, mais pour s'amuser seulement, pas pour la compétition.

Vélo

Le vélo est un sport actif, qui fait travailler de nombreux muscles, et qui est bon pour le muscle cardiaque. Mais quand on parle de vélo, il y a deux aspects complètement différents : d'un côté le vélo-tourisme pour se promener ; il n'est pas en cause sauf à la fin de la grossesse ; soyez prudente cependant car les pertes d'équilibre ne sont pas rares et la chute peut arriver. Et il y a le vélo-moyen de transport quotidien, au milieu des encombrements, qui comporte des risques à cause de la fréquence des accidents des deux-roues.

   Quant au VTT, il est naturellement déconseillé : c'est un vélo qui est fait pour les terrains accidentés, il y a donc trop de risques de chute.

Yoga

C'est à la fois un sport et une excellente préparation à l'accouchement (p. 350).

LE SPORT EN PRATIQUE
• *pour toutes les futures mères : supprimer les sports mécaniques (auto, moto, 4X4...) et ceux à haut risque de chute (VTT, roller, équitation...)*
• *pour les sportives : la modération est recommandée, pas d'effort maximum*
• *pour les non-sportives : une activité physique d'au moins 30 minutes, deux à trois fois par semaine, est souhaitable (marche, natation, gymnastique d'assouplissement, yoga...)*

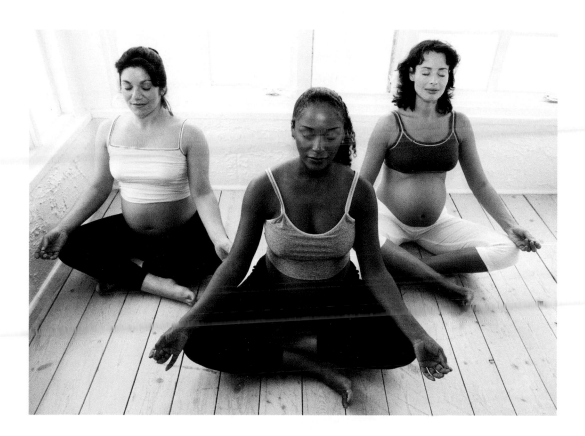

Vous le voyez, ce que l'on redoute dans certains sports, outre la fatigue qu'ils peuvent entraîner chez une femme enceinte, c'est le risque d'hypoxie (manque d'oxygène) pour le bébé si l'activité est pratiquée de façon trop intense. C'est aussi l'éventualité d'une chute : une femme enceinte est moins agile et moins stable, et peut tomber plus facilement. Il est exceptionnel qu'un choc direct et violent sur l'abdomen mette en danger la vie du bébé, ou puisse provoquer un accouchement prématuré. Mais qui dit chute, dit risque de lésions : entorse, fracture. Or, au cours de la grossesse, ces lésions mettent plus longtemps à se consolider.

BAINS DE SOLEIL, BAINS DE VAPEUR

• **Le bain de soleil.** Chaque année, les dermatologues mettent en garde contre les méfaits d'un excès de soleil. Malgré cela, le bronzage reste à la mode. Les futures mères ont pourtant des raisons supplémentaires de se méfier du soleil car il risque de faire apparaître le masque de grossesse et autres taches brunes (pp. 91-93). De plus, le soleil a une action néfaste sur les veines et peut accentuer d'éventuelles varices.

• **Les bains de vapeur**, c'est-à-dire le **sauna**. L'élévation de température du corps qu'ils provoquent n'est bonne ni pour une femme enceinte, ni pour le bébé. En plus, une température très élevée est souvent inconfortable et mal supportée.

Bien
se nourrir

À la conception, l'œuf humain est si petit qu'on ne peut le voir à l'œil nu.

À la naissance, l'enfant pèse environ 3,3 kg, il mesure aux alentours de 50 cm.

Jamais plus, l'être humain ne connaîtra de croissance aussi prodigieuse.

Or ce qu'il lui faut pour prendre ces kilos et ces centimètres, pour bâtir ses os et ses muscles, l'enfant le puise dans le sang de sa mère : et le calcium et les protéines, et le fer et les vitamines, et les graisses et le phosphore, etc.

L'enfant a des besoins précis qu'il faut satisfaire, la future mère également. Porter un enfant représente pour son organisme un travail auquel participent tous ses organes. En outre, certaines parties de son corps se développent considérablement : les seins et l'utérus.

Enfin l'alimentation va contribuer à préparer l'allaitement.

Pour toutes ces raisons, on comprend pourquoi il est important de bien se nourrir lorsqu'on attend un bébé.

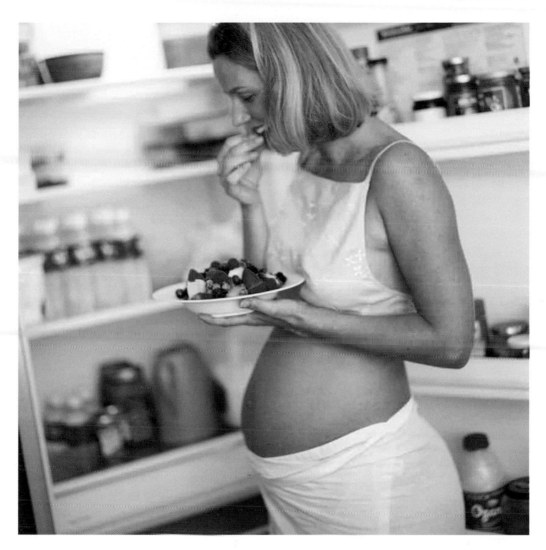

Faut-il manger plus ?

Faut-il manger plus ? Faut-il manger différemment lorsqu'on attend un enfant ? Nous parlerons d'abord de la quantité. C'est la première question que se posent, en général, les futures mères. Des générations ont vécu dans l'idée qu'il fallait manger pour deux ; aussitôt enceintes, les futures mères mettaient les bouchées doubles au risque de prendre trop de poids, ce qui était inutile et même dangereux. Puis, on a tellement attiré l'attention sur les dangers de cette suralimentation systématique qu'aujourd'hui certaines futures mères mangent très peu pour ne pas prendre trop de poids. Où est la juste mesure ? Avant de vous répondre, voici quelques précisions.

LE BESOIN D'ÉNERGIE : LES CALORIES

Notre corps ne peut fonctionner qu'avec un apport d'énergie. L'énergie, pour les voitures, c'est l'essence ; pour le corps humain, ce sont les calories apportées par les aliments. Certains aliments apportent peu de kilocalories (en abrégé kcal), d'autres dix ou cent fois plus. Vous en tiendrez compte si vous avez besoin de surveiller votre poids (tableau p. 80).

Nous avons tous besoin de calories pour assurer les fonctions vitales de notre corps (respiration, activité du cerveau, battements cardiaques...), la digestion des aliments, le maintien de la température du corps à 37°C et l'activité physique.

Les besoins énergétiques varient en fonction de l'âge, du sexe, de la corpulence, de l'activité physique. Par exemple, par jour : 1 900 kcal pour une femme sédentaire, 4 000 kcal pour un sportif de haut niveau. Si un individu ne consomme pas assez de calories pour couvrir ses besoins, il puise dans ses réserves de graisse et maigrit. S'il mange plus que ses besoins, il stocke l'excédent de calories et grossit.

Que se passe-t-il chez la femme enceinte ? Avant la grossesse, une femme d'activité moyenne a des besoins énergétiques d'environ 2 200 kcal par jour. Au cours de la grossesse, les besoins quotidiens augmentent peu : 150 kcal (l'équivalent d'un yaourt et un fruit) à 250 kcal en moyenne. Les besoins énergétiques sont variables d'une femme à l'autre : le mieux est de se fier à son appétit et de n'intervenir qu'en cas de prise de poids insuffisante ou excessive.

DÉPENSE CALORIQUE HORAIRE D'UNE FEMME DE 60 KG, MESURANT 1,65 M
Durant le sommeil : 50 kcal
Regarder la TV : 65 kcal
Coudre : 78 kcal
Cuisiner : 90 kcal
Activité professionnelle (de bureau) : 120 kcal
Faire le ménage : 128 kcal
Marcher : 148 kcal
Courir : 350 kcal
(Source : Les apports nutritionnels conseillés pour la population française)

Quelques cas particuliers

S'il n'est pas nécessaire à une femme enceinte de manger beaucoup plus que d'habitude, il y a quelques cas où cela sera indispensable.

• Les besoins d'une **adolescente enceinte** sont plus élevés pour assurer sa croissance. C'est important à savoir car certaines jeunes femmes surveillent leur poids et ne mangent pas suffisamment. Or, c'est chez elles que le poids de naissance de l'enfant est le plus en rapport avec la prise de poids maternelle. Par ailleurs, l'apport supplémentaire de calcium, fer, folates et vitamine D sera systématique. Enfin, un aliment à base de lait sera consommé à chaque repas.

• Une femme attendant des **jumeaux** devra, à partir de la deuxième moitié de la grossesse, consommer plus d'aliments énergétiques et d'aliments riches en minéraux et vitamines.

COMBIEN DE REPAS PAR JOUR ?

Certaines femmes ont des périodes de fringales, d'autres au contraire manquent d'appétit, ont des nausées. Voici ce qui en général convient le mieux aux futures mères : prendre trois repas principaux (matin, midi et soir) et un goûter. Cette répartition des repas diminue les nausées en début de grossesse, ainsi que les sensations de pesanteur ou de gonflement après les repas. Le goûter permet d'éviter les fringales et les grignotages. Ne sautez pas le petit déjeuner, vous risqueriez de souffrir d'hypoglycémie en fin de matinée. Même si on travaille on peut emporter un yaourt, une pomme, une barre de céréales ou quelques biscuits, l'important est que la quantité et l'équilibre de la journée soient respectés. (Voyez quelques idées de menus p. 74 et pp. 76-77).

Que faut-il manger ?

La réponse est facile : de tout, ni trop ni trop peu ; ce qui est d'ailleurs conseillé à tous pour être en bonne santé. Et maintenant que vous attendez un enfant, c'est encore plus important. Si manger pour deux n'est pas vrai sur le plan de la quantité, c'est certes vrai sur le plan de la qualité. Autrement dit, manger pour deux, ce n'est pas manger deux fois plus, c'est manger deux fois mieux.

Mais qu'est-ce que se nourrir correctement ? C'est avoir une alimentation **équilibrée**, c'est manger **varié** et en **quantité suffisante**. L'alimentation doit être composée des principales catégories d'aliments afin d'apporter à l'organisme ce dont il a besoin : vitamines, protéines, calcium... Bien manger, c'est aussi préparer l'avenir : on sait aujourd'hui qu'une bonne alimentation de la future maman a une influence sur la santé de l'enfant et plus tard sur celle de l'adulte.

Voyons maintenant plus en détail les propriétés nutritionnelles des aliments.

LES ALIMENTS CONTENANT DES PROTÉINES (PROTIDES)

Les protéines fournissent le matériau de construction et d'entretien de l'organisme. En fin de grossesse, les besoins augmentent de 15 à 20 %. En pratique, il faut consommer tous les jours de la viande, ou du poisson, ou des œufs, et des produits laitiers, car ces aliments contiennent des protéines animales, donc de bonne qualité nutritionnelle.

VOICI DES EXEMPLES DE PORTIONS D'ALIMENTS RICHES EN PROTÉINES À CONSOMMER DANS UNE JOURNÉE AU COURS DES DIFFÉRENTS REPAS
120 à 130 g de poisson ou de viande ou de volaille ou 2 gros œufs
+ 1 verre de lait à boire ou à utiliser dans une recette (riz au lait, purée...)
+ 1 yaourt
+ une part de fromage de 20 à 30 g
Le lait peut être remplacé par du fromage blanc ou du fromage râpé
Le fromage peut être remplacé par un laitage

LES ALIMENTS CONTENANT DES LIPIDES (OU GRAISSES)

Les graisses « transportent » certaines vitamines (A, D, E, K) et elles fournissent de l'énergie et des acides gras essentiels au développement du cerveau et des cellules nerveuses du bébé (les acides gras oméga 3). Les principales sources de lipides sont les huiles, le beurre, les sauces, les charcuteries, les fruits oléagineux (noix, noisettes, cacahuètes, amandes), certains plats cuisinés, les pâtisseries. Il est nécessaire de varier les sources de lipides pour bénéficier de leurs atouts, par exemple vitamine A dans le beurre, oméga 3 dans les poissons gras et l'huile de colza.

LES ALIMENTS CONTENANT DES GLUCIDES (OU SUCRES)

Les aliments contenant des sucres dits **simples** sont à consommer pour le plaisir et avec modération : sucre, confitures, boissons sucrées, gâteaux et biscuits, etc. D'autres sucres, appelés **complexes** fournissent de l'énergie à la maman et au bébé : pain, pâtes, riz, légumes secs, pommes de terre, maïs. Ils sont à consommer à chaque repas tout au long de la grossesse.

Que penser des **édulcorants**, tels que l'aspartame, qui donnent un goût sucré aux aliments sans apporter les calories du sucre ? Aucune étude ne permet de dire aujourd'hui que les édulcorants, consommés en quantité limitée, sont nocifs pour le bébé à naître. Mais si vous souhaitez limiter votre consommation de sucre, mieux vaut essayer de se déshabituer du goût sucré. C'est souvent plus facile qu'on ne croit de prendre, par exemple, l'habitude de boire du thé sans sucre ou de manger un yaourt nature.

ALLERGIE
Si le papa, ou l'un des frères et sœurs de l'enfant, ou vous-même êtes allergique, votre bébé risque de l'être. Pour diminuer les risques d'allergie chez l'enfant à naître, il est recommandé à la maman de supprimer l'arachide de son alimentation pendant la grossesse et l'allaitement : cacahuètes, beurre d'arachide, certaines pâtisseries ou biscuits industriels. À vérifier sur l'étiquette : l'étiquetage des principaux allergènes, comme l'arachide, est obligatoire.

LES MINÉRAUX DE LA GROSSESSE
• Le calcium
Le rôle du calcium dans la formation du squelette et des dents du bébé est bien connu. Les aliments les plus riches sont le lait, les fromages, yaourts, etc. Pour satisfaire les besoins en calcium, il est nécessaire de consommer chaque jour trois produits à base de lait, par exemple un à chaque repas.

En cas de problème de poids, préférez les produits écrémés ou demi-écrémés. Si vous ne consommez pas de lait, mangez plus de laitages et choisissez les fromages les plus riches en calcium : emmental, gruyère, comté, cantal, beaufort.

• Le fer
Les aliments riches en fer sont les viandes (surtout boudin noir bien cuit et bœuf), les poissons, les volailles et les œufs. Il est nécessaire de manger chaque jour un de ces aliments car les besoins en fer sont fortement accrus pendant la grossesse, surtout les six derniers mois. Par ailleurs, une alimentation riche en vitamine C (fruits et légumes) augmente l'assimilation du fer ; et, au contraire, boire du thé pendant le repas empêche son absorption. En cas d'anémie, de régime végétarien, de grossesses rapprochées ou multiples, le médecin vous prescrira peut-être une supplémentation en fer.

• L'iode
La grossesse augmente les besoins en iode. Cet oligoélément est indispensable au bon fonctionnement de la thyroïde et au développement du cerveau du bébé. On le trouve dans les poissons de mer, crustacés bien cuits, lait, yaourt et fromage blanc. Vous pouvez aussi cuisiner avec du sel enrichi en iode (voyez l'étiquette).

LES VITAMINES DE LA GROSSESSE
• Les folates (ou vitamine B9 ou acide folique)
Les folates interviennent notamment dans le développement du système nerveux et cérébral. Pendant la grossesse, les besoins en folates sont augmentés d'un tiers. Une carence en acide folique peut être responsable de diverses complications : anémie, retard de croissance intra-utérin, prématurité, et surtout malformations fœtales, notamment neurologiques. Une grossesse gémellaire, l'attente d'un second enfant (ou plus), l'adolescence, l'alcoolisme, le tabagisme, augmentent le risque de carence.

On trouve l'acide folique dans les légumes verts (salades, mâche, épinards, cresson, endives, choux, haricots verts, petits pois...), les fruits (melon, fraises, framboises...), les lentilles, les noix, le germe de blé, les fromages pasteurisés, la levure.

Un apport supplémentaire (400 ug /par jour) est vivement conseillé **avant** le début de la grossesse, et au moins deux mois avant. Mais on ne sait pas quand celle-ci va débuter, à part le cas des procréations médicalement assistées. Cet apport est recommandé pendant les premiers mois de la grossesse chez les femmes présentant un facteur de risque.

• La vitamine D
Cette vitamine permet au calcium d'être absorbé et de se fixer. Des apports suffisants en vitamine D permettent au bébé de se constituer des réserves nécessaires pour les premiers mois de vie. Or les aliments contiennent de très petites quantités de vitamine D ; on la trouve notamment dans les poissons gras, les laitages non écrémés, le jaune d'œuf. C'est principalement l'organisme qui fabrique lui-même cette vitamine sous l'action des rayons solaires sur la peau. La meilleure source de vitamine D est donc le grand air et le soleil (avec modération !).

La carence en vitamine D est très fréquente chez les femmes enceintes. C'est pourquoi les médecins prescrivent volontiers pendant la grossesse de la vitamine D, sous forme de médicament, notamment si vous devez accoucher au printemps.

Les autres vitamines (A, B, C, E, K) sont fournies par une alimentation équilibrée en variant les aliments.

Comment préserver les vitamines des fruits et des légumes ?
• Les fruits
Les consommer plutôt crus que cuits, les laver rapidement, ne pas les laisser tremper dans l'eau, les couper avec un couteau inoxydable, enfin les consommer aussitôt. Ne pas préparer les jus de fruits à l'avance. Si l'on fait des compotes, les cuire dans peu d'eau et peu longtemps, la perte en vitamines sera réduite.
• Les légumes
La perte des vitamines par la cuisson peut être réduite en les laissant tremper le moins longtemps possible, et en les faisant cuire dans peu d'eau, peu longtemps, et si possible dans leur peau. L'idéal est la cuisson à la vapeur, facile dans un autocuiseur, ou dans un « cuiseur-vapeur » électrique.

Contrairement à ce que l'on pense parfois, les fruits et les légumes en conserve ou surgelés ne sont pas moins riches en vitamines que les végétaux frais. En effet, les vitamines, très fragiles, sont en partie détruites en cas de stockage prolongé, et pendant les opérations d'épluchage, de trempage et de cuisson. Tandis que les légumes destinés à la surgélation et aux conserves sont traités rapidement dès la récolte, ce qui limite les pertes en vitamines. De plus le froid ne détruit pas les vitamines.

Bon à savoir : plus les fruits et légumes sont colorés, plus ils sont riches en vitamines.

LES ALIMENTS ISSUS DE L'AGRICULTURE BIOLOGIQUE
L'agriculture biologique (bio) est un mode de production visant à respecter la nature, l'environnement, les équilibres écologiques. Les agriculteurs doivent obéir à un cahier des charges rigoureux (non utilisation de produits chimiques de synthèse, respect du bien-être des animaux...). Un règlement européen en définit les principes.

Le logo français AB (agriculture biologique) ou le logo européen — sur fond vert, une feuille dont les contours sont des petites étoiles — mentionnés sur l'étiquette, garantissent que le produit alimentaire contient plus de 95 % d'ingrédients issus de l'agriculture bio. Les analyses réalisées sur ces produits montrent qu'ils apportent moins de résidus de pesticides que les produits non bio. En ce qui concerne les qualités nutritionnelles, la différence est moins nette, les produits bio ne sont globalement pas plus riches en vitamines ou en minéraux.

LE POINT SUR LES SUPPLÉMENTS (VITAMINES, MINÉRAUX) PENDANT LA GROSSESSE

Deux vitamines (acide folique et vitamine D) sont en général prescrites par le médecin. Les autres le sont selon chaque cas.

• Acide folique (B9)

La supplémentation en acide folique 4 à 8 semaines avant la grossesse et pendant les premiers mois est recommandée. Une alimentation riche en céréales et légumes verts l'est également.

• Vitamine D

Un complément est fortement recommandé car l'alimentation n'est en général pas suffisante pour couvrir les besoins pendant la grossesse, surtout si elle se déroule en hiver.

• Fer

La supplémentation systématique n'est pas justifiée. Par contre les carences en fer sont fréquentes ; le médecin les fera rechercher et donnera un traitement en conséquence.

• Autres suppléments

On trouve dans le commerce toutes sortes de compléments alimentaires à base de plantes, vitamines, minéraux... Il est déconseillé d'en prendre pendant la grossesse car leur intérêt n'a pas été démontré. Seule la supplémentation prescrite par le médecin est à suivre.

DÉJEUNER AU TRAVAIL

De plus en plus de femmes, et donc de futures mères, déjeunent en dehors de chez elles et souvent en moins d'une demi-heure. Supprimer ou trop réduire la pause-déjeuner est déconseillé. Voici quelques exemples pour arriver à manger équilibré et éviter quelques erreurs.

• Déjeuner d'un sandwich

Préférez le pain aux céréales ou bis plutôt que du pain blanc ou viennois ; le jambon, le poulet, le thon, le fromage, le bœuf, les œufs plutôt que la charcuterie. N'oubliez pas les légumes : tomates, salade, carottes, concombre, poivrons marinés.... Et pour finir, mangez un laitage et une compote sans sucres ajoutés ou un fruit, éventuellement une pâtisserie de temps en temps. En boisson, de l'eau ou du lait si vous ne prenez pas de laitage. Le dîner à base de légumes, fruits et yaourt compensera le déjeuner.

• Pâtes ou pizza ?

La pâte à pizza et les tagliatelles contiennent des glucides qui vont permettre de passer l'après-midi sans avoir faim. Choisissez les garnitures composées de légumes (tomates, poivrons, aubergines, oignons...) et de fromage (chèvre, bleu...). Viande et poisson ne sont pas indispensables si la pizza est au parmesan ou à l'œuf. À éviter : l'excès de sauce de certaines préparations de pâtes et trop d'huile pimentée car même l'huile d'olive est riche en graisse.

• Une salade composée

Elle peut ne pas suffire : tout dépend de la taille de la salade et de sa composition. La salade doit contenir des féculents (pâtes, riz, pommes de terre, lentilles) pour être nourrissante et éviter d'avoir faim l'après-midi ; sinon, accompagnez-la de pain. Ajoutez-y des légumes, du fromage et de la viande ou du poisson, et éventuellement quelques noix, amandes ou fruits secs. Le tout assaisonné d'une vinaigrette à l'huile de colza ou de noix. Après la salade, le fromage peut être remplacé par un yaourt.

Finissez le repas avec un fruit ou gardez-le pour l'après-midi.

• Manger une pomme et un yaourt

Un fruit et un laitage composent le menu d'un goûter pas celui d'un déjeuner, surtout pendant la grossesse. N'oubliez pas que vous devez nourrir aussi votre bébé. Un seul moyen : manger en quantité suffisante.

• Et le restaurant d'entreprise ?

C'est bien sûr la meilleure solution qui permet de déjeuner bien et relativement vite, en choisissant par exemple un plat accompagné d'une entrée ou d'un dessert. Privilégiez les crudités en entrée, le fruit ou le laitage en dessert, et mélangez légumes et féculents pour accompagner la viande ou le poisson.

VARIER, C'EST FACILE...

Avec une nourriture variée et suffisante, comprenant toutes les catégories d'aliments, ni votre bébé ni vous ne manquerez de rien. Ne faites pas des repas du genre : sardines, œufs, bifteck, fromage (trop riche), ou un repas du type : pamplemousse, épinards, poire (trop maigre) ; ou encore : salade de riz, gratin de spaghetti et bananes, c'est-à-dire un concentré de glucides.

Mangez de tout régulièrement, chaque jour : du poisson, des œufs, de la viande, des laitages (fromages, yaourts, lait), des fruits et des légumes, etc.

Voyez les menus des pages suivantes : ils apportent en quantité et en qualité tout ce qui est nécessaire. Inspirez-vous-en pour composer d'autres menus qui soient bien équilibrés. Les futures mamans ont parfois de la peine à digérer un plat de poisson, viande ou œuf au repas du soir. Si tel était le cas, remplacez-les de temps en temps par des légumes secs, et une portion supplémentaire de laitage ; vous aurez ainsi votre ration de protéines et de calcium. Vous savez maintenant ce qu'est une alimentation variée. Il est possible que si avant d'être enceinte vous aviez une alimentation déséquilibrée, vous découvriez aujourd'hui le plaisir de bien vous nourrir.

Des menus bien équilibrés

PETIT DÉJEUNER

Fruit frais ou 1 verre de jus de fruit	50
Café au lait, 1 bol	150
3 tranches de pain	160
Confiture (1 cuillère à soupe)	100
Beurre (10 g)	80
Kcal	**540**

PETIT DÉJEUNER

Fruit frais ou 1 verre de jus de fruit	50
1 bol de Muesli + lait	230
2 tranches de pain	110
Confiture (1 cuillère à soupe)	100
Beurre (10 g)	80
Thé	0
Kcal	**570**

DÉJEUNER

1 assiette de crudités en salade (tomates, radis, carottes, chou rouge) assaisonnées à l'huile et au citron	100
1 escalope de poulet garnie de persil haché (100 g)	145
Gratin de courgettes	140
3 tranches de pain	160
1 poire	70
Kcal	**615**

DÉJEUNER

Salade de crudités	100
1 bifteck (100 g)	175
Riz (50 g, poids cru)	175
Cantal (30 g)	115
2 tranches de pain	110
Kcal	**675**

GOÛTER

1 yaourt	80
3 biscuits	115
Kcal	**195**

GOÛTER

1 yaourt	80
1 fruit	70
Kcal	**150**

DÎNER

1 tranche de colin	130
Pommes à l'anglaise	150
Fromage blanc	80
2 tranches de pain	110
Ananas ou fraises	50
Kcal	**520**

DÎNER

1 omelette de 2 œufs	150
Des épinards aux croûtons	50
2 petits-suisses	80
Compote de pommes	90
3 tranches de pain	160
Kcal	**530**

POUR LA JOURNÉE

35 g de matières grasses	250
3 morceaux de sucre	80
Kcal	**330**

POUR LA JOURNÉE

35 g de matières grasses	250
3 morceaux de sucre	80
Kcal	**330**

Soit au total 2 200 Kcal

Soit au total 2 255 Kcal

... pour les quatre saisons

PRINTEMPS

Déjeuner
Radis
Bifteck
Purée de carottes
Flan

Dîner
Salade verte
Tagliatelles à la sauce viande et au fromage
Fraises

ÉTÉ

Déjeuner
Salade de tomates
Poulet rôti
Petits pois
Gruyère

Dîner
Courgettes, aubergines farcies au riz
Yaourt
Salade de fruits frais

AUTOMNE

Déjeuner
Salade de concombre
Tranches de poisson à l'italienne
Pommes vapeur
Fromage blanc

Dîner
Quiche lorraine
Salade mixte
Glace
Poire

HIVER

Déjeuner
Carottes et céleri râpés en salade
Filet de poisson frit avec citron
Poêlée de légumes
Gâteau de semoule

Dîner
Soupe de légumes
Risotto
Salade verte
Cantal

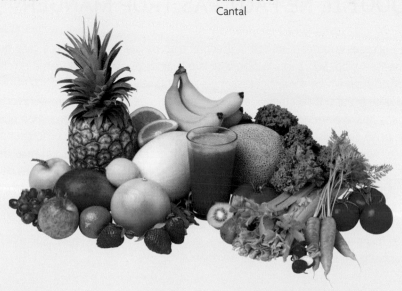

• Les régimes végétariens ne sont pas toujours souhaitables pendant la grossesse, surtout s'ils excluent beaucoup d'aliments. Si vous supprimez uniquement la viande, il faudra veiller à consommer chaque jour du poisson et des œufs pour assurer les apports en protéines et surtout en fer et vitamine B12. Si vous avez exclu de votre alimentation la viande et le poisson, vous trouverez les protéines animales dans les œufs, le lait et ses dérivés et vous compléterez avec des protéines végétales en consommant à la fois des légumineuses et des céréales (blé, pâtes, riz...). En revanche, les apports en fer, en zinc, en vitamine B12, risquent d'être insuffisants, vous verrez avec votre médecin si vous avez besoin d'une supplémentation. Si vous craignez d'avoir une alimentation trop déséquilibrée, vous pouvez prendre conseil auprès d'un diététicien.

• Par contre les régimes végétaliens sont à proscrire, car ils excluent non seulement la viande, mais également tous les produits d'origine animale indispensables à la croissance, comme le lait, les œufs, le fromage. Ils sont vraiment dangereux et ils provoquent inévitablement des carences nutritionnelles.

LES DIFFICULTÉS D'UNE ALIMENTATION CORRECTE

Au début de la grossesse, les futures mères souffrent souvent de divers troubles digestifs : nausées, vomissements, maux d'estomac, etc., ou alors, elles n'ont pas faim ; parfois, au contraire, elles sont atteintes de boulimie. Ces divers troubles risquent d'empêcher un bon équilibre de l'alimentation.

Ainsi, par exemple, certaines femmes sujettes aux nausées, pour les éviter, suppriment les repas et grignotent des biscuits ou du chocolat. Le résultat c'est qu'elles grossissent sans s'être nourries convenablement. Heureusement, les divers troubles digestifs disparaissent, passé le premier trimestre. C'est cela qui explique que, au cours de ces trois premiers mois, certaines femmes aient pris 3 kg alors que d'autres en ont perdu autant.

En attendant :

• si vous avez peu d'appétit, mangez au moins des aliments vous apportant des protéines, du calcium et des vitamines

• si vous avez toujours faim, essayez de résister aux bonbons, gâteaux, ou biscuits : entre les repas, mangez un laitage, un œuf dur, une tranche de pain complet, un fruit, par exemple une pomme

• si vous avez des nausées, reportez-vous aux conseils donnés page 190.

POURQUOI IL NE FAUT PAS TROP MANGER

Trop manger, grossesse ou pas, aboutit à prendre trop de poids. Il n'est pas rare qu'une femme enceinte grossisse trop, soit parce qu'elle a plus d'appétit qu'avant, soit parce qu'elle pense que cette nourriture supplémentaire est nécessaire à son enfant.

Manger pour deux est une recommandation qui nous vient de siècles souvent défavorisés et qui n'a plus cours dans nos sociétés actuelles où nous avons plutôt tendance à avoir une nourriture trop riche. Or, une prise de poids excessive pendant la grossesse peut avoir des conséquences néfastes.

Elle favorise l'apparition de complications : diabète, hypertension artérielle, toxémie, etc. Une autre conséquence est que plus les tissus ont tendance à s'infiltrer anormalement d'eau et de graisse, plus ils perdront leur souplesse et leur élasticité naturelle ; cela peut perturber votre confort au cours de la grossesse et rendre l'accouchement moins facile. Enfin, et ce n'est pas négligeable, vous risquez de récupérer moins vite votre silhouette d'avant la grossesse.

Pour ne pas manger plus qu'il n'est nécessaire, vous avez un moyen simple : surveillez votre poids en vous pesant régulièrement une fois par semaine.

SURVEILLEZ VOTRE POIDS

Une future mère de corpulence normale prend en moyenne 10 à 12 kg pendant sa grossesse, 3 à 4 kg de plus pour des jumeaux. En moyenne, cela signifie que certaines femmes prendront 1 ou 2 kg en plus, d'autres en moins, cela dépendra de leur constitution, de leur poids avant la grossesse, de leur taille, de leur activité physique, etc. Par exemple, une femme obèse ne doit pas prendre plus de 6 à 7 kg, alors qu'une femme maigre doit en prendre de 12 à 18. Voyez le tableau ci-dessous.

Les trois premiers mois, le poids reste stable en général. Mais un certain nombre de femmes maigrissent au début de leur grossesse de 1 ou même 2 kg, surtout celles qui sont sujettes aux vomissements. Si c'est votre cas, ne vous en inquiétez pas : vous reprendrez du poids lorsque ceux-ci auront cessé. Ces kilos, vous les prendrez donc surtout à partir du 4e mois, à raison de 350 g par semaine environ. Si vous avez grossi de plus de 350 à 400 g par semaine, c'est que votre nourriture est trop riche, il faut donc la ramener à la normale. Pensez aussi au fait que l'appétit reste à peu près identique pendant toute la grossesse alors que les dépenses physiques diminuent progressivement.

SI VOUS AVEZ PRIS TROP DE POIDS

En regardant votre balance, vous constatez que vous avez pris trop de poids. Qu'allez-vous faire ? Surtout ne vous mettez pas à sauter des repas ou à calculer les calories avant de vous mettre à table, celles de la tranche de pain, du bifteck, du yaourt. Tout régime restrictif est formellement contre-indiqué pendant la grossesse sous peine d'entraîner des carences pour la maman et une sous-nutrition pour le bébé. Ce qu'il faut, c'est repérer les aliments gras et/ou sucrés afin d'en limiter la consommation ou de les éviter le temps de la grossesse.

• Pour diminuer les **apports en graisses** (sans les supprimer), il est conseillé de limiter les charcuteries, les viandes grasses, les matières grasses et d'éviter les fritures, les chips, les cacahuètes, les viennoiseries.

• Il est également conseillé de réduire les **aliments très sucrés** comme les pâtisseries, les biscuits, les confiseries, le chocolat, le sucre ou le miel ajouté dans le thé, le café ou le yaourt. Quant aux sodas et jus de fruits du commerce, biscuits apéritifs et autres amuse-gueules, on a souvent tendance à en abuser sans s'en rendre compte ; réservez-les pour une occasion particulière.

• Ce n'est pas un régime de famine, il vous reste pour vous nourrir :

- les entrées de crudités assaisonnées d'huile riche en oméga 3 (par exemple colza ou noix)
- les poissons et viandes cuits au four, en papillote, au gril, les œufs
- les fromages (à moins de 25 % de MG) et laitages (fromage blanc à moins de 10 % de MG, yaourt).

• Consommez à chaque repas des légumes verts, des fruits, des féculents ou du pain, cela vous évitera

PRISE DE POIDS CONSEILLÉE EN FONCTION DE LA CORPULENCE AVANT LA GROSSESSE.
LA CORPULENCE SE MESURE AVEC L'INDICE DE MASSE CORPORELLE (IMC)*.

CORPULENCE AVANT LA GROSSESSE	PRISE DE POIDS CONSEILLÉE PENDANT LA GROSSESSE
IMC : 19,8	12,5 à 18 kg
IMC entre 19,8 et 26	11,5 à 16 kg
IMC entre 26 et 29	7 à 11,5 kg
IMC supérieur à 29	6 à 7 kg

*Pour calculer l'IMC, on divise le poids (en kilos) par la taille au carré (en mètre) ; soit : $\dfrac{\text{poids (kilos)}}{\text{taille (en mètre) x taille (en mètre)}}$

Par exemple, chez une femme de 1,65 m et 60 kg, l'IMC est de 22 (60/1,65² = 22).

VOUS PRENEZ TROP DE POIDS : CONSULTEZ CE TABLEAU

PORTIONS D'ALIMENTS	CALORIES POUR LA PORTION
Aliments à consommer en quantité raisonnable	
1 bol de lait demi-écrémé	135
200 g de légumes (carottes, tomates, courgettes, choux, haricots verts...)	50 à 80
1 yaourt nature	65
100 g de fromage blanc à 20 % MG	80
1 fruit moyen ou 2 petits fruits	50 à 80
120 g de poisson maigre (cabillaud, carrelet, colin, lieu, limande, raie, merlu, merlan, lotte, truite, flétan)	75 à 130
120 g de poisson semi-gras (anguille, hareng, maquereau, sardine, flétan, saumon)	150 à 220
200 g pommes de terre (au four, en purée, à la vapeur)	160
120 g poulet	150
2 œufs	150
120 g viande (bœuf, veau, filet porc, jambon blanc)	200 à 230
160 g pâtes cuites ou de riz cuit	180
1/4 de baguette (50 g)	130
1 cuillère à soupe d'huile	90
1 noisette de beurre	37
1 part de fromage (30 g)	80 à 120
40 g de céréales petit déjeuner	100 à 160
Aliments les plus caloriques	
150 g poisson pané	350
150 g frites	400
50 g chips	210
1 cuillère à soupe de mayonnaise	105
1 tablette de chocolat (100 g)	550
1 cuillère à soupe de confiture	75
1 poignée de fruits secs (raisins, figues...)	130 (250 kcal pour 100 g)
1 poignée d'amandes, noisettes, noix	300 (600-700 kcal pour 100 g)
1 part de tarte aux fruits	360
1 muffin chocolat	250
1 part de quiche	340
1 part de pizza	200 à 300
1 barre chocolatée (60 g)	300
1 grand verre de soda, jus de fruit (200 ml)	90
1 sandwich au saucisson-beurre	530
1 tranche de pâté de foie	185
1 cuillère à soupe rase de sucre	40
100 g de biscuits au chocolat	450

d'avoir faim entre les repas. Le grignotage souvent composé de biscuits, confiseries peut en effet favoriser la prise de poids.

Le **tableau ci-contre** complètera ces informations en vous indiquant l'apport en calories des principaux aliments. Il vous permettra de comparer des portions d'aliments et de voir ceux qui sont plus ou moins énergétiques.

Si malgré ces conseils, vous continuez à prendre trop de poids, parlez-en au médecin ou consultez un diététicien.

POUR CELLES QUI NE PRENNENT PAS ASSEZ DE POIDS

Il n'y a pas que des femmes qui mangent trop pendant leur grossesse. Un certain nombre sont au contraire sous-alimentées, soit par coquetterie pour ne pas trop grossir, soit, hélas ! par manque de ressources. Ainsi voit-on des femmes minces, voire maigres, ne prendre que 6 kg pendant toute leur grossesse, même moins. Or des restrictions alimentaires importantes entraînent une insuffisance d'apport en énergie, des risques de carences en minéraux (calcium, fer, magnésium...), en vitamines et même en protéines. Cette sous-alimentation est dangereuse pour le bébé, qui risque de naître trop tôt, avec un retard de croissance ou de naître à terme avec un petit poids de naissance. Il y a aussi un risque plus lointain : des études montrent que l'enfant devenu adulte a plus de risques de maladies cardio-vasculaires.

Donc, pas de sous-alimentation systématique pour rester mince. Aujourd'hui, pour votre enfant, il faut vous nourrir suffisamment.

Si vous prenez peu de poids parce que vous avez un petit appétit, pensez à faire plusieurs petits repas dans la journée en multipliant les collations avec des laitages, des fruits, du pain et du fromage, du lait et des céréales enrichies, des flans aux œufs. N'hésitez pas à consulter un diététicien pour vous aider.

VOUS ÉTIEZ AU RÉGIME

Avant d'être enceinte, vous suiviez un régime pour perdre du poids. Ce genre de régime est en général déséquilibré (cure d'ananas, régime de protéines, etc.) et donc déconseillé pendant la grossesse. Votre alimentation doit apporter tout ce qui est nécessaire au développement de l'enfant : vitamines, minéraux, protéines mais aussi graisses. L'idéal est de faire 3 à 4 repas réguliers par jour. Pour ne pas prendre trop de poids (voir également p. 79), vous privilégierez les viandes maigres, les poissons et les œufs, les produits laitiers partiellement écrémés, les fruits (pas plus de 2 à 3 par jour car ils peuvent apporter trop de sucre et donc de calories) et les légumes, les crudités assaisonnées avec de l'huile de colza ou noix ou soja. Et pour faire face aux besoins en énergie, en vitamines B, en fibres, pensez aux céréales complètes.

LES ALIMENTS À ÉVITER OU À LIMITER

Les aliments contre-indiqués

• L'alcool, y compris le vin et la bière (p. 57)
• Les aliments et margarines enrichis au « stérol » ou « stanol » (pour faire baisser le cholestérol)
• Certains poissons : marlin, espadon, siki, car ces poissons accumulent davantage de toxiques. Cette recommandation concerne essentiellement les habitants de l'île de la Réunion
• Le foie.

Les aliments qui pourraient rendre malade ou provoquer une intoxication

• Gibier, viandes et poissons mal cuits ou crus
• Crustacés, moules, huîtres : il est parfois difficile d'être sûr de leur fraîcheur, et ils risquent de transmettre le virus de l'hépatite A (p. 250)
• Lait cru (non pasteurisé), fromages à pâte molle au lait cru (brie, camembert, coulommiers, livarot etc.). Ôtez la croûte des fromages (listériose p. 247)
• Rillettes, pâtés, foie gras et produits en gelée. Préférez les charcuteries préemballées et consommez-les rapidement après ouverture
• Graines germées crues (soja)
• Les aliments dérivés du soja (jus de soja, desserts, tofu...) ne peuvent être consommés qu'occasionnellement. En effet leur richesse en phyto-estrogènes pourrait avoir des conséquences néfastes sur la maturation sexuelle du bébé.
• Les boissons contenant de la caféine : café, thé, boissons énergisantes, certains sodas, sont à limiter. Par exemple, il est conseillé de ne pas boire plus de 3 tasses de café par jour.

Les aliments lourds à digérer dont il ne faut pas abuser

Fritures, ragoûts, charcuterie (à part le jambon)....

Les précautions à prendre

• Lavez soigneusement les légumes et les fruits destinés à être mangés crus
• Dans le réfrigérateur, protégez vos aliments en les plaçant dans des récipients fermés et propres. Séparez bien les produits crus des produits cuits. Nettoyez régulièrement votre réfrigérateur
• Les plats à base d'œuf sans cuisson (crèmes, pâtisseries, mayonnaise) doivent être préparés juste avant la consommation et ne doivent pas être gardés
• Pour éviter tout risque de toxoplasmose (p. 246), vous ne mangerez pas de viande crue, ni marinée, ni fumée. Vous ferez cuire à point toutes les viandes en particulier le mouton. Une température à cœur de 65° est nécessaire pour détruire tout germe, y compris des parasites comme le ténia.
• Se laver fréquemment les mains (qui peuvent transporter des germes dans les aliments).

LES BOISSONS

Pendant la grossesse, il faut boire suffisamment : au moins 1,5 l de liquide par jour (c'est d'ailleurs la quantité recommandée pour tous les adultes). Vous-même et votre enfant avez besoin de liquide. Boire abondamment joue également un rôle dans la prévention des infections urinaires si fréquentes pendant la grossesse. N'ayez pas peur de boire et de « faire de la rétention d'eau ». À l'exception de certaines maladies, notamment cardiaques ou rénales, une prise de poids excessive pendant la grossesse correspond plus souvent à un stockage de graisses qu'à une rétention d'eau.

Que boire ?

• L'eau. On peut boire l'eau du robinet. Mais dans certaines villes elle contient trop de nitrates et est déconseillée aux femmes enceintes : renseignez-vous à la mairie, les services d'hygiène et de santé des communes font faire régulièrement des analyses de l'eau. Si l'eau de votre ville a un goût désagréable à cause des produits utilisés pour la désinfecter, quelques gouttes de citron la rendront plus agréable à boire.

Les eaux minérales sont toutes recommandables, à l'exception de certaines trop riches en sodium. L'Hépar est riche en magnésium et facilite le transit intestinal. Au début de la grossesse, quand existent des troubles digestifs, les eaux pétillantes facilitent la digestion.

• **Le thé et le café** sont des excitants pour vous et votre bébé, bien que leur tolérance varie beaucoup d'un individu à l'autre. N'en abusez cependant pas et buvez les « légers » ; 3 tasses de café maximum par jour, le thé éventuellement un peu plus car il est moins riche en caféine.

• **Les infusions** ont, selon leur composition, certaines vertus. La menthe et la verveine facilitent la digestion. Mais la menthe n'est pas recommandée à celles qui ont de la peine à s'endormir. Au contraire, le tilleul et la camomille facilitent le sommeil.

• **Les jus de fruits** apportent de l'eau, des glucides, pour certains des substances minérales et de la vitamine C. Mais ils contiennent plus de sucre que les jus de fruits pressés, ils sont donc à consommer avec modération.

• **Les boissons pétillantes** aromatisées aux fruits contiennent généralement peu de fruits et beaucoup de sucre. Elles sont déconseillées aux futures mères qui prennent trop de poids. Il en est de même de la limonade et des sodas.

• **Les jus de légumes** sont riches en vitamines. **Le bouillon de légumes** apporte des sels minéraux.

LES ENVIES

Vous aurez peut-être des envies. Il n'y a pas de raison de ne pas les satisfaire, à moins qu'elles ne concernent des aliments formellement contre-indiqués ou des aliments « excentriques », ce qui arrive. D'ailleurs, bien souvent, les envies correspondent à des besoins. Telle femme qui, avant sa grossesse, n'aimait pas la viande ou le lait, sentira un besoin impérieux de bifteck ou de grands verres de lait. Telle autre voudra de l'ananas alors qu'elle n'en mangeait jamais auparavant. Telle autre encore aura particulièrement envie de vinaigre. Les envies se fixent souvent sur les condiments, qui, en général, facilitent la digestion, mais dont il ne faut cependant pas abuser. Mais n'allez pas croire que s'il ne vous est pas possible de satisfaire l'envie qui vous semble irrésistible, cela puisse avoir une conséquence néfaste pour votre enfant. Il est évidemment faux qu'un enfant risque d'avoir un angiome (tache de vin) sous le seul prétexte que sa mère ait eu une envie non satisfaite d'un quelconque fruit rouge.

Ces envies alimentaires sont traditionnelles dans beaucoup de cultures. Tout l'entourage d'une femme enceinte a envie de la gâter, de la choyer, désire qu'elle soit bien, heureuse, afin que le bébé lui aussi soit bien. De son côté, une femme enceinte, au fond d'elle-même, a l'envie de se faire plaisir pendant la grossesse.

BIEN SE NOURRIR EN PRATIQUE
Bien se nourrir pendant la grossesse (et en dehors), c'est avoir une « alimentation équilibrée», répartie en 4 repas quotidiens.
Privilégier :
• viande, poisson, œufs pour les protéines, le fer et la vitamine B12
• lait, yaourts, fromages cuits et pasteurisés pour les protéines et le calcium
• tous les fruits et légumes pour les fibres, les vitamines et les folates
• pain, pâtes, riz, légumes secs pour les glucides
• et aussi beurre, huile, avec modération, pour les lipides et les vitamines.
Éviter :
• gibier, viande et poisson mal cuits et également crustacés, moules, huîtres et coquillages crus
• les charcuteries non préemballées ainsi que rillettes, pâté, foie gras
• tous les fromages à pâte molle, au lait cru, vacherin, brie, camembert, coulommiers, etc.
Enfin, respecter la sécurité alimentaire : maintenir la chaîne de froid pour les denrées périssables à température ambiante ; ranger, régler le réfrigérateur et le nettoyer deux fois par mois avec une solution diluée d'eau de javel à 2 %.

4

Belle en attendant un bébé

Un ventre bien rond et bien lisse, porté avec bonheur, en couverture d'un magazine, n'étonne personne. **Notre société a redécouvert la femme enceinte, son corps et sa beauté.**
Aujourd'hui, les futures mamans sont à l'aise dans leur corps : elles ne prennent pas trop de poids, elles font de l'exercice dans leur vie quotidienne.
Elles ne cherchent plus à dissimuler leur ventre, elles aiment souvent le souligner par une ceinture, une écharpe, un cache-cœur.
Mais certaines femmes sont préoccupées par l'image que leur renvoie la glace. Elles ne s'y habituent pas.
Elles n'arrivent pas à admettre ce corps qui change, changement qu'elles vivent comme une agression.
Elles en veulent à l'enfant de les enlaidir, puis elles s'en veulent de lui en vouloir. Certaines ont peur que ce changement n'écarte leur mari.
La grossesse est parfois difficile en raison de ces sentiments contradictoires. Une femme peut être heureuse d'être enceinte et malheureuse de voir son aspect changer.
Pour commencer ce chapitre, nous vous dirons quelques mots sur votre nouvelle silhouette et les vêtements qui s'y adapteront le mieux.
Puis nous parlerons peau, visage, cheveux, etc.

COMMENT S'HABILLER ?

Au début vous n'éprouverez peut-être pas le besoin de changer vos tenues habituelles : vous prenez peu de poids, votre silhouette se modifie peu. Seuls vos seins vont se développer, et souvent d'une façon importante. Aussi le premier achat à faire en début de grossesse, c'est un soutien-gorge bien enveloppant.

Bientôt, vous chercherez dans votre garde-robe, les tee-shirts les plus larges et les grands pulls confortables ; si vous achetez un chemisier, un haut, choisissez dès maintenant une ou deux tailles au dessus de la vôtre. Les tuniques sont agréables à porter ainsi que les pulls ou robes avec petites fronces sous les seins. Les cache-cœur s'ajustont bien grâce à leur nœud plus ou moins serré. Ces vêtements auront l'avantage d'accompagner au jour le jour l'arrondi de votre ventre.

Dès la fin du premier trimestre, vous aurez envie d'aisance au niveau de la taille. Les jupes et pantalons à taille élastique s'adapteront facilement, ainsi que ceux dont la partie supérieure est faite dans un tissu souple, genre stretch.

Il viendra un moment où vous aurez peut-être envie d'aller dans des magasins spécialisés qui présentent des collections très à la mode pour futures mères, notamment des jupes et pantalons, réglables, des chemises, pulls, et robes. Vous y trouverez en plus de la lingerie, des collants, des maillots de bain. Certaines femmes regrettent que la lingerie « future maman » ne soit pas plus raffinée.

Pantalons ? Robes ? Jupes ? Vous choisirez, bien sûr, selon vos goûts, votre silhouette, votre budget, la saison. En été, une tunique portée sur un débardeur, avec une jupe légère : voilà une tenue féminine et agréable. Variante : on remplace la jupe par un pantalon large, en tissu léger, genre lin. Pour tous les jours, une robe en coton sans manche, assez courte, pas trop près du corps, se met facilement. Pour une petite sortie, on peut choisir une robe un peu moulante en tissu souple, comme du jersey. Et en toutes saisons, diverses combinaisons sont possibles : pantalon étroit, ou jupe droite, avec un haut un peu ample ; pantalon large avec un petit top ; jean et chemise, etc.

En faisant des essais devant une glace vous vous rendrez vite compte de ce qui vous va le mieux : court, long, ample, moulant ? Si vous hésitez, une amie saura vous conseiller.

Quelques suggestions.

• Un cache-cœur, porté à même la peau, ou sur un petit haut, met en valeur le décolleté.

• Un gilet court et sans manches, porté sur une longue chemise, fait un joli effet en marquant la place de la taille.

• Égayez vos tenues avec des ceintures en jersey élastique qui soulignent le ventre, ou par des écharpes nouées.

• En fin de grossesse, s'il fait froid et humide, pensez à vous couvrir le ventre. Prévoyez un vêtement bien enveloppant (« doudoune », imperméable, parka). En demi-saison, un grand châle ou un « poncho » feront l'affaire.

• **Le maillot de bain.** Il y a de ravissants maillots pour les futures mamans, vous en trouverez dans les magasins spécialisés, ou dans les grands magasins, ils sont bien adaptés à vos nouvelles formes. Vous pouvez aussi porter un maillot de bain « classique », deux-pièces ou une pièce, dans une plus grande taille pour être bien à l'aise. Pour un deux-pièces, choisissez-le avec un bon soutien-gorge et une culotte adaptée à votre ventre.

• **Les chaussures.** Si vous avez l'habitude des talons, vous pouvez continuer à les porter, à condition que ces talons ne soient pas trop hauts. Et surtout qu'ils soient suffisamment larges (les talons aiguille, même peu élevés, sont mauvais pour le dos).

Les chaussures à talons compensés sont agréables à porter, mais avec une semelle trop haute, l'équilibre est instable. Bien souvent, à partir du 5e mois, les futures mamans abandonnent les talons – ils leur font mal au dos – et préfèrent les chaussures plates.

Ce qu'il faut c'est que les chaussures soient confortables, car les jambes et le dos sont souvent fatigués par le poids de l'enfant ; elles doivent vous donner un bon équilibre, car la grossesse prédispose aux chutes ; être assez larges, car, en fin de grossesse, les pieds ont tendance à gonfler. Choisissez des chaussures faciles à enfiler : les derniers mois le ventre gêne et prive de souplesse, il peut être difficile de nouer des lacets ou d'attacher des brides. Des ballerines, ou des petites bottes à talon plat, sont souvent agréables à porter.

LES SEINS

Dans les seins, il n'y a aucun muscle qui puisse les empêcher de se dilater lorsqu'ils augmentent de volume, ou les soutenir lorsqu'ils deviennent trop lourds. Les muscles qui soutiennent les seins sont les pectoraux. Mettez-vous de profil devant une glace ; appuyez vos mains ouvertes l'une contre l'autre et pressez-les très fort : vous verrez vos seins remonter sous l'effet de la contraction des pectoraux. Vous comprendrez ainsi que si vous voulez conserver une jolie poitrine et l'empêcher de tomber, il faut :

• Porter un bon soutien-gorge.
• Se tenir bien droite, sans creuser le bas du dos, les épaules légèrement rejetées en arrière. Là aussi, regardez-vous dans une glace, et vous verrez que cette manière de se tenir met les seins en valeur. En plus cette attitude diminue la fatigue du dos ; certaines activités (travailler sur ordinateur, écrire au tableau noir, faire la vaisselle, etc.) provoquent des douleurs entre les omoplates, douleurs qui peuvent être largement atténuées par une bonne manière de se tenir.
• Faire travailler vos muscles pectoraux pour les rendre très fermes, puisque d'eux dépend la bonne tenue de vos seins. Plus ces muscles seront fermes, moins votre poitrine aura tendance à tomber. Vous trouverez au chapitre 14 les exercices à faire et page 145 un schéma sur le sein.

Peut-on, pendant la grossesse, préparer le bout des seins à l'allaitement ?
Ce n'est pas utile disent aujourd'hui les professionnels de l'allaitement : les bouts des seins s'adapteront à la succion du bébé. Et il est déconseillé de les durcir par des applications d'alcool, cela dessècherait trop la peau.

Certaines mamans sont déroutées par les sensations particulières qu'elles éprouvent lors des premières tétées. Leurs bouts de seins, habituellement bien au chaud, à l'abri dans un soutien-gorge douillet, se trouvent d'un jour à l'autre confrontés à la succion, c'est-à-dire aux tiraillements, aux étirements, à l'humidité. À cause de cela, des mamans arrêtent l'allaitement et le regrettent par la suite. Pour vous habituer à ces nouvelles sensations, vous pouvez tout simplement pendant le dernier trimestre de la grossesse, ôter votre soutien-gorge une à deux heures par jour : ainsi vous sentirez vos bouts de sein au contact de l'air ou du vêtement.

Vers la fin de la grossesse, les seins sécrètent parfois du colostrum, c'est-à-dire un liquide blanchâtre ou transparent, précurseur du lait. C'est normal et il n'y a rien de particulier à faire.

COMMENT BIEN SE TENIR ? FIGURE 1 FIGURE 2 FIGURE 3 FIGURE 4

figure 1 : la femme se tient cambrée. le ventre est projeté en avant, les abdominaux et la peau du ventre sont très distendus.

figure 2 : la femme se tient droite. En basculant le bassin, la cambrure des reins est supprimée.

LES DISQUES
*figure 3 : la femme se tient cambrée.
Risque de douleurs lombaires.*

*figure 4 : la femme se tient droite.
Les disques sont bien séparés les uns des autres.*

LE VENTRE ET LA SILHOUETTE

Les futures mamans sont fières de montrer leur ventre – certaines sont déçues si on ne remarque pas qu'il s'arrondit . Mais elles se demandent aussi comment il va pouvoir redevenir plat et musclé, comment hanches, cuisses et fesses vont retrouver leurs formes.

• Le premier investissement beauté est d'acheter une balance, si on n'en a pas déjà une dans sa salle de bains. Ne pas trop grossir est en effet la meilleure manière de retrouver rapidement sa taille et ses formes.

• La deuxième, c'est de faire régulièrement des exercices : pendant la grossesse (p. 345) et après l'accouchement (p. 398).

• La troisième, c'est de prendre – ou de garder – l'habitude de bien se tenir, ce qui d'ailleurs est aussi efficace pour le confort que pour la silhouette.

Si vous cambrez les reins, votre ventre est projeté en avant, et les abdominaux et la peau du ventre sont très distendus (figure 1). Maintenant regardez la figure 2 (l'utérus a la même taille que celui que l'on voit sur la figure 1) : la femme se tient droite, bien grande, le ventre le plus effacé possible.

Comment y arriver ? En basculant le bassin ; cela supprime la cambrure des reins. Ce mouvement de bascule du bassin est important pendant la grossesse, pas simplement pour l'esthétique mais pour le confort. Vous trouverez au chapitre 14 des exercices à faire pour prendre l'habitude de basculer le bassin. D'ailleurs pratiquement toutes les préparations à la naissance incluent ces exercices.

UN COUSSIN DE RELAXATION
Il existe un coussin très pratique, à la fois ferme et confortable, genre polochon (photo p. 329). Pendant la grossesse, ce coussin permet de s'installer au mieux, en position assise ou couchée. Lors de l'allaitement, il aide à bien caler le dos. Certaines sages-femmes le conseillent même pendant l'accouchement.

Regardez maintenant la différence entre les figures 3 et 4 pour comprendre comment le confort dépend de la manière de se tenir. Dans la figure 4, la femme se tient droite (comme en figure 2) ; résultat : les disques entre les vertèbres de la colonne vertébrale sont bien séparés les uns des autres. Mais que se passe-t-il dans la figure 3 ? Les reins cambrés provoquent un pincement de la partie postérieure des disques intervertébraux, ce qui est source de douleurs lombaires et risque même de provoquer une sciatique. La préparation en piscine est particulièrement adaptée aux exercices pour assouplir le dos : la nage sur le dos, notamment le dos crawlé, est bénéfique. À l'inverse, la brasse, qui accentue la cambrure, est à éviter.

• En cas de douleurs, le port d'une petite **ceinture souple** de soutien lombaire (à acheter en pharmacie) est parfois conseillé par le médecin ou la sage-femme. Cette ceinture s'attache facilement avec du Velcro ; elle est remboursée sur prescription médicale ; elle ne doit pas être portée en permanence, mais chaque fois que vous risquez de surmener votre colonne vertébrale : voyages en voiture ou en avion, travaux ménagers, port d'objets lourds, etc. Cette ceinture peut se porter au-dessus des vêtements ; elle est donc facile à ôter et remettre plusieurs fois par jour sans se déshabiller.

LE VISAGE

Une femme soucieuse de l'image qu'elle donne sera plus réceptive aux « on-dit » ; et c'est curieux comme dans ce domaine de la beauté les préjugés sont restés tenaces. D'après eux, chez la future mère, « les dents se carient, les ongles se cassent, les taches marquent la peau du visage et du corps, les cheveux sont secs et après la naissance ils tombent » ! Il y a vraiment de quoi faire peur ! Vrai ? Faux ? Qui croire et que faire ? Parlons d'abord du visage.

Les futures mères ont souvent un éclat particulier : un teint frais, des yeux brillants. C'est sûrement dû à l'épanouissement intérieur, au bonheur, au plaisir d'attendre un enfant. Cela vient aussi du régime et du mode de vie conseillés pendant la grossesse : de bonnes nuits, de l'exercice, un régime alimentaire très sain, des vitamines, pas de cigarettes, pas d'alcool. C'est ce que l'on conseille en général à une femme qui veut avoir un joli teint.

Une peau normale, c'est-à-dire ferme, souple, fine de grain, veloutée au toucher, ne change pas au cours d'une grossesse normale. Et contrairement à une opinion répandue, la peau ne montre pas de tendance particulière à se dessécher.

LE MASQUE DE GROSSESSE
Parfois, vers le 4e ou le 6e mois, apparaissent sur le visage de petites taches brunes, qui peuvent être assez nombreuses pour former comme un masque : c'est le masque de grossesse. En général, après la naissance de l'enfant, les taches disparaissent. Mais ce n'est pas toujours vrai. Il faut donc tout faire pour éviter ce masque. Pour cela, une seule précaution, mais elle est indispensable : ne pas exposer son visage au soleil car le masque de grossesse ne se développe qu'à la faveur de modifications hormonales qui se produisent sous l'influence du soleil. À telle enseigne qu'une femme prenant la pilule et qui s'expose au soleil peut voir également des taches brunes apparaître, comme le masque des femmes enceintes, puisque la pilule est à base d'hormones. Donc, en été comme en hiver, n'exposez pas votre visage au soleil ou portez une casquette ou un grand chapeau.

LES SOINS DE BEAUTÉ

Prudence pendant la grossesse pour les soins de beauté ! Les effets indésirables, voire nocifs, de différents produits sur notre organisme, sont régulièrement évoqués. Et les futures mamans savent qu'il faut prendre des précautions pour protéger leur bébé en train de se développer : pas de médicaments sans avis médical, pas d'alcool, pas de tabac, pas de prise de poids excessive.

Aujourd'hui des études scientifiques attirent l'attention sur le risque possible provoqué par la présence de substances chimiques dans les cosmétiques, ces produits qu'on se met sur la peau ou les cheveux : certaines de ces substances pourraient être des « perturbateurs endocriniens », c'est-à-dire qu'elles pourraient avoir des effets indésirables sur le développement du futur bébé, notamment sur sa maturation sexuelle.

Pour limiter votre exposition, et donc celle de votre bébé, à ces substances, voici quelques conseils. Ils s'adressent aux futures mamans mais aussi à celles qui allaitent, car le développement génital de l'enfant se poursuit après la naissance.

Par précaution :
• utilisez le moins possible de produits cosmétiques, de lotions, et choisissez des produits non parfumés.
• préférez des produits cosmétiques labellisés *Cosmébio*, *Écocert* ou *Nature et Progrès* par exemple, ne contenant pas certaines substances aux effets indésirables
• évitez le parfum
• ne vous colorez pas les cheveux (même avec des colorants naturels comme le henné)
• évitez les produits en sprays (déodorants par exemple)
• évitez les produits contenant des huiles essentielles même naturelles.

Vous le voyez, pendant la grossesse et l'allaitement, il est raisonnable de n'utiliser que ce qui est vraiment indispensable. Tous les produits cités ne présentent pas de risque prouvé, mais dans le doute il vaut mieux s'abstenir : c'est le fameux principe de précaution. Vous reprendrez vos habitudes de soins de beauté après la naissance.

LES PEAUX À PROBLÈMES

Chez les femmes à peau grasse ou franchement acnéique, l'évolution au cours de la grossesse est imprévisible. On peut assister à une amélioration, voire une disparition totale de l'acné mais aussi à une aggravation. Le problème est que beaucoup des médicaments efficaces sont interdits ou déconseillés pendant la grossesse. Il y a toutefois des traitements possibles, notamment externes. Le soleil est un faux ami de l'acné (rebond d'une poussée après une amélioration transitoire). Aucun régime alimentaire n'a d'efficacité. Heureusement l'acné lui-même ne peut avoir d'action sur le fœtus.

La séborrhée et l'acné sont des affections d'origine génétique ; certains **eczémas** commençant dans l'enfance, et qu'on appelle atopiques ou constitutionnels, sont également génétiques ; tout comme la peau grasse, ces eczémas peuvent, imprévisiblement, s'améliorer ou s'aggraver pendant la grossesse. Il en va de même d'une autre affection de la peau, le **psoriasis**, qui peut aussi bien s'étendre que disparaître subitement et dont les traitements les plus actifs (dérivé de la vitamine A, rayons ultraviolets, Puva-thérapie) sont formellement contre-indiqués pendant la grossesse.

LA PEAU DU CORPS

Parfois des taches comme celles qui constituent le masque de grossesse font leur apparition, notamment chez les femmes brunes à peau mate. Cette pigmentation peut se localiser à l'abdomen sous forme d'une raie brune médiane qui s'étend du nombril jusqu'à la région pubienne. Elle peut se localiser aussi sur les aréoles des mamelons. Cette pigmentation disparaîtra progressivement, mais parfois très lentement après l'accouchement. Comme pour le masque de grossesse, il faut éviter le soleil. A signaler l'apparition fréquente de grains de beauté ; certains disparaîtront après l'accouchement.

Les cicatrices peuvent se modifier : tantôt elles se pigmentent de façon anormale, tantôt elles deviennent épaisses, rougeâtres et plus ou moins sensibles. Ces modifications disparaissent peu à peu après l'accouchement.

Pendant la grossesse, la production d'une hormone, l'**œstradiol**, augmente considérablement. Or, cette hormone a la propriété de dilater les vaisseaux sanguins. Il peut en résulter des poussées congestives du visage, des varicosités des jambes accompagnées de varices, ou encore de petites dilatations capillaires rouge vif, à disposition étoilée et dénommées pour cette raison, *angiomes stellaires*. Ces angiomes apparaissent entre le 2e et le 5e mois. Il ne faut pas essayer d'intervenir car leur régression spontanée est habituelle dans les trois mois qui suivent l'accouchement.

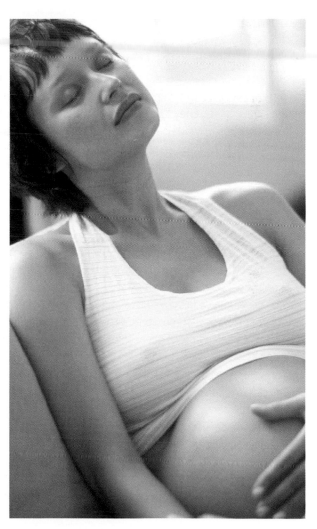

LES VERGETURES

Ce sont de petites stries en forme de flammèches, de couleur rosée. Elles peuvent apparaître à partir du 5e mois de la grossesse, sur le ventre, les hanches, et les cuisses, mais parfois aussi sur les seins. Après l'accouchement, les vergetures deviennent peu à peu blanc nacré. Les vergetures sont dues à une destruction des fibres élastiques de la peau. On croit en général qu'elles n'apparaissent que chez les femmes, et que cette perte d'élasticité de l'épiderme est due à la distension mécanique de la peau pendant la grossesse. Or les vergetures ne sont pas rares chez les hommes, et la peau d'un adolescent ou d'une adolescente peut être distendue à l'extrême sans qu'apparaissent de vergetures.

On a tout lieu de croire que les vergetures sont dues à l'action de la cortisone sécrétée par les glandes surrénales. En effet, ces glandes sont particulièrement actives au troisième trimestre de la grossesse. Mais connaître le mécanisme probable de la formation des vergetures ne permet pas de les empêcher. Tout ce qu'on peut conseiller pour éviter leur développement, c'est de ne pas prendre trop de poids. En effet, l'action de la cortisone, responsable des vergetures, semble facilitée par la trop grande distension des tissus due à une prise de poids excessive.

Vous entendrez peut-être dire qu'on peut prévenir les vergetures en massant la peau avec différentes crèmes. Malheureusement, il n'y a guère de résultat à attendre de ces crèmes ; de plus, il est conseillé pendant la grossesse de réduire autant que possible l'usage de lotions et de crèmes sur des plages de peau très étendues (p. 56). Quant à supprimer les vergetures constituées, on ne peut, hélas ! être plus optimiste : il est impossible de les supprimer, même par la chirurgie esthétique. Nul moyen ne peut rendre à la peau son élasticité.

Pour les vergetures, il semble raisonnable de retenir ceci : on ne peut les empêcher, ni les supprimer ; mais il y a quand même une certitude, c'est qu'une trop grosse prise de poids favorise leur développement.

LES CHEVEUX

Contrairement à ce que l'on croit parfois, la grossesse n'abîme pas les cheveux, au contraire : les femmes qui ont des cheveux ternes et un peu mous, les voient devenir plus souples et plus brillants, et la séborrhée s'atténue ou disparaît souvent pendant la grossesse : les cheveux sont moins gras et vous aurez besoin de les laver moins souvent.

Les soins des cheveux pendant la grossesse ne sont pas différents de ceux qu'on leur donne en général. Ainsi est-il recommandé d'employer des shampooings doux qui évitent de dégraisser trop brutalement le cuir chevelu ou de le dessécher au risque d'entraîner la formation de pellicules. C'est-à-dire que même si vous avez les cheveux gras, vous utiliserez des shampooings pour cheveux secs et fragiles. Par précaution, il est déconseillé de les colorer (p. 92).

Durant la grossesse, les influences hormonales se font également sentir au niveau de la chevelure. Pendant cette période, la phase de croissance des cheveux (dite « anagène ») s'allonge au détriment de la phase qui précède la chute (dite « télogène »). Il y a donc beaucoup moins de cheveux qui tombent et le volume de la chevelure augmente. Mais dès l'accouchement les taux élevés d'œstradiol circulant dans le sang s'effondrent, déterminant un passage brutal des cheveux anagènes en cheveux télogènes. Ce phénomène, qui peut concerner jusqu'à 50 % de la chevelure, provoque trois mois plus tard une chute de cheveux massive, parfois impressionnante. Aucun traitement n'y peut rien. Il est donc inutile de multiplier les piqûres ou autres remèdes. Dans les six mois qui vont suivre, tout va s'arranger spontanément, la chute s'arrêtera et la repousse s'effectuera. Mais comme un cheveu ne croît que d'un centimètre à un centimètre et demi par mois, il faut s'armer de patience.

Ayant perdu beaucoup de cheveux, des mamans nous ont signalé en avoir profité pour les faire couper. Cela a été du temps gagné (pas de séchage, facilité de coiffage) dans la période bien occupée de l'après-naissance et cela leur a permis d'attendre plus sereinement de retrouver le volume de leur chevelure.

La pousse des poils est accélérée pendant la grossesse (toujours à cause des modifications hormonales). Chez certaines femmes génétiquement prédisposées, il peut même se constituer une hyperpilosité, au niveau du visage en particulier, et singulièrement sur la lèvre supérieure. Cette hyperpilosité régresse spontanément après l'accouchement. Il ne faut surtout pas l'épiler à la pince, ou pire à la cire, car on risque alors de la voir s'installer au lieu de disparaître.

LES DENTS

La grossesse ne cause pas systématiquement des caries. Mais il faut surveiller les dents car une carie existant avant la grossesse peut être aggravée. Attention aux caries car elles abîment les dents. Comme vous pourrez le lire au chapitre 10, une infection, où qu'elle siège dans l'organisme, peut être néfaste pendant la grossesse. Une dent malade peut être un foyer d'infection. Il est donc conseillé de faire examiner ses dents dès le début de la grossesse.

Par ailleurs, n'oubliez pas que les caries dépendent en grande partie du soin que l'on prend de ses dents. Car ce sont les déchets d'aliments, surtout sucrés, demeurés entre les dents, qui sont la cause de la plupart des caries. C'est après chaque repas, sans oublier le petit déjeuner, qu'il est recommandé de se laver les dents. Et souvenez-vous que ce n'est pas la pâte dentifrice qui nettoie les dents, mais le brossage minutieux, qui doit être suivi d'un bon rinçage pour entraîner toutes les petites particules d'aliments qui se trouveraient encore entre les dents.

La grossesse cause souvent de petits ennuis à la muqueuse de l'intérieur de la bouche : les gencives peuvent gonfler et saigner facilement. Cette gingivite atteint habituellement son maximum au 5e mois et disparaît après l'accouchement. Elle peut être améliorée par les vitamines C et P (prescrites par le dentiste). On peut également se masser les gencives doucement avec un gel indiqué par le dentiste. Des petites tuméfactions rouges - appelées *épulis* - apparaissent féquemment sur la gencive entre deux dents.

• Aucun soin dentaire n'est formellement contre-indiqué. Il convient seulement d'informer le dentiste de votre grossesse ; il pourra éventuellement, par précaution, retarder un traitement non urgent ou une radiographie pour laisser passer le premier trimestre. Si une intervention importante était nécessaire, parlez-en à l'accoucheur, ce qui vous aura été certainement conseillé par le dentiste.

LES ONGLES

Les ongles friables et cassants sont souvent dus aux vernis, qu'ils soient colorés ou incolores. Pour savoir si c'est le vernis qui est responsable de la fragilité de l'ongle, il suffit d'en supprimer les applications pendant six mois, temps qu'il faut pour que l'ongle entier se renouvelle. Si au bout de cette période l'ongle a retrouvé sa vigueur, c'était bien la laque qui était responsable de la détérioration de l'ongle. D'ailleurs, toujours par précaution, il est conseillé de ne pas mettre de vernis pendant la grossesse car ils peuvent contenir certains composants à éviter.

5

La vie avant la naissance

Ce chapitre est en général le premier lu par les parents, celui qu'ils relisent le plus souvent. Il raconte l'histoire de deux minuscules cellules, à l'aube de la vie. Il fait le récit, mois après mois, du développement de l'enfant, bien blotti dans le corps de sa maman. Il parle de cette vie mystérieuse et secrète, que nous avons tous vécue, mais dont nous n'avons plus de souvenirs.
Voici la vie d'un bébé avant la naissance.

Comment la nature
crée un être humain

« Du germe au nouveau-né », pour reprendre l'expression de Jean Rostand, ce sont des cellules qui se multiplient et se transforment, mais au départ, il y a une histoire d'amour. Cette histoire est multiple, variée, changeante, unique pour chaque couple. Mais la rencontre de deux cellules et ce qu'il en advient, est la même, à quelques variantes près, pour tous. Et elle intéresse tous les futurs parents. La voici.

Pour que la vie se transmette, pour qu'un nouvel être soit formé, il faut que deux germes, l'un venant de l'homme, le spermatozoïde, l'autre de la femme, l'ovule, se rencontrent. L'union de ces deux germes forme un œuf de quelques centièmes de millimètre : l'œuf humain (ou embryon, ou zygote).

Cela semble simple aujourd'hui, mais il a fallu des millénaires pour connaître ce que nous allons maintenant raconter : comment l'ovule et le spermatozoïde s'unissent pour former l'œuf humain : la conception ; comment cet œuf trouve dans l'organisme maternel un endroit confortable où il pourra se loger : la nidation ; et enfin comment pendant ces neuf mois, la grossesse, l'œuf se développera peu à peu, se nourrira, deviendra embryon, puis fœtus, puis nouveau-né, votre bébé.

LES DEUX CELLULES
QUI VONT TRANSMETTRE LA VIE

Cette histoire se passe dans ce qu'il y a du plus petit en nous : l'infiniment petit des cellules. Tout ce qui est vivant est composé de cellules de quelques millièmes de millimètre. Ces cellules sont formées d'une substance identique, le cytoplasme, qu'entoure une membrane, et qui renferme en son centre un noyau. Parmi ces milliards de cellules, certaines d'entre elles ont une fonction particulière : transmettre la vie. Ce sont les cellules reproductives, ou cellules germinales, ou gamètes. Le gamète féminin est l'ovule. Le gamète masculin est le spermatozoïde.

L'OVULE

L'ovule, ou ovocyte, provient des ovaires qui sont les glandes sexuelles de la femme. Les ovaires sont situés dans le petit bassin, de part et d'autre de l'utérus (schémas 1 et 3). Les ovaires ont deux fonctions essentielles. La première est la sécrétion des hormones caractéristiques de la femme : les œstrogènes et la progestérone. La seconde est de produire, au cours de chaque cycle de 28 jours, un ovule : c'est l'ovulation. À la naissance, chaque petite fille possède un énorme stock d'ovules (environ 300 000). Seuls 400 à 500 seront utilisés (un par cycle) entre la puberté et la ménopause.

> **OVULE, OVOCYTE**
> LES DEUX MOTS SONT SYNONYMES. OVULE EST COURAMMENT EMPLOYÉ. LES MÉDECINS PARLENT PLUS FACILEMENT D'OVOCYTE.

Voici les deux ovaires. Ils ont la taille de grosses amandes et sous l'épaisseur de leur « écorce » (corticale, en terme médical) se trouvent des petites structures : les follicules. Chaque mois, une hormone (l'hormone FSH) provoque le mûrissement et le développement d'un follicule. La FSH agit sous l'effet d'une information qui part du cerveau et qui est transmise à l'ovaire, via l'hypothalamus et l'hypophyse. L'hypophyse est cette glande située à la base du cerveau et qui commande toute l'activité hormonale (schéma 2). Cette double transmission – à la fois neurologique et hormonale – explique que les troubles de l'ovulation soient souvent liés à un dysfonctionnement temporaire plutôt qu'à une maladie ; en effet, de nombreux facteurs (environnement, stress, etc.) peuvent perturber les bonnes relations cerveau-hypophyse-ovaire.

Revenons au follicule qui mûrit. On l'appelle le follicule « dominant » (puisqu'il a dominé les autres follicules qui vont arrêter leur croissance et régresser) ; c'est celui qui contient l'ovule qui va être « pondu ». Ce mûrissement s'accompagne de la sécrétion d'œstrogènes.

1. L'APPAREIL GÉNITAL DE LA FEMME
Les deux ovaires (1) (glandes de la forme et de la taille d'une grosse amande), les deux trompes (2) aboutissant à la cavité utérine (3). En regardant ce schéma, on réalise plus facilement que l'utérus est un muscle creux avec, au centre, cette cavité dont les parois (a, b, c) ont la propriété de se contracter. La face intérieure de l'utérus est tapissée par l'endomètre (4) qui desquame à chaque fin de cycle, ce sont les règles. Plus bas, le col de l'utérus et ses deux orifices, interne (5) et externe (6), se trouvent au fond du vagin (7).

2. LES HORMONES FÉMININES

La FSH provoque la croissance et la maturation du follicule, lequel sécrète des œstrogènes. La LH provoque l'ovulation, celle-ci est suivie de la sécrétion de progestérone par le corps jaune.

Cerveau
Hypophyse
FSH
Croissance
et maturation
du follicule
œstrogènes et progestérone
LH
Déclenchement
de l'ovulation

Juste avant la « ponte » de l'ovule, le follicule a atteint sa taille maximum de 25 mm. Il est bien visible à l'échographie sous forme d'un petit « kyste ». C'est alors que sous l'effet d'une autre hormone hypophysaire, la LH, le follicule « dominant » va s'ouvrir à la surface de l'ovaire et libérer son contenu : le liquide folliculaire et l'ovule qui s'y trouvent. C'est **l'ovulation** qui se situe normalement entre le 13e et le 15e jour du cycle.

Le follicule va ensuite se transformer en un corps jaune (parce que sa couleur est jaune) et produire l'autre hormone féminine : la progestérone. Cette hormone augmente de quelques dixièmes de degrés la température du corps : c'est ce qui explique le décalage de température après l'ovulation (p. 25).

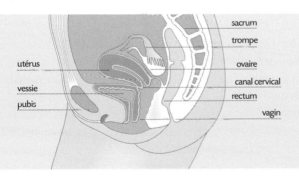

sacrum
trompe
utérus
ovaire
vessie
canal cervical
pubis
rectum
vagin

3. L'APPAREIL GÉNITAL VU DE PROFIL

Sur ce schéma, on voit bien que les trompes et les ovaires sont situés derrière l'utérus.

SUR LE CHEMIN DE LA CONCEPTION

Une fois libéré l'ovule qui, contrairement aux spermatozoïdes, ne possède aucun moyen de locomotion, est comme « happé » par les franges du pavillon de la trompe. Les trompes et les ovaires sont proches les unes des autres et se situent derrière l'utérus, dans ce que certains appellent « le puits de la fertilité » (schéma 3). Cela veut dire que la trompe gauche peut happer un ovule libéré par l'ovaire droit et inversement. Pour qu'il y ait fécondation naturelle, peu importe le côté où l'ovulation a lieu : ce qu'il faut, c'est au moins un ovaire et une trompe qui fonctionnent. Savoir cela peut rassurer sur leur fécondité les femmes dont un ovaire ou une trompe est lésé.

4. L'OVULE PRÊT À LA FÉCONDATION
Au centre, le noyau entouré du cytoplasme.
Autour, la zone pellucide entourée de quelques
cellules qui restent du follicule.

Cytoplasme

Noyau

Zone pellucide

Engagé dans la trompe, l'ovule a devant lui au maximum vingt-quatre heures pour être fécondé par un spermatozoïde. Au-delà de ce délai, l'ovule dégénère et disparaît dans l'organisme.

Voici donc le premier acte achevé. Un ovule a été pondu ; il est prêt pour le deuxième acte, la **fécondation**. Examinons cet ovule de plus près (schéma 4). Il est plus petit qu'un grain de pollen. Et pourtant, c'est la cellule la plus volumineuse de l'organisme (1/10e de mm). L'ovule est translucide, presqu'incolore. Il est sphérique et entouré d'une membrane : la **zone pellucide**.

LE SPERMATOZOÏDE PART À LA RENCONTRE DE L'OVULE

Pour qu'il y ait fécondation, il faut qu'un spermatozoïde, et un seul, pénètre l'ovule.

Le spermatozoïde provient des glandes sexuelles de l'homme : les testicules (schéma 5). Alors que la femme naît avec sa réserve d'ovules, chez l'homme le testicule ne commence à fabriquer les spermatozoïdes qu'à l'âge de la puberté. Cette production durera toute la vie et ne diminuera vraiment qu'à la vieillesse.

Le spermatozoïde se développe dans les tubes séminifères : des cellules vont subir une série de transformations successives pour devenir des spermatozoïdes aptes à féconder un ovule. Cette période de transformation s'étale sur 75 jours environ mais elle est ininterrompue, contrairement à la maturation de l'ovule qui a lieu une fois par mois.

Le spermatozoïde est une des plus petites cellules humaines (schéma 6) : 55 microns au total, dont 5 microns pour la tête (1 micron = 1 millième de mm). Après leur formation dans les tubes séminifères, les spermatozoïdes vont parcourir un long trajet en partant de l'épididyme, puis gagner le canal déférent et se masser ensuite dans les vésicules séminales situées de part et d'autre de la prostate.

5. L'APPAREIL GÉNITAL DE L'HOMME

Vessie

Prostate

Corps érectile
de la verge

Urètre

Verge

Prépuce

Canal déférent

Rectum

Vésicule sémilale

Canal déférent

Epididyme

Tubes séminifères

Testicule

7. LES SPERMATOZOÏDES À LA RENCONTRE DE L'OVULE

Ovule entouré
par les spermatozoïdes

Ampoule
de la trompe

Ovule libéré
par le follicule

Pavillon
de la trompe

Ovaire

Spermatozoïdes

Canal cervical

Col de l'utérus

Glaire cervicale

Vagin

Tête

Pièce intermédiare

Flagelle

6. LE SPERMATOZOÏDE
Voici un spermatozoïde, avec sa tête contenant son noyau et son flagelle qui lui permet de se déplacer. Ici, le spermatozoïde est considérablement grossi par rapport à l'ovule.

Pendant ce trajet, le spermatozoïde a acquis ses deux caractères les plus importants : sa mobilité et son pouvoir fécondant. Lors de l'éjaculation, les spermatozoïdes sont dilués dans le sperme, sécrété par la prostate et les vésicules séminales. Ce liquide est indispensable à la survie des spermatozoïdes et il en facilite le transport.

Dans certains cas, la survie des spermatozoïdes peut atteindre presque 10 jours. Cela explique qu'un rapport sexuel ayant lieu une semaine avant l'ovulation puisse être à l'origine d'une grossesse. Une fois déposés dans le fond du vagin, où s'ouvre et baigne le col de l'utérus, les spermatozoïdes ont un long chemin à faire avant de rencontrer l'ovule : 25 cm soit 5 000 fois leur longueur. Par le col de l'utérus, et grâce à la glaire que sécrète le canal cervical, les spermatozoïdes vont remonter dans l'utérus, le traverser et s'engager dans les trompes.

C'est au niveau de l'ampoule de la trompe (schéma 7) que l'ovule et le spermatozoïde, ces deux cellules si différentes, et pourtant chargées de la même mission, vont pouvoir se rencontrer.
Notons au passage que sur les 50 à 100 millions de spermatozoïdes produits lors de l'éjaculation, il n'en reste que quelques milliers pour se regrouper autour de l'ovule et un seul le fécondera.

UN SPERMATOZOÏDE PÉNÈTRE DANS L'OVULE : UN ŒUF EST NÉ

Dans la trompe, voici l'ovule. Les spermatozoïdes l'entourent, comme attirés par un aimant ; frétillant, agitant leur flagelle, ils se collent contre l'ovule. Un seul va le pénétrer. C'est celui-là qui nous intéresse.

Il réussit à percer la membrane qui entoure l'ovule – la zone pellucide – en sécrétant des substances qui détruisent les tissus qu'il trouve devant lui. Quand il a pénétré dans l'ovule, le spermatozoïde perd son flagelle. Il ne reste plus que la tête qui gonfle et augmente de volume.

Dès ce moment, aucun des autres spermatozoïdes qui se trouvaient autour de l'ovule ne peut y pénétrer. Ils meurent progressivement sur place. Mais on verra plus loin que parfois deux spermatozoïdes fécondent deux ovules, ce qui donne naissance à des jumeaux ; ce sont des « faux jumeaux » (p. 151).

Pour sa part, l'ovule réagit à la pénétration du spermatozoïde. Il se rétracte en même temps que son noyau augmente de volume. Les deux noyaux vont à la rencontre l'un de l'autre. Cette rencontre se fait dans la région centrale de l'ovule. L'instant est décisif : les deux noyaux s'approchent, ils se touchent, ils fusionnent. L'œuf est formé, la première cellule d'un nouvel être humain est née. C'est le début de la vie.

LE VOYAGE DE L'ŒUF

La fécondation accomplie dans la trompe, l'œuf est entraîné lentement vers l'utérus où il va être accueilli, protégé, nourri. Il va faire en somme, en sens inverse, une partie du chemin parcouru par les spermatozoïdes (schéma 8).

Cette migration est assurée par un liquide sécrété par la trompe et par les cils vibratiles de la muqueuse, qui poussent l'œuf dans la bonne direction ; enfin par les contractions de la trompe. Ce voyage dure 3 à 4 jours.

Arrivé dans l'utérus, l'œuf ne se nide pas immédiatement, car il n'a pas encore atteint le stade de développement nécessaire, et la muqueuse utérine, le « nid », n'est pas encore prête à l'accueillir. L'œuf va donc rester libre dans la cavité utérine pendant 3 jours, durant lesquels il subira d'importantes modifications, que vous verrez plus loin. La nidation n'aura lieu qu'au 7e jour après la fécondation, c'est-à-dire 21 ou 22 jours après le début des dernières règles. Pendant cette période, l'œuf survivra grâce aux réserves accumulées dans l'ovule et surtout grâce aux sécrétions de la trompe et de l'utérus.

Ce voyage de l'œuf est parfois interrompu en cours de route. L'œuf se fixe dans la trompe elle-même. C'est une grossesse tubaire ou extra-utérine. Elle ne peut évoluer sans complication. Un traitement chirurgical, ou parfois médical, est alors nécessaire (p. 239).

LA MULTIPLICATION DES CELLULES

Pendant ces 7 jours de liberté, l'œuf se modifie considérablement.

La cellule initiale, née de l'union de l'ovule et du spermatozoïde, se divise en 2 à la 30e heure. Ces deux cellules en produisent 4 à la 50e heure, puis 8 à la 60e heure, et ainsi de suite suivant une progression géométrique.

À son arrivée dans l'utérus, l'œuf en est au stade de 16 cellules. Vu au microscope, il a l'aspect d'une masse arrondie ressemblant à une mûre, d'où son nom de *morula* (mûre en latin). Ces cellules sont de plus en plus petites car le volume total de l'œuf reste le même qu'au début. Ce n'est qu'après la sixième division cellulaire (64 cellules) que l'œuf commence à augmenter de volume.

Pendant les 3 jours de vie libre à l'intérieur de l'utérus, va se produire un phénomène très important pour la suite des événements. La division cellulaire se poursuit, mais alors que jusque-là toutes les cellules étaient semblables, elles commencent à se différencier. À la période de simple division (ou segmentation), va maintenant succéder la période d'organisation. Voici comment elle commence.

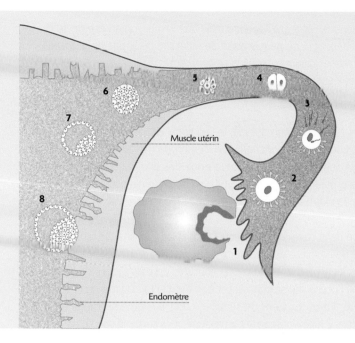

8. LE VOYAGE DE L'ŒUF
1- Follicule rompu. Ébauche de formation du corps jaune
2 Ovule entouré des cellules folliculeuses.
3- Ovule fécondé par un spermatozoïde. Les cellules folliculeuses sont éliminées.
4- Début de la division de l'œuf. Stade à 2 cellules.
5- Stade à 8 cellules.
6- Stade à 16 cellules (morula).
7- L'œuf se creuse d'une cavité (blastocyste).
8- Implantation dans la muqueuse utérine ou nidation.

Dans l'image : Muscle utérin, Endomètre

À l'intérieur de l'œuf, les cellules du centre deviennent beaucoup plus grosses, elles se réunissent en une petite masse que l'on appelle le bouton embryonnaire parce que c'est lui qui va devenir embryon, nom que portera le futur bébé jusqu'à 2 mois révolus (après, on parlera de fœtus). Les cellules les plus externes s'aplatissent, et sont refoulées à la périphérie de l'œuf. Un vide sépare le bouton embryonnaire de la couche extérieure sauf en un point où les deux parties restent soudées. Le vide va bientôt s'agrandir et former une cavité remplie de liquide.

Le plan du futur édifice est définitivement tracé ; il ne changera plus. Du bouton embryonnaire naîtra l'embryon ; des cellules extérieures, l'enveloppe qui entourera et protégera cet embryon. Cette enveloppe, c'est le *trophoblaste* qui contribuera à former le placenta grâce auquel l'enfant pourra se développer.

À ce stade, l'œuf mesure 0,25 mm. Il est maintenant capable de se nider. Mais voyons d'abord comment le « nid » s'est préparé à l'accueillir.

LA NIDATION SE PRÉPARE

Après l'ovulation, le follicule qui contenait l'ovule s'est transformé en corps jaune. Son rôle est fondamental : il va continuer à fabriquer des œstrogènes, comme avant l'ovulation, mais également l'autre hormone, la progestérone. C'est la progestérone qui, associée aux œstrogènes, permet le développement du tissu qui tapisse l'intérieur de l'utérus ; ce tissu, c'est la muqueuse utérine ou *endomètre*. Très mince avant l'ovulation, la muqueuse s'épaissit considérablement dans la deuxième moitié du cycle, passant de 1 mm à 1 cm. Elle se creuse de nombreux replis. Ses vaisseaux sanguins sont beaucoup plus nombreux ; et les glandes qu'elle contient fabriquent en grande quantité un sucre, le glycogène, dont le rôle nutritif est important. Cette muqueuse, désormais appelée *caduque*, est maintenant prête à recevoir et nourrir l'œuf.

Si l'ovule n'a pas été fécondé, il dégénère. S'il a été fécondé mais que l'embryon arrête de se diviser, car son matériel génétique n'est pas adéquat, il ne peut y avoir de nidation, donc pas de grossesse. Le corps jaune régresse, la quantité d'hormones diminue, l'utérus se contracte, la muqueuse se détache de la paroi utérine dont les petits vaisseaux sanguins se rompent et saignent. L'ensemble s'évacue à travers l'utérus, dans le vagin, ce sont les règles. Aussitôt, la nature persévérante amorce un nouveau cycle de 28 jours.

Tout s'enchaîne désormais. Entre les règles et la grossesse, le lien apparaît : les règles signifient qu'il n'y a pas eu de grossesse, ou du moins que, malgré la fécondation, l'embryon n'avait pas toutes les qualités pour se nider et se développer. Seulement un faible pourcentage des ovulations donne lieu à une fécondation réussie, c'est-à-dire à une grossesse. Le plus souvent, soit l'ovule n'a pas été fécondé, soit l'embryon n'avait pas d'avenir et donc la nidation ne s'est pas faite. Au contraire, l'absence des règles signifie qu'il y a une grossesse.

Pendant ce temps, que s'est-il passé dans l'ovaire depuis l'ovulation ? Le corps jaune, qui s'est édifié sur la cicatrice laissée après le départ de l'ovule, s'est rapidement développé. Produisant une quantité considérable de progestérone, le corps jaune est le grand protecteur des premiers jours de l'œuf. C'est en effet la progestérone qui a empêché l'utérus de se contracter comme il le fait au moment des règles, ce qui aurait eu pour résultat d'expulser l'œuf qui vient de se nider. C'est la même hormone qui a subvenu en partie à la nutrition de l'œuf. Vers 2 mois, lorsque le corps jaune aura terminé son temps, le relais sera pris par le placenta, vous le verrez plus loin.

Une conclusion s'impose : le corps jaune de l'ovaire est indispensable à la survie de l'œuf. Il y a d'ailleurs entre eux échange de bons procédés, car c'est à cause de l'implantation de l'œuf dans l'utérus que le corps jaune ne dégénère pas comme il le fait au cours d'un cycle normal. Pour maintenir en activité le corps jaune, le trophoblaste sécrète en effet une hormone appelée *hormone gonadotrophine chorionique* (ou βHCG) au moins pendant les premières semaines de grossesse. C'est la présence de cette hormone dans les urines et dans le sang, qui rend positifs les tests de grossesse.

9. DE L'ŒUF À L'ENFANT
Sur ces quatre dessins, nous pouvons suivre la croissance de cet œuf que nous avons vu se nider en schéma 8. Le voici d'abord embryon à 6 semaines (a). Puis fœtus à 3 mois (b), 6 mois (c) et 9 mois (d). L'enfant est toujours représenté dans la même position. En réalité, il bouge fréquemment. Mais à 9 mois, à la veille de l'accouchement, il se présente, dans la majorité des cas, la tête en bas.

a   b   c   d

L'ŒUF SE NIDE

C'est donc au 7ᵉ jour après la fécondation que l'œuf est prêt à se nider et que la muqueuse utérine est prête à le recevoir. L'œuf se pose sur la muqueuse utérine, puis il y adhère fortement, comme une ventouse. À ce moment entre en jeu le trophoblaste ; il sécrète des ferments qui détruisent les cellules tapissant la cavité de l'utérus et creuse une sorte de nid dans la muqueuse. On peut dire alors que l'œuf « fait son nid ». Il s'engage dans le trou ainsi creusé et se loge de plus en plus profondément dans l'épaisseur de la muqueuse. Au-dessus de lui, les tissus se rejoignent, la brèche se referme.

À la fin du 9ᵉ jour, l'œuf est logé, entièrement entouré par la muqueuse utérine dans laquelle il s'est enfoui. On appelle cette muqueuse caduque, car, après l'accouchement, elle sera éliminée avec le placenta.

Il faut maintenant que l'œuf se nourrisse. Le trophoblaste – qui prend alors le nom de *chorion* – projette de petits filaments qui s'enfoncent avidement dans la muqueuse utérine comme une plante envoie ses racines dans une bonne terre. Ces filaments rompent les petits vaisseaux sanguins, détruisent les cellules, se gorgent de cette manne et l'envoient à l'embryon dont les besoins s'accroissent sans cesse, car sans cesse de nouvelles cellules se développent à un rythme de plus en plus accéléré.

L'œuf est maintenant fixé comme une greffe à l'organisme maternel. C'est là qu'il va se développer neuf mois durant (schéma 9). La grossesse ne commence véritablement qu'au jour de la nidation, celui où pour la première fois la mère protège et nourrit son enfant.

Au centre de l'œuf, l'embryon va croître à un rythme vertigineux. Mais cette croissance ne sera possible que parce que tout un système va se développer : ce système comprendra ce qu'on appelle les *annexes*, c'est-à-dire les membranes qui entourent l'œuf, le placenta et le cordon.

L'ŒUF, UNE GREFFE TRÈS SPÉCIALE

Toute greffe d'organe est normalement rejetée au bout d'un certain temps. En effet, l'organisme receveur met en jeu un système de défense, qui a pour but d'éliminer ce corps étranger qu'est la greffe. Pour qu'une greffe réussisse (greffe de rein, greffe de foie par exemple), les médecins sont obligés d'avoir recours à des procédés très complexes pour diminuer, ou abolir, ce système de rejet du receveur.

Or, pour l'organisme maternel, l'œuf peut être considéré comme une greffe étrangère puisqu'il contient, pour moitié, des cellules qui proviennent du père. L'œuf devrait donc être rejeté, d'autant qu'il se nide au plus intime des tissus maternels, et aucune grossesse ne devrait être possible. Il n'en est rien évidemment. Mieux encore, l'organisme maternel offre à l'œuf les meilleures conditions de protection et de développement. C'est donc une « tolérence paradoxale », il n'y a pas de rejet de cette greffe très spéciale.

Dans certaines situations, il arrive néanmoins que le mécanisme de tolérance de cette greffe ne fonctionne pas. L'œuf va alors être rejeté très rapidement. On parle de fausse-couche d'origine *immunologique* dont la caractéristique est de se reproduire chez certains couples à chaque grossesse, créant ainsi une véritable *maladie abortive*. On n'a malheureusement pas encore trouvé de traitement efficace pour prévenir ces échecs répétés, qui désespèrent les femmes qui y sont confrontées.

Le bon fonctionnement des mécanismes d'implantation de l'œuf est nécessaire à son développement et à sa croissance ultérieure. C'est ainsi que certaines maladies de la grossesse, comme la toxémie gravidique, ou certains troubles de la croissance, comme le retard de croissance intra-utérin, peuvent trouver leur origine dans ces anomalies de l'implantation.

LA FÉCONDATION *IN VITRO* ET AUTRES PROCRÉATIONS ASSISTÉES

Lorsque la fécondation ne parvient pas à se faire naturellement, le couple peut avoir recours à des techniques médicales particulières. C'est ce qu'un appelle l'AMP (Assistance Médicale à la Procréation). Aujourd'hui, 5 % des femmes qui accouchent ont eu recours à ce type de traitement. Ce chiffre, qui augmente, est dû en partie au recul de l'âge du désir d'enfant. Les années passent, la fécondité diminue (p. 23 et suiv.) ; le couple se sent pressé par le temps, et il se tourne vers des pratiques biologiques pour l'aider à concevoir. Parmi les techniques existantes, la fécondation *in vitro* est probablement la plus connue du grand public.

LA FÉCONDATION *IN VITRO* (FIV)

Cette technique a connu en vingt ans un extraordinaire développement. D'abord destinée aux femmes ayant des trompes définitivement bouchées, son application s'est progressivement étendue. On y a recours dans d'autres causes d'infertilité des couples, qu'elles soient féminines (endométriose, stérilité inexpliquée, anomalies de l'ovulation) ou masculines (sperme de qualité ou de quantité insuffisante). Les indications de FIV pour anomalies masculines ont aujourd'hui dépassé les indications pour anomalies féminines.

La fécondation *in vitro* a pour but d'assurer la rencontre entre l'ovocyte et le spermatozoïde en dehors de l'organisme. Elle se pratique en laboratoire, dans des petites boites en plastique.

Voyons maintenant le détail de cette méthode. Au-delà du langage froid de la technique, la fécondation *in vitro* est un moment intense dans la vie d'un couple. Avant de se lancer dans cette aventure, la femme et l'homme ont besoin de connaître le détail des différentes étapes ; ils savent que leur désir d'enfant les aidera à les franchir.

Bilan et traitement

Avant que ne débute la fécondation *in vitro* proprement dite, le médecin prescrit au couple un **bilan complet**.

Chez la femme, ce bilan comprend un examen clinique, une prise de sang pour connaître l'état hormonal et dépister certaines maladies, une hystérosalpingographie, c'est-à-dire une radiographie permettant de contrôler l'état de l'utérus et des trompes et parfois une cœlioscopie.

Chez l'homme, le bilan comprend une prise de sang pour connaître également l'état hormonal et dépister certaines maladies, une analyse du sperme (spermogramme et spermoculture) ; celle-ci permet de déterminer si le sperme est *a priori* apte à féconder un ovocyte et de vérifier qu'il ne présente pas d'infection. Pensez à parler au médecin de tout incident de santé ayant pu survenir dans les trois mois précédant la FIV (fièvre, asthénie générale, prise de médicaments...) car ils peuvent retentir sur la qualité du sperme.

Après ce bilan médical, le médecin va procéder à la **stimulation** des ovaires. La stimulation a pour but d'assurer le développement simultané de plusieurs follicules, et donc de pouvoir disposer de plusieurs ovocytes.

La stimulation proprement dite est assurée par un traitement hormonal : des injections de gonadotrophine. Ce traitement est contrôlé par des échographies et par des dosages hormonaux dans le sang, pour surveiller, entre autres, l'évolution du taux d'œstradiol (qui est l'œstrogène le plus important).

• Une complication rare, mais possible, est une réponse excessive à la stimulation de l'ovaire. C'est le *syndrome d'hyper-stimulation ovarienne*. Les premiers signes sont des douleurs dans le ventre, une augmentation du volume de l'abdomen avec parfois des nausées, des vomissements. Il est nécessaire de consulter rapidement le médecin. Une hospitalisation de quelques jours est parfois nécessaire.

Lorsque les follicules ont atteint une taille suffisante et que le taux d'œstradiol est jugé satisfaisant, l'ovulation est déclenchée par une injection d'HCG (p. 106). L'heure de l'injection est importante à respecter car elle va déterminer celui de la **ponction** des follicules. Cette ponction est en effet réalisée environ 36 heures plus tard afin de recueillir les ovocytes contenus dans le liquide folliculaire que l'on aspire. Elle se fait par voie vaginale, sous contrôle échographique, avec une anesthésie générale ou locale.

Au laboratoire

Les différentes étapes de la FIV se déroulent sur plusieurs jours.

Le matin de la ponction des ovocytes, un échantillon de sperme est collecté par masturbation ; il est traité en laboratoire afin de sélectionner les spermatozoïdes les plus résistants et les plus actifs. Ovocytes et spermatozoïdes sont alors mis en contact dans un incubateur. Si la fécondation a lieu, les ovocytes fécondés, ou embryons, seront transférés dans l'utérus après un temps de maturation de 2 à 3 jours (parfois 5 à 6 jours).

Le nombre d'embryons à transférer est décidé après discussion entre le médecin, le biologiste et le couple. Il est en général de deux embryons, mais actuellement la tendance est de n'en transférer qu'un seul, de façon à éviter les grossesses multiples. Plus exceptionnellement, le transfert des embryons peut être de trois, en fonction de l'âge de la femme et de l'histoire du couple. Les embryons surnuméraires de bonne qualité pourront être congelés (cryopréservation), avec accord du couple, et être ainsi transférés ultérieurement.

Un ou plusieurs embryons sont transférés dans l'utérus à l'aide d'un cathéter fin et flexible, relié à une seringue contenant le - ou les - embryon(s). L'intervention, réalisée au centre d'AMP, est indolore et ne nécessite ni anesthésie, ni hospitalisation. Vous resterez allongée une petite heure pour éviter d'éventuelles contractions utérines et vous pourrez ensuite reprendre vos activités habituelles. Il n'y a pas de précautions particulières à prendre par la suite.

Cette étape est souvent la plus stressante du traitement en raison de l'attente. Ces jours sont éprouvants, la femme est à l'affût des signes de grossesse. Même si elle sait que maintenant le processus lui échappe, elle se demande « que faire pour que ça marche ».

Un dosage sanguin de βHCG est réalisé environ 14 jours après le transfert pour détecter un début de grossesse. S'il y a grossesse, des dosages ultérieurs seront effectués de façon à en suivre l'évolution. La grossesse sera vraiment confirmée par une échographie réalisée environ un mois après le transfert.

Malgré l'omniprésence de la technique, l'émotion est là, très forte, lorsque le couple apprend qu'il va peut-être transmettre la vie.

Le taux de succès pour obtenir une grossesse après une fécondation *in vitro est d'environ 30 % et le taux d'accouchement est d'environ 25 %, l'écart entre les deux chiffres s'explique par le fait que certaines grossesses s'interrompent.*

Après la fécondation *in vitro*

Les grossesses extra-utérines, les fausses couches spontanées et les malformations ne sont pas plus nombreuses que lors d'une grossesse naturelle.

15 à 20 % des grossesses obtenues par cette méthode sont gémellaires, moins de 1 % sont triples. Aujourd'hui, la seule solution pour limiter ces grossesses multiples consiste à ne **transférer qu'un seul embryon**, au prix évidemment d'une diminution du taux de grossesses obtenues. Tous les spécialistes des centres de *FIV* ont cet objectif de limiter les grossesses multiples dont le premier risque est la prématurité du bébé. Plus l'accouchement est prématuré, plus la mortalité périnatale est élevée et plus les risques de séquelles de l'enfant sont importants. Une grossesse multiple est une grossesse à risque. Il est important que la future maman soit bien suivie et qu'elle accouche dans un établissement équipé pour que les bébés puissent être pris en charge, dans les meilleures conditions possibles (niveau II ou III), s'ils venaient à naître prématurément.

Qu'est-ce que l'ICSI ?

C'est une technique particulière de fécondation *in vitro* : un seul spermatozoïde est injecté directement dans l'ovocyte en traversant la membrane pellucide. L'ICSI (Intra Cytoplasmic Sperm Injection) est en général proposée lorsque le nombre et la mobilité des spermatozoïdes ne permettent pas d'assurer une fécondation *in vitro* par la technique classique. Cette méthode peut également être utilisée en cas d'échec inexpliqué de la fécondation. Elle représente une avancée considérable dans le traitement des stérilités masculines.

LE COUPLE ET L'AMP : UN PARCOURS ÉMOTIONNEL

La pratique de la FIV existe depuis près de 30 ans et elle a toujours été très médiatisée. Cela peut donner l'impression que la technique s'est simplifiée et que les résultats sont toujours au rendez-vous. Mais lorsqu'ils recourent à la FIV, les couples se heurtent vite à la réalité. Les contraintes sont lourdes : examens à répétition, parfois pénibles, avec dates imposées. Les femmes peuvent se sentir comme des machines à fabriquer des ovocytes et les hommes du sperme. Et, stress supplémentaire, le temps presse : les couples qui consultent ont en moyenne autour de 35 ans et ils savent qu'au-delà la fertilité va diminuer rapidement.

Le parcours de la FIV est jalonné d'émotions intenses, de la crainte à l'espoir, de la déception à la joie. Être confronté à l'AMP est souvent une épreuve déstabilisante pour le couple qui éprouve des sentiments d'échec, d'impuissance, de culpabilité devant l'impossibilité de concevoir un enfant. Par ailleurs, l'homme est de plus en plus souvent en cause dans l'infertilité. Et pourtant c'est la femme qui subit les examens, les traitements par injection, les contrôles biologiques et échographiques. En fin de traitement, l'homme n'a qu'à donner son sperme au laboratoire. Certaines femmes vivent difficilement cette situation.

Il est important de se préparer au fait que, dans le couple, la femme et l'homme ne peuvent pas ressentir la même chose en même temps ou de manière semblable. Chacun fait face de façon différente aux difficultés de conception. En prendre conscience peut permettre d'éviter les malentendus, d'aborder les étapes à deux, de se rapprocher et de renforcer la relation. Parler, se parler encore, encore et toujours ! Le dialogue est la seule façon pour que chacun ne s'isole pas dans des non-dits préjudiciables à l'équilibre du couple dans ces moments délicats. Un soutien psychologique peut aider à transformer un parcours souvent long, parfois décourageant, en une aventure riche d'émotions vécues à deux.

LES AUTRES ASSISTANCES MÉDICALES À LA PROCRÉATION

L'insémination avec sperme du conjoint a pour but de déposer le sperme directement dans l'utérus pour augmenter les chances de rencontre entre le spermatozoïde et l'ovoyte. Cette technique est proposée dans certaines situations : anomalie de la qualité du sperme ou problèmes d'éjaculation ; anomalie de la glaire sécrétée par le col de l'utérus et pouvant faire obstacle au passage des spermatozoïdes ; certains problèmes de stérilité inexpliquée. Le traitement est souvent associé à une légère stimulation de l'ovulation, de façon à augmenter les chances de succès (plus il y a d'ovocytes produits en même temps, plus il y a de chances de grossesse). En revanche, le risque de grossesse multiple en est le corollaire. La surveillance du traitement se fait par des dosages hormonaux et des échographies. Les formalités administratives sont les mêmes que pour la fécondation *in vitro*.

Le don de gamètes (spermatozoïdes ou ovocytes) ne peut s'envisager que dans une situation de stérilité bien précise, lorsqu'il y a absence totale de gamètes. La demande du couple receveur doit être signée devant la justice (tribunal, notaire). Ces dons de gamètes sont anonymes et gratuits.

La gestion du **don de sperme** est confiée au CECOS (Centre d'Étude et de Conservation du Sperme) ; il en existe dans chaque grande ville ayant un Centre hospitalier universitaire (CHU). Le sperme, qui a été congelé puis décongelé, est inséminé dans le col de l'utérus par le médecin gynécologue au moment de l'ovulation. Ce geste est simple à effectuer.

En revanche, le **don d'ovocytes** n'est pas simple car la femme qui donne ses ovules, de façon anonyme et gratuite, doit subir une FIV, avec toutes les contraintes que cela suppose. C'est donc un esprit généreux qui préside à une telle décision, à ce « cadeau » à une femme inconnue. Cette technique reste encore, en France, longue à mettre en œuvre en raison de ces contraintes et de son caractère anonyme et gratuit.

ET LES FEMMES DE PLUS DE 43 ANS ?

Après cet âge, l'AMP n'est plus prise en charge par les organismes de Sécurité sociale car les chances de réussite sont minimes. En effet, la fécondabilité de la femme au-delà de 43 ans est très faible (schéma p. 24) et le risque de fausse couche très élevé. Les femmes de cet âge souhaitant recourir à l'AMP doivent se rendre à l'étranger, en Espagne ou en Belgique, pour bénéficier d'un don d'ovocytes, don qui n'est pas gratuit. L'ovocyte, prélevé chez une femme jeune, est fécondé *in vitro* par le sperme du mari. L'embryon est ensuite transféré dans l'utérus de la femme souhaitant être enceinte. Mais les risques obstétricaux sont ceux liés à l'âge de la femme qui reçoit l'embryon.

UNE LOI DE BIOÉTHIQUE
encadre strictement la pratique de l'AMP. Elle garantit une transparence, une information complète sur les chances de succès, sur les contraintes et les risques de cet acte, et sur les autres possibilités qui s'offrent en cas de stérilité. La loi impose au médecin de fournir toutes les informations concernant l'AMP. De son côté, le couple doit donner son consentement écrit à l'AMP et s'engager à informer le médecin de l'issue de la tentative. La fécondation in vitro *ne peut être pratiquée que dans des centres clinique et biologique agréés, par des médecins et des biologistes agréés. L'agrément est donné par l'ABM (Agence de Biomédecine)*

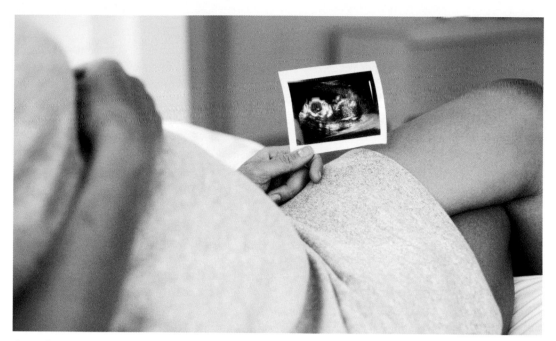

Mois par mois
l'histoire de votre enfant

Un jour, au cours du 5ᵉ mois, la future mère perçoit les mouvements de son enfant. Certaines disent qu'elles le sentent bouger ; d'autres parlent de caresses. C'est soudain une vie intense qui se révèle. Certes, la mère savait bien que le cœur de son enfant battait déjà. Elle le savait et elle l'avait peut-être déjà entendu grâce au stéthoscope à ultrasons, ou vu sur l'écran de l'échographe. Mais ce sont le plus souvent les mouvements qui font prendre conscience à la mère de la présence de cet enfant. Ce sont également ces mouvements qui constituent un nouveau lien entre le père et son enfant, après les images vues à l'échographie.

Pourtant c'est bien avant qu'a commencé l'étonnante histoire de l'enfant pendant les neuf mois de sa vie intra-utérine. Période à nulle autre pareille car, à aucun moment de sa vie, un être humain ne subit de telles transformations. Cette histoire, la voici.

LE PREMIER MOIS DE VOTRE BÉBÉ

JUSQU'À 6 SEMAINES ET DEMIE D'AMÉNORRHÉE
Quelques semaines avant d'avoir un visage, un cœur, des membres, l'embryon est un disque, un disque minuscule. Diamètre : 0,2 mm. Ce disque se trouve au centre des grosses cellules de l'œuf qui ont formé le bouton embryonnaire.

10. LA TAILLE RÉELLE DE L'EMBRYON

18 jours   25 jours   30 jours   60 jours

Les cellules qui forment ce disque vont se répartir en trois couches d'où vont naître tous les organes de l'enfant : la couche supérieure – ou ectoderme – donnera naissance à la peau, aux poils, aux ongles, et au système nerveux, cerveau, moelle épinière, nerfs. La couche moyenne – ou mésoderme – donnera les muscles, le squelette, l'appareil urinaire et génital, le cœur et les vaisseaux, et les différents organes qui fabriquent le sang. La couche inférieure – ou endoderme – fournira les muqueuses (le revêtement intérieur de la plupart des organes), les poumons, le tube digestif et les glandes qui s'y rattachent.

En même temps apparaît au-dessus de l'ectoderme une petite cavité qui va s'agrandir progressivement et qui occupera ultérieurement tout le volume de l'œuf : c'est la cavité amniotique où, dans quelque temps, flottera véritablement l'embryon.

Vers le 15ᵉ jour après la fécondation, le disque change de forme. Il était circulaire, il s'allonge et devient ovale, plus large en arrière qu'en avant, resserré au milieu ; d'avant en arrière apparaît un renflement, la *chorde*, avec de chaque côté, de petites saillies cubiques : les *somites*. Une, puis deux, puis trois, dans quelques semaines, elles seront une quarantaine et donneront naissance aux vertèbres, aux côtes, aux muscles du tronc et aux membres.

Parallèle à la chorde, apparaît un sillon formant bientôt une sorte de gouttière d'où dérivera tout le système nerveux. À l'intérieur de l'embryon se dessine l'intestin primitif, ébauche de l'appareil digestif.

Dès le 20ᵉ jour apparaît le tube cardiaque (ébauche du futur cœur). Ce tube est formé par la fusion de deux vaisseaux sanguins ; s'il n'a pas encore la forme du cœur, il est déjà animé de contractions spasmodiques : il bat. Une circulation s'ébauche, elle est visible à l'échographie.

MOIS ET SEMAINES

Dans ce récit de la vie de l'enfant avant la naissance, vous trouverez deux séries de dates qui correspondent aux deux façons de calculer la durée de la grossesse :
• soit en mois : on compte à partir du jour de la conception. On parle de mois de grossesse
• soit en semaines : on compte à partir du premier jour des dernières règles. On parle de semaines d'aménorrhée.
Entre ces dates – premier jour des dernières règles et conception – il s'est écoulé deux semaines. Cela explique le décalage entre les deux modes de calcul.
Dans ce chapitre, les informations sur le développement de votre bébé sont datées du jour de la conception, il s'agit de mois de grossesse. Mais, comme de nombreux examens sont prescrits en semaines d'aménorrhée, nous vous donnons l'équivalent en semaines. Par exemple, quand on vous demande de faire pratiquer une échographie à 22 semaines (d'aménorrhée), cela signifie que vous serez proche de la fin du 5ᵉ mois (qui se termine à 23 semaines et demie).
Page 268 vous trouverez un tableau sur la correspondance mois-semaines.

Le diaphragme s'agite avec des mouvements un peu brusques et sporadiques donnant à la mère l'impression que l'enfant a le hoquet. Au début, ce phénomène, qui apparaît vers 6 mois, inquiète souvent la future mère.

Avec la fréquence et la régularité des mouvements, la présence de votre bébé se fait plus forte. Vous imaginez l'avenir proche et, si vous devez reprendre votre travail à la fin du congé de maternité, vous pensez à la façon dont votre enfant va être accueilli. Dès que vous aurez la confirmation de l'inscription à la crèche, n'hésitez pas à vous rendre sur place. Cette « visite prénatale » permet aux parents de tisser des premiers liens avec ceux qui vont garder leur bébé. Elle permet aussi d'atténuer l'anxiété, souvent teintée de culpabilité, lors de la première séparation. Alors que s'il y a eu un premier contact, lorsque les parents viendront après la naissance pour confier leur bébé, chacun se reconnaîtra : un grand pas pour une adaptation apaisée aura été franchi. Pour les mêmes raisons, ne tardez pas trop pour chercher une assistante maternelle.

À LA FIN DU 6ᴱ MOIS
L'enfant se tient les bras repliés sur la poitrine, et les genoux remontés sur le ventre. Il mesure 31 cm et pèse 1 000 g. Il a maintenant tout ce qu'il faut pour naître. S'il naissait à cet âge, il serait considéré comme viable. Toutefois, il resterait un grand prématuré et ses chances de survie seraient encore minces malgré les grands progrès de la médecine néonatale.

LE SEPTIÈME MOIS : L'ÉVEIL DES SENS

DE 28 SEMAINES À 32 SEMAINES ET DEMIE

Jusqu'ici, nous avons parlé muscles et os, nous avons vu un visage se dessiner, des cheveux pousser, nous avons pesé ce bébé, nous l'avons mesuré. Au 7ᵉ mois, c'est un autre éveil, c'est « l'aube des sens ».

Ces dernières années, l'intérêt accru pour la vie avant la naissance, la mise au point de différents appareils ont permis de se rendre compte des perceptions sensorielles du fœtus. Les découvertes, les observations de ces travaux remplissent déjà plusieurs livres.

Ces découvertes ne surprendront pas vraiment les mères : depuis toujours elles savaient que l'enfant qu'elles attendaient avait des sensations, qu'il réagissait à des bruits, à la musique, à certains de leurs comportements, mais ces croyances, n'étant pas étayées par la science, restaient du domaine féminin. Mais comment ne pas croire cette jeune femme qui, se trouvant dans une discothèque bruyante, au bout d'un moment a été obligée de sortir : « Il bougeait tellement… Ce n'était pas moi qui me sentais mal, c'était lui. » Quant aux berceuses, selon Françoise Loux, si elles plaisent c'est peut-être parce que le « nouveau-né retrouve la voix qu'il percevait avant la naissance… C'est en quelque sorte une voix extérieure, celle que l'enfant entendait avant sa naissance. »

Aujourd'hui ces intuitions des mères, ces impressions sont devenues des certitudes scientifiques ; on sait maintenant que le **fœtus entend**. Les chercheurs ne sont pas tous d'accord sur l'âge car il est difficile de tester un fœtus trop jeune. Mais, pour la majorité des études, c'est entre 5 mois 1/2 et 6 mois qu'on peut situer le début des réactions à une stimulation auditive.

Cette constatation des perceptions sensorielles du bébé, si elle n'a pas vraiment surpris la mère, a été pour le père un nouveau moyen d'entrer en relation avec le bébé. Beaucoup de pères parlent à leur enfant, lui chantent des chansons, cela leur permet de communiquer avec lui avant la naissance.

Qu'entend le fœtus avant la naissance ? Toute une gamme de bruits et de sons. Mais, évidemment, le fœtus n'entend pas comme nous, les bruits lui arrivent quelque peu assourdis, filtrés par le liquide amniotique dans lequel il baigne ; en plus, il entend de nombreux bruits intérieurs (« borborygmes » intestinaux, battements cardiaques) qui traversent le placenta ou le cordon ombilical. Ces bruits intérieurs représentent probablement un environnement sonore auquel le fœtus est si habitué qu'il ne l'entend plus consciemment, comme le marin n'entend plus les vagues.

Par contre, les bruits extérieurs sont bien entendus, et représentent une riche stimulation. Entend-il mieux les sons graves ou les sons aigus ? Autrement dit, le fœtus entend-il mieux la voix de son père ou celle de sa mère ? Les chercheurs ne sont pas d'accord sur ce point. Pour certains,

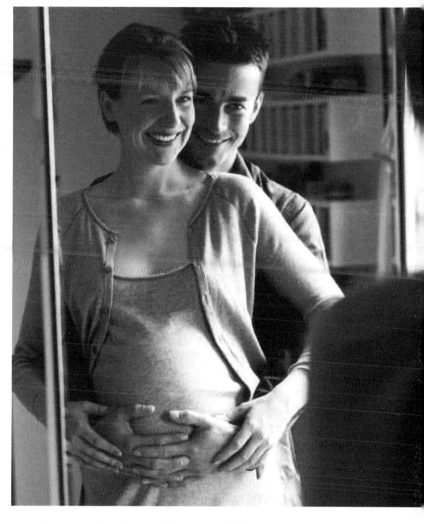

c'est sûr, le bébé entend mieux les sons graves. D'autres chercheurs (J.P. Lecanuet, C. Granier-Deferre, B. Gautheron, M.C. Busnel) sont plus nuancés : si leurs travaux montrent que le fœtus réagit plus à un son aigu, cela est peut-être dû à ce que le fœtus entendant plus de sons graves, réagit mieux aux sons aigus, moins familiers. En fait, cette question est peu importante. Ce qu'il faut savoir, c'est qu'avant de naître le bébé entend et réagit à la plupart des *stimuli* venant de l'extérieur.

L'équipe de chercheurs déjà citée a démontré que le fœtus différencie une voix féminine d'une voix masculine, une syllabe d'une autre et même deux mélodies différentes. Elle a également démontré que, dès 8 mois, le fœtus réagissait différemment à une comptine plusieurs fois répétée par la mère, et à une comptine inconnue. Il en est de même pour des morceaux de musique.

Et, après la naissance, le nouveau-né exprimera une préférence pour les bruits (musique ou voix) qu'il a entendus *in utero*. C'est pourquoi, dans certaines maternités, pour calmer les prématurés, et les réconforter, on leur fait entendre les battements du cœur de leur mère, enregistrés et amplifiés : le bébé reconnaissant ce bruit, se calme.

LE NEUVIÈME MOIS : LE JOUR SE LÈVE

DE 36 SEMAINES ET DEMIE À 41 SEMAINES

L'enfant va consacrer les dernières semaines à prendre des forces et du poids, 20 à 30 g par jour, et à grandir. Il remue encore beaucoup au début du mois, mais il n'est pas rare que ces mouvements soient moins perceptibles dans les semaines qui précèdent la naissance, tout simplement par manque de place. Mais malgré cela le bébé continue à bouger, comme le sent la maman.

Le fin duvet qui recouvrait le fœtus est maintenant presque entièrement tombé, mais il peut persister après la naissance, notamment sur la nuque et les épaules. L'enduit sébacé qui recouvrait la peau est également en train de disparaître.

Le crâne n'est pas entièrement ossifié. Entre les os persistent des espaces fibreux que l'on appelle les fontanelles. Il en existe deux : l'une en forme de losange, en avant, au-dessus du front, l'autre triangulaire, en arrière, au niveau de l'occiput. Ces fontanelles permettent à l'accoucheur de reconnaître la position de la tête lors de l'accouchement. Elles ne se fermeront que plusieurs mois après la naissance.

À LA FIN DU 9ᵉ MOIS

L'enfant est prêt à naître, le plus souvent tête en bas, bras et jambes repliés sur le ventre. En moyenne, il pèse 3 000 à 3 300 g, et mesure 50 cm. Il est maintenant prêt à aborder le monde extérieur.

C'est au chapitre 16 que vous verrez les premières réactions, l'aspect et le développement du nouveau-né. En venant au monde, des modifications importantes s'opèrent en quelques heures dans l'organisme de l'enfant pour qu'il puisse s'adapter au milieu dans lequel il est brusquement plongé.

Images de la vie avant la naissance

Le fœtus suce son pouce. Ce document extraordinaire a fait le tour du monde.

Dans ces images de la vie avant la naissance, l'âge du bébé est indiqué en semaines d'aménorrhée (sur la correspondance semaines d'aménorrhée et mois de grossesse, voir pp. 113 et 268).

LES EMBRYONS

1

2

3

4

Les étapes des premiers jours après la fécondation :

1- L'œuf se divise en deux cellules (sur cette image 2 embryons de 2 cellules).
2- Embryon de 4 cellules au 2ᵉ jour.
3- Embryons au 3ᵉ jour. Celui en bas à droite a 6 cellules.
4- Embryon au 5ᵉ jour de plusieurs dizaines de cellules (appelé blastocyste).

Page de droite
5. L'embryon à 8 semaines : on commence à apercevoir l'ébauche de ses membres.
6. Le fœtus à 20 semaines : on distingue bien les mains et les jambes repliées.

EMBRYON ET FŒTUS

1

1. *Une grossesse gémellaire de 12 semaines. Les deux embryons sont dans la même poche. Ce sont de vrais jumeaux (monozygotes), donc du même sexe.*

2. *Une grossesse gémellaire de 9 semaines, mais les embryons sont dans des poches distinctes. Ce sont des faux jumeaux (dizygotes).*

3. *Clarté nucale*
La clarté nucale est mesurée lors de la première échographie et elle permet d'évaluer le risque de trisomie 21 (p. 215). Sur ce cliché, la clarté (ou épaisseur) nucale est mesurée entre les deux croix.

4. *Longueur tête-fesses*
Cette mesure est faite systématiquement lors des échographies précoces pour apprécier la taille de l'enfant.

2

QUELQUES MESURES

LE SEXE DU BÉBÉ

Sur ces échographies, le sexe du bébé est bien identifiable.

1. Le sexe d'un petit garçon
2. Le sexe d'une petite fille

Ces images montrent nettement le sexe de l'enfant à naître. Mais celui-ci n'est pas toujours aussi visible, cela dépend de la manière dont se tient le bébé. De toute façon, si vous souhaitez attendre le jour de la naissance pour avoir le plaisir de la découverte du sexe de votre enfant, pensez à le dire au médecin.

1. À 18 semaines, les phalanges sont distinctes

2. Le pied (32 semaines)

3. La mesure du fémur chez un bébé de 21 semaines.

4. Le bébé suce son pouce : une échographie pas très fréquente.

5. Malgré les paupières encore fermées, le regard se devine.

LES DOPPLERS

L'ÉCHOGRAPHE EST UN APPAREIL QUI UTILISE DIFFÉRENTES TECHNIQUES D'IMAGERIE. PARMI CES TECHNIQUES, IL Y A LES DOPPLERS. IL EXISTE DIFFÉRENTS TYPES DE DOPPLERS : ÉNERGIE COULEUR, CODE COULEUR, PULSÉ, ETC.

1 et 2. Il s'agit d'un doppler énergie couleur : c'est une technique qui permet de voir et de mesurer la quantité de sang qui circule dans un organe. Grâce au doppler énergie couleur, on peut vérifier si le placenta est bien implanté ou si au contraire un décollement ou une baisse du flux sanguin menace la grossesse.

3. Il s'agit d'un doppler pulsé qui permet « d'ausculter » l'endroit choisi par le médecin, et ainsi d'écouter le cœur du bébé et de prendre son rythme. Dans le cas d'une grossesse multiple (jumeaux, triplés) il est ainsi possible d'écouter le cœur de chacun des bébés séparément.

Comment votre enfant vit en vous

Nous mangeons par la bouche, nous respirons par le nez et les poumons. Pour des raisons évidentes, le fœtus ne peut en faire autant. Il devra attendre de naître pour s'alimenter et respirer à notre manière. Pour le moment, c'est de sa mère qu'il reçoit la nourriture et l'oxygène dont il a besoin pour se développer. Ces échanges mère-enfant sont possibles grâce à un système relativement complexe que l'on appelle les « annexes » de l'œuf. Ces organes annexes sont transitoires. Ils n'existent que pendant la grossesse, ils seront éliminés après la naissance.

Ces annexes comprennent le *placenta*, le *cordon ombilical*, les *membranes de l'œuf*. Placenta et cordon se complètent, mais chacun a son rôle bien précis. Le premier puise dans le sang maternel les matières premières et l'oxygène nécessaires au fœtus, le deuxième les lui apporte. Après la naissance, le placenta est expulsé, c'est la délivrance. Quant aux membranes, ce sont elles qui forment le sac à l'intérieur duquel se trouvent l'œuf et le liquide amniotique.

Pour mieux vous faire comprendre ce que sont les annexes, il est nécessaire de faire un bref retour en arrière. Lors de la nidation, vous l'avez vu (p. 106 et suiv.), l'œuf a complètement pénétré dans la muqueuse utérine. Celle-ci prend alors le nom de caduque car elle sera éliminée après l'accouchement. Sur les schémas de la page suivante vous pouvez voir que la caduque tapisse toute la cavité utérine, y compris la zone où va se nider l'œuf.

11. LE TROPHOBLASTE

va former le placenta en profondeur, et dans l'épaisseur de la paroi utérine. À la périphérie de l'œuf, il va prendre le nom de chorion. *La cavité amniotique, où « flotte » l'embryon, va occuper peu à peu toute la cavité de l'utérus.*

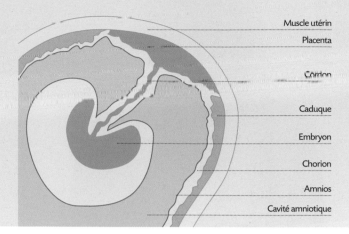

Muscle utérin
Placenta
Cordon
Caduque
Embryon
Chorion
Amnios
Cavité amniotique

Au niveau de la zone où l'œuf s'est implanté, le trophoblaste comprend deux régions distinctes. L'une profonde, qui, pénétrant dans la muqueuse utérine et érodant ses vaisseaux, établit un contact avec la circulation maternelle pour y puiser les aliments nécessaires au développement de l'embryon. C'est l'ébauche du placenta. L'autre partie du trophoblaste (schéma 11) se trouve à la périphérie de l'œuf et prend le nom de *chorion*. L'œuf qui, en se développant, fait de plus en plus saillie dans la cavité de l'utérus, se trouve alors recouvert de deux couches de tissus : la caduque et le chorion.

Parallèlement est apparue dans le bouton embryonnaire une cavité remplie d'un peu de liquide : la cavité amniotique qui est limitée par une membrane appelée *amnios*.

Rapidement, cette cavité va se remplir de liquide. Elle va augmenter de volume et prendre une place de plus en plus grande dans la cavité utérine qu'elle va finir par occuper complètement vers la 10ᵉ semaine. La membrane qui la limite, l'amnios, va donc s'accoler au chorion et à la caduque. Ils vont former ce que l'on appelle les membranes de l'œuf.

En même temps, l'embryon, qui augmente de volume, s'est écarté de la zone d'implantation. Il s'éloigne progressivement de la paroi utérine et ne lui reste attaché, au niveau du placenta, que par un pédicule entouré par l'amnios : c'est le futur cordon ombilical.

Entrons maintenant dans le détail.

LE PLACENTA

En latin, placenta veut dire « gâteau ». À la fin de la grossesse le placenta ressemble en effet à un gros gâteau spongieux dont le diamètre est de 20 cm en moyenne, et de 2 à 3 cm d'épaisseur.

Voici comment se constitue le placenta. Lorsque l'œuf se nide, le trophoblaste s'insinue dans la muqueuse utérine et détruit la paroi des vaisseaux maternels où il peut puiser les aliments dont l'œuf a besoin pour se développer.

Très vite, cette machinerie élémentaire devient insuffisante pour les besoins de l'embryon qui se développe à grande vitesse. L'organisme maternel et l'œuf se mettent alors à édifier une petite centrale : le placenta. Le trophoblaste envoie de multiples petits filaments dans la muqueuse.

En quelques semaines ces filaments grossissent, s'organisent, et forment ce que l'on appelle les

12. ÉCHANGES MÈRE-ENFANT AU NIVEAU DU PLACENTA

villosités du placenta. Vous pouvez les imaginer comme des arbres dont le tronc se divise en branches principales, elles-mêmes divisées en branches secondaires. Celles-ci se hérissent de bourgeons multiples où les villosités se terminent comme des touffes au nombre de plusieurs dizaines. Il existe ainsi 15 à 33 gros troncs qui, par divisions successives, vont aboutir à des milliers de villosités terminales. C'est au niveau de ces dernières que vont se faire les échanges entre la mère et l'enfant.

Ces villosités baignent, au niveau de l'utérus, dans une sorte de petit lac sanguin qui représente la partie maternelle du placenta. Dans ce lac sanguin circule le sang de la mère. Dans les villosités circule le sang de l'enfant, apporté par le cordon ombilical.

Ainsi le sang de la mère et celui de l'enfant se rencontrent au niveau du placenta, mais ils sont séparés par la paroi de la villosité à travers laquelle vont se faire les échanges mère-enfant. Cette paroi est d'ailleurs de plus en plus mince au cours de la grossesse, comme pour favoriser les échanges au fur et à mesure que les besoins du fœtus augmentent. Récemment encore, on considérait comme impossible le « mélange », du sang maternel et du sang fœtal. Mais maintenant on a la certitude que des cellules fœtales passent dans la circulation maternelle (on en retrouve environ 500 000 après trois mois de grossesse) et peuvent y rester plus de vingt ans. De même, des cellules maternelles passent dans la circulation fœtale. Pour autant, on ne peut pas dire que les deux sangs se mélangent vraiment.

• Le premier rôle du placenta est donc celui d'une véritable **usine nutritive**. C'est à travers la membrane qui limite les villosités que le sang fœtal puise son oxygène. Le placenta est le véritable poumon fœtal.

En ce qui concerne l'eau, elle passe facilement à travers le placenta (3,5 l à l'heure à 35 semaines) ainsi que la plupart des sels minéraux.

En ce qui concerne les matières premières, c'est-à-dire les aliments, les choses sont plus complexes. Glucides, lipides, protides passent facilement. Les autres, le placenta doit d'abord les transformer avant de les assimiler. C'est là qu'on retrouve la notion d'usine, usine d'ailleurs prévoyante : dès qu'il y a abondance de nourriture, elle fait des stocks. L'usine se double alors d'un magasin dans lequel le fœtus puise en cas de besoin.

• Le second rôle du placenta est celui d'un **filtre** qui arrête certains éléments et en laisse passer d'autres. De nombreux médicaments passent ce filtre ; parfois c'est un bien mais parfois un mal car certains sont néfastes pour l'enfant. La plupart des virus ou certains parasites, tel le toxoplasme, traversent le placenta ainsi que l'alcool, le tabac et toutes les drogues.

• Usine nutritive, filtre, le placenta est aussi une source très importante d'**hormones**. Tout d'abord l'hormone gonadotrophine chorionique (ßHCG) dont la présence dans le sang maternel signe la grossesse (p. 21). La production de ßHCG augmente rapidement jusqu'à 13 semaines pour décroître ensuite. Peut-être cette hormone est-elle en partie responsable des nausées du début de grossesse ? Celles-ci sont en effet plus fréquentes lors d'une grossesse gémellaire et, dans ce cas, le placenta est plus important. Le placenta fabrique également des quantités croissantes d'œstrogènes et de progestérone, indispensables au bon déroulement de la grossesse.

PLACENTA, RITES ET SYMBOLES

Dans les sociétés primitives, ou chez nous il n'y a pas si longtemps, les coutumes faisaient une place à part aux organes éliminés lors de l'accouchement. Alors que le cordon ombilical et les membranes amniotiques étaient précieusement conservés pour accompagner l'enfant comme porte-bonheur, le placenta était éliminé, caché, ou transformé pour servir ailleurs. On l'enterrait pour fertiliser le sol, on le jetait à l'eau pour nourrir les poissons (comme en Allemagne au XVIe siècle) ; dans les pays nordiques, on le brûlait et sa cendre était considérée comme médicament ou poison, selon les cas.

Parfois, on gardait le placenta tel quel et, placé sous le lit d'un couple stérile, ou trempé dans le bain d'une femme stérile, il était censé rompre la malédiction. Mais dans la plupart des cas, on l'écartait de l'enfant et presque toujours, c'était pour le dissoudre, le disséminer. Un peu comme si l'on avait cherché à l'oublier.

Il n'y a pas si longtemps le placenta était conservé à la maternité dans un congélateur et il était récupéré par des sociétés qui l'utilisaient pour fabriquer des produits dermatologiques ou cosmétologiques. Aujourd'hui, cet usage est interdit à cause du risque de transmission de maladies virales connues ou inconnues et les placentas ne sont plus conservés.

LE CORDON OMBILICAL

Le placenta est relié au fœtus par le cordon ombilical. Ce cordon est une sorte de tige gélatineuse, arrondie, blanchâtre, luisante, qui unit le fœtus au placenta. Il mesure 50 à 60 cm, mais il existe des cordons plus courts ou plus longs, mesurant jusqu'à 1,50 m. L'épaisseur du cordon est de 1,5 à 2 cm.

Le cordon ombilical est formé en grande partie par les cellules de l'amnios, l'une des membranes qui recouvre l'enfant. À chaque extrémité du cordon, l'amnios, qui forme la gaine (ou la paroi) du cordon, se confond du côté fœtal avec la peau de l'abdomen, et du côté placentaire avec l'amnios qui recouvre le placenta. Le cordon est un vrai pipe-line. Il contient une veine et deux artères ; la veine amène au fœtus de la nourriture et l'oxygène prélevés et transformés par le placenta dans le sang maternel. Les artères ramènent les déchets (gaz carbonique, urée, etc.) au placenta, lequel les déverse dans la circulation générale maternelle.

Le cordon est solide et élastique (il supporte des tractions de l'ordre de 5 à 6 kg) et il se laisse difficilement comprimer, heureusement, car sinon le transport sanguin risquerait d'être perturbé. Le cordon est très souple, ce qui permet au fœtus tous les mouvements possibles.

Après la naissance de l'enfant, la section du cordon (qui est indolore pour la mère et pour l'enfant) rompt définitivement les liens entre la circulation maternelle et celle de l'enfant qui devient complètement autonome. Mais il est intéressant de signaler que la circulation dans le cordon s'interrompt d'elle-même car les artères se contractent ; ainsi, au bout de peu de temps, même si on coupait le cordon sans le lier, il ne saignerait pas. Ce n'est pas la section du cordon qui interrompt les échanges, c'est le cordon lui-même qui arrête de fonctionner.

Ce qui reste du cordon au niveau de l'abdomen de l'enfant tombe quelques jours après la naissance, et laisse une cicatrice indélébile qui persistera toute la vie : le nombril ou ombilic.

« Il n'a pas coupé le cordon. » « Elle se regarde le nombril. » « Il se prend pour le nombril du monde. » Comme le placenta, le cordon – et le nombril – sont devenus des symboles au-delà du rôle qu'ils ont joué pendant la grossesse.

CORDON OMBILICAL, CELLULES SOUCHES ET SANG PLACENTAIRE

Le sang placentaire est issu du placenta. Il est prélevé au niveau du cordon ombilical, d'où l'appellation souvent rencontrée de « sang du cordon ». Ce sang a la caractéristique d'être riche en cellules souches dont certaines peuvent traiter des maladies sanguines, comme les leucémies, mais également des maladies génétiques, comme les drépanocytoses, et peut-être même d'autres maladies plus rares, qui sont actuellement objets de recherches. Ces cellules souches ont en effet la capacité de régénérer le système sanguin et immunitaire contenu dans la moelle osseuse.

En France, le don de sang placentaire est anonyme et gratuit, comme d'ailleurs tous les dons dans notre pays (organes, sang, sperme, etc.). Seuls quelques centres sont habilités à procéder au recueil et à la conservation du « sang du cordon » (www.agencebiomedecine.fr). Après accord de la maman, le sang est prélevé après l'accouchement (80 à 100 ml) et avant la délivrance. Ce recueil ne modifie en rien le déroulement naturel de l'accouchement.

Il existe également, en Europe et ailleurs, des sociétés privées, dont certaines sont reconnues par les autorités de santé, qui conservent du sang placentaire ; soit pour un usage privé, c'est-à-dire « familial » mais aussi pour un usage «solidaire », c'est-à-dire susceptible d'être répertorié dans un registre international des donneurs. Ce recueil à des fins privées n'est ni gratuit ni anonyme. Et pour le moment, il n'est pas possible d'utiliser le sang recueilli dans un but de soin, ni pour soi, ni pour autrui.

LE LIQUIDE AMNIOTIQUE ET LES ENVELOPPES DE L'ŒUF

Nourri par le placenta, ravitaillé par le cordon ombilical, le fœtus est protégé par ses enveloppes : au milieu, il flotte dans le liquide amniotique comme un poisson dans l'eau.

Nous avons déjà parlé des enveloppes, appelées aussi membranes (le chorion, la caduque, l'amnios), et de la façon dont elles s'étaient constituées (pp. 135-136) ; leur place respective apparaît sur le schéma ci-dessous.

Du liquide amniotique, il y a peu et beaucoup à dire. Sur ses origines, on sait peu de choses, mais on pense qu'il a plusieurs sources. Tout d'abord, le fœtus lui-même qui le sécrète par la peau (jusqu'à 20 semaines), par le cordon (à partir de 18 semaines), par les poumons, enfin et surtout par la vessie. Une autre partie du liquide semble venir de l'organisme maternel en passant à travers les membranes de l'œuf, ces dernières en sécrètent d'ailleurs elles-mêmes.

La quantité de liquide amniotique varie : 20 cm³ à la 7e semaine, 300 à 400 cm³ à la 20e semaine, 1 l en moyenne à terme. Quand la grossesse dépasse le terme, la quantité de liquide diminue progressivement.

Le liquide amniotique est clair, transparent, blanchâtre, d'odeur fade. Il est composé d'eau, à 97 %. Il contient toutes les substances que l'on trouve dans le sang. On y trouve aussi des cellules éliminées par la peau et les muqueuses du fœtus, des poils et des fragments de matière sébacée qui forment des grumeaux.

Le liquide amniotique n'est pas une eau stagnante, comme celle d'une mare. Il est perpétuellement renouvelé et, à la fin de la grossesse, il l'est toutes les 3 heures. Ceci veut dire que non seulement du liquide est sécrété en permanence, mais également qu'en permanence il est absorbé pour être remplacé. Le fœtus absorbe du liquide par la peau, il en avale beaucoup : au voisinage du terme, en moyenne 450 à 500 cm³ par jour. Une partie de ce liquide filtre à travers les reins et reforme de l'urine fœtale que le bébé rejette régulièrement. Une autre partie est absorbée par l'intestin, gagne la circulation fœtale et, par l'intermédiaire du placenta, retourne à l'organisme maternel.

À quoi sert le liquide amniotique ?

D'abord, il protège le fœtus contre les traumatismes extérieurs en formant autour de lui une sorte de matelas. Il lui permet de se mouvoir facilement à l'intérieur de l'utérus et maintient une température égale. Enfin, il apporte chaque jour au fœtus une certaine quantité d'eau et de sels minéraux. À la fin de la grossesse, il facilite ce que l'on appelle l'accommodation ; l'enfant cherche à trouver sa meilleure position pour que l'accouchement se déroule le plus facilement possible. Au cours de l'accouchement, le liquide amniotique s'accumule au pôle inférieur de l'œuf pour former la poche des eaux qui aide le col à se dilater (schémas p. 285). Après la rupture des membranes (qu'elle soit spontanée – c'est la perte des eaux – ou provoquée par la sage-femme), le liquide amniotique s'écoule à l'extérieur et sert à lubrifier les voies génitales, donc à faciliter l'accouchement. En fait, pour important qu'il soit, le rôle mécanique du liquide n'est certainement pas le seul. Mais nos connaissances dans ce

13. LES MEMBRANES DE L'ŒUF

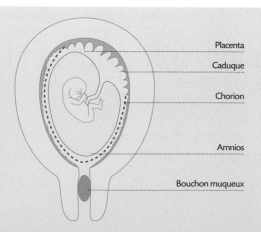

Placenta

Caduque

Chorion

Amnios

Bouchon muqueux

domaine ne sont pas encore très grandes. Ainsi, on pense que le liquide contient des substances utiles à la croissance fœtale, d'autres seraient susceptibles de tuer certains microbes, d'autres encore agiraient sur les contractions utérines.

Ce qui est certain, c'est que le liquide amniotique est un lieu bien vivant, une zone permanente d'échanges entre la mère et l'enfant. Enfin, et ce n'est pas son moindre intérêt, le liquide amniotique permet des examens dont le rôle va croissant dans la surveillance médicale de certaines grossesses : il s'agit essentiellement de l'*amniocentèse* (p. 181).

TROP OU PAS ASSEZ DE LIQUIDE AMNIOTIQUE
*Il existe des anomalies d'abondance de liquide amniotique (0,5 à 3 % des grossesses). En excès, c'est l'**hydramnios**. Il peut être d'origine maternelle (diabète, incompatibilité sanguine) ou fœtale (malformation, grossesse gémellaire). Il peut être aigu, obligeant à interrompre la grossesse ; ou chronique : le risque est alors celui d'un accouchement prématuré.*
*Quand le liquide amniotique est en quantité insuffisante, on parle d'**oligoamnios** ; il est souvent associé à une anomalie du développement ou une malformation fœtale (notamment de l'appareil urinaire).*

LE FŒTUS ET SON MILIEU

Comme vous l'avez vu, c'est dans un milieu particulier que se développe le fœtus : il est bien à l'abri dans l'organisme de sa mère, il est protégé contre les chocs et les traumatismes par la double enveloppe de l'utérus maternel et du liquide amniotique. Pour combler ses besoins qui sont considérables puisque sa croissance se fait à un rythme qui ne sera plus jamais atteint au cours de sa vie, l'usine placentaire travaille pour lui en permanence en filtrant, en transformant, en stockant les aliments indispensables. Ces aliments le fœtus les reçoit, de même que l'oxygène, par l'intermédiaire de ce véritable pipe-line qu'est le cordon ombilical. C'est également le placenta qui forme une barrière protectrice (malheureusement incomplète) contre certaines agressions chimiques et infectieuses.

COURBE DE POIDS DU BÉBÉ AVANT LA NAISSANCE
L'augmentation moyenne quotidienne du poids est de 5 g à la 2ᵉ semaine, 10 g à la 21ᵉ, 20 g à la 29ᵉ et 35 g à la 37ᵉ semaine.

Est-ce à dire que le fœtus est un être totalement passif, subissant sa croissance sans y participer activement ? C'est ce que l'on a cru pendant longtemps. Or nous savons maintenant qu'il n'en est rien, et que le fœtus est capable de « traiter » lui-même un certain nombre de matériaux fournis par la mère. Il le fait selon un programme de développement génétique très précis, en s'équipant progressivement d'un certain nombre de substances nécessaires.

C'est le cas des **enzymes**. Ce sont des substances chimiques (plus exactement des protéines) qui sont chargées de provoquer, de permettre ou d'entretenir les milliers de réactions chimiques qui se produisent dans l'organisme et sans lesquelles la vie ne pourrait se poursuivre. À chaque réaction correspond un enzyme particulier. Et les milliers d'enzymes nécessaires, le fœtus va les produire lui-même et les utiliser au fur et à mesure de ses besoins.

C'est ainsi, par exemple, que grâce à ses propres enzymes le fœtus va utiliser le sucre (le glucose) que lui fournit le placenta à partir de la circulation maternelle. Ce sucre constitue sa nourriture essentielle, mais il va s'en servir un peu différemment de ce que fait un adulte. Il n'a pas à dépenser d'énergie pour maintenir sa température constante : la « thermorégulation » est assurée par la circulation fœto-placentaire. D'autre part, toujours au contraire de l'adulte, le fœtus a des dépenses musculaires réduites (il fait peu d'efforts et il dépense peu d'énergie puisque ses mouvements se font dans l'eau) ; aussi, la majeure partie du sucre, le fœtus va l'utiliser de deux façons : transformation en protéines dont le besoin est très grand pour la croissance ; stockage en fin de grossesse pour constituer les réserves qui serviront, après la naissance, pendant la période d'adaptation à l'alimentation.

De même qu'il a ses propres enzymes, le fœtus a ses propres **hormones**, ces substances fabriquées par des glandes (dites glandes endocrines). Elles transmettent des ordres à certains organes (différents selon l'hormone) possédant des récepteurs sensibles à l'hormone en question et chargés d'exécuter les ordres transmis. Par exemple, l'hypophyse sécrète des hormones qui commandent l'activité de l'ovaire.

Chez le fœtus, un certain nombre d'hormones semble jouer un rôle dans la croissance. Ce sont : l'hormone de croissance sécrétée par l'hypophyse, les hormones sécrétées par la glande thyroïde et celles fabriquées par la glande surrénale qui est particulièrement volumineuse au cours de la vie intra-utérine (d'ailleurs cette glande surrénale fœtale paraît jouer un rôle important dans le déclenchement de l'accouchement). De même, c'est grâce à l'insuline fabriquée par le pancréas fœtal que le glucose peut être transformé en graisse. Les parathyroïdes président au métabolisme du calcium, important pour l'ossification du squelette.

Enfin, même s'il est encore vulnérable, comme en témoignent les agressions dont il peut être victime, qu'elles soient chimiques ou infectieuses, le fœtus commence à élaborer ses moyens de défense, son « système immunitaire ».

Pour résumer, produire ses enzymes et ses propres hormones, transformer du sucre en protéines et le stocker en partie pour l'après-naissance, élaborer son système immunitaire, voici le « travail » propre au fœtus.

Avant de conclure, nous voudrions vous faire remarquer les difficultés évidentes qu'il y a à étudier les différents métabolismes du fœtus dans l'espèce humaine. Dans ce complexe qui associe mère-enfant-placenta, il est souvent difficile de préciser ce qui revient à l'un ou aux autres. Ceci explique que nous sachions encore peu de choses dans ce domaine. Pourtant, nous en savons suffisamment pour affirmer que le fœtus ne subit pas sa croissance de façon passive. Parler d'autonomie serait exagéré, le fœtus est étroitement dépendant de sa mère pour l'apport de tous les matériaux néces-saires, et les difficultés rencontrées par certains prématurés prouvent que l'indépendance se paie cher quand elle survient trop tôt. En revanche, dire que le fœtus collabore à sa propre croissance selon un programme précis est tout à fait conforme à la réalité.

Nous venons de voir le cas le plus fréquent, celui où un spermatozoïde féconde un ovule, et où, de la fusion de leur noyau, résulte un œuf humain, première cellule d'un homme ou d'une femme. Mais parfois il arrive que deux ou plusieurs enfants se développent ensemble dans l'utérus. Au sujet des jumeaux et des naissances multiples, reportez-vous au chapitre 6.

Comment votre corps devient maternel

Vous avez vu par quelles étapes un point invisible à l'œil nu devenait en neuf mois un enfant de plus de trois kilos. Vous allez lire maintenant comment, pendant ce temps, le corps de sa mère se transforme jour après jour.

Pour une femme, voir son ventre se tendre et se gonfler, et sentir sous sa main cette vie qui naît est émouvant. Mais découvrir ce qui se passe en elle est aussi impressionnant. D'abord se produit ce phénomène étonnant : non seulement la mère ne rejette pas cet œuf, mais elle va le protéger, le nourrir, fournir tous les matériaux nécessaires à son développement. Puis elle va organiser la vie à deux, faire face à la nécessité d'alimenter deux cœurs, etc.

Pour remplir ces tâches, le corps maternel subit des modifications : anatomiques, physiologiques ou chimiques, visibles et invisibles, majeures ou mineures. La grossesse a une répercussion sur tous les organes, toutes les fonctions, tous les tissus de la mère, sans parler des répercussions sur son état psychologique et sur son moral.

Cette adaptation de l'organisme se fait selon quatre grands axes :

• Tout d'abord l'enfant grandit, d'où augmentation du volume de l'utérus avec ses conséquences.

• En même temps les seins se développent : ils se préparent pour l'allaitement.

• La future mère assurant pendant la grossesse la nutrition de deux êtres, elle-même et le bébé, la plupart de ses fonctions physiologiques en sont modifiées.

• Puis, surtout en fin de grossesse, l'organisme maternel se prépare pour l'accouchement.

AUGMENTATION DU VOLUME DE L'UTÉRUS

Avant la conception, l'utérus, qu'on peut comparer à une figue fraîche, pèse 50 g, mesure 65 mm de haut, 45 mm de large et a une capacité de 2 à 3 cm³.

Dès le début de la grossesse, l'utérus commence à augmenter de volume, mais cette augmentation ne devient visible de l'extérieur qu'entre le 4ᵉ et le 5ᵉ mois, selon les femmes. Au 2ᵉ mois, l'utérus a la grosseur d'une orange. Au 3ᵉ mois, on peut le sentir au-dessus du pubis. Au 4ᵉ mois, sa hauteur atteint le milieu de la distance qui sépare l'ombilic (ou nombril) du pubis. Au 5ᵉ mois 1/2, il atteint l'ombilic. Au 7ᵉ mois, il le dépasse de 4 ou 5 cm et monte de plus en plus dans la cavité abdominale. Au 8ᵉ mois, il est situé entre la pointe du sternum et l'ombilic (schéma ci-dessous).

L'utérus atteint son point culminant à terme. Parfois, cependant, vous pourrez avoir l'impression, deux à trois semaines avant l'accouchement, que l'utérus se met à redescendre. La pression abdominale est diminuée, la respiration plus facile, vous vous sentez comme allégée. C'est le signe que l'enfant « descend » et que la naissance approche.

À terme, l'utérus pèse 1 200 à 1 500 g. Il a une capacité de 4 à 5 l. Sa hauteur est de 32 à 33 cm et sa largeur de 24 à 25 cm. Ces chiffres sont évidemment des chiffres moyens qui peuvent varier suivant les femmes, et d'une grossesse à l'autre chez une même femme. Cependant ils servent de points de repère pour apprécier l'âge d'une grossesse et surveiller son évolution.

**HAUTEUR DE L'UTÉRUS
SUIVANT L'ÂGE DE LA GROSSESSE**

Cm	Mois
33	9
28	7
20	5
9	3

La place qu'il lui faut, l'utérus la gagne sur l'extérieur, comme c'est visible, mais en même temps sur l'intérieur, où, en augmentant de volume, il refoule et comprime les organes qui l'entourent : estomac, intestins, vessie, etc.

En général, l'augmentation du volume de l'utérus se poursuit sans inconvénient grâce à l'élasticité des parois abdominales qui se laissent distendre, et les organes s'adaptent bien à leur nouvelle situation. On a cru longtemps que beaucoup de troubles de la grossesse (difficulté à respirer, constipation, nausées et varices) étaient dus à la compression. Celle-ci n'explique pas tout car beaucoup de ces troubles apparaissent dès le début de la grossesse alors que l'utérus est encore peu développé.

Aussi pense-t-on aujourd'hui que ces troubles sont dus, en grande partie, à l'action des hormones de grossesse sur certains organes. Il faut mettre à part les envies fréquentes d'uriner (surtout à la fin de la grossesse) qui paraissent bien en rapport avec une compression de la vessie. De même, les malaises de type syncope qu'éprouvent certaines femmes quand elles se couchent sur le dos sont en rapport avec une compression de la veine cave. Il suffit alors de s'étendre sur le côté gauche (la veine cave est à droite) pour que le malaise disparaisse.

L'attitude de la future mère se modifie au fur et à mesure que l'utérus augmente de volume : ses reins se creusent, sa taille se cambre. Elle a tendance à se rejeter en arrière pour contrebalancer le poids qui la tire en avant. Sa silhouette est d'ailleurs différente suivant l'état de sa paroi abdominale : si ses muscles sont fermes, ils forment une bonne sangle qui soutient l'utérus et l'empêche de tomber en avant. Si au contraire ses muscles sont relâchés, la paroi abdominale distendue n'offre qu'une faible résistance à la pression de l'utérus qui tombe en avant. Vous avez certainement rencontré de ces femmes : on dit qu'elles portent leur enfant « en avant ». On peut lutter contre cette tendance en basculant le bassin (exercice p. 346) de façon à se tenir le moins cambrée possible. Cela soulagera les muscles abdominaux qui seront moins distendus ; cela soulagera aussi le dos à la hauteur des reins (p. 90).

PRÉPARATION À L'ALLAITEMENT

Tout au long de la grossesse, les seins se préparent à remplir leur fonction, qui est de sécréter le lait dont se nourrira le nouveau-né. Dès le premier mois, les seins se mettent à gonfler, ils augmentent de volume et deviennent plus lourds. Ils sont parfois le siège de picotements et d'élancements douloureux. Quelques semaines plus tard, le mamelon devient plus saillant : la région plus foncée, pigmentée, qui l'entoure – l'aréole primitive – est bombée comme un verre de montre. Sur cette aréole apparaissent, vers la 8e semaine, de petites saillies : les tubercules de Montgomery. Ce sont des glandes sébacées qui s'hypertrophient et constituent des glandes mammaires rudimentaires. Ces modifications des seins permettent d'étayer un diagnostic de grossesse.

À partir du 4e mois, on pourrait faire jaillir du mamelon un liquide jaune orangé, épais, précurseur du lait, le **colostrum**. Vers le 5e mois, autour de l'aréole primitive apparaissent quelquefois des taches brunes qui forment une aréole secondaire. À l'intérieur des seins, les glandes qui fabriquent le lait, qui sont presque inexistantes en dehors de la grossesse, se multiplient et augmentent de volume, de même que le réseau des canaux qui conduiront le lait des glandes vers le mamelon. Pour alimenter cette région en pleine activité, les vaisseaux sanguins s'élargissent : c'est pourquoi les veines sont parfois très apparentes au cours de la grossesse.

En même temps, les mamelons augmentent de volume. Les seins sont prêts à allaiter dès le début du deuxième trimestre. Dès la première tétée, le bébé profite du colostrum qui, en quelques jours, se transforme et devient du lait. La sécrétion du colostrum et du lait dépend d'une hormone hypophysaire, la prolactine.

SEIN ET ALLAITEMENT
• *Le lait est fabriqué dans les acini glandulaires.*
• *Le lait est évacué par les canaux galactophores.*

Muscles pectoraux
Tissu sous-cutané
Tissu adipeux
Lobule glandulaire (acini)
Orifices des canaux galactophores
Mamelon
Canal galactophore

MODIFICATIONS DES FONCTIONS DE L'ORGANISME

L'augmentation de volume de l'utérus et des seins est la modification la plus visible de l'organisme durant la grossesse. Il y en a d'autres qui, pour n'être pas aussi évidentes, n'en sont pas moins importantes. Ce sont celles qui concernent les fonctions essentielles de l'organisme : **digestion, circulation, respiration.**

Le cœur et la circulation sont les premiers concernés. Ils doivent faire face au travail supplémentaire créé par l'apparition de la circulation mère-enfant au niveau du placenta ; il y a ainsi une augmentation de 40 % de la quantité totale de sang circulant ; le cœur bat plus vite (15 pulsations en moyenne de plus par minute) ; il débite davantage : presque 5,5 l au lieu de 4 par minute. En un mot, le cœur travaille plus.

Une femme enceinte ne respire pas plus vite qu'une autre mais elle fait passer, à chaque respiration, une quantité plus importante d'air dans ses poumons et elle consomme plus d'oxygène (10 à 15 %). Ceci, joint au déplacement du diaphragme, qui est repoussé progressivement vers le haut par l'utérus, peut expliquer la sensation d'essoufflement que ressentent certaines femmes à la fin de la grossesse. Les reins, dont le rôle est de filtrer le sang pour en éliminer dans les urines les éléments inutiles et certains déchets, voient leur travail s'accroître puisque la quantité de sang circulant chez la femme enceinte est notablement augmentée (voyez plus haut).

Par contre, les hormones de grossesse – notamment la progestérone – ont pour effet de ralentir certaines fonctions, ce qui est bénéfique au niveau de l'utérus, puisqu'ainsi elles l'empêchent de se contracter. C'est moins bénéfique quand il s'agit de l'appareil digestif, estomac, intestin, vésicule, mais cela explique des troubles fréquents : lenteurs et difficultés de digestion, constipation, etc. Il se passe la même chose au niveau de la vessie et des uretères, qui conduisent l'urine des reins à la vessie, ce qui explique en partie la relative fréquence des infections urinaires.

LE CORPS SE PRÉPARE À L'ACCOUCHEMENT

Pour que l'enfant puisse naître, il faudra que l'utérus, qui est un muscle, se contracte, et que l'enfant franchisse successivement le col de l'utérus qui, en temps normal, est un canal filiforme plus étroit qu'une paille à soda, puis le vagin.

Ce chemin que suivra le bébé pour naître traverse le bassin de part en part, bassin constitué par des os naturellement rigides mais aussi par des articulations et des ligaments qui vont s'assouplir. Vous lirez d'ailleurs au chapitre 12 le mécanisme de l'accouchement. Tout au long de la grossesse ces différents organes vont se préparer à l'accouchement.

Le bassin
Les articulations qui relient les os entre eux se relâchent, ce qui élargit le bassin de quelques millimètres ; cela peut être douloureux en fin de grossesse (dessins du bassin pp. 287 et suivantes).

L'utérus
Ses fibres deviennent quinze à vingt fois plus longues. En même temps, elles deviennent plus larges. Ces modifications rendront l'utérus plus élastique, elles lui permettront de se contracter plus facilement et

donc de mieux jouer son rôle de « moteur » pour ouvrir le col et pousser l'enfant en avant. La circulation sanguine au niveau de l'utérus augmente considérablement. Le col de l'utérus, qui, avant la grossesse, était dur et fibreux, s'amollit et devient souple. À terme on dit qu'il est « mûr ». Il pourra ainsi s'ouvrir sans difficultés.

Le vagin

Au cours de la grossesse, il se transforme complètement ; et à la fin de la grossesse, il n'a rien à voir avec un vagin de femme qui n'est pas enceinte. Il s'allonge, s'élargit, ses parois deviennent de plus en plus souples et extensibles, plissées comme un accordéon. En fin de grossesse, le vagin est prêt à laisser passer la tête de l'enfant, alors qu'il n'en serait pas question neuf mois plus tôt. C'est un point important à signaler, il faut le répéter souvent, presque toutes les femmes craignent que la tête et le corps de l'enfant ne puissent pas passer par le vagin « qui est trop petit ». Cette inquiétude est bien normale.

En même temps, les sécrétions vaginales sont nettement augmentées ainsi que l'acidité du vagin. Les sécrétions favorisent le développement des champignons responsables de fréquentes vaginites chez la femme enceinte, mais cette hyperacidité représente un excellent barrage contre de nombreux microbes. Le bouchon muqueux qui apparaît en fin de grossesse au niveau du col en forme un second, les membranes de l'œuf un troisième.

LE RÔLE DES HORMONES

L'évolution de la grossesse est dominée par l'action des hormones qui, pendant neuf mois, ont une activité intense. Après avoir, comme chaque mois, provoqué l'ovulation et préparé l'utérus à accueillir l'œuf, les hormones ovariennes vont permettre le transport de l'œuf et son implantation ; elles empêcheront aussi l'utérus de l'expulser lorsqu'il sera nidé.

Au début de la grossesse, les hormones sont produites par le corps jaune. Ensuite, lorsque des quantités de plus en plus importantes deviennent nécessaires, elles sont fabriquées par le placenta, véritable usine hormonale de la grossesse, qui va la prendre en charge jusqu'à son terme.

Ce ne sont pas seulement les glandes endocrines sexuelles qui ont une activité accrue durant la grossesse : les autres, le pancréas, la thyroïde, les surrénales fonctionnent également davantage.

Enfin, au cours de la grossesse, de nouvelles hormones apparaissent : l'ocytocine, qui joue un rôle dans le déclenchement de l'accouchement, et la prolactine qui déterminera la lactation.

L'action conjuguée de ces différentes hormones, ordonnatrices des grands événements de la grossesse, règle la plupart des changements qui surviennent pendant ces neuf mois. En particulier, elles stimulent l'édification des tissus de l'utérus en pleine croissance, elles président à la mobilisation des réserves de la mère auxquelles fait appel le fœtus, elles règlent la délicate chimie des échanges nutritifs si importants pour la croissance de l'enfant, elles sont responsables de l'augmentation du poids de la mère, elles permettent aux glandes mammaires de se développer, etc. Et c'est pourquoi l'un des moyens de surveiller le bon déroulement de la grossesse est de doser les hormones.

6

Si vous attendez des jumeaux

« Est-ce que j'attends des jumeaux ? »
C'est une des questions les plus souvent posées par les futures mamans lors de leur première échographie. En effet, la première échographie, à condition qu'elle ne soit pas faite trop tôt, peut donner la réponse.

Certains parents sont comblés d'attendre deux enfants en même temps. En général, ils approchent de la quarantaine, ils ont suivi des traitements contre l'infertilité et sont ravis de cette nouvelle. D'autres couples, surtout s'ils ont déjà des enfants, éprouvent un choc en découvrant un deuxième cœur qui bat sur l'écran de l'échographe. Mais, la première émotion passée, le plus souvent ils se réjouissent bien vite de cette double naissance.

Comment sont conçus les vrais et les faux jumeaux ? Quels sont les différents types de grossesses gémellaires ? Y-a-t-il des précautions particulières à prendre lorsqu'on attend des jumeaux ? Comment se passe la naissance ? Ce chapitre va répondre à toutes ces questions.

La conception des jumeaux

Attendre des jumeaux est un phénomène relativement rare dans l'espèce humaine : on l'observe dans environ 1 % des cas. On peut dire schématiquement, bien que la réalité soit plus complexe, qu'il existe deux grandes variétés de grossesses gémellaires.

LES « FAUX JUMEAUX » (LA GROSSESSE DIZYGOTE)

« Dizygote » est un terme compliqué en apparence qui devient simple lorsqu'on connaît le sens du mot *zygote* qui signifie *œuf* ; et *di* parce qu'il y a *deux* œufs. Les grossesses dizygotes sont dues à la fécondation de deux ovules différents par deux spermatozoïdes différents au cours d'un même cycle, ce qui donne deux œufs. Elles aboutissent à la naissance de jumeaux dizygotes ou « faux jumeaux ».

Différents facteurs peuvent jouer sur la fréquence des grossesses dizygotes

• La fréquence varie avec l'âge maternel atteignant un pic à 37 ans, puis diminuant ensuite.

• La fréquence augmente également avec le nombre de grossesses antérieures, et cela indépendamment de l'âge de la mère.

• Il y a des facteurs génétiques : les jumelles ont plus de jumeaux que la population générale et, par ailleurs, il existe des familles où on retrouve des jumeaux à toutes les générations.

• L'origine ethnique joue un rôle. La gémellité est rare en Asie, beaucoup plus fréquente en Afrique, au Sud du Sahara ; les Européens occupent une place intermédiaire.

• La nutrition peut avoir une influence dans les situations extrêmes, telles que les famines : le taux de jumeaux dizygotes peut décroître.

• Les saisons jouent un rôle incontestable avec un pic de naissances gémellaires dizygotes en juillet/août et une baisse pendant l'hiver.

• Enfin, on assiste depuis 40 ans à une très forte augmentation du nombre de grossesses gémellaires. Celle-ci est due pour un tiers à l'augmentation de l'âge des femmes lors de la première grossesse (autour de 30 ans aujourd'hui) ; les deux autres tiers sont liés aux traitements de l'infertilité (induction d'ovulation ou fécondation *in vitro*). Ces traitements sont basés, le plus souvent, sur la maturation simultanée de plusieurs ovules et on comprend alors que deux ou trois ovules puissent être fécondés par des spermatozoïdes.

La nidation des grossesses gémellaires dizygotes ne diffère pas de ce qu'elle est pour les grossesses uniques. Chaque œuf a ses propres annexes : les membranes (amnios et chorion) et le placenta sont distincts. Il n'y a pas de communication entre les vaisseaux des deux fœtus. Chacun a sa propre circulation. Les jumeaux dizygotes vont donc se développer ensemble, mais séparément.

À la naissance, les deux bébés peuvent se ressembler, mais pas plus que les frères et sœurs

«FAUX JUMEAUX»
(JUMEAUX DIZYGOTES)
Deux spermatozoïdes fécondent deux ovules. Les jumeaux dizygotes peuvent être soit deux garçons, soit deux filles, soit un garçon et une fille, mais dans les trois cas ils ne se ressemblent pas plus que des frères et sœurs.

habituels. Ils peuvent être de sexes différents. Ceci est tout à fait normal puisque les jumeaux dizygotes, issus de deux œufs distincts, ont reçu un patrimoine héréditaire aussi différent que celui de frères et de sœurs nés à plusieurs années d'écart.

LES « VRAIS JUMEAUX »
(LA GROSSESSE MONOZYGOTE)

Dans ce cas, un seul ovule est fécondé par un seul spermatozoïde donnant un œuf unique (monozygote : *mono* pour un et *zygote* pour œuf). Cet œuf unique va se diviser ensuite en deux œufs qui vont se développer donnant deux fœtus génétiquement identiques : ils ont les mêmes chromosomes et les mêmes gènes. Par définition, ils ont toujours le même sexe. Ce sont des jumeaux monozygotes ou «vrais jumeaux».

À la naissance, les jumeaux monozygotes sont, selon la formule classique, « le même individu tiré à deux exemplaires » ou encore «copié-collé». En fait, ce n'est pas tout à fait juste. Bien souvent, ils ont plusieurs centaines de grammes de différence et leur position dans l'utérus a pu apporter des petites modifications à la forme de leur corps ou de leur tête qui les rendent faciles à différencier. Même si au début les parents peuvent avoir une légère hésitation, à partir de un mois de vie, ils feront toujours la différence entre leurs deux enfants ; mais il est possible que l'entourage (amis, grands-parents) éprouve des difficultés à les différencier.

La grossesse monozygote provient de la division d'un œuf produit par la fécondation d'un ovule par un spermatozoïde. Cette division peut survenir lorsqu'un événement fragilise l'œuf. Ce phénomène semble en particulier lié au vieillissement de l'ovule. Dans ce cas, la femme présente un cycle prolongé,

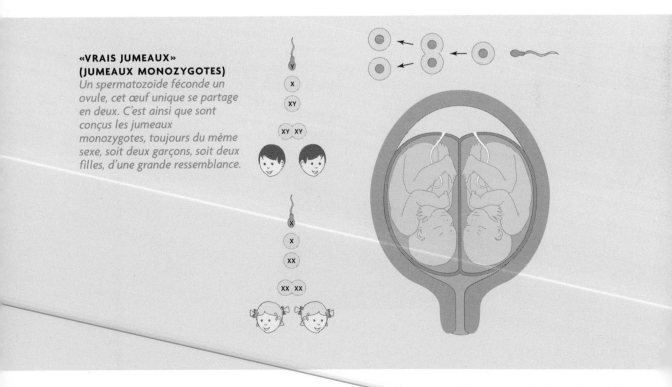

**«VRAIS JUMEAUX»
(JUMEAUX MONOZYGOTES)**
Un spermatozoïde féconde un ovule, cet œuf unique se partage en deux. C'est ainsi que sont conçus les jumeaux monozygotes, toujours du même sexe, soit deux garçons, soit deux filles, d'une grande ressemblance.

avec une ovulation retardée et une fécondation tardive. Cette particularité de cycles plutôt longs et irréguliers ne se retrouve pas chez les femmes attendant des jumeaux dizygotes.

La fréquence des jumeaux monozygotes est remarquablement stable : 0,3 à 0,5 % des naissances. Elle ne varie ni avec l'origine ethnique, ni avec le nombre d'enfants, ni avec l'hérédité. L'âge joue un rôle inversé par rapport aux grossesses dizygotes. C'est aux âges extrêmes, chez les très jeunes femmes et les femmes au delà de 40 ans que cette fragilité de l'œuf se rencontre et donc que la fréquence des grossesses monozygotes augmente.

• Pour les parents, il existe donc deux variétés de grossesses gémellaires : dizygotes (« faux jumeaux ») et monozygotes (« vrais jumeaux »). D'ailleurs, lorsqu'ils seront plus grands, les jumeaux s'intéresseront fortement à cette question qui est en relation avec leur identité. Mais, pour le suivi de la grossesse, c'est une distinction qui n'a pas d'intérêt, en général l'obstétricien ne vous en parlera pas. Pour les médecins, et donc pour la surveillance de la grossesse, la distinction importante provient du « type placentaire » qui divise les grossesses gémellaires en trois variétés.

UN POINT IMPORTANT : LE TYPE PLACENTAIRE

Il nous faut donner une explication un peu technique et employer des mots qui peuvent paraître abstraits (bichoriale, monochoriale, biamniotique, monoamniotique). Mais, si vous attendez des jumeaux, ce sont des expressions que vous lirez fréquemment sur les compte-rendus d'examens. De plus, vous allez voir que ce sont des notions assez faciles à comprendre.

Le type placentaire désigne la façon dont sont organisées ce qu'on appelle les annexes du fœtus (placenta, chorion, amnios, p. 136). Pour une bonne surveillance de la grossesse, il est important de connaître à quel type placentaire (*chorionicité* en terme médical) elle appartient : nous en parlons plus loin, certaines grossesses ont besoin d'un suivi plus attentif. Dès la première échographie, celle au cours de laquelle vous avez appris que vous attendiez des jumeaux, vous serez informée du type placentaire car celui-ci doit être inscrit dans le compte-rendu que fait l'échographiste.

• Le cas le plus fréquent (70 %) est celui des grossesses *bichoriales-biamniotiques* (BCBA) ; la cloison qui sépare les jumeaux est épaisse (il existe un signe du lambda, schéma ci-dessous) car elle est com-

LE SIGNE DU LAMBDA
Ce signe, marqué par la flèche blanche, a la forme de la lettre grecque lambda (λ). Il est visible lors de l'échographie de la 12ᵉ semaine.

posée de quatre feuillets : deux de ces feuillets s'appellent amnios, deux s'appellent chorion ; bicho-riale-biamniotique signifie qu'il y a deux chorions et deux amnios.

• Dans 28 % des cas, il y a un seul placenta et la cloison est fine car constituée de deux feuillets (deux amnios) : il s'agit d'une grossesse *monochoriale-biamniotique* (MCBA).

• Dans 2 % des cas, il y a un seul placenta et pas de cloison : c'est une grossesse *monochoriale-mono-amniotique* (MCMA).

Les grossesses monochoriales (qu'elles soient biamniotiques ou monoamniotiques) sont des gros-sesses monozygotes (vrais jumeaux) ; les enfants sont donc toujours du même sexe.

Pourquoi cette distinction est-elle importante ?

Parce que la grossesse monochoriale doit être plus surveillée. En effet, dans ce cas, il peut y avoir une communication entre les deux circulations placentaires. La survenue d'un déséquilibre circula-toire au niveau des vaisseaux sanguins peut être à l'origine du **syndrome transfuseur-transfusé** : un des jumeaux reçoit alors du sang qui provient de l'autre enfant. Le premier, qui est le jumeau transfusé, présente un afflux de sang important au niveau des reins et il va produire beaucoup d'urine, donc de liquide amniotique, ce qui va entraîner une grosse vessie et un excès de liquide amnio-tique. À l'inverse, le deuxième jumeau, qui est le jumeau transfuseur, va recevoir peu de sang au niveau des reins ce qui va entraîner une vessie constamment vide et un manque de liquide amniotique (oligo-amnios).

Autrefois, quand aucune possibilité de traitement n'existait, la grossesse se terminait dans 90 % des cas par une fausse couche provoquée par l'hydramnios (excès de liquide amniotique). L'évolution de ces grossesses a été transformée par la mise au point d'un traitement très spécialisé, au laser, qui s'effectue dans de rares centres. Pour le moment, en France, le centre de référence est l'hôpital Necker à Paris.

À noter : le syndrome transfuseur-transfusé est une complication relativement rare.

J'attends des jumeaux

Vous venez d'apprendre que vous attendez des jumeaux. Selon votre situation, cette nouvelle est une surprise... attendue ou une réelle surprise.

• Si vous avez bénéficié d'un traitement contre la stérilité, vous aviez été prévenue de la fréquence des grossesses gémellaires. L'aide médicale à la procréation est en effet à l'origine des deux-tiers des grossesses gémellaires.

Dans ce cas, l'échographie a lieu un mois après l'intervention (fécondation *in vitro*, ou insémination intra-utérine, ou stimulation ovarienne), c'est-à-dire 15 jours au plus tard après le retard des règles.

À cette période, la future maman sait qu'elle est enceinte. Des dosages hormonaux (βHCG) ont été faits et ont confirmé la grossesse, mais elle ne peut savoir s'il s'agit de jumeaux. Néanmoins, il peut arriver qu'un taux de βHCG particulièrement élevé mette sur la voie de ce que l'écran va révé-ler. On voit alors nettement deux cavités bien distinctes, bien séparées. Chacune contient un embryon d'environ 8-10 mm dont on perçoit déjà les battements cardiaques.

• Dans le cas d'une grossesse gémellaire « spontanée », pourrait-on dire, la surprise est totale pour les futurs parents, mais des petits signes évocateurs ont pu apparaître amenant à s'interroger. Les malaises et indispositions sont plus fréquents, en particulier les nausées, vraisemblablement liés à la sécrétion accrue de βHCG par le placenta des jumeaux. De même, l'utérus augmentant plus rapidement de volume, des « troubles mécaniques » dus à la compression de l'utérus, telle l'envie d'uriner, apparaissent plus tôt ; cette fréquence des mictions est également plus marquée. Il en est de même pour les seins qui paraissent rapidement plus volumineux. Mais c'est la première échographie de 11/12 semaines qui va faire le diagnostic des jumeaux (p. 215) et le type placentaire (p. 154). Chaque embryon sera alors visualisé, observé et mesuré. À ce stade de développement, les dimensions de chaque fœtus sont toujours égales, alors que plus tard il pourra y avoir des différences.

QUELQUES PARTICULARITÉS DE LA GROSSESSE GÉMELLAIRE

• **Pour la maman**, la prise de poids est en moyenne de 30 % plus importante que dans une grossesse unique. Ceci est dû à l'augmentation de l'eau totale du corps liée à une rétention accrue de sel ; et à l'importance du volume intra-utérin : la hauteur utérine à 6 mois est à peu près celle d'une grossesse unique à terme.

En cas d'anémie, beaucoup plus fréquente qu'en cas de grossesse unique, une prise quotidienne de fer et d'acide folique sera prescrite à la future maman.

Certains malaises courants peuvent être plus prononcés que dans une grossesse unique, mais là non plus ils n'ont pas de caractère de gravité. Ainsi le pouls est généralement plus rapide car le débit cardiaque est augmenté.

En passant de la position accroupie à la position debout, la future maman peut éprouver une sensation de malaise fugace, comme une sorte de voile devant les yeux. Cette baisse de tension (hypotension orthostatique) est due à une moins bonne circulation du sang dans les membres inférieurs et peut être responsable de survenue de contractions utérines. Il est alors important de se reposer. Par ailleurs, le port de bas de contention peut réduire la baisse de tension.

DIVERSES MESURES SOCIALES *sont à votre disposition. Renseignez-vous auprès de la PMI de votre Conseil général. Prévenez votre employeur que vous cesserez probablement votre activité professionnelle plus tôt que ce qui est normalement prévu.*

• **Pour les fœtus** : en cas de gémellité, certaines particularités de leur développement sont encore mal connues. Mais on sait que leur maturité est en avance d'environ 15 jours par rapport à un fœtus unique, notamment la maturité de leurs poumons. Comme si la nature avait prévu que les jumeaux allaient naître un peu plus tôt...

La surveillance médicale

Dès que vous saurez que vous attendez des jumeaux, choisissez le gynécologue-obstétricien qui va vous suivre, en collaboration avec votre médecin traitant ou avec une sage-femme. La surveillance médicale va dépendre de votre type de grossesse, plus précisément de son type placentaire (voyez plus haut p. 154).

• S'il s'agit d'une grossesse bichoriale (le cas le plus fréquent), vous passerez une consultation par mois avec, comme pour toutes les grossesses, différentes mesures : poids, tension artérielle, pouls, hauteur utérine ; palpation de l'utérus afin de vérifier qu'il est bien souple ; vérification de la position de la tête du bébé qui se présente le premier ; auscultation des bruits du cœur des deux fœtus. Les examens biologiques seront également les mêmes que pour une grossesse unique. Vous passerez pro-bablement une échographie par mois à partir du 5e mois, parfois plus souvent. L'accouchement sera en général programmé entre 38 et 40 semaines.

• S'il s'agit d'une grossesse monochoriale, votre médecin vous suivra en collaboration avec une struc-ture expérimentée dans la prise en charge de ce type de grossesse, notamment à cause de l'éven-tuelle complication due au syndrome transfuseur-transfusé. Une consultation mensuelle et deux échographies par mois sont en général recommandées ; la surveillance sera plus rapprochée en fin de grossesse : une consultation tous les 15 jours à partir du 6e mois. L'accouchement sera probablement programmé entre 36 et 39 semaines.

Bien surveillée, une grossesse gémellaire a toutes les chances de se développer aussi bien qu'une grossesse simple, avec seulement un peu plus de fatigue au troisième trimestre. Cette surveillance est importante car certaines complications sont plus fréquentes lorsqu'on attend des jumeaux, notamment la prématurité, la toxémie gravidique et le retard de croissance ; c'est pourquoi la grossesse gémellaire est considérée par les médecins comme une grossesse « à risques ». Nous allons vous parler de ces différents risques, mais aussi des moyens de les prévenir. Si vous attendez des jumeaux, ne vous faites donc pas un double souci, soyez seulement deux fois plus attentive aux recommandations qui vous seront faites par le médecin.

LA PRÉMATURITÉ

La durée d'une grossesse gémellaire est plus courte que celle d'une grossesse simple, de 15 jours à 3 semaines en moyenne. Mais la prématurité peut aussi être plus grande, et donc plus grave : la future maman accouche à 33 semaines, parfois même avant. C'est cette prématurité que les médecins veulent à tout prix éviter.

Si vous présentez une menace d'accouchement prématuré avant 33 semaines, un transfert dans une maternité de type III (caractérisée par la présence d'un service de réanimation néonatale) vous sera proposé. On vous donnera également des médicaments à base de cortisone afin d'accélérer la maturation des poumons des bébés, ainsi qu'un traitement visant à réduire les contractions utérines. Si vous n'accouchez pas prématurément, lorsque le terme de 33 semaines sera dépassé, vous reviendrez dans la structure où vous êtes normalement suivie, ou bien vous rentrerez chez vous et vous pourrez être surveillée par une sage-femme de secteur.

Pour prévenir la prématurité, il est important de mener une vie calme, de se reposer. Les congés de maternité sont rarement suffisants en cas de grossesse gémellaire et l'obstétricien vous prescrira probablement un arrêt de travail. Mais se reposer ne veut pas dire s'aliter à partir de 6 mois jusqu'à la fin de la grossesse et ne plus bouger. Ce que nous vous recommandons, c'est une réduction de l'activité pendant la journée, au fur et à mesure de l'avancée de la grossesse. Chaque femme est différente et, selon les cas, votre médecin saura adapter et prescrire le repos qui vous convient.

Sur la prématurité, lisez également les pages 271 et suivantes.

LA TOXÉMIE GRAVIDIQUE

Elle est presque 3 à 5 fois plus fréquente en cas de grossesse gémellaire que lors d'une grossesse unique. Ce syndrome associe : prise de poids rapide et excessive, œdème, albuminurie et élévation de la tension artérielle. C'est pourquoi il est important de surveiller les urines, le poids et la tension artérielle (p. 240).

LE RETARD DE CROISSANCE INTRA-UTÉRIN

Ce peut être une complication de la toxémie gravidique, mais aussi une conséquence du syndrome transfuseur-transfusé (p. 155) ou même parfois de l'existence d'une malformation. Une harmonie de croissance, et donc du poids, des deux fœtus est rare : le plus souvent un des deux jumeaux est moins gros que l'autre, c'est-à-dire qu'il a un retard de croissance par rapport à l'autre. Seuls de gros écarts sont pris en considération et c'est l'échographie répétée avec doppler qui permet de prendre la décision de provoquer la naissance, par césarienne le plus souvent.

La naissance des jumeaux

Dans la majorité des cas, l'accouchement aura lieu dans la maternité où exerce votre gynécologue-obstétricien. Toutes les maternités en France sont équipées pour accueillir une naissance gémellaire, à condition qu'elle ne soit pas prématurée.

Si l'accouchement est très **prématuré**, avant 33 semaines, votre médecin vous dirigera vers une maternité associée à une unité de réanimation néonatale (niveau III). Entre 33 et 36 semaines, il est conseillé d'accoucher dans une maternité associée à une unité de néonatologie (niveau II).

Les médecins laissent rarement une grossesse gémellaire aller jusqu'au terme : l'accouchement est en général **programmé** entre 36 et 40 semaines, selon le type de grossesse, en général vers la 39ᵉ semaine. La programmation permet une meilleure organisation et une bonne disponibilité des équipes. Ce déclenchement se justifie également par la maturité globale des jumeaux, acquise en général 15 jours plus tôt que chez les bébés uniques.

> **POUR EN SAVOIR PLUS**
> *Nous vous conseillons le livre de Jean-Claude Pons, Christiane Charlemaine, Emile Papiernik :* **Le guide des jumeaux, la conception, la grossesse, l'enfance** *(Éditions Odile Jacob).*

La fréquence des **césariennes** est plus grande : 40 % au lieu de 20 % dans les grossesses uniques. Si le premier jumeau qui se présente est en siège et le deuxième tête en bas, une césarienne est en général programmée (mais pas obligatoirement) pour éviter que les bébés « s'accrochent » entre eux. Par contre, si le deuxième est aussi en siège, ce risque est exclu et l'accouchement peut se faire par les voies naturelles. Il en est de même lorsque le premier bébé est tête en bas, quelle que soit la position du deuxième.

En cas d'accouchement par voie basse, c'est-à-dire par les voies naturelles, l'accouchement est un peu plus long car la surdistension de l'utérus rend les contractions moins efficaces et la dilatation du col est plus lente.

La naissance du premier jumeau ne présente pas de grande différence avec la naissance d'un enfant unique. Ne soyez pas surpris par le court délai qui sépare les deux naissances : vous n'avez pas le temps de prendre dans vos bras le premier bébé, ou de le poser sur le ventre que le deuxième est déjà en train de naître. Cet intervalle très court est essentiel car on sait que des complications peuvent survenir pour le deuxième bébé si l'attente est trop longue.

Un autre point peut surprendre les parents : il y a au moment de la naissance beaucoup de monde dans la salle d'accouchement. En plus de l'obstétricien, une ou deux sages-femmes, un anesthésiste, un ou deux pédiatres. Plus, à l'hôpital, un interne et une élève sage-femme.

LE CONGÉ DE MATERNITÉ
Il est prolongé lorsque la future maman attend des jumeaux ou des triplés. Voyez le chapitre 17.

La péridurale est vivement recommandée du fait de la fréquence des césariennes et des forceps ; et également de la fréquence des manœuvres à l'intérieur de l'utérus que le médecin doit parfois effectuer (par exemple tourner un bébé pour le mettre en bonne position). Compte tenu du risque de saignement plus élevé en cas de grossesse gémellaire, on n'attend pas que le placenta se décolle spontanément ; on fait une injection d'ocytocine qui entraîne un décollement du placenta : la délivrance est plus rapide et le risque de saignement réduit. C'est d'ailleurs une recommandation faite aujourd'hui pour tous les accouchements.

Une remarque pour terminer : contrairement à l'opinion courante, l'aîné des jumeaux est celui qui naît le premier.

Après la naissance

Mettra-t-on vos nouveau-nés dans une couveuse ? Beaucoup de mamans posent la question. On met presque toujours les jumeaux dans une couveuse, ne fût-ce que quelques heures, mais ce n'est pas un signe de gravité. Il s'agit la plupart du temps d'une simple précaution liée à la naissance avant terme des bébés, et à leur poids en général inférieur à la moyenne. Le but est d'éviter le refroidissement et les troubles qui l'accompagnent (hypoglycémie, gêne respiratoire). Les grands prématurés bénéficient d'une prise en charge adaptée (chapitre 11).

Les mamans attendant des jumeaux se demandent souvent s'il est possible d'allaiter deux bébés. C'est tout à fait envisageable. Au début, les bébés tètent l'un après l'autre. Puis, lorsque l'allaitement a bien démarré, la maman peut nourrir les deux enfants à la fois.

Profitez du séjour à la maternité pour vous reposer et vous sentir bien à l'aise dans les soins à donner à vos bébés. Vous ferez d'ailleurs une découverte charmante, c'est que très vite les enfants sont capables de comprendre que « c'est chacun son tour ».

Parmi les préoccupations des mères et des pères figure en bonne place l'organisation du retour à la maison. C'est normal mais des professionnels pourront vous aider. Préparez votre retour dès maintenant : renseignez-vous auprès de la PMI, auprès de votre Caisse d'allocations familiales, auprès de

CHACUN DES JUMEAUX EST DIFFÉRENT
Pour que chaque enfant s'épanouisse au mieux, pour que chacun développe sa propre personnalité, il est aujourd'hui conseillé de bien différencier les jumeaux dès la naissance, par exemple en leur donnant des prénoms dont les sonorités sont différentes, ou en ne les habillant pas de la même manière. Mais cette différenciation (« dégémellisation » disent certains) se fera de manière douce et progressive pour aider vos enfants jumeaux à s'individualiser, tout en respectant l'attachement qu'ils éprouvent l'un pour l'autre. Nous en parlons en détail dans **J'élève mon enfant.**

l'association « Jumeaux et plus » (adresse ci-dessous). Encore plus que pour une naissance simple, une amie, une sœur, votre mère seront les bienvenues, au moins quelques heures dans la journée pour que vous puissiez vous détendre, vous reposer, l'esprit tranquille. Ces aides, ce soutien, sont également importants si vos jumeaux ont été hospitalisés à la naissance et ne rentrent pas en même temps à la maison. C'est un moment difficile où il faut se partager entre les soins au bébé qui est à la maison et les visites à celui qui est encore à l'hôpital. Heureusement cette situation est en général de courte durée.

Un cas exceptionnel : attendre des triplés

Il y a bien des années (c'était en 1934 !) une certaine madame Dionne mettait au monde cinq filles. C'étaient les premières quintuplées vivantes recensées dans l'histoire. Ce fut un événement international ; il fit la une de tous les journaux. En effet, la probabilité d'une grossesse quintuple spontanée est de 1 pour 40 000 000. Et celle d'une grossesse triple est de 1 pour 10 000.

Dans les années 1970, les grossesses gémellaires n'ont pas cessé d'augmenter. Les grossesses multiples ne sont plus devenues exceptionnelles, notamment les grossesses triples. Cela était la conséquence possible des traitements dus à l'Assistance Médicale à la Procréation (AMP, voir chapitre 5) : pour être sûr de la réussite du traitement, on réimplantait trois, voire quatre embryons. Mais aujourd'hui, attendre des triplés (ou plus) est redevenu exceptionnel. En effet, on maitrise mieux les techniques de l' AMP, et plus particulièrement la fécondation *in vitro* : on ne transfère jamais plus de deux embryons.

Les grossesses triples peuvent poser des problèmes. Le risque majeur est celui de l'accouchement prématuré. Aussi la nécessité de précautions particulières (repos, régime riche en calories et riche en protéines, prise de fer, de folates et de vitamines) et d'une surveillance médicale stricte (avec une échographie chaque mois) s'imposent-elles encore plus que pour les grossesses gémellaires.

Pour l'accouchement, de nombreux médecins préfèrent la césarienne systématique à 35-36 semaines. Il est indispensable que l'accouchement ait lieu dans un établissement entraîné à ce type de naissance, c'est-à-dire une maternité de niveau III. Certaines maternités universitaires proposent des accouchements par voies naturelles.

JUMEAUX ET TRIPLÉS
Pour les parents de jumeaux et de triplés voici une adresse à connaître : Fédération nationale jumeaux et plus,
28, place Saint-Georges, 75009 Paris
Tel. : 01 44 53 06 03
Fax : 01 44 53 06 23
www.jumeaux-et-plus.fr

Certains couples supportent mal psychologiquement les grossesses multiples (« Deux c'est un succès, trois c'est un échec »). Les parents peuvent contacter une association « Jumeaux et plus » (adresse ci-contre) et y trouver les conseils pratiques et le soutien psychologique qui pourraient leur être nécessaires.

7

Trois questions que vous vous posez

FILLE OU GARÇON ?

À QUI RESSEMBLERA NOTRE ENFANT ?

NOTRE ENFANT SERA-T-IL NORMAL ?

Depuis toujours, les parents se sont posés ces grandes questions : **Fille ou garçon ?**
À qui notre enfant ressemblera-t-il ?
Notre enfant sera-t-il normal ?
L'émotion qui accompagne chacune de ces questions n'est pas la même : en pensant aux deux premières, les parents aiment se laisser aller à des rêveries autour de leur bébé ; la troisième est teintée d'inquiétude. Quoiqu'il en soit, grâce aux progrès de la médecine, on peut aujourd'hui plus vite et mieux répondre à certaines de ces interrogations.

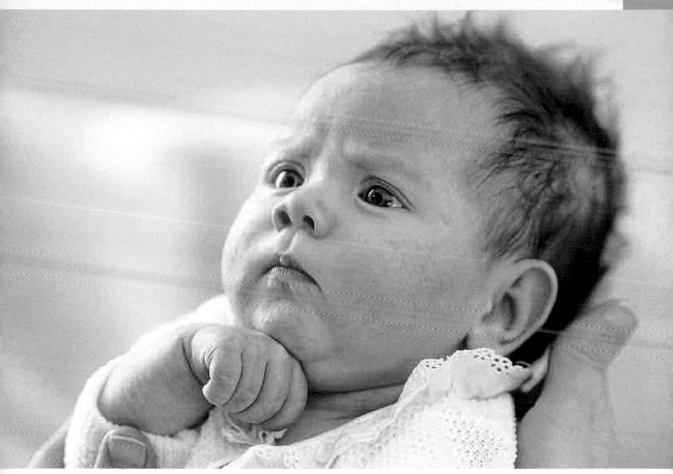

Fille ou garçon ?

Aujourd'hui, grâce à l'échographie, le mystère peut être levé plus tôt lorsque les parents ont demandé à connaître le sexe de leur bébé. Les autres parents, moins nombreux, découvriront à la naissance si c'est une petite fille ou un petit garçon.

Pour comprendre selon quels mécanismes, quelles lois de la biologie, le sexe d'un enfant est déterminé dès la conception, il convient de faire une incursion dans le domaine de l'infiniment petit, et de donner quelques explications un peu techniques qui vous rappelleront peut-être les cours du collège et du lycée.

La cellule

L'organisme est composé de différents tissus eux-mêmes faits de cellules. Chaque être humain en possède une dizaine de milliards environ. La cellule est l'élément de base de tout être vivant.

Chaque cellule, en fonction du rôle qu'elle joue dans l'organisme, a une forme ou un aspect particulier. Le globule rouge a la forme d'un disque, alors que les cellules des nerfs ou de la peau ont la forme d'une sorte de cube ou de parallélépipède aplati, et la cellule de l'os a la forme d'une étoile, etc.

Le noyau de la cellule

Chaque cellule comprend, entre autres, une partie plus dense que l'on appelle le noyau et qui est la plus importante, on serait tenté de dire : la plus noble.

Les chromosomes

Ce noyau est fait d'une substance appelée *chromatine* parce qu'elle a la faculté d'absorber certaines matières colorantes (du grec *chromos* : couleur). Quand les cellules se divisent pour se multiplier et se renouveler, la chromatine du noyau prend un aspect particulier. Elle se fragmente en corpuscules appelés chromosomes. L'aspect et le nombre des chromosomes varient selon les espèces animales.

Dans l'espèce humaine, il y a 46 chromosomes par cellule. Ils sont groupés en 23 paires ; dans chaque paire l'un des chromosomes est hérité du père et l'autre de la mère.

CHEZ LA FEMME
Tous les chromosomes sexuels sont X

CHEZ L'HOMME
Les chromosomes sexuels sont tantôt X, tantôt Y

X et Y

22 paires de chromosomes sont identiques dans l'un et l'autre sexe. La 23e, au contraire, est différente chez l'homme et chez la femme. Il s'agit de la paire de chromosomes sexuels.

Chez la femme, cette paire est faite de 2 chromosomes semblables appelés chromosomes X. Chez l'homme, les 2 chromosomes sont différents : l'un est appelé X et l'autre Y. Dans le sexe féminin, les cellules sont donc composées de 22 paires + 1 paire XX. Dans le sexe masculin les cellules comportent 22 paires + 1 paire XY.

La division des cellules

À l'exception des cellules nerveuses, toutes les cellules de l'organisme se renouvellent : la durée de vie d'une cellule est en effet limitée et va de 4 jours à 4 mois. Cette reproduction se fait par simple division. Chaque cellule se divise en deux cellules filles contenant le même nombre de chromosomes que la cellule mère dont elles sont issues (soit 46 dans l'espèce humaine).

Les cellules sexuelles, ou germinales, ou gamètes

Les cellules sexuelles échappent à cette règle de la division. Lors de la fabrication des ovules chez la femme et des spermatozoïdes chez l'homme, la division des cellules prend un caractère un peu particulier et les cellules sexuelles adultes (ovule ou spermatozoïde) qui vont assurer la fécondation, ne contiennent plus que la moitié des chromosomes soit 23 au lieu de 46. Ainsi, lors de la fusion du spermatozoïde et de l'ovule, sera reconstituée une cellule (l'œuf) qui comportera 46 chromosomes, nombre caractéristique de l'espèce humaine.

Il est facile de comprendre que, s'il n'en était pas ainsi, l'œuf aurait 46 + 46 soit 92 chromosomes, ce qui n'est pas le nombre caractéristique des individus normaux. Vous verrez d'ailleurs plus loin que certains œufs ont un nombre anormal de chromosomes. Cela conduit soit à un avortement, soit à la naissance d'un enfant qui peut être anormal.

CE SERA UNE FILLE
Un ovule est fécondé par un spermatozoïde à chromosome X

CE SERA UN GARÇON
Un ovule est fécondé par un spermatozoïde à chromosome Y

Pourquoi garçon ? Pourquoi fille ?

Jusqu'à nouvel ordre, il faut admettre qu'il s'agit là d'un pur hasard mais qui mérite une explication.

Lors de la fabrication des ovules dans l'ovaire, les deux chromosomes sexuels étant identiques chez la femme (X et X) tous les ovules recevront 22 chromosomes ordinaires + 1 chromosome X. Cela équivaut à dire que tous les ovules auront une formule chromosomique identique.

Chez l'homme, au contraire, la cellule mère qui donne naissance aux spermatozoïdes comprend 44 chromosomes + 2 chromosomes sexuels différents X et Y. Lors de la division, 50 % des spermatozoïdes recevront 22 chromosomes ordinaires + 1 chromosome X alors que 50 % recevront 22 chromosomes ordinaires + 1 chromosome Y. Cela revient par conséquent à dire que tous les spermatozoïdes n'ont pas la même formule chromosomique. Lors de la fécondation, c'est-à-dire lors de l'union d'un ovule et d'un spermatozoïde, deux possibilités apparaissent donc.

La fille

L'ovule est fécondé par un spermatozoïde à chromosome X : il va en résulter, par réunion des chromosomes, un œuf contenant 44 chromosomes + X + X (soit XX). Cette formule est celle du sexe féminin. Cet œuf donnera naissance à une fille.

Le garçon

L'ovule est fécondé par un spermatozoïde à chromosome Y : la reconstitution du capital chromoso mique aboutira à la formule : 44 chromosomes + X + Y (soit XY). Cette formule est celle du sexe mas- culin. Cet œuf donnera naissance à un garçon.

C'est donc le spermatozoïde qui détermine le sexe de l'enfant : c'est une fille lorsqu'il est à chro- mosome X, c'est un garçon lorsqu'il est à chromosome Y.

Pas seulement le hasard

Certaines notions échappent d'ailleurs encore à nos connaissances dans ce domaine.

En effet, si le hasard seul intervenait, comme dans le jeu de pile ou face, il devrait y avoir statistique- ment, autant de naissances de filles que de garçons. Or, il naît un peu plus de garçons que de filles (104 à 106 contre 100). D'autre part, dans certaines familles, on observe de façon frappante un bien plus grand nombre d'enfants de l'un ou l'autre sexe et l'on a pu parler de familles à filles et de familles à garçons. On a cité le cas d'une famille où, en trois générations, sont apparues soixante-douze filles sur soixante-douze grossesses. L'explication de tels phénomènes reste encore actuellement du domaine de l'hypothèse. Au fil des années cependant, de nombreux travaux faits dans le monde entier permettent de cerner de mieux en mieux la réalité.

On sait, par exemple, que les spermatozoïdes X et Y présentent des différences : les seconds ont une tête plus petite et se déplacent plus vite que les premiers. Il semble d'autre part que certaines anomalies du sperme se fassent surtout au détriment des spermatozoïdes X ou au contraire des spermatozoïdes Y. Cela expliquerait pourquoi certains hommes donnent naissance à plus de filles que de garçons par exemple.

Il reste vrai toutefois que de nombreuses inconnues persistent en ce domaine.

PEUT-ON CHOISIR LE SEXE DE L'ENFANT ?

La réponse est non. Pourtant, avoir à volonté une fille ou un garçon est un rêve vieux comme l'huma- nité. Comme la prédiction du sexe, il a donné lieu à des conseils et des remèdes tous plus fantaisistes et surtout inefficaces les uns que les autres. Depuis quelques années de nombreux travaux sont faits dans le monde entier sur ce sujet, non pas pour satisfaire le désir des parents d'avoir une fille ou un garçon, mais pour venir en aide aux familles dans lesquelles se transmet une maladie héréditaire liée au sexe. Certaines maladies n'affectent que les filles ou que les garçons.

Où en sont actuellement les recherches et les avancées médicales dans ce domaine ?

Une première série de travaux consiste à identifier, en laboratoire, les spermatozoïdes Y, ceux qui déterminent les garçons, et les spermatozoïdes X, ceux qui déterminent les filles. Ces techniques donnent des résultats variables ; elles nécessitent d'abord de recueillir le sperme, de séparer les spermatozoïdes X des spermatozoïdes Y, puis, pour assurer la fécondation, de procéder soit à une insémination par les voies naturelles avec les spermatozoïdes sélectionnés, soit de réaliser une fécondation *in vitro*.

La technique la plus efficace est de procéder non pas à une sélection des spermatozoïdes mais à une sélection des embryons dont on cherche à connaître le sexe. Cela n'est possible que dans un cadre légal, réservé à des cas précis et effectué uniquement par des laboratoires spécialisés et agréés dans le domaine de la reproduction et de la génétique. C'est ce que l'on appelle le **diagnostic pré-implantatoire** (DPI). Voici en quoi il consiste.

On procède tout d'abord à une fécondation *in vitro* pour obtenir des embryons, puis on prélève sur chaque embryon une cellule sur laquelle on va rechercher le sexe. Si un de ces embryons est d'un sexe qui n'est pas porteur de la maladie héréditaire considérée, il pourra alors être transféré sans risque.

Actuellement, le DPI va encore plus loin que l'établissement du caryotype et donc la détermination du sexe. Il peut rechercher si l'embryon possède ou non le gène de la maladie héréditaire.

Le diagnostic pré-implantatoire va probablement remplacer peu à peu le diagnostic prénatal dans les situations où les couples ont un haut risque de transmettre une maladie héréditaire gravement invalidante, et donc un haut risque d'avoir un recours à une interruption médicale de grossesse ; les conséquences médicales et psychologiques de celles-ci sont toujours dramatiques, comme on peut aisément l'imaginer (p. 184).

Vous le voyez, il n'existe pas de méthode simple pour choisir le sexe de l'enfant à naître. Nous aurions tendance à dire « Heureusement ! ». Si le choix était possible, il y aurait probablement plus de garçons que de filles. Cela entraînerait un déséquilibre entre les sexes et une chute de la démographie, car pour le moment ce sont les femmes qui enfantent et accouchent...

CONNAÎTRE LE SEXE DE L'ENFANT AVANT LA NAISSANCE

Depuis les temps les plus anciens, on a cherché à connaître le sexe de l'enfant avant la naissance. Pour trouver une réponse, les Grecs, avec Hippocrate, tenaient compte de la coloration du visage ou de l'importance du développement utérin.

Au fil des siècles, on a tenté d'accorder une valeur :
• au rythme cardiaque de l'enfant : certaines femmes restent persuadées que le cœur bat plus ou moins vite selon qu'il s'agit d'un garçon ou d'une fille. Les enregistrements électroniques du cœur fœtal ont montré qu'il n'en était rien
• au déroulement de la grossesse et à l'importance des malaises ressentis
• à la manière de porter son enfant : on croyait que si l'enfant « montait » très haut ce serait un garçon, ou « descendait » très bas ce serait une fille
• à la date du rapport fécondant par rapport à l'ovulation, car les spermatozoïdes X et Y n'auraient pas la même durée de survie.

Aujourd'hui, c'est au cours de deux circonstances bien différentes que l'on peut connaître le sexe de l'enfant avant la naissance.
• La première, c'est lors de l'**échographie** de la 21/22ᵉ semaine (p. 215). À ce moment-là, il est possible de voir le sexe sans se tromper. La marge d'erreur est très faible. Il peut néanmoins exister des cas où la position du bébé gêne la vision de son anatomie. Dans cette hypothèse, l'échographiste donnera une réponse avec réserve. Pour avoir une certitude, il faudra attendre la prochaine échographie, vers la 31/32ᵉ semaine. On peut aussi décider d'attendre 7 semaines de plus, c'est-à-dire la naissance du bébé...

À ce propos, il faut signaler que les échographistes sont plutôt réticents à donner spontanément le sexe de l'enfant qu'ils examinent, à moins bien sûr que les parents ne le demandent expressément.
• On peut aussi connaître le sexe de l'enfant avant la naissance à l'occasion d'un **diagnostic prénatal**

génétique. Cet examen est beaucoup moins fréquent que l'échographie car il se fait dans des circonstances précises, celles où on a besoin d'étudier les chromosomes de l'enfant. Cette étude se fait selon deux méthodes : par prélèvement des villosités du placenta, vers la 10/11e semaine, c'est la **biopsie du throphoblaste** (p. 181) ; ou par l'examen du liquide amniotique, vers la 16/17e semaine, c'est l'**amniocentèse** (p. 181).

Avec ces deux techniques, on peut étudier les chromosomes sexuels et savoir s'il s'agit d'un garçon ou d'une fille. La méthode est sûre mais on ne l'utilise jamais pour connaître uniquement le sexe de l'enfant, sauf cas exceptionnel.

Les parents souhaitent-ils connaître le sexe de l'enfant avant la naissance ?

Pour certains, la réponse est oui, sans hésiter : cela permet de parler de l'enfant avec le prénom choisi, de faire des projets plus personnalisés, d'acheter une layette en conséquence.

D'autres parents souhaitent connaître le sexe du bébé à naître, ils ne veulent pas l'annoncer à l'entourage ; ils gardent le secret pour eux et réservent la surprise aux autres.

Certains parents veulent avoir le plaisir de la découverte au moment de la naissance. Mais, d'après notre enquête, la majorité des futurs pères aimerait connaître le sexe du bébé pendant la grossesse. Apprendre que c'est un petit garçon ou une petite fille donne plus de réalité à l'enfant attendu. Les futures mères sont plus ambivalentes. Elles connaissent déjà bien leur bébé puisqu'il est présent à chaque minute dans leur corps. Elles hésitent à en savoir plus. Elles veulent se laisser aller à imaginer leur bébé sans trop de précisions.

Parfois, les femmes cèdent à la pression de leur mari, de l'entourage, et aussi des aînés : « Dans ma classe, Gaspard, il sait qu'il va avoir une petite sœur. »

Si vous faites partie de ces parents qui n'ont pas envie de connaître le sexe de leur bébé, pensez à le préciser avant chaque échographie pour que le médecin respecte votre souhait. Et ne regardez pas l'écran ...

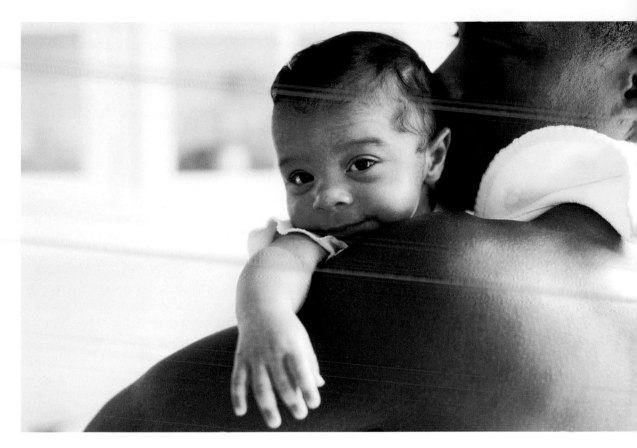

À qui ressemblera notre enfant ?

Vous avez sûrement envie de savoir si votre enfant héritera des cheveux blonds et des yeux noirs de sa grand-mère, ou bien du nez droit et de la grande taille de son père. Et vous espérez aussi qu'il n'aura pas le caractère difficile de son grand-père, mais plutôt votre don musical. En un mot, vous vous demandez comment, d'une génération à l'autre, se transmettent les dons et caractéristiques physiques et intellectuels.

LES RESSEMBLANCES PHYSIQUES

Les agents de transmission de l'hérédité, ce sont les chromosomes, et surtout les gènes : les chromosomes transmettent le sexe ; ils portent les gènes qui, eux, transmettent les caractéristiques de l'individu.

Lors de la fécondation (p. 104), l'union des chromosomes maternels et paternels, et la combinaison des gènes entre eux, apportent au futur enfant des caractères physiques et psychologiques qu'il tiendra pour partie de son père, et pour partie de sa mère.

En ce qui concerne les caractères physiques, on pourrait logiquement s'attendre à ce que l'enfant ressemble pour moitié à son père et pour moitié à sa mère : avoir, par exemple, la couleur des yeux de l'un et la forme du nez de l'autre. Cela n'est pas le plus fréquent, l'enfant n'apparaît pas habituellement comme composé d'une mosaïque dont les éléments reproduiraient fidèlement pour moitié les traits du père et pour moitié ceux de la mère. Ces faits s'expliquent par ce que l'on appelle les lois de l'hérédité, infiniment complexes, et dont voici les grandes lignes.

Un demi-héritage seulement

Vous avez vu que lorsque se forment les cellules sexuelles, seuls 23 chromosomes (sur les 46 que comprend la cellule mère) passaient dans le spermatozoïde ou dans l'ovule. Lors de la fécondation, l'œuf ne reçoit donc que la moitié de l'héritage du père, et la moitié de celui de la mère, et non la totalité de ces héritages.

Plus important encore : quand les 23 paires de chromosomes se séparent en deux, cette séparation se fait complètement au hasard, chaque chromosome d'une paire pouvant aller dans l'une ou l'autre des 2 cellules filles. Un simple calcul montre que ceci représente 2^{23}, c'est-à-dire 8 388 608 possibilités.

Ceci veut dire que du point de vue de l'hérédité, un homme peut fabriquer 8 338 608 sortes de spermatozoïdes différents, dont le message héréditaire ne sera pas le même. Il en est de même pour les ovules de la femme.

Enfin, avant de se séparer, les chromosomes d'une même paire vont s'échanger des morceaux équivalents de leur substance, recombinant ainsi l'héritage génétique ; les généticiens parlent de *crossing over*. Si l'on tient compte de ce phénomène, ce ne sont plus 8 millions de possibilités qui existent, mais 10^{40}, c'est-à-dire beaucoup plus que le nombre d'êtres humains ayant jamais existé...

Ainsi s'explique que, bien que nés de la même mère et du même père, des frères et sœurs puissent n'avoir entre eux qu'un air de famille et que la ressemblance n'aille souvent pas plus loin. On peut dire qu'à l'exception des vrais jumeaux, chaque nouvel œuf va donner un individu nouveau, différent de ses parents et de ses frères et sœurs. Chaque nouvel embryon est dans l'histoire de l'humanité un individu unique, différent de ceux qui l'ont précédé, et différent de ceux qui le suivront.

Dominants et récessifs

Lors de sa conception, l'enfant va recevoir, pour chaque caractère physique, un gène de son père et un gène de sa mère. Prenons, par exemple, la couleur des yeux et supposons qu'il hérite sur le gène paternel de la couleur marron, et sur le gène maternel de la couleur bleue. Ses yeux ne seront pas moitié marron et moitié bleu, mais marron, car cette couleur l'emporte sur le bleu. On dit que le gène qui porte la couleur marron est « dominant » et que l'autre est « récessif ». On dit aussi que ce dernier est « réprimé » car empêché de transmettre son message, la couleur bleue.

Voici quelques exemples de caractères dominants : les longs cils, les narines larges, les grandes oreilles, les taches de rousseur ; et de caractères récessifs : les yeux bridés, les cheveux clairs, la myopie.

Mais il faut savoir également que cet enfant aux yeux marron garde dans son capital héréditaire, sur un gène de ses chromosomes, le caractère yeux bleus, bien que celui-ci n'apparaisse pas chez lui puisque dominé par le caractère yeux marron. Imaginons maintenant cet enfant aux yeux marron devenu adulte. Il peut transmettre à sa propre descendance le caractère yeux bleus puisqu'il l'a gardé sur un de ses gènes. S'il en est de même pour sa femme, leur enfant pourra avoir les yeux bleus bien que son père et sa mère aient les yeux marron.

Ainsi, bien que tenant de ses parents tout son patrimoine, un enfant peut parfaitement ne pas leur ressembler. En revanche, il tient forcément tous ses caractères des générations précédentes.

Les caractères physiques sont donc héréditaires et un individu ne peut posséder que ceux qu'avaient déjà les générations qui l'ont précédé. Il existe toutefois des exceptions à ces lois générales.

L'environnement

La première exception est représentée par l'influence éventuelle d'éléments extérieurs à l'hérédité. En voici quelques exemples.

• **Le poids :** la prédisposition à prendre du poids est héréditaire. Mais il est évident que le poids d'un individu dépendra aussi de ses conditions d'alimentation : abondance ou famine.

• **La taille :** on a constaté que les descendants des Asiatiques émigrés aux États-Unis (Chinois et Japonais généralement de petite taille) avaient une taille moyenne supérieure à celle de leurs ancêtres. On ne voit pas d'autre explication à ce phénomène que l'action du mode de vie et plus particulièrement de l'alimentation.

• **La couleur de la peau :** elle est aussi déterminée par l'hérédité ; toutefois la peau sera plus ou moins foncée selon que l'on sera souvent ou jamais exposé au soleil.

Cette action de l'environnement est toutefois limitée : un Noir qui ne s'exposera jamais au soleil n'en aura pas pour autant la peau blanche ; un albinos qui se mettra au soleil ne brunira pas. Mais il y a sans cesse une interaction entre ce que l'hérédité apporte, et ce qui provient de l'environnement.

Les mutations

Elles représentent la seconde exception aux lois de l'hérédité. En génétique, une mutation est une erreur dans la transmission des gènes, c'est comme une faute d'orthographe dans le vocabulaire des gènes. Il s'agit donc de modifications soudaines, transmissibles ou non, du matériel héréditaire.

Souvent les mutations sont « neutres », c'est-à-dire qu'elles se produisent et passent totalement inaperçues parce que le gène qui a muté est récessif, ou parce que, bien que dominant, sa fonction n'est pas assez perturbée par la mutation pour entraîner des manifestations ou des troubles que l'on puisse remarquer. Il faut de nombreuses mutations, combinées avec la reproduction de nombreux individus, et prolongées sur une longue période de temps, pour obtenir des différences appréciables. On pourrait dire, en quelque sorte, que la mutation agit plus au niveau d'un ensemble que d'un individu.

Il arrive aussi que des mutations aillent dans le sens d'une amélioration, d'un progrès ; elles participent à l'évolution des espèces.

On connaît mal chez l'homme les mutations de ce type alors qu'elles sont très nombreuses dans les espèces végétales ou animales. Toutefois, on a retrouvé chez certains individus une hémoglobine mutée (l'hémoglobine est le pigment qui donne au sang sa couleur rouge) qui fixe l'oxygène deux fois mieux que l'hémoglobine normale ; on a également découvert chez certains hommes des gènes, responsables de la fabrication des sucres, qui « travaillent » quatre fois mieux que les gènes habituels.

D'ailleurs, certains chercheurs se sont demandés si les sujets considérés comme des surdoués n'étaient pas les bénéficiaires de plusieurs mutations capables d'expliquer leurs performances exceptionnelles.

Parfois malheureusement la mutation a des conséquences néfastes. Elle conduit à un dysfonctionnement d'une protéine et peut être responsable d'une maladie héréditaire. Comme pour les caractéristiques normales, la transmission des mutations suit les lois de l'hérédité. Il existe ainsi des maladies récessives, dominantes, ou liées au sexe qui ne toucheront par exemple que les garçons. Bon nombre de mutations surviennent vraisemblablement spontanément, par hasard. D'autres sont la conséquence d'agents dits mutagènes : les rayons X, la radioactivité, les rayons cosmiques, de nombreux produits chimiques peuvent être mutagènes. Le Centre International de Recherche sur le Cancer (CIRC) a établi une liste de substances reconnues comme cancérigènes, mutagènes et/ou toxiques pour la reproduction. Il est bien évidemment impossible de connaître le nombre de mutations dans l'espèce humaine.

LES RESSEMBLANCES PSYCHOLOGIQUES OU INTELLECTUELLES

Les caractères physiques ne sont pas les seuls à se transmettre selon les lois de l'hérédité. Il en est de même de certains traits intellectuels ou psychologiques.

La transmission héréditaire se fait de la même façon que pour les caractères physiques ; mais, dans la pratique, ses conséquences paraissent souvent moins apparentes. En effet, tout ce qui va constituer la structure intellectuelle et surtout psychologique d'un individu est soumis à des influences multiples : mode de vie et comportement de ses ascendants, mode d'éducation, appartenance sociale, etc. C'est d'ailleurs un des mérites de la psychologie d'aujourd'hui que d'avoir mis en évidence l'influence de l'entourage sur la structure psychologique d'un être. Ainsi, bien que l'enfant tienne de ses parents certains traits psychologiques et intellectuels, sa personnalité sera plus ou moins fortement modifiée par les influences extérieures. C'est d'ailleurs ce qu'a spontanément retenu la sagesse populaire en deux proverbes apparemment contradictoires mais qui contiennent chacun un fond de vérité : « Tel père, tel fils » et « À père avare, fils prodigue ».

Vous voyez que si votre enfant a des chances de vous ressembler, ou de ressembler à son père, il pourra tout aussi bien avoir la couleur des yeux de sa grand-mère ou la nature des cheveux de son arrière-grand-père. Mais en tous cas c'est vous qui aurez été le maillon indispensable dans la chaîne de l'hérédité.

Quant à son caractère et à ses goûts, l'enfant pourra certes hériter sur ses chromosomes de vos dispositions pour un art : la musique par exemple. Il pourra surtout aimer la musique parce que vous lui en aurez donné le goût. Il pourra aussi, par réaction, l'avoir en horreur.

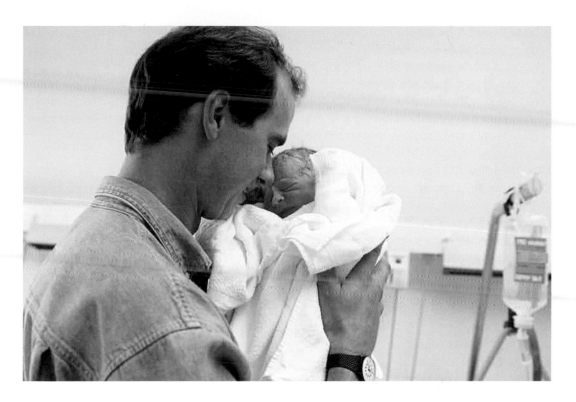

Notre enfant sera-t-il normal ?

Notre enfant sera-t-il normal ? Parmi les questions que vous vous posez, c'est certainement celle qui vous tient le plus à cœur.

Nous pourrions vous répondre que le pourcentage d'enfants présentant une anomalie ne dépasse pas 3 %. Nous pourrions vous dire aussi que la nature fait elle-même sa sélection. Vous pouvez voir plus loin que plus de la moitié des avortements précoces, ceux qui surviennent au cours du 1er trimestre de la grossesse, sont en rapport avec une anomalie des chromosomes. Cela veut dire que la plupart des œufs mal formés sont rapidement éliminés. Nous y reviendrons plus loin. Mais sans doute demandez-vous autre chose à ce chapitre. Vous voulez être informés de tout ce qui peut causer une déficience ou une malformation, et vous voulez savoir ce que de futurs parents doivent faire pour mettre toutes les chances de leur côté. Nous allons essayer de répondre à vos interrogations. Nous disons « essayer », car bien des points restent encore obscurs dans ce domaine.

Auparavant, nous voudrions répondre à quelques questions fréquemment posées.

Quelle est la différence entre héréditaire et congénital ?
Au sens strict, ces deux termes ne sont pas synonymes, bien que la confusion soit fréquente.

On appelle *congénitale* une maladie (ou une malformation) qui se révèle à la naissance, mais dont l'origine remonte généralement à la vie intra-utérine. Par exemple, un enfant dont la mère a eu une infection à cytomégalovirus peut présenter à la naissance diverses malformations.

On appelle *héréditaire* une maladie transmise par les gènes. Les parents l'ont dans leur patrimoine génétique et la transmettent à leurs enfants, par exemple la mucoviscidose ou certaines myopathies.

La plupart des maladies héréditaires se manifestent dès la naissance mais certaines ne seront apparentes que beaucoup plus tard dans la vie.

Les maladies héréditaires sont-elles toujours graves et incurables ?

Ce n'est pas aussi tranché. Un certain nombre de maladies héréditaires ne s'accompagnent pas de malformations graves et sont compatibles avec une vie presque normale, au prix d'une prise en charge médicale adaptée. Certaines d'entre elles peuvent actuellement être traitées. En revanche, il est évident que l'on ne peut empêcher le sujet de rester porteur du gène responsable d'une maladie héréditaire et de le transmettre à sa descendance (voir plus loin : la consultation de génétique).

POURQUOI TEL ENFANT N'EST-IL PAS NORMAL ?

Pourquoi certains enfants naissent-ils « différents », avec un handicap physique ou intellectuel ? Devant un nouveau-né présentant un handicap, les médecins sont encore dans la plupart des cas incapables de trouver une explication. Lorsqu'il y en a une, différentes causes sont possibles : une anomalie chromosomique, une anomalie génique, une agression pendant la grossesse ou l'accouchement. Dans les deux premiers cas, l'enfant a souffert de son hérédité, dans les autres il a souffert de l'environnement.

L'HÉRÉDITÉ

Dans ce cas, l'œuf a souffert d'une anomalie qui porte sur les chromosomes ou sur les gènes.

Les anomalies portant sur les chomosomes

Ces anomalies, ou aberrations chromosomiques, peuvent porter sur le nombre ou la structure des chromosomes.

• **Les aberrations de nombre** sont dues le plus souvent à une « erreur » lors de la constitution des spermatozoïdes ou des ovules : au lieu que chacun des deux spermatozoïdes nés de la cellule mère reçoive 23 chromosomes, l'un en reçoit un de plus, l'autre un de moins. Si ces spermatozoïdes « anormaux » assurent malgré tout la fécondation, l'œuf aura dans le premier cas un chromosome de plus (soit 47) : on parle alors de trisomie. Dans le second cas, il aura un chromosome de moins (soit 45) : on parle de monosomie. Le même raisonnement vaut pour l'ovule. Ainsi, on sait que, dans la trisomie 21, c'est l'ovule qui porte le plus souvent l'anomalie.

• **Les aberrations de structure.** Les chromosomes sont relativement fragiles et, notamment lors de leur constitution (fabrication des ovules ou des spermatozoïdes), ils peuvent se casser en un ou plusieurs fragments. Selon les cas, ces fragments vont se recoller sur place, ou se recoller sur un autre chromosome, ou même « se perdre » avec des conséquences de gravité à chaque fois croissante.

• **Il n'y a pas de perte.** On dit que *le caryotype est équilibré.* Le fragment de chromosome cassé n'est pas perdu ; il se recolle sur un autre chromosome que son chromosome d'origine. Dans ce cas, il n'y a habituellement aucune conséquence pour le porteur de l'aberration. Par contre il peut donner naissance à des enfants anormaux. Ainsi 2 à 3 % des trisomies 21 ne sont pas accidentelles, mais dues à une anomalie « équilibrée » du caryotype paternel ou maternel. C'est dire qu'une telle anomalie n'est généralement découverte que si l'on établit le caryotype des parents après la naissance d'un enfant anormal ou à la suite de plusieurs fausses couches spontanées précoces.

• **Il y a perte** d'un fragment de chromosome, ou bien il y a un ou plusieurs chromosomes en plus ou en moins. On dit que *le caryotype est déséquilibré*. Les conséquences sont variées. La première conséquence, pour de nombreuses aberrations, est de bouleverser le développement embryologique de façon très précoce et d'aboutir à un avortement dans les premières semaines. L'embryon présente des malformations importantes ou même, il n'y a pas d'embryon du tout (œuf clair). On sait maintenant que les aberrations chromosomiques sont la cause de la plupart des avortements spontanés précoces. C'est une des raisons pour lesquelles on ne traite plus les menaces de fausses couches précoces.

• **Le caryotype** est la carte d'identité des chromosomes. Pour l'établir, on recueille quelques cellules (habituellement en prélevant quelques gouttes de sang) et, grâce à des techniques complexes, on peut voir les chromosomes au microscope, les photographier. On s'est mis d'accord pour classer les chromosomes (par paires et par taille décroissante), en leur donnant des numéros. Sur cette carte d'identité apparaîtront d'éventuelles anomalies susceptibles d'être transmises aux descendants.

Les anomalies géniques

Ici, l'anomalie est plus localisée que dans le cas précédent puisqu'elle ne concerne qu'un gène, c'est-à-dire un fragment de chromosome. La transmission de l'anomalie génique se fait, comme celle des caractères normaux, selon les lois de l'hérédité. Le risque est évidemment plus ou moins grand pour la descendance selon que le gène défaillant est dominant ou récessif, et selon qu'il est situé sur un chromosome autosome (non sexuel) ou sur un chromosome sexuel. Nous ne pouvons entrer ici dans le détail. Sachez seulement qu'en cas de gène récessif, un sujet peut être porteur du gène sans être malade. Mais il peut par contre le transmettre à sa descendance : on dit qu'il est « conducteur » du gène ou « porteur sain ».

Exemple d'un caryotype garçon (XY)

AUTRES INFLUENCES

Au cours de la grossesse, l'œuf peut souffrir d'une atteinte qui peut être infectieuse, chimique ou physique. Vous verrez aux chapitres 9 et 10 qu'un certain nombre de facteurs peuvent perturber le développement normal de l'œuf, et produire des malformations.

Les maladies

C'est le cas de certaines maladies infectieuses maternelles comme la rubéole, le cytomégalovirus ou la toxoplasmose. Presque toutes les maladies infectieuses et parasitaires ont d'ailleurs été mises en cause mais, pour beaucoup d'entre elles, on ne possède aucune preuve de leur action néfaste. Selon la période d'atteinte de l'œuf, les conséquences seront différentes : au cours des trois premiers mois, période de formation de l'œuf, le risque est celui d'une malformation (plus ou moins grave selon l'organe qu'elle affecte), plus tard celui d'une maladie qui se révélera à la naissance (maladie congénitale), mais le risque de malformations aura disparu.

L'environnement

Les risques dus à l'environnement peuvent provenir de substances chimiques. Il s'agit très rarement d'un traitement administré malencontreusement à la mère pendant la grossesse (p. 222) car le principe selon lequel « tout traitement qui n'est pas formellement indiqué en début de grossesse est contre-indiqué » est aujourd'hui bien connu des médecins. Il pourra s'agir d'expositions heureusement exceptionnelles, comme des catastrophes écologiques ou nucléaires : intoxications par le mercure absorbé via l'alimentation (consommation de poissons venant d'eau polluée), émission de fortes doses de radioactivité lors d'accidents comme celui de Tchernobyl en 1986 ou de catastrophes sismiques comme celle du Japon en 2011.

Par ailleurs, l'exposition lors de la grossesse à de faibles doses de substances chimiques pourrait avoir des effets à long terme sur le développement des enfants. Parmi ces substances, certaines font l'objet d'une attention particulière parce que ce sont des « perturbateurs endocriniens », c'est-à-dire qu'ils altèrent le fonctionnement normal de l'organisme en diminuant ou augmentant la sécrétion d'hormones. Ainsi les phtalates et le bisphénol A sont des composants de matières plastiques qui, à faibles doses chez l'animal, peuvent avoir des effets sur l'appareil génital et le développement de la glande mammaire des nouveau-nés. C'est la raison pour laquelle ces substances sont soupçonnées — cette hypothèse devant encore être vérifiée — d'augmenter le risque de malformation des organes génitaux chez le petit garçon, et à l'âge adulte d'augmenter le risque de cancer du sein chez les femmes et de cancer du testicule chez les hommes. On leur attribue aussi une responsabilité dans la baisse de la fertilité masculine observée dans les pays développés. Des associations comme WECF (www.projetnesting.fr) font état des recherches sur le sujet et proposent des recommandations pour prévenir ce risque actuellement en débat. À noter que, dans l'Union Européenne, l'utilisation du bisphénol A dans la fabrication des biberons est interdite depuis mars 2011.

Par ailleurs, **pendant l'accouchement**, l'enfant peut souffrir d'un manque d'oxygène provoqué par une procidence du cordon ombilical, de contractions utérines trop intenses et trop rapprochées, d'un hématome rétro-placentaire, ou d'un cordon comprimé, etc. Ces facteurs peuvent être dépistés en surveillant l'activité cardiaque du bébé (monitoring). Mais une atteinte de l'enfant pendant l'accouchement n'est pas forcément responsable de la plupart des handicaps cérébraux comme on a eu tendance à le dire jusqu'à récemment. On admet aujourd'hui qu'environ seulement 10 % des souffrances cérébrales de l'enfant sont liées aux conditions de l'accouchement.

QUEL EST LE RISQUE D'AVOIR UN ENFANT ANORMAL ?

Quels que soient les progrès de la médecine, la peur d'avoir un enfant anormal reste présente à l'esprit des parents. Ceux-ci sont en général rassurés par les échographies. Quant à la découverte d'une anomalie grave à la naissance, elle reste exceptionnelle aujourd'hui. En effet, environ 97 % des grossesses qui évoluent favorablement au-delà du troisième mois aboutiront à la naissance d'un enfant en bonne santé. Voyons comment les choses peuvent se présenter :

LE RISQUE EST CONNU AVANT LA GROSSESSE

Il existe des situations qui évoquent un risque particulier et conduisent à mettre en œuvre un certain nombre d'examens complémentaires pendant la grossesse. Par exemple :

• **L'existence d'une maladie héréditaire.** Que ce soit dans votre famille ou dans celle de votre mari, l'existence d'une maladie héréditaire augmente les risques d'avoir un enfant anormal. Mais cela ne veut certainement pas dire qu'il est impossible d'avoir un enfant normal.

• **Les antécédents.** Il y a un risque lorsque certains événements se sont produits lors d'une grossesse précédente : la naissance d'un enfant porteur d'une anomalie ; une interruption médicale de grossesse (IMG) ; une fausse couche tardive, avec un enfant porteur d'une malformation.

• **L'âge des parents.** L'âge de la mère intervient sur la qualité de ses ovules, et plus la mère avance en âge, plus le risque d'aberrations chromosomiques augmente. En particulier pour la trisomie 21 dont voici la fréquence : 1/1 500 à 20 ans – 1/1 350 à 25 ans – 1/900 à 30 ans – 1/380 à 35 ans – 1/187 à 38 ans – 1/111 à 40 ans – 1/64 à 42 ans.

Il y a d'autres aberrations chromosomiques (trisomie 18, trisomie 13) responsables également de malformations diverses, mais elles sont, comme la précédente, dépistables par l'amniocentèse.

En ce qui concerne le père, on commence à penser que l'âge peut intervenir sur la qualité des spermatozoïdes. Des études récentes montrent en effet une très légère augmentation du nombre de malformations fœtales avec l'âge paternel. D'ailleurs les banques de sperme (CECOS) ont tendance à refuser les dons de sperme des hommes de plus de 40 ans.

• **Les mariages consanguins.** Ce sont les mariages dans lesquels les partenaires ont un ancêtre commun. La consanguinité ne crée pas l'anomalie, mais elle augmente les risques pour un enfant de voir apparaître cette anomalie jusque-là cachée parce que récessive. C'est le cas d'un enfant dont les parents sont tous les deux porteurs d'un gène récessif. Si l'enfant hérite le gène récessif de ses deux parents, il sera atteint de la maladie considérée.

Dans tous ces cas (existence d'une maladie héréditaire, antécédents, etc.), il sera fait appel à la consultation de génétique (p. 183).

UNE ANOMALIE EST DÉCOUVERTE PENDANT LA GROSSESSE

Tout d'abord, il peut s'agir non pas d'une anomalie, mais seulement d'un **risque** d'anomalie évoqué par le résultat des marqueurs sériques de la trisomie 21 (p. 181), ou par la mesure de la clarté nucale effectuée lors de la première échographie (p. 215). Dans ces cas, on conseillera à la future mère de faire pratiquer une amniocentèse.

La découverte d'une petite anomalie morphologique au cours des échographies est plus délicate à identifier par le médecin, et très angoissante pour les parents.

Dans ce cas, le médecin ne pourra donner, sur-le-champ, un diagnostic. Il prendra le temps d'expliquer aux parents ce qu'il constate et il leur proposera un second rendez-vous pour réaliser un examen de contrôle, si besoin auprès d'un centre échographique spécialisé, faisant office de référent échographique.

Si les échographies de contrôle confirment l'anomalie, le médecin, ou l'échographiste, prendra contact, après l'accord signé de la femme, avec l'équipe du Centre pluridisciplinaire du diagnostic prénatal (CPDPN), qui se trouve en général dans un Centre hospitalier universitaire.

L'équipe du CPDPN est constituée de gynécologues-obstétriciens, pédiatres néonatologues, généticiens, psychologues, ainsi que de spécialistes des pathologies suspectées. Ces différentes personnes donneront des avis ou des conseils, en matière de diagnostics (amniocentèses, IRM), de thérapeutiques et de pronostics. Les différentes informations recueillies seront communiquées au gynécologue-obstétricien, qui reste le référent, c'est-à-dire l'interlocuteur permanent et privilégié. Grâce à ce lien, les parents ne se sentent pas abandonnés, culpabilisés, ou dévalorisés, comme cela arrive fréquemment en de pareilles circonstances.

Bien souvent, les anomalies suspectées ne sont pas confirmées. Les résultats de l'amniocentèse ne révèlent pas d'anomalie chromosomique et la grossesse poursuit normalement son cours. Malgré cela, l'inquiétude persiste souvent chez les parents jusqu'à la naissance. Ils ne seront rassurés que par la venue au monde d'un bel enfant, en bonne santé.

Malheureusement l'anomalie suspectée peut parfois être confirmée. Mais il faut dire que cette situation est très rare, à peine 0,8 % des grossesses selon les spécialistes. L'angoissante décision d'une interruption médicale de grossesse va alors se poser (p. 184).

LE DIAGNOSTIC PRÉNATAL : LES DIFFÉRENTES MÉTHODES

Le but du diagnostic prénatal est de dépister une anomalie, ou d'évaluer un risque, chez l'enfant à naître. La pratique du diagnostic prénatal s'est beaucoup développée ces dernières années, notamment grâce aux marqueurs sériques (voyez ci-dessous), à la mesure de la clarté nucale (p. 215) et à ce que les médecins appellent « les petits signes d'appels échographiques de la trisomie 21 » (p. 216).

Le diagnostic prénatal, notamment de la trisomie 21, qui s'effectue au premier trimestre de la grossesse, est l'objet d'une règlementation très stricte. Pour évaluer un risque, le diagnostic combine l'âge maternel, l'âge gestationnel, la mesure de la clarté nucale et les marqueurs sériques. C'est ce qu'on appelle le **risque combiné**.

À noter : aucun de ces examens n'est obligatoire. En ce qui concerne les marqueurs sériques, la future mère doit être informée clairement du but de l'examen et, si elle souhaite en bénéficier, elle doit donner son consentement par écrit.

Âge de la mère et âge de l'embryon

On sait que le risque de trisomie 21 augmente avec l'âge de la mère. Par ailleurs, la clarté nucale évolue en fonction de l'âge gestationnel de l'embryon. Ces deux paramètres interviennent donc dans le calcul du risque.

L'échographie et la clarté nucale

La clarté nucale est recherchée lors de la première échographie (pp. 129 et 215). Sa mesure est codifiée et l'échographiste doit répondre à des critères de qualité précis garantissant la fiabilité de sa mesure.

Les marqueurs sériques

Le test des marqueurs sériques consiste à doser, entre autres, l'hormone BHCG dans le sang de la future mère. Jusqu'à très récemment, ce test était pratiqué vers la 16e semaine d'aménorrhée. De nouveaux marqueurs sériques permettent aujourd'hui de faire le test plus tôt, au premier trimestre de la grossesse, entre 11 et 13 semaines d'aménorrhée, au moment de la première échographie.

Évaluation du risque

En combinant tous ces éléments (âge maternel – âge gestationnel, échographie – clarté nucale, marqueurs sériques), il est possible d'évaluer le risque de trisomie 21 de façon plus précise, plus éclairée ; et de proposer éventuellement d'établir un caryotype du fœtus, soit par une biopsie du trophoblaste, soit par une amniocentèse. Selon le résultat, le couple pourra prendre plus tôt qu'auparavant, dès le 1er trimestre, la décision qui lui convient sur la poursuite de la grossesse.

Pour le cas où la maman n'aurait pas bénéficié de ce nouveau type de diagnostic prénatal (risque combiné), il lui sera proposé un calcul du **risque séquentiel** (ce qui se faisait avant 2009). L'évaluation du risque sera basée sur la mesure de la nuque au 1er trimestre et associée au dosage des marqueurs sériques du 2e trimestre. Enfin, si aucune méthode n'a pu être proposée, l'amniocentèse sera remboursée par la Sécurité sociale si la femme a plus de 38 ans au moment du prélèvement.

LA BIOPSIE DU TROPHOBLASTE (OU CHORIOCENTÈSE)

Cette méthode a l'avantage d'être possible dès la 11e semaine d'aménorrhée (donc beaucoup plus tôt que l'amniocentèse) et de donner des résultats en quelques jours. On peut ainsi, s'il est nécessaire, interrompre la grossesse plus précocement.

Avec un fin cathéter rigide, en passant par le col de l'utérus, ou mieux à travers la paroi abdominale, sous anesthésie locale et sous contrôle échographique, on fait un prélèvement au niveau du chorion ou trophoblaste, qui est le nom du placenta pendant les trois premiers mois de la grossesse.

La biopsie du trophoblaste a des indications communes avec l'amniocentèse. Elle permet en plus de dépister certaines maladies sanguines, métaboliques ou génétiques (myopathie, mucoviscidose par exemple). Elle a par contre l'inconvénient d'augmenter très légèrement le risque de fausse couche. En outre, toutes les équipes ne sont pas encore formées à cette technique.

L'AMNIOCENTÈSE

Elle se fait généralement entre la 15e et la 18e semaine d'aménorrhée ; avant, il n'y a pas suffisamment de liquide amniotique pour un examen convenable et les risques de complications sont un peu plus importants. Elle peut par contre être réalisée plus tardivement, par exemple après la deuxième échographie. Lorsque cet examen est proposé à la future mère, elle est libre de l'accepter ou de le refuser.

L'amniocentèse consiste à prélever une petite quantité de liquide amniotique dans lequel baigne l'enfant, par une piqûre faite à travers la paroi abdominale maternelle, entre l'ombilic et le pubis. Pour guider l'aiguille, ce prélèvement se fait sous contrôle échographique ; il ne dure que quelques minutes et n'est pas plus douloureux qu'une prise de sang.

Le liquide recueilli est confié à un laboratoire spécialisé et les cellules fœtales contenues dans le liquide sont prélevées et mises en culture pour établir le caryotype, cette carte d'identité des chromosomes dont nous avons parlé plus haut.

L'amniocentèse va ainsi permettre le diagnostic des anomalies chromosomiques souvent associées à des malformations découvertes à l'échographie, et notamment la plus fréquente : la trisomie 21. D'autres anomalies chromosomiques peuvent être révélées mais elles ne s'accompagnent pas forcément d'un handicap cérébral.

La réalisation de l'amniocentèse comporte un risque de fausse couche, de 0,5 à 1 %. Le risque est maximum dans les 8 à 10 jours qui suivent la ponction. La fausse couche peut se manifester par des douleurs, des saignements ou un écoulement de liquide. Devant ces signes, il faut bien sûr consulter très rapidement le médecin qui a réalisé l'amniocentèse.

La réalisation d'une amniocentèse (comme la réalisation d'une biopsie du trophoblaste) est encadrée par la loi. La femme doit d'abord être informée sur le but (la pathologie recherchée) et sur les conséquences des actes effectués. Après cette information, elle doit donner, par écrit, son accord à la réalisation de l'examen.

L'AMNIOCENTÈSE EN PRATIQUE
Présentez-vous le jour du prélèvement avec :
- votre carte de groupe sanguin (si vous êtes rhésus négatif, on vous fera une injection de gammaglobulines antirhésus)
- les résultats des examens de sang du VIH et des hépatites B et C
- vos différentes échographies
- l'accord du laboratoire de génétique qui effectuera l'analyse.
Il est inutile d'être à jeun.
Un arrêt de travail pourra éventuellement vous être prescrit le jour de l'examen.
Les résultats de cet examen vous seront communiqués par votre médecin dans un délai de 3 semaines environ.

Après l'amniocentèse

La période qui suit l'amniocentèse est un moment difficile pour les femmes qui sont à la fois inquiètes du résultat de l'examen et inquiètes du risque de fausse couche. La future maman se sent comme entre parenthèses : bien que sa grossesse se voie et que son bébé bouge, elle n'ose se laisser aller à penser à l'avenir.

LE PRÉLÈVEMENT DE SANG FŒTAL

C'est une technique beaucoup plus rare. Le prélèvement de sang fœtal peut se faire à partir de 22 semaines d'aménorrhée et jusqu'à la fin de la grossesse. On le fait au niveau du cordon ombilical avec une aiguille guidée par échographie. Cette technique, qui réclame une grande maîtrise, ne peut s'envisager que dans des maternités disposant d'équipes entraînées. Ce prélèvement permet le diagnostic de certaines maladies sanguines. Il permet également l'étude du caryotype (avec une réponse beaucoup plus rapide que celle de l'amniocentèse) pour confirmer ou non une anomalie découverte à l'échographie.

La ponction de sang fœtal permet aussi certains traitements du fœtus *in utero*.

LA CONSULTATION DE GÉNÉTIQUE

Les généticiens sont des médecins spécialistes des affections transmises par les gènes, affections qui peuvent toucher les enfants à naître. Il y a des consultations de génétique dans la plupart des grandes villes.

À qui la consultation de génétique est-elle utile ?

• Tout d'abord aux cas que nous venons d'évoquer (antécédents dans la famille, antécédents d'enfant porteur d'une anomalie, âge des parents, etc.).

• Aux femmes qui ont déjà eu plusieurs avortements spontanés successifs, au moins trois ou plus. En effet, si la plupart de ces avortements sont accidentels, quelques-uns peuvent se reproduire.

• Aux sujets porteurs d'une maladie ou malformation qui souhaitent savoir s'ils risquent de transmettre l'anomalie à leurs enfants.

• Aux candidats à un mariage consanguin.

> **MALADIES RARES**
> *Il existe un centre d'écoute, d'information et d'orientation sur les maladies rares (appelées également maladies orphelines) :*
> *numéro Azur 08 10 63 19 20.*
> *www.maladiesraresinfo.org*

Que va faire le généticien ?

Il va réunir le maximum d'informations sur les parents, établir éventuellement une généalogie ; et le plus souvent, il va faire réaliser un caryotype des parents (p. 177) pour repérer d'éventuelles anomalies susceptibles d'être transmises aux descendants.

Le médecin tiendra compte également du caractère héréditaire ou non de la maladie que l'on redoute ; de son caractère dominant ou récessif ; de sa transmission par les chromosomes ordinaires, ou par les chromosomes sexuels.

Munis de ces renseignements, les médecins tenteront de vous éclairer. Nous disons qu'ils tenteront, car la consultation de génétique a malheureusement ses limites.

Tout d'abord, on ne peut vous donner que des probabilités et non une certitude pour l'enfant à naître. Par exemple, quand il s'agit d'une maladie bien connue dans son mode de transmission, on pourra vous dire que vous courez un risque sur deux, ou un risque sur quatre, d'avoir un enfant anormal. Dans d'autres cas, vos chances se répartiront entre la naissance d'enfants normaux, celle d'enfants normaux mais porteurs de l'anomalie (conducteurs), enfin celle d'enfants anormaux. Ailleurs, on pourra vous prédire que l'enfant sera normal ou non selon son sexe.

Un autre exemple : si des parents ont un enfant trisomique, le risque d'en avoir un autre est très faible car la trisomie 21 est le plus souvent un accident. En revanche, il existe de rares cas où il est en rapport avec une aberration chromosomique des parents. Il devient alors une maladie héréditaire et peut se reproduire. Dans d'autres cas, on ne peut vous donner que des renseignements beaucoup plus vagues, soit parce que le mode de transmission de la maladie est mal connu, soit parce que son caractère héréditaire n'est pas évident.

N'attendez donc pas du généticien une autorisation ou une interdiction (de vous marier, d'avoir un autre enfant…). Souvent, il ne pourra pas le faire et ce n'est d'ailleurs pas son rôle.

L'INTERRUPTION MÉDICALE DE GROSSESSE (IMG)

Lorsque l'enfant à naître est atteint « d'une infection grave, reconnue comme incurable au moment du diagnostic », comme le précisent les textes, il est possible d'envisager une interruption médicale de grossesse.

La peur d'une malformation de l'enfant traverse l'esprit de toute femme enceinte. Mais cette éventualité est peu à peu refoulée, oubliée au fil des semaines. Les parents sentent leur attachement s'approfondir, ils se laissent aller à des projets et des rêves autour de leur bébé.

L'annonce du résultat du diagnostic prénatal est un véritable choc, un cauchemar qui devient réalité. Les parents se trouvent confrontés à l'angoissante difficulté du choix : accepter l'interruption médicale de grossesse, ou laisser la grossesse se poursuivre jusqu'à son terme, avec les difficultés évoquées chez l'enfant à naître. « Que faire ? Et si les médecins se trompaient ? Avons-nous le droit de prendre une telle décision ? Mais quelle soit la décision, il faudra vivre avec. »

Une IMG n'est jamais réalisée dans l'urgence mais après un temps suffisant qui permet aux parents de réfléchir, d'exprimer ce qu'ils ressentent. Les équipes respectent le temps des parents, celui de la colère, de l'injustice, de l'angoisse, de la honte, de la culpabilité. Les femmes, profondément blessées, ont le sentiment de ne pas être capables de concevoir des enfants en bonne santé. Des discussions avec l'équipe de la maternité, des contacts avec des associations de parents ayant été confrontés au diagnostic prénatal, l'écoute attentive d'un psychologue, soutiennent et aident les parents dans leur réflexion.

La réalisation d'une IMG est encadrée par la loi. Une attestation comportant la signature de trois médecins est obligatoire : l'un pratiquant l'IMG (en général l'obstétricien), et deux médecins agréés du CPDPN.

Dans ce moment si difficile, la femme est prise en charge, accompagnée par l'équipe de la maternité où aura lieu « l'accouchement ». Il faut employer ce mot, car techniquement il s'agit bien d'un accouchement dont la particularité est d'être provoqué et prématuré. Quelques jours avant, on donne des comprimés pour préparer l'utérus à mieux répondre aux perfusions qui vont déclencher les contractions. Une consultation a lieu avec le médecin anesthésiste qui pratiquera la péridurale. Au moment de l'accouchement, en général plus long qu'à terme, des produits pourront être injectés au bébé afin qu'il ne souffre pas.

Certains parents souhaitent voir leur bébé, d'autres ne s'en sentent pas capables. L'équipe respecte toujours leur volonté.

À partir du moment où le sexe de l'enfant peut être identifié (en général au-delà de la 15e semaine d'aménorrhée), l'enfant peut sur la demande des parents être enregistré à l'état civil.

Selon leurs croyances religieuses, leur culture ou leurs habitudes familiales, les parents peuvent trouver dans les rites funéraires une façon d'offrir un dernier hommage à leur enfant et, pour eux-mêmes, un certain réconfort.

Une autopsie de l'enfant, ne sera réalisée qu'après l'accord des parents. Elle ne sera pas faite s'ils ne le veulent pas. Dans toutes ces démarches, les parents sont entourés, conseillés, soutenus par toute l'équipe médicale dont c'est l'honneur de « bien faire », surtout dans ces circonstances.

Le séjour en maternité sera de courte durée. En général, la femme est installée dans le service de gynécologie, loin des mères et des enfants.

Une visite post-natale est importante pour la femme mais également pour le médecin. Elle a lieu environ un mois et demi après l'accouchement. Elle va permettre de faire le point, de prendre connaissance des examens pratiqués sur l'enfant et d'essayer de voir plus clair dans un moment si sombre.

Nous avons hésité longtemps avant de parler du douloureux sujet de l'interruption médicale de grossesse, comme nous avions hésité à parler de la perte de l'enfant attendu (p. 378). De nombreux lecteurs nous ont encouragés à le faire. Nous remercions les parents de nous avoir fait part de leurs témoignages si personnels.

SCIENCE ET CONSCIENCE

Le diagnostic prénatal est aujourd'hui un acte médical courant. En effet, sans en avoir réellement conscience, toutes les femmes enceintes en bénéficient avec les échographies et éventuellement avec d'autres tests ou examens.

En donnant des informations sur la normalité de l'enfant, le diagnostic prénatal peut rassurer les parents. Il permet aussi aux couples ayant un risque génétique d'espérer avoir un enfant en bonne santé ; sans la possibilité de faire un diagnostic, certains couples ne se seraient peut-être jamais autorisés à avoir un enfant. Enfin, lorsque la malformation dont souffre le bébé à naître peut être soignée (comme une fente labiopalatine ou une hernie du diaphragme), le diagnostic fait avant la naissance permet d'organiser une prise en charge précoce et adaptée.

Mais, dans certains cas, le diagnostic prénatal amène à se poser des questions difficiles. Envisager une interruption de la grossesse peut heurter les convictions éthiques ou religieuses du couple. Les progrès de la science croisent souvent la conscience. En plus, la question de cette interruption se pose en général à un stade avancé de la grossesse, ce qui la rend d'autant plus difficile à envisager et à vivre.

Quant aux médecins, ils se trouvent confrontés aux limites d'une médecine qui ne sait pas soigner les anomalies qu'elle découvre, et qui n'a que l'élimination du malade à proposer. Comme le dit le Professeur Jean-François Mattei : « Il faut bien mesurer tous les enjeux du diagnostic prénatal pour tenter d'assumer cette technique en conscience, en respectant tout à la fois le libre choix de chacun, mais aussi l'idée que l'homme se fait de lui-même et de la société qu'il veut construire. »

8

Les malaises courants

Il y a des femmes qui disent ne jamais si bien se porter que lorsqu'elles attendent un enfant ; elles découvrent qu'elles sont enceintes seulement parce que leurs règles s'arrêtent, et leur grossesse se poursuit sans trouble ni malaise jusqu'à l'accouchement. Mais dans d'autres cas, **les modifications que la grossesse impose à l'organisme s'accompagnent d'ennuis ou de malaises divers**. Il est préférable d'en être avertie d'avance pour ne pas s'alarmer.

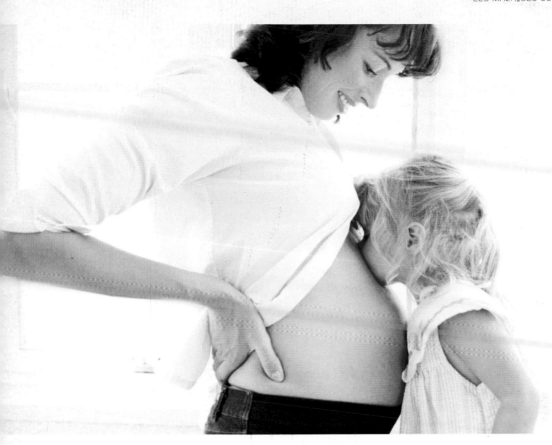

Les malaises varient en nature et en intensité avec le stade de la grossesse : ils apparaissent surtout au début et à la fin.

De ce point de vue, la grossesse se divise en trois trimestres qui correspondent à ceux de l'évolution psychologique. La première est celle de l'adaptation. Cette période dure les trois premiers mois : la grossesse « s'installe », l'organisme s'adapte. Il réagit plus ou moins vivement. Des troubles peuvent apparaître, qui disparaîtront complètement vers le 3e mois dans la plupart des cas, mais ces troubles rendent parfois le début de la grossesse un peu pénible. Les nausées et les vomissements en sont l'exemple le plus fréquent.

La deuxième période est celle de l'équilibre. Elle s'étend jusqu'au 7e mois : les corps de la mère et de l'enfant semblent parfaitement adaptés l'un à l'autre. Les troubles ont généralement cessé. L'utérus n'est pas encore assez volumineux pour être gênant. C'est la période la plus agréable de la grossesse.

La troisième période de la grossesse, qui correspond au troisième trimestre, voit apparaître des troubles dus à deux causes : d'abord au fait que l'enfant en se développant prend de plus en plus de place dans l'utérus, ce qui peut entraîner, par exemple, fatigue et varices ; ensuite au fait que l'organisme se prepare à l'accouchement : ainsi, par exemple, les modifications du bassin sont souvent douloureuses. Cette troisième période est celle de la lassitude, celle où l'on éprouve vraiment le besoin de se reposer.

Certaines mères voudraient savoir d'une manière précise à quel moment peuvent commencer et finir les vomissements, les nausées, les crampes, etc. Ces précisions sont impossibles à donner. D'une femme à l'autre tout peut être différent. C'est pourquoi nous n'avons pas voulu fournir un calendrier précis des malaises et maladies. Nous préférons les étudier les uns après les autres. Cela nous semble plus utile pour les lectrices.

NAUSÉES ET VOMISSEMENTS

Bien des futures mamans croient que grossesse et nausées sont synonymes. Or, si les nausées, parfois accompagnées de vomissements, sont fréquentes, elles ne se produisent quand même que dans 50 % des cas. Vous pouvez très bien être enceinte et n'avoir jamais mal au cœur. Les nausées apparaissent en général vers la 3e semaine, elles persistent rarement au-delà du 4e mois.

Les nausées surviennent souvent le matin à jeun, et disparaissent après le petit déjeuner ; mais elles peuvent persister pendant la matinée, ou même toute la journée. Parfois les nausées surviennent sans raison ; parfois, au contraire, elles sont dues à des odeurs précises (tabac ou certains aliments), odeurs qui deviennent insupportables. Il arrive aussi que certains aliments, sans provoquer de nausées, inspirent seulement du dégoût.

Les nausées s'en vont souvent comme elles sont venues ; dans d'autres cas, elles ne s'arrêtent qu'après un vomissement, qui soulage : vomissement facile, sans effort, fait d'eau, de bile ou d'aliments, suivant l'heure de la journée.

Que faire lorsqu'on a des nausées ? Plusieurs précautions peuvent se révéler efficaces :
• faire des repas moins abondants, plus fréquents, manger lentement
• manger quelques biscottes au lever
• dans la mesure du possible, ne pas faire soi-même les courses ni la cuisine
• privilégier une alimentation riche en glucides (toast, banane, muesli et autres céréales complètes pour le petit déjeuner, du riz, des pâtes)
• manger des yaourts
• boire du thé à la menthe, au citron, au gingembre
• boire de l'eau citronnée
• limiter la consommation de café
• éviter les fritures et la cuisine à base d'aliments gras, épicés ou d'ail
• éviter les odeurs fortes
• ne pas fumer ni boire d'alcool.

Le Donormyl®, médicament utilisé pour traiter les insomnies pendant la grossesse, est souvent efficace sur les nausées et vomissements. Il est largement utilisé au Canada dans ce cas. Ce médicament est disponible en pharmacie sans ordonnance.

Si, malgré ces précautions, les nausées et vomissements persistent, il faut voir le médecin. Il existe d'autres médicaments efficaces, mais qu'il ne faut pas prendre sans prescription.

Les nausées et vomissements disparaissent spontanément vers la fin du 3e mois. Lorsqu'ils persistent au-delà de cette date, ce n'est pas normal et il faut consulter le médecin : il cherchera alors une cause indépendante de la grossesse. En fin de grossesse, nausées et vomissements peuvent réapparaître, mais pas plus qu'au début, ils ne doivent vous inquiéter.

Bien que le cas soit exceptionnel, signalons que parfois les vomissements deviennent très fréquents et très abondants, et la future mère ne peut plus avaler aucun aliment, ni solide ni liquide. Elle perd du poids et se déshydrate (elle a la langue et la peau sèche). Il est important de consulter le médecin. Celui-ci peut prescrire une mesure qui surprend : la mise en observation à la maternité. Cette hospitalisation permet d'appliquer des traitements efficaces, tels que perfusions diverses par voie intraveineuse, pour soulager la maman. Cet isolement permet d'autre part d'éloigner momentanément la future mère de son environnement habituel et de limiter les éventuelles relations conflictuelles avec l'entourage.

Les examens biologiques peuvent parfois révéler une hyperthyroïdie. Mais les médecins s'interrogent sur la cause de ces vomissements. S'agit-il d'une perturbation du fonctionnement du foie par l'hormone βHCG (p. 138) ? Ou est-ce l'expression d'un trouble psychologique, la future maman éprouvant des contrariétés qu'elle ne peut contenir, des sentiments contradictoires vis-à-vis de sa grossesse ? Quoiqu'il en soit, un soutien psychologique peut aider la femme à traverser ces moments difficiles.

AÉROPHAGIE, DOULEURS ET BRÛLURES D'ESTOMAC

La grossesse entraîne une certaine paresse de tous les muscles de l'appareil digestif, qu'il s'agisse de l'estomac, de l'intestin ou de la vésicule biliaire. En même temps, les sécrétions de certaines glandes dont le rôle est important dans la digestion (foie et pancréas) sont modifiées. Le résultat, c'est que très souvent la future mère a des digestions lentes et difficiles, qu'elle se sent lourde après les repas, qu'elle a des ballonnements, l'impression d'avoir le tube digestif plein d'air. À ces malaises s'ajoutent souvent des sensations d'aigreurs, de brûlures, de douleurs au niveau de l'estomac.

Tout cela est évidemment peu confortable, souvent même désagréable, mais il y a certaines précautions efficaces à prendre pour atténuer ces différents malaises.

D'abord, il ne faut pas trop manger (très important). Puis, il faut éviter :
• les aliments trop gras
• les aliments acides ou pimentés
• les aliments qui fermentent (chou-fleur, chou, légumes secs, haricots, asperges, fritures)
• les aliments difficiles à digérer, comme tous les plats en sauce.

Alors que manger ? Des grillades, des légumes verts bouillis assaisonnés de beurre ou d'huile non cuits, des laitages et des fruits. Faire plusieurs petits repas plutôt que les deux repas traditionnels, et manger lentement.

Si ces brûlures d'estomac vous font vraiment souffrir, demandez conseil au médecin qui vous prescrira un médicament approprié.

Il arrive que certaines femmes se plaignent de régurgitations acides, de brûlures qui remontent de l'estomac vers la gorge et la bouche, le long de l'œsophage. Nous vous signalons que, dans ce cas, certaines positions sont défavorables : se pencher en avant ou être complètement allongée ; il faut donc éviter de s'allonger après les repas. Lorsque vous êtes au lit, mettez deux oreillers supplémentaires, pour dormir presque assise.

CONSTIPATION

Au cours de la grossesse, la constipation est très fréquente, même chez les femmes qui n'en ont jamais souffert auparavant. Contrairement à ce qu'on croit en général, elle n'est pas due au fait que l'utérus, en augmentant de volume, comprime l'intestin ; la meilleure preuve en est que la constipation apparaît souvent très tôt, avant que l'utérus ne soit assez développé pour exercer une compression quelconque. La constipation est vraisemblablement due à une paresse des intestins. Il est nécessaire de lutter contre la constipation : outre l'inconfort qu'elle entraîne, elle peut parfois provoquer une infection urinaire.

Il y a plusieurs moyens de la combattre :

• d'abord, faire de l'exercice physique ; souvent, une demi-heure de marche par jour suffit à régulariser les fonctions intestinales.

• Ensuite, veiller à l'alimentation, manger suffisamment de légumes verts, de fruits (en particulier prunes, raisins et poires), prendre des laitages (tels que fromage blanc et yaourts), manger du pain de son ou complet (il y a aussi des biscottes au son vendues en pharmacie), des céréales complètes, remplacer le sucre par du miel ; les pruneaux crus, ou cuits sans ajouter de sucre, sont aussi très recommandés.

• Aller à la selle régulièrement, sans attendre d'en avoir envie.

• **Ce qui est souvent efficace**, c'est simplement de boire le matin au réveil un verre de jus de fruit frais – orange en hiver, raisin en été –, ou simplement un verre d'eau, et un quart d'heure après, de prendre au petit-déjeuner un mélange de café et de chicorée.

• L'All-Bran, céréale d'avoine, que l'on peut mélanger à du miel, donne souvent d'excellents résultats.

• Enfin, buvez plusieurs fois par jour de grands verres d'eau : en particulier le matin à jeun, et entre les repas. Essayez une eau minérale riche en magnésium (supérieure à 50 mg/l).

• Un massage abdominal, accompagné ou précédé de respirations amples et de contractions du périnée, peut être efficace.

Et les médicaments ? Vous pouvez essayer les suppositoires à la glycérine ou le Microlax, également en usage externe, souvent plus efficace que les suppositoires à la glycérine. Quant aux laxatifs, n'en prenez pas sans prescription : certains sont très puissants et risquent d'irriter l'intestin, notamment ceux qui contiennent une plante, la bourdaine.

Le meilleur traitement, c'est d'associer des mucilages (extraits de végétaux vendus en pharmacie), donnés au repas du soir, et une huile minérale (du type paraffine) prise au coucher. Ce traitement, prescrit par le médecin, peut être prolongé autant que nécessaire.

HÉMORROÏDES

Ce sont des varices des veines du rectum et de l'anus. Elles forment des excroissances douloureuses, plus ou moins tendues, qui peuvent donner une pénible impression de démangeaison. Elles apparaissent surtout pendant la deuxième moitié de la grossesse. Lors de l'émission des selles, il est possible que les hémorroïdes saignent.

Si vous avez des hémorroïdes, il faut les signaler au médecin : il vous donnera un traitement simple qui évitera qu'elles ne s'aggravent. Et si nécessaire, il vous enverra chez un spécialiste, soit un proctologue, soit un gastro-entérologue.

Ce traitement comprend habituellement :

• la lutte contre la constipation qui aggrave les hémorroïdes

• des soins locaux pouvant comprendre des bains de siège avec un produit désinfectant

• des applications locales de pommade et des suppositoires à base de rutine, d'héparine et d'hydrocortisone

• des médicaments à base de vitamine P et d'extrait de marron d'Inde (veinotoniques).

Nous vous signalons que, même avec un bon traitement, les hémorroïdes risquent de s'aggraver dans les jours qui suivent l'accouchement. Puis elles disparaissent, du moins en grande partie.

VARICES

Les varices sont la conséquence d'une dilatation anormale des parois des veines. Elles apparaissent surtout dans la deuxième moitié de la grossesse, et elles ont, hélas ! tendance à s'aggraver à chaque grossesse.

À l'origine des varices, on retrouve essentiellement trois causes :
• d'abord, une mauvaise qualité du tissu qui constitue la paroi des veines ; cette mauvaise qualité est souvent héréditaire
• puis, le fait de rester longtemps debout, ce qui est le cas dans certaines professions
• enfin, la grossesse elle-même joue un rôle en distendant anormalement les parois des veines.

Les varices peuvent s'accompagner de troubles variés : sensation de pesanteur, de chaleur, de gonflement, de tension plus ou moins douloureuse des jambes. Parfois, les varices donnent des fourmillements ou des crampes. Ces troubles sont accentués par la station debout, par la fatigue, par la chaleur. Et ils sont évidemment plus importants en fin de journée. Il est très rare que les varices se compliquent au cours de la grossesse. Les modifications de la pigmentation (couleur) de la peau, de même que le classique ulcère variqueux, ne se voient que dans les varices très anciennes et sont exceptionnelles chez les femmes en âge d'être enceintes. La phlébite superficielle, au niveau d'une varice, est également très rare. Elle est caractérisée par l'apparition assez brutale de douleurs et de modifications de la varice (gonflement, rougeur, chaleur).

En règle générale, on peut donc dire que, hormis le souci esthétique immédiat – et plus encore lointain –, les varices n'ont pas de caractère de gravité. Après l'accouchement, elles disparaissent, au moins en partie. Mais elles ont tendance à réapparaître, et surtout à disparaître de moins en moins lors des grossesses suivantes.

PEUT-ON PRÉVENIR LES VARICES ?

Dans une certaine mesure, on peut prévenir l'apparition des varices en prenant diverses précautions, qui ont toutes le même but : **faciliter la circulation du sang dans les veines des jambes.**
• Évitez de rester debout trop longtemps : certains travaux professionnels et les travaux de ménage sont donc en cause. Avec un certificat médical, il faut que vous obteniez de pouvoir vous asseoir de temps en temps. Chez vous, dans toute la mesure du possible, faites assise les travaux que vous aviez l'habitude de faire debout. Si vous ne pouvez éviter la station debout, il est recommandé de porter, à titre préventif, des collants de contention.
• Prenez l'habitude de marcher souvent, bien chaussée, en évitant les talons trop hauts. D'ailleurs, même sans penser au risque de varices, la marche est de toute façon le meilleur exercice pendant la grossesse. La natation est également recommandée.
• Évitez ce qui peut comprimer les veines, chaussettes ou bottes trop serrées par exemple.
• Dormez les jambes un peu surélevées, en mettant sous les pieds du lit deux cales en bois. Vous pouvez aussi mettre sous les pieds un oreiller ou un coussin.
• Évidemment, si vous en avez la possibilité, il est conseillé également de vous étendre dans la journée quand vous avez un moment, avec les jambes surélevées.

COLLANTS DE CONTENTION
En pharmacie, vous trouverez chaussettes, bas et collants de contention (il existe différents degrés de maintien), remboursés partiellement par la Sécurité sociale sur prescription

• Enfin, les massages énergiques des jambes sont contre-indiqués ; de même les douches au jet.

Toutes ces précautions sont destinées à prévenir les varices. Elles deviennent d'autant plus nécessaires si des varices sont déjà apparues. En ce cas, il est recommandé, en plus :

• d'éviter de se tenir près d'une source de chaleur, radiateur, poêle ou cheminée, car la chaleur gonfle les veines ; pour la même raison, les bains de soleil sont contre-indiqués ainsi que les épilations à la cire chaude

• d'éviter les bains trop chauds ou trop froids : l'idéal est l'eau à la température du corps (37°)

• de porter des collants ou des bas de contention.

Détail pratique mais qui a son importance : il est recommandé de mettre ses collants – et de les ôter – en étant allongée, car dans cette position, les veines sont moins gonflées. Et si vous vous reposez dans la journée, il vaut mieux que vous ôtiez les bas ou collants tant que vous restez étendue.

Et les médicaments ? Ils ont peu d'action sur la constitution des varices elles-mêmes. En revanche, ils peuvent être efficaces contre les troubles entraînés par les varices : pesanteur, chaleur, lourdeur, etc. Ces médicaments sont à base de vitamine P et d'extrait de marron d'Inde.

Quant aux traitements plus actifs, destinés à supprimer les varices (par injections locales ou intervention chirurgicale), il ne saurait en être question pendant la grossesse. D'abord parce que ces traitements risquent d'être dangereux. Ensuite, parce que, spontanément, les varices disparaissent plus ou moins complètement après l'accouchement. C'est à ce moment-là que vous verrez avec le médecin ce qu'il y a lieu de faire. Les interventions se font en général entre trois et six mois après le retour de couches.

Au cours de la grossesse, il n'est pas rare de voir, associées aux varices ou précédant leur venue, des dilatations beaucoup plus fines, rosées, rouges, ou bleu-violet, dues à la dilatation de vaisseaux capillaires. Ces dilatations qui forment, ou un fin réseau, ou même une véritable plaque, disparaîtront au moins en grande partie après l'accouchement.

VARICES VULVAIRES

Chez certaines femmes, des varices peuvent apparaître au niveau des organes génitaux externes. Souvent très importantes, ces varices vulvaires peuvent être cause de douleurs à la marche ou lors des rapports sexuels. Ces varices disparaissent complètement après l'accouchement sans jamais laisser de séquelles. En attendant, il n'y a pas de traitement à suivre, seuls des soins locaux peuvent apporter un certain soulagement :

• bains de siège froids (sécher en tapotant et sans frotter, puis talquer modérément à sec)

• application de crème à l'oxyde de zinc.

GONFLEMENT DES MAINS ET DES PIEDS

Dans la seconde moitié de la grossesse, il est fréquent d'avoir les mains gonflées, surtout le matin au réveil. Ce gonflement serait dû à une mauvaise circulation liée à la position allongée pendant le sommeil. Certains médecins conseillent de dormir sur le côté, allongée à moitié assise sur deux oreillers. Quant au gonflement des pieds, il peut être lié à des problèmes veineux car il est plus fréquent chez les femmes souffrant de varices. Il peut aussi être le signe d'un mauvais fonctionnement rénal : il serait dû à une rétention d'eau, ou œdème. Ce gonflement serait alors le premier signe d'une complication de la grossesse, la toxémie gravidique (p. 240). N'hésitez pas à en parler à votre médecin.

TROUBLES URINAIRES

Le fonctionnement des reins n'est guère modifié pendant la grossesse, mais la présence de l'enfant leur impose un surcroît de travail. C'est pourquoi une insuffisance rénale ignorée avant la grossesse peut se révéler à ce moment-là. C'est dire combien il est important de faire à intervalles réguliers et répétés des analyses d'urines.

Quant à la vessie, souvent elle manifeste sa présence d'une manière tyrannique, surtout au début et à la fin de la grossesse : la femme enceinte ressent une envie fréquente d'uriner, beaucoup plus souvent qu'en dehors de la grossesse. Ce phénomène s'explique au début parce que la vessie subit l'influence des hormones sécrétées en quantité importante ; à la fin, parce que la tête de l'enfant appuie sur la vessie.

Pour éviter ces envies fréquentes d'uriner, la future mère a tendance à boire moins, surtout le soir pour ne pas être dérangée la nuit. C'est une réaction naturelle, mais en fait il faut boire au moins 1,5 l d'eau (ou de liquide) par jour ; en effet, boire beaucoup est la meilleure prévention des infections urinaires que l'on voit si souvent pendant la grossesse (p. 249).

Si l'envie fréquente d'uriner devenait vraiment trop gênante, parlez-en au médecin : il vous donnera des médicaments antispasmodiques, souvent efficaces.

Incontinence urinaire

Elle apparaît parfois pendant la grossesse. Elle peut être modérée : difficulté à retenir les urines ; ou plus importante : impossibilité de se retenir dès que l'envie survient, ou lors d'une toux, d'un éternuement, d'un effort.

Si cette incontinence apparaît pendant les six premiers mois, une rééducation du périnée, dite rééducation périnéale peut être commencée sans attendre. Cette rééducation est faite par un kinésithérapeute, une sage-femme ou un médecin. Demandez conseil à l'accoucheur ou à la sage-femme.

Si cette incontinence apparaît pendant les trois derniers mois, c'est simplement que le bébé comprime très fort la vessie, et cela ne veut pas dire que vous aurez nécessairement besoin d'une rééducation. Il vous suffira probablement de faire les exercices recommandés pour raffermir le périnée et le sphincter urinaire (pp. 346 et 398).

L'incontinence urinaire après l'accouchement est traitée page 391.

DÉMANGEAISONS OU PRURIT GRAVIDIQUE

Certaines femmes souffrent dans la deuxième moitié de la grossesse, et surtout à partir du 8e mois, de démangeaisons. Parfois sur tout le corps, mais plus souvent au niveau de l'abdomen. En général, elles ne sont pas accompagnées d'éruptions, mais peuvent être très intenses, et entraîner des lésions dues au grattage quand la femme ne peut pas s'empêcher de se gratter. Si ces démangeaisons sont trop importantes et s'accompagnent de lésions de grattage, il est vivement conseillé de consulter un médecin. Dans certains cas, il s'agit simplement d'une affection dermatologique liée à la grossesse pour laquelle un traitement approprié sera prescrit. Dans d'autres cas, il peut s'agir d'une anomalie du fonctionnement hépatique et ces démangeaisons sont un des symptômes de ce que l'on nomme la cholestase gravidique. Des mesures appropriées doivent être prises (p. 250).

PERTES BLANCHES

La peau est faite de cellules disposées en couches et, sans cesse, tout au long de la vie, les cellules de la surface vieillissent, meurent et sont éliminées puis remplacées par des cellules jeunes. Ce phénomène continu, qu'on appelle la desquamation, n'est pas visible à l'œil nu (sauf, par exemple, après un coup de soleil).

La muqueuse du vagin est faite comme la peau : sans cesse, des cellules se détachent et sont éliminées. Mais pendant la grossesse, sous l'influence des hormones sécrétées en grande quantité par les ovaires et le placenta, la desquamation des cellules devient beaucoup plus importante. Elles forment un enduit blanchâtre, sans odeur déplaisante, grumeleux, qui est tout à fait normal, et ne doit donc pas vous inquiéter. Il arrive même, chez certaines femmes, que ces pertes blanches, ou sécrétions vaginales, soient particulièrement abondantes pour mouiller leur slip ou leurs protections hygiéniques Cette hypersécrétion vaginale est sans danger. Elle témoigne simplement d'une exagération d'un processus normal.

Ces pertes blanches banales sont différentes des pertes généralement plus abondantes, souvent de couleur différente (jaunâtres ou verdâtres), et accompagnées de démangeaisons ou de brûlures locales : celles-ci sont les témoins d'une infection (*vaginite* ou *vulvo-vaginite*). Le diagnostic sera fait par le médecin qui s'aidera parfois d'un prélèvement. Si celui-ci montre la présence d'un champignon (*Candida albicans*) et/ou d'un parasite (*Trichomonas* ou *Gardnerella*), on parle alors de **vaginose**.

Le traitement des vaginites, assez fréquentes et sans gravité, est essentiellement local (ovules ou comprimés gynécologiques). Les récidives ne sont malheureusement pas rares au cours de la grossesse. Ces vaginites ou irritations peuvent parfois être dues aux substances contenues dans les protections féminines (tampons, serviettes). L'utilisation de protections en coton peut améliorer le confort. Par contre, les vaginoses réclament le plus souvent un traitement par voie générale.

L'infection vaginale à **streptocoque B** est d'un tout autre ordre, car elle peut être source de complications (méningite-septicémie) pour le nouveau-né qui risque d'être contaminé au moment de l'accouchement. Le diagnostic est difficile à faire car cette infection ne donne que peu ou pas de symptômes maternels. C'est pourquoi les médecins font pratiquer un examen systématique des sécrétions cervico-vaginales au 8e mois de grossesse, pour rechercher le streptocoque B. Un résultat positif conduit à administrer des antibiotiques au cours de l'accouchement et à surveiller particulièrement le bébé.

TENDANCE AUX SYNCOPES ET AUX MALAISES

La circulation du sang est modifiée pendant la grossesse : la quantité totale de sang augmente, un nouveau circuit est créé pour alimenter le placenta, les battements du cœur s'accélèrent.

Normalement le cœur fournit sans peine ce travail supplémentaire. Mais il arrive que se produisent certains malaises que les futures mères croient d'origine cardiaque. Cela va de la simple sensation de « tête qui tourne », au grand malaise profond et très désagréable : sensation de perte imminente de connaissance, accompagnée de sueurs froides.

Ces troubles n'ont pas de caractère de gravité. Ils ne sont pas d'origine cardiaque, ils seraient plutôt d'origine vasculaire car la grossesse retentit toujours plus ou moins sur l'état du système vasculaire (le sang remonte alors en moindre quantité vers le cœur). Ce genre de malaise survient souvent après une station debout prolongée et immobile (par exemple une attente à la caisse d'un magasin).

Si vous ressentez la venue d'un malaise, asseyez-vous. Si vous êtes chez vous, allongez-vous, les pieds surélevés de manière que le sang afflue vers la tête.

Pour éviter ce genre de troubles, ne restez pas à jeun le matin, évitez de rester longtemps debout sans bouger, évitez les brusques variations de température, ou le séjour dans un local trop chauffé. Si ces malaises sont fréquents et que vous conduisiez une voiture, arrêtez-vous dès que vous les sentez venir, c'est plus prudent.

À la fin de la grossesse, certaines femmes lorsqu'elles sont couchées sur le dos, se sentent au bord de la syncope. Pour faire disparaître ce malaise impressionnant, mais sans gravité, il suffit de se coucher sur le côté gauche, ou de s'asseoir à moitié en se calant par des oreillers. Ce malaise très particulier est dû à la compression par l'utérus de la veine cave inférieure, gros vaisseau qui ramène au cœur le sang veineux de toute la partie inférieure du corps.

On peut aussi placer un coussin sous les genoux : le bassin bascule vers l'arrière, les reins reposent sur le sol, et la veine cave n'est plus comprimée. Pour désagréables et impressionnants qu'ils soient parfois, ces troubles n'ont aucune conséquence ; mais, s'ils se reproduisent trop souvent, il faut en parler au médecin.

Le malaise hypoglycémique

Il survient presque toujours en fin de matinée. Il se traduit par des nausées et une sensation de faim accompagnées de transpiration. Ce malaise se produit si on a pris un petit déjeuner peu consistant : simple tasse de café ou de thé ; ou si on a mangé surtout des sucres à absorption rapide : sucre, confiture, miel. Ces sucres provoquent une sécrétion d'insuline, et cette sécrétion d'insuline va à son tour, environ deux heures plus tard, provoquer une hypoglycémie, c'est-à-dire une diminution du taux de glucose sanguin. Les femmes sensibles à ce malaise ont intérêt à fractionner leurs repas, à prendre au petit déjeuner un peu de pain, un œuf, du fromage maigre ou un peu de viande ; éventuellement à manger vers 10 h une pomme ou un yaourt. De même, il est bon de manger à nouveau quelque chose vers 16-17 h.

LES TROUBLES OCULAIRES

De petits troubles de la vision peuvent apparaître au cours de la grossesse : baisse de l'acuité visuelle, aggravation d'une myopie préexistante. Ils sont en règle générale sans gravité et transitoires. Il n'est pas rare que les lentilles de contact ne soient plus supportées en raison des modifications d'hydratation de la cornée. Il faut alors les remplacer par des lunettes. Chez les femmes ayant une très forte myopie, il est conseillé d'éviter les efforts expulsifs lors de l'accouchement (risque de décollement de la rétine). L'anesthésie péridurale, et éventuellement une application de forceps, éviteront ce risque.

L'ESSOUFFLEMENT

Souvent dans la deuxième moitié de la grossesse, la future mère est vite essoufflée. Monter un étage est une épreuve. Cette difficulté à respirer s'explique par le fait que l'utérus, en augmentant de volume, repousse la masse abdominale vers le haut et diminue ainsi le volume de la cage thoracique :

la future mère a donc moins de place pour respirer. Elle a l'impression d'étouffer. Cette sensation disparaîtra d'ailleurs lorsque l'enfant descendra pour s'engager dans le bassin.

Pour ne pas souffrir de ce malaise, qui s'accentue surtout au cours des deux derniers mois, il faut réduire le plus possible les efforts physiques. Si cette difficulté à respirer devenait trop grande, il faudrait consulter le médecin. Il examinerait votre cœur et vous prescrirait peut-être un calmant qui, par son action sédative, vous permettrait de mieux respirer.

LES DOULEURS

La grossesse, par les modifications qu'elle entraîne dans tout l'organisme, peut provoquer des douleurs, douleurs se situant à différents niveaux, et se produisant à différents moments suivant le stade de développement du bébé, l'âge de la grossesse, le nombre d'enfants, les antécédents chirurgicaux (appendicite, occlusion, coliques néphrétiques, etc.). Il est normal que, le corps s'adaptant à la grossesse, puis se préparant à l'accouchement, tout ce travail ne puisse se faire en silence, et que vous en ressentiez souvent les effets.

PARLONS D'ABORD DU VENTRE ET DU BASSIN

Au début de la grossesse, certaines femmes éprouvent une sensation de tiraillement ou de pesanteur au niveau du bassin et du bas-ventre, sensations qu'elles comparent à celles des règles, et qui sont plus intenses lorsque l'utérus est rétroversé (c'est-à-dire lorsqu'il est basculé en arrière vers le rectum). Ces douleurs inquiètent souvent les femmes parce qu'elles craignent une fausse couche ; en fait, ces douleurs correspondent au début de l'adaptation de l'utérus, à la « mise en place », elles sont très fréquentes.

En revanche, des douleurs très violentes situées dans la même région, et se produisant également au début de la grossesse, peuvent être le signe d'une menace d'avortement ou d'une grossesse extra-utérine : les signaler au médecin aussitôt **surtout si elles s'accompagnent de pertes de sang**.

Par la suite, le développement de l'utérus peut entraîner des douleurs dues à la distension des ligaments ; c'est ce qu'on appelle le syndrome ostéo-musculo-ligamentaire ; les douleurs sont situées au niveau de l'aine et elles irradient vers la cuisse.

À la fin de la grossesse, lorsque le bassin se prépare à l'accouchement, ses articulations se relâchent peu à peu. Ce relâchement est parfois douloureux. La femme le ressent surtout lorsqu'elle fait des efforts, ou lorsqu'elle marche. La douleur peut s'étendre de façon désagréable jusqu'à la vessie et au rectum. Pour la soulager, il n'y a guère que le repos, ou un antalgique prescrit par le médecin.

Des douleurs peuvent être ressenties au niveau du thorax : soit en arrière, le long de la colonne vertébrale, soit entre les côtes, comme des névralgies, soit enfin dans la région du foie. Quelle en est la raison ? Une distension de la cage thoracique ? Rien n'est sûr.

La future maman peut aussi ressentir des douleurs :
• au niveau de l'estomac : à cause de la compression provoquée par le développement du bébé
• au niveau du côté droit, sous les côtes, à cause de la compression de la vésicule biliaire.

Toutes ces douleurs peuvent être atténuées avec des antalgiques.

« MAL AUX REINS » ?

De nombreuses femmes enceintes se plaignent d'avoir « mal aux reins ». En fait, il s'agit de douleurs de la colonne vertébrale qui sont habituellement en rapport avec une exagération de sa courbure normale (vous avez pu remarquer que, surtout à la fin de la grossesse, les femmes enceintes sont très cambrées). Pour la même raison, il peut y avoir des douleurs de type sciatique. Ces douleurs sont plus intenses le soir, ou lorsque la femme est fatiguée, ou, enfin, après une station debout prolongée, d'où leur plus grande fréquence dans certaines professions. Ces douleurs sont sans gravité ; elles peuvent être atténuées par les exercices indiqués au chapitre 14 (p. 346) ; également par les activités aquatiques prénatales – en particulier la nage sur le dos – et par l'haptonomie. On peut aussi consulter un kinésithérapeute. Parlez-en quand même au médecin car ces douleurs peuvent être des contractions utérines (dans ce cas, le ventre devient dur).

PARLONS MAINTENANT DES JAMBES

Là, les douleurs sont fréquentes. Elles sont évidemment plus importantes lorsqu'il y a des varices. Parfois, la douleur est ressentie comme une sciatique, c'est-à-dire qu'elle se manifeste à la face postérieure des jambes et des cuisses. Cette douleur est souvent tenace, elle est difficile à soulager. Un traitement à base de vitamine B et aussi de magnésium est parfois efficace.

• Des **crampes** peuvent survenir à partir du 5e mois, dans les jambes et les cuisses, mais presque exclusivement la nuit. Ces crampes sont parfois si intenses qu'elles réveillent la future mère. Que faire ?
Lorsque vous souffrez d'une crampe, levez-vous et massez votre jambe. Si vous avez quelqu'un auprès de vous, demandez-lui de soulever votre jambe et de la lever assez haut. Vous essaierez de tendre votre pied dans le prolongement de la jambe, pendant que la personne qui vous tient la jambe forcera en sens inverse pour maintenir le pied perpendiculaire à la jambe. La crampe passée, faites quelques pas.

Les crampes sont souvent dues à un manque de vitamine B. Voyez au chapitre 3 quels aliments en contiennent. Le médecin pourra également vous prescrire une préparation à base de magnésium.
• Les femmes éprouvent parfois des sensations bizarres d'inconfort qui provoquent un besoin de bouger les jambes. C'est le syndrome des « jambes sans repos ». Il peut être source d'insomnie et il se traite comme les crampes.

PASSONS AUX BRAS

Là aussi, mais en fin de grossesse, des douleurs peuvent être ressenties : le bras semble lourd et contracté, ou plein de fourmillements. Ces douleurs apparaissent surtout à la fin de la nuit, lorsqu'on dort les bras sous la tête ou sous l'oreiller.
Voici deux mesures efficaces pour soulager les douleurs dans les bras :
• la nuit, dormez les épaules surélevées par deux oreillers
• le jour, évitez les gestes qui tirent sur les épaules, tel que porter des objets très lourds.

Ces douleurs sont la conséquence de compressions nerveuses dues aux modifications de la colonne vertébrale qu'entraîne la grossesse. Un antalgique indiqué par le médecin peut soulager les douleurs trop fortes.

LE SYNDROME DU CANAL CARPIEN
Il s'agit des fourmillements de la paume de la main qui surviennent souvent la nuit et peuvent être intenses. Ils sont dus à une compression des nerfs au niveau d'un canal qui se trouve au poignet, et s'arrêtent après l'accouchement. Lorsque ces fourmillements sont trop intenses, le rhumatologue peut faire une injection locale de corticoïdes.

TROUBLES DU SOMMEIL

Le sommeil peut être perturbé par la grossesse. Au début, la future mère ressent souvent un irrésistible besoin de dormir qui peut même la gêner pendant la journée. À la fin, au contraire, elle perd le sommeil durant la seconde partie de la nuit. Cette insomnie de la fin de la grossesse est due au fait que le bébé remue de plus en plus, et à l'augmentation des crampes et douleurs variées fréquentes à cette époque.

Comment lutter contre cette insomnie qui risque d'accentuer la fatigue ressentie à la fin de la grossesse ? Quelques moyens simples sont souvent efficaces :
• faire le soir un repas léger
• éviter les excitants tels que thé et café
• prendre un bain tiède avant de se coucher
• boire au moment de se mettre au lit une tasse de lait sucré ou de tilleul, ou prendre un verre d'eau sucrée auquel vous ajouterez trois cuillerées d'eau de fleur d'oranger
• vous pouvez essayer aussi des sédatifs légers à base de plantes.

Si vous dormez mal et si aucun des moyens indiqués ci-dessus n'est efficace, demandez au médecin un médicament pour dormir. Quant aux tranquillisants, dont certains agissent dans les cas de troubles du sommeil, n'en prenez pas sans avis médical, ils ne sont pas tous compatibles avec la grossesse. L'insomnie est parfois due à la crainte de l'accouchement qui approche. Parlez-en avec ceux qui vous entourent. Parler c'est toujours bon, garder pour soi ses craintes ne fait que les renforcer. Alors que la tranquillité d'esprit, le calme, c'est ce qui permet d'arriver détendue à l'accouchement.

CHANGEMENTS D'HUMEUR

De nombreuses femmes voient leur caractère changer pendant la grossesse : elles deviennent irritables, anxieuses ou très émotives. Même lorsqu'elles sont heureuses d'attendre un enfant, elles ont parfois des idées moroses qui les étonnent. Il peut y avoir de nombreuses raisons à ces modifications du caractère : peur des changements qu'entraîne dans toute famille une naissance, angoisse d'avoir un enfant anormal, peur de l'accouchement.

Sachez, si vous éprouvez de telles craintes, qu'elles sont compréhensibles, surtout si c'est la première fois que vous attendez un enfant. Tout est encore inconnu pour vous, tout vous semble mystérieux dans ce qui se passe et dans votre corps et dans votre esprit.

Parlez-en avec votre mari, ensemble vous surmonterez vos craintes. On ne se rend pas toujours compte du bienfait d'une conversation, surtout avec quelqu'un qui vous est proche. Si votre mari n'est pas là, vous parlerez à une amie ou une sœur, et vous découvrirez d'ailleurs avec soulagement que vos craintes ont été les leurs. Si vos angoisses persistent, n'hésitez pas à en parler au médecin, à la sage-femme.

EN CONCLUSION

Voici terminée la liste des malaises courants que peut provoquer une grossesse. Cette liste vous semblera peut-être longue, mais rien ne dit que vous éprouviez un ou plusieurs de ces troubles. Il y a des femmes qui traversent leur grossesse sans la moindre gêne, pendant que d'autres vont de vomissements en nausées, et de nausées en douleurs variées. Ces différences correspondent d'ailleurs souvent à des différences de tempérament.

Quoi qu'il en soit, avertie de ce qui peut vous arriver, vous saurez au moins dans quels cas le médecin peut vous soulager, et dans quels cas il n'y a rien d'autre à faire que d'attendre que le temps passe.

Nous ne disons pas cela pour vous pousser à la résignation ou au fatalisme, mais vous l'avez vu dans les pages qui précèdent, certains troubles sont liés à un certain stade de la grossesse et disparaissent sans autre intervention lorsque ce stade est dépassé.

Ajoutons une remarque plus générale. Nombre de ces malaises peuvent être réduits simplement par une meilleure manière de vivre. Vous avez peut-être vu d'ailleurs tout au long de ce chapitre que nous vous suggérons une nourriture bien adaptée aux circonstances, des exercices réguliers, un sommeil suffisant. Pensez-y avant de demander un médicament pour la digestion, un autre pour la circulation, etc.

Une dernière remarque intéressera celles qui ont déjà été enceintes : les malaises éprouvés lors d'une grossesse précédente ne se reproduisent pas nécessairement. Chaque grossesse est différente.

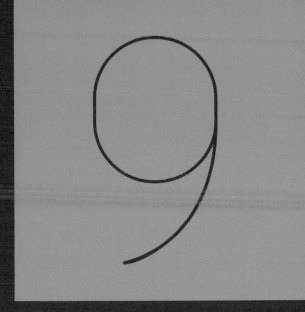

La surveillance médicale de la grossesse

La grossesse est un événement naturel dans la vie d'une femme. Mais que la nature ait prévu que l'ovule rencontre un spermatozoïde, qu'un œuf en naisse, et qu'au bout de neuf mois l'enfant paraisse, cela ne veut pas dire que ce processus naturel se déroule toujours sans heurt ; la nature fait parfois des erreurs : une fausse couche, une naissance prématurée, une naissance qui tarde. C'est dire l'importance de la surveillance médicale de la grossesse. Tout ce chapitre lui est consacré : la surveillance habituelle de toutes les futures mères ; celle, plus particulière, des mamans après 38-40 ans ; et celle, plus étroite, des grossesses « à risque ».
Un grand tableau pages 230-231 rassemble tous les examens, formalités, préparatifs.

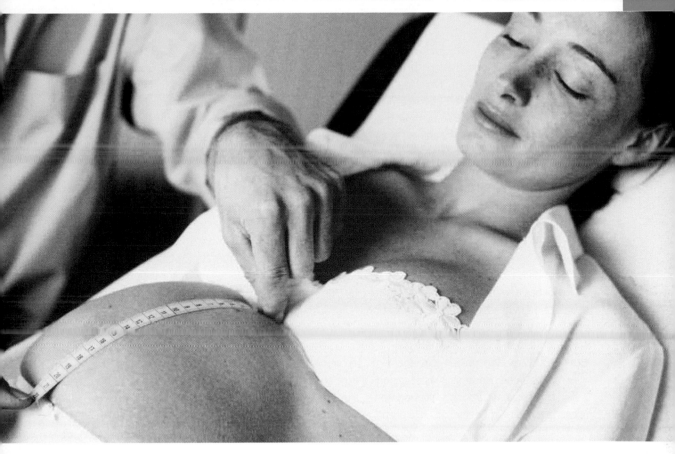

Qui va suivre votre grossesse ?

Un médecin (gynécologue, obstétricien, généraliste) ou une sage-femme ? Tous ces professionnels sont habilités à suivre une grossesse.

Le premier examen prénatal, au cours duquel la déclaration de grossesse est effectuée, peut être réalisé par un médecin ou une sage-femme. Mais il est important que l'équipe qui sera en charge de l'accouchement effectue les examens du 8e et du 9e mois pour que votre dossier médical soit complet.

La préparation à la naissance n'est pas obligatoire mais elle fait partie de la surveillance de la grossesse. La première séance est individuelle ; les sept autres peuvent être en groupe.

Où auront lieu les consultations ?

Cela dépend de l'endroit où vous souhaitez accoucher. Il est d'ailleurs important que dès la première visite prénatale vous décidiez, avec le praticien que vous verrez, du lieu de l'accouchement : n'hésitez pas à lui en parler s'il oubliait de le faire. C'est important car s'il y avait un problème pendant la grossesse et que votre médecin soit absent, vous devez savoir vers quelle maternité vous diriger en cas d'urgence.

En général, les consultations prénatales ont lieu au cabinet du médecin, qu'il soit spécialiste ou généraliste. Elles peuvent avoir lieu dans la maternité que vous aurez choisie, cela dépend de leur mode de fonctionnement. Les maternités publiques ont toutes un service de consultation sur place, assuré par un médecin ou une sage-femme. Il est d'ailleurs possible que ce ne soit pas toujours la même personne qui vous examine. Certaines maternités privées ont un service de consultations sur place, comme les maternités publiques. En général, c'est toujours la même personne qui vous recevra.

En cas d'urgence, la nuit, le week-end et les jours fériés, présentez-vous à la maternité où votre accouchement est prévu. Il y a toujours un médecin spécialiste et une sage-femme de garde pour vous accueillir.

Les sages-femmes

Il y a en France 15 000 sages-femmes (13 000 salariées et 2 000 libérales). Mais leur rôle n'est pas toujours bien connu, c'est pourquoi nous souhaitons vous dire quelques mots sur leur travail.

Les sages-femmes exercent une profession médicale. Leur rôle comporte : le diagnostic, la surveillance de la grossesse et la préparation à l'accouchement ; la surveillance de l'accouchement ; les soins postnatals de la mère et de l'enfant. Tant que tout est normal, les sages-femmes peuvent suivre du début à la fin la grossesse, l'accouchement et ses suites. Elles peuvent prescrire tous les examens nécessaires à leur pratique. Si un problème se pose, elles font appel à un médecin.

Au cours d'une grossesse, les occasions d'être en contact avec une sage-femme sont nombreuses, les voici : en consultations, à l'échographie, à domicile pour le suivi d'une grossesse à problèmes (sur prescription d'un médecin), pour la préparation à la naissance et l'entretien précoce (p. 221), en suite de couches, au planning familial, pour les soins des nourrissons et pour la rééducation périnéale. Et surtout lors de l'accouchement : les sages-femmes assurent seules près de 70 % des accouchements. Si ce n'est pas elles-mêmes qui assurent l'accouchement, elles veillent sur la mère et sur le bébé, avant et après l'intervention de l'accoucheur.

En conclusion, que les sages-femmes soient salariées ou qu'elles soient installées à leur compte, vous serez à un moment ou à un autre en contact avec ces « professionnelles » de la naissance.

• Entrons maintenant dans le détail des examens prénatals. Nous parlerons d'abord de la surveillance habituelle de la future mère. Ensuite, nous envisagerons les cas particuliers où des examens spéciaux sont nécessaires.

La surveillance habituelle de la femme enceinte

En France, il y a sept consultations obligatoires. La première se situe avant la fin du 3ᵉ mois de grossesse. Les autres sont passées chaque mois à partir du 4ᵉ et jusqu'à l'accouchement. En présence d'un symptôme anormal apparaissant entre les examens, vous aurez intérêt à consulter le médecin sans attendre la prochaine consultation obligatoire.

> **VOTRE GROSSESSE MOIS APRÈS MOIS**
> VOYEZ LE TABLEAU PP. 230-231

LA PREMIÈRE CONSULTATION

Elle est faite habituellement par un médecin mais elle peut l'être également par une sage-femme. Ce premier examen, qui est probablement le plus important, a pour but :
• de confirmer l'état de grossesse, comme nous l'avons vu dans le premier chapitre, en précisant son début et son terme probable
• d'en vérifier le caractère normal (absence de perte de sang, développement de l'utérus)

• d'évaluer l'existence de facteurs de risques susceptibles de modifier la surveillance. Aussi le médecin commencera-t-il par vous interroger pour recueillir un certain nombre de renseignements.

L'âge d'une future mère a son importance

Il existe un moment favorable pour être enceinte. Cet âge, on peut le situer approximativement entre 20 et 35 ans. Les très jeunes femmes, en dessous de 18 ans, sembleraient plus exposées que d'autres à certains accidents tels que l'accouchement prématuré. À partir de 38 ans, certains risques augmentent (p. 220). Heureusement, aujourd'hui les femmes très jeunes, ou au contraire plus âgées, peuvent bénéficier d'une surveillance de qualité.

Les antécédents médicaux sont importants à préciser

N'omettez pas de signaler toutes les maladies que vous avez eues, surtout si elles ont été graves ou si vous êtes encore sous traitement ; celui-ci aura été probablement adapté à la grossesse si vous avez passé une consultation avant la conception (p. 26 et 222). Signalez également l'existence de maladies héréditaires familiales. Signalez enfin, le cas échéant, que votre mère a pris du Distilbène pendant sa grossesse (p. 226). Ces antécédents pourront également, dans certains cas, inciter à une surveillance plus attentive de la grossesse.

N'hésitez pas à dire si vous avez eu un avortement et à quel stade de la grossesse il a eu lieu. Le médecin sera particulièrement attentif en cas d'avortement tardif ou d'accouchement prématuré. Si vous avez eu une IVG, ou même plusieurs, ne soyez pas inquiète, votre grossesse se déroulera, habituellement, tout à fait normalement.

Si votre couple a été longtemps infécond, et cette infécondité traitée avec succès, pensez que cette grossesse sera aussi précieuse pour le médecin que pour vous. Cela ne signifie pas pour autant que la surveillance sera bien différente de celle d'une grossesse survenue naturellement.

Des accidents ou des complications lors des grossesses ou des accouchements précédents peuvent entraîner une surveillance et des examens particuliers (voir plus loin *Les grossesses à risques*). En revanche, si vos grossesses et vos accouchements ont été normaux, tout permet de penser qu'il en sera de même pour cette nouvelle grossesse.

Les conditions sociales, économiques et psychologiques

Elles jouent indiscutablement un rôle dans l'évolution de la grossesse. Le médecin vous questionnera sur vos conditions de travail (fonction, horaires, éloignement, modes de transport...). Si vous-même, ou votre couple, rencontrez des difficultés particulières, il vous dirigera vers un lieu d'écoute et d'aide (voir plus loin *L'entretien prénatal précoce*) ; ces lieux sont en train de s'organiser au sein du réseau périnatal de chaque région.

Les habitudes de vie

Le médecin vous posera des questions sur vos habitudes alimentaires et sur votre façon de vivre. Si vous fumez, il vous conseillera formellement de cesser, et il vous aidera par la prescription de patchs à la nicotine, ou bien il vous adressera à la consultation de tabacologie de votre maternité.

Les examens

Puis vont succéder :

• Un **examen général** qui comprend la mesure de la taille, du poids, de la tension artérielle ; l'auscultation du cœur, l'examen des seins, etc.

• Un **examen gynécologique**. Le toucher vaginal, en début de grossesse, renseigne sur le volume de l'utérus. Il n'est cependant pas fait systématiquement. Un frottis de dépistage du cancer du col sera effectué si votre dernier frottis date de plus de deux ans.

• Des **examens de laboratoire**. Le médecin vous prescrira pour maintenant, et pour toute la durée de la grossesse, les examens biologiques à faire pratiquer. Ces examens comportent essentiellement une prise de sang et un examen des urines à la recherche d'albumine (proteinurie).

La prise de sang va permettre :

• de vérifier l'absence de syphilis

• de préciser le groupe sanguin : même lorsque celui-ci est déjà connu, il est prévu de le vérifier. Deux déterminations sont obligatoires et doivent être faites par le même laboratoire, avec un résultat informatisé inscrit sur la carte (une inscription manuelle n'est pas valable) ; si vous êtes rhésus negatif, il est nécessaire de rechercher dans votre sang la présence d'agglutines antirhésus (p. 260)

• de savoir si vous êtes ou non immunisée contre la toxoplasmose et la rubéole (pp. 246-248)

• de vérifier l'absence de sida (recherche d'anticorps anti HIV). Cet examen est indispensable quand la femme se situe dans un groupe à risques (toxicomanes, femmes transfusées avant 1991). Chez les autres, l'examen est simplement recommandé (cependant accepté la plupart du temps)

• un dépistage de l'anémie, par une numération sanguine, sera pratiqué en cas de facteur de risque.

D'autres informations et recommandations

Dès la première consultation, le médecin ou la sage-femme vous donnera une information la plus large possible, écrite ou orale, sur l'importance d'un suivi régulier pour vous et votre bébé.

Vous serez également informée sur :

• Les différentes possibilités du suivi de la grossesse, la préparation à la naissance et à la parentalité, et notamment l'intérêt de **l'entretien précoce** (p. 211)

• Les différents dispositifs d'accompagnement psychosocial, en particulier les droits liés à la maternité (par exemple le congé de maternité) et la manière de les faire valoir

• Les bienfaits d'une alimentation et d'un mode de vie équilibré (chapitre 3) et les dangers d'une auto-médication (p. 222).

• L'intérêt, dans certaines situations, de l'aide que peut apporter un diététicien, un médecin nutritionniste, un kinésithérapeute, une sage femme orientée en sophrologie ou en haptonomie.

Le médecin organisera avec vous les **rendez-vous échographiques**, qui sont au nombre de trois, le premier ayant lieu à 12 semaines d'aménorrhée. Il vous informera de la possibilité du test des **marqueurs sériques**, réalisé en même temps que l'échographie, afin d'établir un risque combiné de la trisomie 21 (p. 180). Le médecin qui aura prescrit les examens recevra les résultats et, en cas d'anomalie biologique (marqueur de la trisomie 21) ou échographique, il vous orientera vers des examens complémentaires et il vous prêtera une attention particulière.

Enfin, vous ferez, avec le médecin ou la sage-femme, le choix de la maternité où vous accoucherez. C'est à cette maternité que vous vous rendrez si vous avez un problème pendant la grossesse.

De plus, le médecin vous informera de la place de la maternité choisie dans l'ensemble du réseau périnatal de votre département (voir *Comment choisir la maternité* p. 277).

À l'issue de cette consultation, le médecin, ou la sage-femme, aura recueilli, par ses questions et par l'examen qu'il aura fait, un certain nombre de renseignements. Ils vont lui permettre, dans une certaine mesure, de prévoir si votre grossesse nécessitera ou non une surveillance particulière. Dans la plupart des cas (neuf fois sur dix ou moins) tout est favorable. Vous êtes en bonne santé et votre grossesse commence normalement. Tout permet de penser qu'elle se déroulera sans histoire pour se terminer par un accouchement normal. Sa surveillance ne nécessitera pas de mesure particulière. Une fois sur dix environ, la grossesse nécessite des mesures spéciales dont nous vous parlerons plus loin : ce sont les « grossesses à risques ».

• La **déclaration de grossesse** sera faite soit lors de cette première consultation soit après la première échographie. Elle doit être faite avant la fin des 14 premières semaines. Le médecin ou la sage femme vous remettra les feuillets signés à transmettre à votre centre de Sécurité sociale et à votre caisse d'Allocations familiales (chapitre 17).

• Si vous êtes suivie par un professionnel en dehors de la maternité où vous devez accoucher, celui-ci pourra vous remettre un **dossier périnatal** où seront consignés les éléments les plus importants de votre dossier médical. C'est vous qui le conserverez et il servira de lien entre les différents intervenants que vous serez amenée à rencontrer. À l'avenir, un dossier périnatal informatisé devrait voir le jour.

• Dès le premier trimestre, vous pouvez vous inscrire à la **préparation à l'accouchement** qui est maintenant prise en charge à partir de la déclaration de grossesse. Les séances de préparation sont complémentaires des consultations médicales. Les consultations sont là pour vérifier le bon déroulement de la grossesse, elles sont en général assez courtes. Les séances de préparation sont plus longues, elles se passent dans un climat détendu, loin de tout dépistage plus ou moins angoissant. La future maman a le temps de poser des questions. Elle peut partager son expérience avec d'autres femmes enceintes (p. 329).

LA DEUXIÈME CONSULTATION (4e MOIS)

Elle comporte un examen général avec : prise de la tension artérielle, mesure du poids, mesure de la hauteur utérine, recherche des bruits du cœur.

UN PEU D'APPRÉHENSION
Aller à une consultation c'est inévitablement poser la question : « Est-ce que tout va bien ? » Et donc envisager par là même que la réponse puisse être, sinon négative, du moins ambiguë ; c'est être impressionnée par la blouse blanche (certains médecins n'en portent plus pour dédramatiser l'acte, mais en fait cela ne change rien) ; c'est se préparer à poser beaucoup de questions et en abandonner la moitié par... timidité ; c'est se trouver devant quelqu'un pour qui attendre un enfant est un événement habituel, alors qu'on le considère soi-même comme exceptionnel ; c'est aussi subir un examen intime que l'on appréhende souvent. C'est vrai que parfois certains médecins n'ont pas assez de temps à vous consacrer, qu'ils peuvent être maladroits en paroles. Heureusement aujourd'hui, avec la plupart des médecins et des sages-femmes, l'accueil est chaleureux et les contacts sont faciles.

L'examen sérologique de la toxoplasmose sera prescrit en cas de sérodiagnostic négatif, ainsi qu'un examen des urines à la recherche d'albumine.

L'entretien prénatal précoce

Comme son nom l'indique, cet entretien peut avoir lieu dès la déclaration de grossesse et il est pris en charge par l'assurance maternité. Si on ne vous l'a pas proposé, demandez à la maternité, au médecin ou à la sage-femme comment en bénéficier.

L'entretien précoce, créé récemment, permet une rencontre plus longue qu'une consultation (au moins 45 minutes) et en dehors du contexte strictement médical. Il peut être individuel, ou en couple, selon votre souhait. Son but est de vous laisser parler de votre grossesse, de vos éventuelles préoccupations, difficultés socioprofessionnelles, familiales ou psychologiques. Si vous avez besoin d'aide pour arrêter de fumer par exemple, ou si votre situation nécessite que vous rencontriez une assistante sociale, une psychologue, un médecin spécialiste, la sage-femme ou le médecin vous donnera les coordonnées des professionnels les plus appropriés appartenant au réseau périnatal de votre région. On vous communiquera également les adresses d'associations de soutien à l'allaitement pour prendre contact avec elles avant la naissance, ou d'associations de jumeaux si vous attendez deux bébés.

Cet entretien peut se faire dans le cadre de la première séance de préparation à la naissance et il s'orientera alors vers d'autres besoins : quel type de préparation recherchez-vous ? Souhaitez-vous allaiter au sein ? Comment accueillir au mieux votre bébé et prendre soin de lui ?... Plus cet entretien a lieu tôt dans la grossesse, plus il vous sera utile. Mais il reste important même au troisième trimestre.

En principe cet entretien donne lieu à la rédaction d'un document à mettre dans votre dossier médical. Ce document servira de lien entre les différents professionnels que vous rencontrerez. Il peut aussi être rédigé lors des dernières séances de préparation et deviendra alors votre « projet de naissance » (p. 331) transmis à l'équipe qui vous prendra en charge le jour de l'accouchement.

UNE MEILLEURE PRISE EN CHARGE
Devant la découverte d'un problème médical en début ou en cours de grossesse, il est possible qu'on vous oriente vers un gynécologue-obstétricien attaché à une maternité de niveau II ou III (p. 278). Vous et votre bébé pourrez ainsi être pris en charge de la meilleure façon possible.

LA TROISIÈME CONSULTATION (5ᵉ MOIS)

Elle comporte le même examen général et les mêmes examens biologiques (toxoplasmose et albumine) que ceux pratiqués lors de la consultation du 4ᵉ mois.

Il vous sera rappelé le rendez-vous d'échographie de la 22ᵉ semaine qui a lieu au milieu du 5ᵉ mois.

Enfin, si vous n'avez pas encore commencé à suivre des cours de préparation à la naissance, le médecin, ou la sage-femme, vous dira l'intérêt de participer à de telles séances.

LA QUATRIÈME CONSULTATION (6e MOIS)

Cette consultation se déroule selon le même schéma que l'examen précédent, avec cependant une attention toute particulière à l'examen du col s'il existe des facteurs de risques d'accouchement prématuré. Au besoin, le médecin mesure le col par échographie ou le fera faire par un échographiste.

Ensuite, le médecin vérifie que l'utérus est normalement développé. Pour cela, il mesure la hauteur utérine et la compare aux chiffres habituels. Mesurer la hauteur de l'utérus, ce n'est pas mesurer la taille du fœtus, ce qui serait d'ailleurs impossible puisqu'il est tout ramassé sur lui-même, mais plutôt son volume (c'est-à-dire la place qu'il prend). Cette mesure permet de vérifier s'il a bien le développement correspondant à l'âge théorique de la grossesse.

Le médecin vérifie également les bruits du cœur. Cette auscultation peut se faire soit avec un stéthoscope ordinaire, soit avec un appareil spécial (stéthoscope à ultrasons), grâce auquel vous pourrez vous-même entendre battre le cœur de votre enfant.

L'examen général a essentiellement pour but de surveiller la tension artérielle, le poids. Au cours de cette consultation, le médecin va prendre connaissance de l'échographie de la 22e semaine. En cas d'anomalie ou de doute, il vous conseillera sur les dispositions à prendre : contrôle échographique supplémentaire ou avis d'un centre obstétrical spécialisé du réseau périnatal de votre région.

Certains examens biologiques sont prescrits à cette consultation :
• sérologie de la toxoplasmose si les résultats étaient auparavant négatifs
• recherche de l'albumine dans les urines
• numération pour rechercher une anémie si elle n'a pas été faite lors de la première consultation
• recherche des antigènes HBS pour vérifier votre immunité vis-à-vis de l'hépatite B
• recherche d'agglutines irrégulières si vous êtes est rhésus négatif et votre mari rhésus positif (p. 260)
• enfin, éventuellement, recherche d'un diabète par un dosage de la glycémie à jeun ou par un test d'hyperglycémie provoquée par absorption de 75 g de glucose.

LA CINQUIÈME CONSULTATION (7e MOIS)

Elle comporte le même examen général que celui pratiqué lors de la consultation précédente, avec une attention toute particulière à la tension artérielle car la toxémie se manifeste souvent à cette période de la grossesse.

La sérologie de la toxoplasmose est à contrôler, si nécessaire. Une recherche plus fréquente (tous les 15 jours) d'albumine dans les urines est conseillée.

Si vous êtes rhésus négatif, une vaccination vous sera proposée pour prévenir tout risque (p. 260).

Enfin, le médecin vous rappellera le rendez-vous de la troisième échographie de la 32e semaine.

LA SIXIÈME CONSULTATION (8e MOIS)

Cette consultation a plus spécialement pour objet de prévoir autant que faire se peut la façon dont se déroulera l'accouchement : appréciation du volume du fœtus ; appréciation de la manière dont se présentera l'enfant : par la tête – c'est la présentation habituelle –, par le siège, etc. ; caractéristiques du bassin. L'examen du bassin se fait dans les dernières semaines, car c'est alors seulement qu'il atteint les dimensions qu'il aura à l'accouchement.

Si le médecin soupçonne une anomalie, ou si votre bébé se présente par le siège, il vous demandera de faire faire une radiopelvimétrie ou un scanner du bassin. Tout ceci est sans risque pour votre enfant.

C'est au cours de cet examen du 8e mois que le médecin sera en mesure d'établir un pronostic sur l'accouchement et notamment si, selon lui, l'accouchement pourrait avoir lieu naturellement ou si au contraire, il faudrait envisager une césarienne. De toute façon, c'est le médecin de garde le jour de l'accouchement qui aura la responsabilité de la décision.

Au cours de cette consultation, sont recherchés :
• la sérologie de la toxoplasmose, en cas de négativité
• les agglutines irrégulières, en cas de rhésus négatif
• l'albumine : la recherche se fait désormais tous les 10 jours
• enfin, un prélèvement vaginal à la recherche de streptocoque sera prescrit. Le streptocoque B est sans danger pour la mère ; mais sa présence nécessite de prendre des antibiotiques pendant l'accouchement pour protéger le bébé.

Pour terminer, il vous sera demandé de prendre rendez-vous avec un anesthésiste. Cette consultation est obligatoire, que vous souhaitiez une péridurale ou non.

LA SEPTIÈME CONSULTATION (9e MOIS)

C'est la dernière consultation avec le médecin ou la sage-femme. Les examens biologiques sont les mêmes qu'au 8e mois et c'est au cours de cette consultation que vous aurez probablement envie de poser des questions à propos de l'accouchement : la péridurale est-elle possible ? L'épisiotomie se fait-elle systématiquement, peut-on l'éviter ? Vous aurez peut-être également envie de savoir si une sage-femme restera près de vous pendant le travail. Vous pourrez demander, si vous ne l'avez déjà fait, qui vous assistera lors de votre accouchement : le médecin ou l'équipe ayant suivi votre grossesse, ou bien un praticien de garde. Vous aimerez aussi savoir comment sera accueilli votre bébé après la naissance : pourrez-vous le garder près de vous ? Et à propos de l'allaitement : y-a-t-il une association d'aide à l'allaitement dans le secteur ? La maternité est-elle en relation avec elle ?

Enfin, le médecin, ou la sage-femme, vous rappellera que, si vous n'avez pas accouché à la date prévue, vous devrez vous présenter à la maternité à cette date pour faire différents examens.

EXAMENS, FORMALITÉS, PRÉPARATIFS…
Un grand tableau rassemble, pages 230-231, les consultations et les examens à passer, les formalités à accomplir, les préparatifs à faire. Il vous permettra également de suivre les grandes étapes du développement de votre bébé.

Les échographies

LES 3 ÉCHOGRAPHIES DE LA GROSSESSE
• La 1ʳᵉ se fait vers la 12ᵉ semaine d'aménorrhée (SA)
• La 2ᵉ se fait vers la 22ᵉ SA
• La 3ᵉ se fait vers la 32ᵉ SA
Elles ont pour but de :
• préciser l'âge de la grossesse
• faire un éventuel diagnostic de jumeaux
• surveiller la croissance et la vitalité du bébé
• observer le placenta et le liquide amniotique
• dépister d'éventuelles anomalies.

Les trois échographies dont bénéficient les futures mères tiennent une place privilégiée dans la surveillance médicale de la grossesse. En permettant de visualiser, dès les premiers stades, l'embryon, puis le fœtus, puis l'enfant, l'échographie a transformé l'exercice de l'obstétrique ; elle a également modifié le « regard » de la maman sur l'enfant qu'elle porte en elle. Avant, elle le sentait, elle le touchait, elle pouvait écouter son cœur ; avec l'échographie, elle le « voit ». Et pour le père, c'est la grande découverte.

QU'EST-CE QUE L'ÉCHOGRAPHIE ?

Vous le savez peut-être, on appelle ultrasons des sons qui ne peuvent pas être perçus par l'oreille humaine. Ils ont la propriété, lorsqu'ils sont émis par une source quelconque, de se réfléchir sur un obstacle, et de revenir à la source comme un écho. D'où le nom de cette méthode, l'échographie.

Voici comment les ultrasons sont utilisés en médecine. Lorsqu'un cristal de quartz est soumis à des impulsions électriques, il vibre et envoie des ultrasons qui sont captés à leur retour, puis transformés par des systèmes informatiques ; ces systèmes reconstruisent point par point, sur un écran, l'image du fœtus et de ses organes. Ces images peuvent être enregistrées sur une cassette vidéo, si le médecin le juge nécessaire. En général, ces images sont photographiées, et mises, avec le compte rendu de l'examen, dans le dossier de la future mère ; cela permet des comparaisons d'un examen à l'autre.

Les échographistes sont souvent réticents à enregistrer des images à la demande des parents. L'échographie est un acte médical à haute responsabilité et non une séance photo, vidéo pour l'album de famille. C'est d'ailleurs une notion que les parents comprennent très bien lorsqu'elle leur est expliquée.

EN PRATIQUE

• L'échographie peut être réalisée soit par le gynécologue-obstétricien, soit par un échographiste, indiqué par le médecin. Prenez votre rendez-vous à temps, car le moment des échographies au cours de la grossesse est important : elles ont lieu habituellement à 12, 22 et 32 semaines d'aménorrhée (voyez plus loin).
• Ne mettez aucune crème, huile, gel sur le ventre pendant toute la semaine qui précède l'examen.
• Tenez-vous en aux instructions du secrétariat d'échographie en ce qui concerne l'absorption d'eau avant l'examen ; le plus souvent, elle est inutile.
• Pour obtenir de bonnes images, le médecin met du gel sur la peau, puis il passe sur le ventre une

LES TROIS ÉCHOGRAPHIES

1. À 12 SEMAINES **2. À 22 SEMAINES** **3. À 32 SEMAINES**

sonde émettrice/réceptrice d'ultrasons qui se présente sous forme d'une large barrette courbe.

• Pour la première échographie, le médecin utilise parfois une sonde vaginale, recouverte d'une sorte de préservatif à usage unique, enduit de gel. Cette technique permet souvent, surtout en début de grossesse, d'obtenir des images plus précises. Cet examen n'est ni douloureux ni dangereux pour la grossesse.

• Trois échographies sont pratiquées au cours d'une grossesse normale, et remboursées (à 70 % les deux premières et 100 % la troisième). Au-delà, il est nécessaire de demander une entente préalable auprès de la Sécurité sociale. Le médecin se charge de remplir le formulaire.

• Cet examen nécessite de la part de l'échographiste un maximum de concentration et de vigilance. Ne soyez pas surprise de son éventuel mutisme. Il sera plus à même de vous faire part de ses conclusions lorsque l'examen sera terminé. De plus, venez seule ou en couple, mais pas avec une amie ou des enfants.

LA PREMIÈRE ÉCHOGRAPHIE

Les échographistes recommandent de la réaliser entre 11 semaines d'aménorrhée et 13 semaines + 6 jours. Cette première échographie permet d'apprécier la vitalité de l'enfant et de faire un éventuel diagnostic de jumeaux. Grâce à la mesure de la longueur de l'embryon, cette échographie est capable de préciser l'âge de la grossesse, et donc d'évaluer le terme théorique à 4 jours près.

Elle permet également de mesurer la **clarté nucale**, c'est-à-dire l'épaisseur de la nuque (p. 129). Cette mesure représente un des moyens de dépister la trisomie 21. En fait, il ne s'agit pas d'un dépistage mais d'un moyen d'évaluer un risque (p. 180). Cette évaluation sera combinée avec les marqueurs sériques (p. 181) afin qu'en cas de risque élevé de trisomie 21 puissent être proposées soit une biopsie du trophoblaste, soit une amniocentèse (p. 181).

> **UN PEU D'INQUIÉTUDE**
> *Aujourd'hui les parents connaissent l'importance de cette mesure de la nuque et ce qu'elle peut impliquer. C'est pourquoi ils se rendent souvent à ce premier examen avec une petite inquiétude.*

• Certaines situations peuvent conduire le médecin à pratiquer une échographie plus tôt, notamment chez les femmes très mal réglées, ou en cas de saignement, ou si la grossesse fait suite à une procréation médicalement assistée. Cette échographie précoce confirmera la bonne évolution de la grossesse, ou montrera l'arrêt de celle-ci. La fausse couche est alors prévisible à plus ou moins brève échéance. Cette échographie permet également de diagnostiquer une grossesse extra-utérine.

LA DEUXIÈME ÉCHOGRAPHIE

Elle est faite entre 20 et 22 semaines d'aménorrhée. À cette période, le fœtus est complètement formé. On peut donc l'observer en détail et déceler d'éventuels troubles et anomalies de la croissance. C'est lors de cette échographie que l'on peut faire le diagnostic du sexe de l'enfant, bien évidemment si la position du fœtus le permet.

LA TROISIÈME ÉCHOGRAPHIE

Elle est faite vers 32 semaines d'aménorrhée et elle permet de vérifier si tout se présente normalement en vue de l'accouchement (position et volume de l'enfant, insertion du placenta par exemple). Cette échographie permet également de confirmer la bonne santé de l'enfant et sa croissance.

QUELQUES PRÉCISIONS

Entrons maintenant dans le détail de ces échographies. Chaque examen échographique comporte quatre parties dont l'importance varie selon l'âge de la grossesse.

• L'examen général du bébé et de ses organes : c'est l'examen **morphologique**. Des organes, ou parties d'organes, sont connus pour leur utilité dans le dépistage de certaines pathologies et notamment de certaines anomalies chromosomiques, comme la trisomie 21. C'est ainsi qu'il est prêté une attention particulière à l'analyse des reins, du cerveau, de l'intestin, de la longueur des membres et de la longueur des os du nez. Les médecins parlent de « petits signes d'appels échographiques de la trisomie 21 ». En cas d'anomalie, il sera proposé un contrôle et éventuellement une amniocentèse, après avis du CPDPN (p. 180).

• La mesure de certaines parties du bébé, c'est l'étude **biométrique**. Les mesures du crâne, de la longueur du fémur, du diamètre de l'abdomen, permettent de surveiller la croissance.

• On apprécie aussi la **vitalité** de l'enfant : activité cardiaque, mouvements des membres, mouvements « respiratoires », déglutition.

• Enfin on observe le **milieu** dans lequel vit le bébé : quantité de liquide amniotique, étude et localisation du placenta (p. 243).

Dans certains cas, le médecin peut décider de faire une écho-doppler (pp. 134 et 229). Cet examen permet d'analyser la circulation dans les vaisseaux de la mère (artère utérine) et de l'enfant (vaisseaux du cordon ombilical, artère cérébrale), et d'examiner plus précisément certains mouvements du fœtus, comme la déglutition.

La réunion de tous ces éléments, au cours des trois échographies, constitue une sorte de **bilan de santé** de l'enfant. Ce bilan est impossible à faire par une autre méthode. Il renseigne sur l'état immédiat, mais aussi sur des pathologies pouvant se manifester plus tard.

Si le médecin évoque un problème mineur pour leur enfant, sans conséquence pour son avenir, les parents ne peuvent s'empêcher d'être inquiets et d'attendre avec impatience la naissance. Ils ne seront complètement rassurés que lorsque le bébé aura été examiné par le pédiatre.

LES ÉCHOGRAPHIES SOUVENIR
Toute échographie à visée non médicale est fortement déconseillée aux femmes enceintes. Certaines sociétés proposent aux parents de réaliser des « échographies souvenir », avec de belles images. De tels clichés exposent inutilement, et longuement, le bébé aux ultrasons. C'est d'ailleurs ce que précise la HAS (Haute Autorité de Santé) : l'échographie est un examen médical qui doit n'être utilisée que dans un but médical et par des professionnels de santé.

LE COMPTE RENDU D'EXAMEN

À l'issue de chaque échographie, le médecin remet aux parents un compte rendu de l'examen qu'il a réalisé. Ce document comporte, en règle générale, une description de l'enfant, ainsi que les différentes mesures des organes examinés. Ces mesures sont reportées sur des courbes de référence pour chaque période de la grossesse, ce qui permet d'en déterminer la normalité.

Le médecin joint à ce document les documents échographiques les plus significatifs sur le plan médical. Enfin, il termine son compte rendu par une conclusion signifiant qu'au cours de son examen, il n'a pas noté d'anomalie particulière, ce qui ne veut pas dire pour autant qu'il puisse garantir que tout est normal. La technique d'échographie, comme toute technique, ne le lui permet pas.

Vous le voyez, l'échographie n'échappe pas à la finalité de tout examen médical qui est de rechercher d'éventuelles anomalies. Les parents, eux, ont une autre attente, une autre vision de l'échographie : celle-ci est pour eux une façon de découvrir leur bébé, de le voir grandir et se développer. C'est sous ce double regard, l'un médical et objectif, l'autre attendri et ému, que se déroulent les échographies.

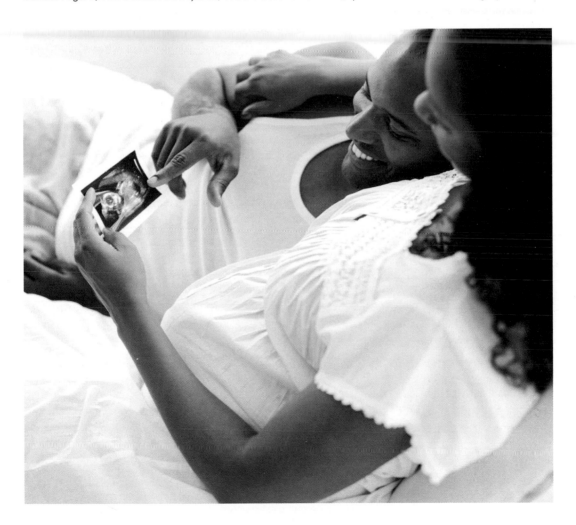

Les signes d'alerte
Est-ce normal ? Est-ce inquiétant ?

Dans la surveillance médicale de la grossesse, ce qu'observe et ressent la future mère est aussi très important. C'est elle, en effet, qui est la mieux placée pour en apprécier le déroulement et pour noter l'apparition d'un symptôme d'alerte. Heureusement, le plus souvent, tout est rassurant. Le ventre reste souple lorsque vous-même, ou votre mari, posez vos mains sur lui ; vous percevez les mouvements de votre bébé ; vous mangez avec appétit ; vous dormez bien.

Voyons plus en détail quelques éléments importants à surveiller.

Les contractions

Le travail de l'accouchement se fait essentiellement par les contractions de l'utérus qui ouvrent le col, poussent l'enfant et lui permettent de sortir ; nous vous parlerons de tout cela en détail au moment de l'accouchement. Mais déjà pendant la grossesse, ce muscle, l'utérus, se contracte un peu tous les jours ; on pourrait dire que c'est l'occasion pour lui de s'exercer, de se préparer. **Les contractions sont un phénomène normal** qui existe tout au long de la grossesse. Elles commencent à être perçues à partir du 6e mois et cela va s'accentuer jusqu'à l'accouchement. Parfois ce sont les mouvements du bébé qui déclenchent des contractions. Lorsque l'utérus se contracte, vous le sentez se durcir sous vos mains, comme si « le bébé se mettait en boule ». En fait, c'est l'utérus qui se resserre, le bébé, lui, est bien protégé par le liquide amniotique.

Lorsque survient une contraction, si vous en avez la possibilité, allongez-vous une bonne demi-heure, les jambes repliées, la tête soutenue par un coussin, pour relâcher les muscles abdominaux. Posez les mains sur le ventre, votre bébé sentira votre présence.

Ces contractions sont en général indolores, et courtes. Le ventre est dur pendant 30 à 40 secondes. Elles sont réparties inégalement pendant la journée ou la nuit. Il peut y avoir deux ou trois contractions de suite, puis plus rien pendant quelques heures, voire plusieurs jours. Dès que vous vous allongez, ces contractions cessent. Vous les signalerez à la prochaine consultation.

Si vous sentez que l'utérus reste dur plus longtemps que d'habitude, ou que les contractions sont plus fréquentes, plus intenses, et ne cessent pas si vous vous allongez, vous consulterez sans tarder. Le médecin, ou la sage-femme, vérifieront, au besoin par l'échographie du col, si celui-ci est modifié ; cela pourrait signifier un risque d'accouchement prématuré (p. 271) ; une hospitalisation pourrait être envisagée.

La fatigue

Tout excès d'activité physique, ou de stress, ou de sport, trop d'allées et venues, peuvent provoquer des douleurs ou des sensations de lourdeur dans le ventre, dans les reins, qui sont en fait des contractions. Il est important de tenir compte de ces signes et de se reposer. N'hésitez pas à vous allonger en rentrant de votre travail, ou dans la journée lorsque cela est possible. Et si vous vous sentez vraiment fatiguée, n'attendez pas la prochaine consultation prévue, allez voir le médecin ou la sage-femme.

L'albumine

L'analyse des urines pour rechercher le taux d'albumine est indispensable. Elle est faite régulièrement à la maternité à l'occasion des consultations. Sinon, comme on vous l'indiquera, vous pourrez faire cette recherche vous-même, à l'aide de papiers-index colorés (vendus en pharmacie). Certains de ces papiers-index permettent également le dépistage des infections urinaires. On conseille de faire cette recherche toutes les 3 semaines jusqu'à 6 mois, puis tous les 10 jours ensuite. S'il existe de l'albumine, ne serait-ce qu'à l'état de traces, recommencez l'examen le lendemain après une toilette locale ; s'il y a encore des traces, allez à la consultation, ou allez voir le médecin. La présence d'albumine peut être le premier signe d'une toxémie gravidique qui se révèle souvent de façon très brutale (p. 240).

Le poids

La surveillance du poids n'est pas moins indispensable. Pesez-vous toutes les semaines. Si l'on note une prise de poids anormale – surtout si elle est brutale – il sera nécessaire de consulter le médecin ou la sage-femme. Il y a des femmes qui prennent peu de poids pendant leur grossesse, d'autres qui en prennent beaucoup, mais les deux ont des courbes régulières. Ce qui doit alerter c'est une cassure de la courbe.

QUAND FAUT-IL S'INQUIÉTER ET TÉLÉPHONER AU MÉDECIN OU À LA SAGE-FEMME, OU SE RENDRE À LA MATERNITÉ ?
VOICI LES SYMPTÔMES À SIGNALER
- *les pertes de sang*
- *la présence d'albumine dans les urines*
- *une prise de poids trop rapide*
- *des troubles de la vue avec des céphalées s'accompagnant d'une barre au creux de l'estomac*
- *des brûlures en urinant ou en fin de miction*
- *de la fièvre*
- *la perte d'eau par le vagin*
- *des démangeaisons sur tout le corps*
- *une nette et durable diminution de l'intensité des mouvements du bébé*
- *des contractions utérines régulières, de plus en plus douloureuses*
Vous trouverez p. 263 le détail de ces symptômes et les complications possibles.
Par ailleurs, vous devrez vous rendre à la maternité le jour du terme prévu par le médecin.

• Avant d'aller à la consultation, nous vous suggérons de faire une **liste des questions**, petites ou grandes, que vous voulez poser, pour ne pas les oublier. Et n'ayez pas peur de paraître ridicule, dites au médecin tout ce qui vous paraît anormal ou vous pose des problèmes. Bien des mamans n'osent pas parler de ce qui les préoccupent : « Quelle frustration d'arriver à ces rendez-vous mensuels tant attendus, la tête pleine de questions, et de repartir un quart d'heure plus tard avec les mêmes interrogations, une vague image échographique et une ordonnance pour une nouvelle prise de sang », nous a écrit Caroline.

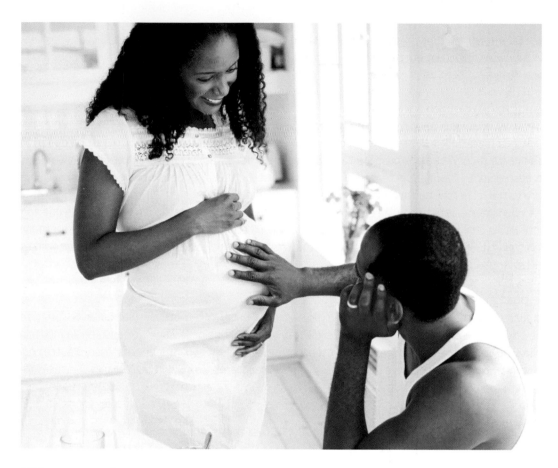

Enceinte
après 38-40 ans

On pense souvent qu'attendre un enfant après 38-40 ans est caractéristique de notre époque. Il est vrai que le recours à l'AMP est plus fréquent à cette période de la vie où la fécondité est moindre. Mais, en fait, les grossesses tardives ont toujours existé, ce sont plutôt les circonstances qui ont changé.

Autrefois, attendre un enfant à cet âge était souvent subi avec une certaine fatalité, et parfois même avec crainte, car les mères connaissaient les risques de malformations et de mortalité. Et ce nouvel enfant s'annonçait souvent après plusieurs frères et sœurs.

Aujourd'hui, ces grossesses sont désirées, espérées. Certaines femmes pensent d'abord à organiser leur vie professionnelle et à assurer leur indépendance. Puis elles souhaitent avoir un enfant avant qu'il ne soit trop tard. Pour d'autres femmes, l'enfant des 40 ans naît quelquefois le second, 15 ou 20 ans après le premier : c'est l'enfant de l'épanouissement. C'est aussi celui de la maturité. À cet âge, les femmes n'ont plus les mêmes rapports de dépendance affective, voire de rivalité, avec leur mère. Les enjeux de savoir et de possessivité autour du bébé n'ont pas la même intensité. Enfin, l'enfant peut être celui d'un nouveau couple, d'un nouvel amour, avec lequel on espère que tout peut recommencer.

Les grossesses tardives sont parfois mal assumées psychologiquement. Les futures mères ont pu attendre longtemps avant de devenir enceintes, elles ont souvent franchi les nombreuses et éprouvantes étapes de l'AMP, elles se posent plus de questions que les très jeunes femmes : seront-elles assez proches de leur enfant, seront-elles à la hauteur de la tâche à venir, en un mot sauront-elles être une « bonne mère » ? Rassurez-vous, il n'y a pas d'âge idéal pour s'occuper d'un enfant et lui donner les meilleures chances d'épanouissement.

Les futures mamans de cet âge s'inquiètent souvent pour leur grossesse : y-a-t-il des précautions particulières à prendre pour que « tout se passe bien » ? Attendre un enfant après 38 ans est aujourd'hui fréquent et c'est une situation bien connue des médecins et bien surveillée. En effet, on admet que les femmes de cet âge peuvent être plus menacées par certains risques. Certains sont incontestables, d'autres le sont moins parce qu'évitables ou pouvant bénéficier d'une surveillance renforcée. À part ces quelques points, votre situation n'est pas tellement différente de celle des autres futures mamans et tout ce qui est écrit dans *J'attends un enfant* vous concerne de la même façon.

> **19,2 %**
> DES FEMMES ONT PLUS DE 35 ANS AU MOMENT DE LA NAISSANCE (ENQUÊTE INSERM 2010).

Les vrais risques

Les avortements du premier trimestre sont plus fréquents et dépassent 30 % après 40 ans. Ces avortements, qui sont le plus souvent dus à des anomalies chromosomiques, ou constitutionnelles, de l'embryon, se manifestent en général avant le 3e mois. Grâce aux échographies précoces, et notamment celle de la 12e semaine, associée aux marqueurs sériques (p. 180), la future maman peut être rapidement informée que la grossesse n'évolue pas favorablement.

Les anomalies chromosomiques, et en particulier la trisomie 21, augmentent avec l'âge de la maman. De ce fait, les interruptions médicales de grossesse (IMG) sont plus fréquentes avec des implications psychologiques souvent douloureuses, surtout si c'était le premier et très probablement le dernier enfant.

Les risques évitables

Il est bien évident que si une pathologie préexistait à la grossesse, obésité, hypertension ou diabète par exemple, l'âge sera important, le corps ne réagit pas de la même façon à 40 ans qu'à 20 ans. Et l'hypertension, la toxémie gravidique, le retard de croissance intra-utérin, le diabète sont plus fréquents chez une femme qui attend un enfant après 38-40 ans.

UNE GROSSESSE APRÈS 38-40 ANS SE PASSE GÉNÉRALEMENT BIEN
C'est ce que notent les professionnels de santé, d'autant que ces grossesses sont mieux et plus fréquemment surveillées, et que si traitement ou surveillance particulière il doit y avoir, il sont plus précocement et plus rapidement instaurés. Finalement, grâce à toutes les précautions prises (diagnostic anténatal, surveillance rigoureuse), il est possible pour la femme de 40 ans d'aborder avec sérénité la grossesse et l'accouchement, et de profiter pleinement de la venue de son enfant dont elle sait intimement qu'il peut être le dernier, un cadeau de la vie.

Médicaments, vaccins, radios

Au cours de la surveillance de la grossesse, il est bien rare qu'une femme n'interroge pas le médecin sur les risques éventuels, pour l'enfant, des médicaments, des vaccinations et des examens radiologiques. La peur d'avoir un enfant mal formé est en effet fréquente. Poussée à son paroxysme, cette crainte empêche des futures mères d'absorber tout médicament, même le plus anodin et même après avis médical.

D'une façon schématique, on peut dire que :

• le risque maximal se situe entre le 15e jour et la fin du 3e mois de grossesse

• dans les 15 premiers jours, l'agent nocif extérieur, un médicament, par exemple, reste sans effet ou provoque la mort de l'œuf

• après le 3e mois, les malformations deviennent rarissimes.

LES MÉDICAMENTS

Il ne saurait être question de passer en revue les centaines de médicaments vendus sous une forme ou sous une autre, mais quelques grands principes doivent cependant être connus ou respectés pour éviter tout souci.

• **Pas d'automédication**, surtout en début et en fin de grossesse. Ouvrir sa pharmacie et choisir un médicament en fonction des maux dont on souffre est peut-être facile, mais peut ne pas être dénué de conséquences.

• D'une façon générale, et surtout dans les premiers mois de la grossesse, **tout médicament qui n'est pas indiqué est contre-indiqué**. C'est le médecin qui vous prescrira les médicaments dont vous avez besoin. D'ailleurs, lorsque vous lisez l'information contenue dans les boîtes de vos médicaments, vous constaterez le plus souvent qu'il est précisé : « médicaments contre-indiqués pendant la grossesse ou l'allaitement ». Ceci ne veut pas dire pour autant que prendre ce médicament entraîne un risque particulier pour votre enfant. C'est seulement une précaution que prennent les laboratoires pour dégager leurs responsabilités en cas de problèmes. C'est le fameux « principe de précaution » qui est appliqué ici, et qui est valable dans d'autres domaines de la vie courante.

• Cela étant, certains médicaments d'usage courant, prescrits depuis de très nombreuses années et dont l'innocuité est prouvée, peuvent être utilisés sans risque pour soulager les petits maux.

Par exemple le Donormyl®, le Primperan®, le Vogalène® pour les nausées, le Doliprane® pour les courbatures et autres petits malaises passagers tels que la rhinopharyngite, le Spasfon® en cas de douleurs abdominales. De même, l'homéopathie peut apporter des soulagements sans risque particulier.

Les médicaments prescrits AVANT la grossesse

Cette situation peut se rencontrer en raison d'une maladie chronique et, en général, elle a été réglée par votre médecin avant la grossesse lors d'une consultation avant la conception (p. 26). Voici quelques exemples.

• Les maladies neurologiques ou psychiatriques : les antiépileptiques, le lithium, et — mais à moindre risque — les antidépresseurs, les anxiolytiques, les neuroleptiques, doivent obligatoirement être l'objet d'une prescription médicale qui tiendra compte des risques et avantages.

• L'hypertension artérielle : certains médicaments comportent des risques sérieux bien connus des médecins ; heureusement le choix est grand parmi les antihypertenseurs sans risque.

• Le diabète est l'exemple type d'une maladie chronique à risque malformatif s'il est mal équilibré, surtout au premier trimestre ; d'où l'intérêt d'une consultation avant la conception afin de choisir le traitement le mieux adapté aux objectifs d'un bon équilibre de la glycémie (l'insuline sous cutanée répond à cet objectif)

• Les maladies de la thyroïde : les médicaments doivent être poursuivis et leur posologie mensuellement adaptée aux contrôles des hormones thyroïdiennes.

• La pilule, souvent prise par erreur alors que la grossesse a débuté, ne comporte pas de risque.

Peu de médicaments sont susceptibles d'entraîner un risque de malformation qui justifierait une interruption médicale de la grossesse, mis à part le Roaccutane® (qui est un médicament à visée dermatologique).

Des lectrices nous ont interrogés sur les médicaments pris par leur mari. Le risque est nul pour les médicaments pris après le début de la grossesse. Pour des traitements suivis avant cette date, la plupart des médicaments sont sans effets néfastes.

LES VACCINATIONS

Les risques des vaccinations au cours de la grossesse sont souvent mal connus et semblent variables avec chaque vaccination. Voici la liste des vaccinations possibles, ou non, chez la femme enceinte.

Votre médecin sera là pour vous conseiller.

Vaccin	Administration pendant la grossesse	Commentaires
BCG	Non	Sauf forme inactivée
Choléra	Non	Innocuité non déterminée
Hépatite A	Non	Innocuité non déterminée
Hépatite B	Oui	Si risque infectieux
Grippe	Oui	
Encéphalite japonaise	Non	
Méningocoque	Oui	Si risque infectieux
Rougeole	Non	
Oreillons	Non	
Poliomyélite inactivée	Oui	Si indication
Rage	Oui	Si indication
Rubéole	Non	Vaccination après l'accouchement, contraception conseillée
Diphtérie	Non	Entraîne des réactions fébriles importantes
Tétanos	Oui	Possible si indication
Typhoïde	Non	Innocuité non déterminée
Variole	Non	
Varicelle	Non	
Coqueluche	Non	Après l'accouchement
Fièvre jaune	Oui	Éviter sauf en cas de risque élevé

Ces informations proviennent des dernières recommandations fournies par l'Institut de Veille sanitaire (www.invs.sante.fr/beh)

Le vaccin contre la coqueluche

La coqueluche est une maladie très contagieuse et souvent grave pour les nourrissons du fait des complications respiratoires qu'elle entraîne. Les bébés sont en général vaccinés vers le 2e mois. Ils peuvent néanmoins contracter la maladie auprès d'adultes ou d'adolescents **avant** d'être vaccinés. Il est donc conseillé au papa et à l'entourage proche, frères et sœurs, de faire un rappel du vaccin pendant la grossesse de la maman, et non à la naissance du bébé. C'est la seule façon de le protéger. Le vaccin, couplé à diphtérie-tétanos-polio, est bien toléré.

RADIOS ET RADIATIONS

Les radiations ont été accusées de provoquer des mutations (chapitre 7), d'entraîner l'apparition chez l'enfant de processus néoplasiques, c'est-à-dire cancéreux (leucémie, cancer de la thyroïde notamment), enfin de favoriser l'apparition de malformations.

L'existence de ces différents risques paraît incontestable après des irradiations massives. C'est ce qu'ont prouvé les observations faites après les explosions atomiques. Par contre, leur réalité apparaît beaucoup plus discutable pour les rayons X employés comme moyen de diagnostic, au moins si l'on prend certaines précautions.

D'autant plus qu'aujourd'hui, avec le développement de l'imagerie par échographie, il est devenu exceptionnel de prescrire un examen radiographique à une femme enceinte. Toutefois si l'examen était nécessaire – par exemple à la suite d'un accident de la circulation, ou pour une radio du thorax, ou même pour chercher un calcul dans les voies urinaires – des précautions particulières seraient prises par le radiologue (port d'un tablier de plomb par la future maman) pour éviter toute irradiation du bébé.

Il peut arriver qu'une radio de l'abdomen, ou même une urographie intraveineuse, soit pratiquée chez une jeune femme en début de grossesse, alors qu'elle ignore encore qu'elle est enceinte. Il a été prouvé que c'est sans conséquence, ne serait-ce que parce que l'irradiation émise par ces radios est peu différente de l'irradiation en montagne, à une certaine altitude.

Sachez qu'une radiopelvimétrie peut être demandée en fin de grossesse pour apprécier si nécessaire les dimensions du bassin. Cet examen ne comporte pas de danger pour l'enfant ; il a d'ailleurs tendance à être remplacé de plus en plus fréquemment par un scanner, qui émet moins de rayonnement.

Enfin, dans certaines situations plutôt exceptionnelles, un examen par IRM (Imagerie par résonance magnétique) peut être demandé afin de préciser certaines anomalies détectées lors des échographies habituelles sur le bébé. Cet examen est sans danger car il ne fait pas appel aux rayons X.

LES FEMMES ENCEINTES QUI TRAVAILLENT DANS DES SERVICES METTANT EN ŒUVRE DES RAYONNEMENTS
Elles sont particulièrement bien surveillées. En effet il existe des dispositions réglementaires qui concernent aussi bien les professions de l'industrie atomique que le corps médical ou le personnel des services de radiologie : toute femme enceinte, dès qu'elle aura connaissance de sa grossesse, doit en informer l'employeur et le médecin. Ce médecin sera le médecin du service de médecine préventive pour le personnel employé dans un établissement public, le médecin du travail dans les établissements privés. Les femmes pourront obtenir un changement de poste pour toute la durée de la grossesse, ou pour un temps seulement (voir p. 430).

Les grossesses pathologiques ou « à risque »

Si votre grossesse était appelée ainsi, l'expression ne devrait pas vous inquiéter. Elle signifie que les médecins ont considéré que vous deviez bénéficier d'une surveillance particulière au cours de la grossesse ou de l'accouchement : soit à cause de vos antécédents médicaux ou obstétricaux (maladie par exemple) ; ou bien à cause d'une anomalie ou d'un risque apparu au cours de la grossesse. Cette surveillance sera adaptée au risque considéré et donc légèrement différente de celle qui concerne une grossesse banale, dite à « bas risque » (p. 207).

Quels sont ces risques ?

On peut schématiquement les classer en deux grandes catégories, d'ailleurs souvent intriquées : le risque **d'accouchement prématuré** et les risques pour la **santé du bébé ou de la mère**.

LE RISQUE D'ACCOUCHEMENT PRÉMATURÉ

C'est le grand risque obstétrical, celui que les médecins cherchent à éviter le plus possible. Ce risque est à l'origine de 50 % des hospitalisations et des surveillances à domicile. Nous parlons de l'accouchement prématuré au chapitre 13 (p. 271 et suiv.). Vous y trouverez détaillées les principales causes de prématurité que nous énumérons ci-dessous.

PRINCIPALES CAUSES D'ACCOUCHEMENT PRÉMATURÉ

• rupture prématurée des membranes, le plus souvent par infection
• antécédents d'accouchement prématuré ou d'avortements tardifs
• grossesses gémellaires et grossesses après AMP
• insertions anormales du placenta (placenta praevia, hématome rétroplacentaire)
• infections bactériennes maternelles (notamment les infections urinaires ou virales)
• malformations utérines
• Et toutes les situations où la **prématurité est provoquée**, à la suite d'une décision médicale, pour prévenir une atteinte grave du bébé ou même la mort *in utero*.

À CES PRINCIPAUX RISQUES ON PEUT AJOUTER :

• Les conditions socio-économiques

Elles jouent un rôle incontestable. C'est le cas des futures mères ayant une situation économique précaire (revenus très modestes ou inexistants), ou des conditions de vie difficiles (femmes en situation irrégulière, ou consommatrices d'alcool, de drogue, etc). Si, grâce à des structures sociales, comme la PMI par exemple, ces femmes peuvent être identifiées et prises en charge, certains risques pourront être évités : la prématurité, l'anémie, les troubles de croissance de l'enfant.

Il existe d'autres situations moins dramatiques, mais plus fréquentes, notamment les femmes ayant un travail pénible, ou des horaires importants, ou des conditions de transport fatigantes. L'équipe médicale qui va les suivre verra au cas par cas comment les aider à vivre cette grossesse dans les meilleures conditions.

• L'âge de la femme enceinte

Nous avons parlé plus haut des grossesses après 38-40 ans (p. 220). La grossesse des **très jeunes femmes**, au-dessous de 18 ans, peut évoluer de deux manières. L'évolution la plus favorable suppose que la jeune femme soit soutenue par sa famille : la future maman se sent comprise, aidée, encouragée, aimée. La surveillance médicale est régulière, elle commence suffisamment tôt. Une bonne alimentation est nécessaire (p. 70). Il est important que la scolarité soit poursuivie. Dans cet environnement, la grossesse a toute chance d'évoluer normalement et l'accouchement de se dérouler sans problème.

Quand il n'y a pas ce contexte familial favorable, et *a fortiori*, quand la grossesse survient dans un milieu socio-économique défavorisé, des complications peuvent surgir. Elles sont liées, la plupart du temps, à la surveillance insuffisante de la grossesse qui reste plus ou moins longtemps cachée. Le plus souvent, les conditions générales de vie sont mauvaises et la sous-nutrition fréquente. Anémie, toxémie, infections urinaires, retard de croissance intra-utérin et accouchement prématuré risquent alors de se produire.

En fait, la grande difficulté pour ces jeunes femmes est leur isolement. Heureusement, lorsque quelqu'un de leur entourage peut les soutenir affectivement, cela les aide à vivre au mieux leur grossesse.

• Les grossesses après Distilbène

Entre les années 1948 et 1977, le Distilbène (qui est une hormone) a été prescrit à des femmes enceintes comme traitement préventif des fausses couches spontanées. On sait maintenant que ce traitement était non seulement inefficace, mais dangereux, car susceptible de provoquer des malformations de l'appareil génital chez les fœtus féminins. On estime qu'il y a aujourd'hui en France 80 000 femmes dont les mères ont pris du Distilbène. Heureusement, le plus souvent le traitement n'a eu aucune conséquence néfaste sur les enfants qui sont nés. Mais chez certaines femmes (dont les mères avaient pris du Distilbène), il existe des problèmes de fécondité, un risque de fausses couches, de grossesses extra-utérines, d'accouchements prématurés ou de difficultés lors de l'accouchement.

Ainsi une surveillance particulièrement stricte s'impose. La nécessité d'un cerclage du col, d'une réduction de l'activité, voire d'un repos au lit complet et prolongé, peut se discuter.

> **ADRESSE**
> *Association s'occupant des femmes dont les mères ont pris du Distilbène : Réseau DES France. Tel : 05 58 75 50 04 reseaudesfrance@wanadoo.fr www.des-france.org*

LES RISQUES POUR LA SANTÉ DU BÉBÉ OU DE LA MÈRE

Il s'agit des situations au cours desquelles le bébé (ou la mère) présente un risque pour sa santé (croissance, développement, bien-être, voire un risque vital).

On parle *d'atteinte fœtale* quand le bébé va moins bien et ne reçoit plus les quantités normales d'aliments et/ou d'oxygène. On distingue l'atteinte fœtale chronique qui survient pendant la grossesse (et est généralement la conséquence d'une maladie maternelle : diabète, toxémie, etc.) et l'atteinte fœtale aiguë qui peut apparaître au cours d'un accident de la grossesse (hématome rétroplacentaire par exemple), mais plus souvent au cours de l'accouchement.

Dans ces situations, la question qui se pose aux médecins n'est plus, comme pour le risque d'accouchement prématuré : « Faisons en sorte que ce bébé naisse le plus tard possible », mais : « Faisons en sorte que ce bébé naisse dans le meilleur état possible ».

Les maladies présentes avant la grossesse
Il peut s'agir d'hypertension, diabète, obésité, épilepsie ; ainsi que des maladies immunitaires, de la maladie thromboembolique, des maladies rénales ou cardiaques, etc. (p. 252 et suiv.).

Les accidents des grossesses antérieures
Il s'agit notamment des retards de croissance intra-utérins, des enfants mort-nés ou malformés ; ainsi que des accouchements difficiles terminés par une césarienne en urgence ou par des hémorragies de la délivrance (plus fréquentes chez les femmes qui ont eu plusieurs enfants).

Lorsqu'un risque est découvert pendant la grossesse
Il peut s'agir de : pré-éclampsie, diabète gestationnel, retard de croissance, saignements ; et de toutes les infections virales ou bactériennes qui peuvent comporter une atteinte fœtale et/ou être en même temps à l'origine d'une prématurité « naturelle » ou « provoquée » (p. 245 et suiv.).

Vous voyez que les causes qui peuvent faire entrer une grossesse dans le groupe des grossesses pathologiques ou « à risque » sont diverses. Les risques peuvent s'associer chez une même femme, par exemple une femme de 40 ans attendant son premier enfant après des avortements à répétition ou une longue période d'infertilité. L'appréciation du risque est d'ailleurs difficile et varie selon les équipes médicales. Enfin une complication peut survenir inopinément au cours d'une grossesse normale qui doit alors être surveillée plus particulièrement.

LA SURVEILLANCE DES GROSSESSES « À RISQUE »

Sur le plan pratique, qu'implique une grossesse dite « à risque » ? Tout d'abord une surveillance médicale plus étroite, avec des examens plus fréquents que dans la moyenne des cas. Si vous êtes suivie
par un médecin généraliste, celui-ci vous adressera probablement à un gynécologue-obstétricien, ou
bien à la maternité où vous avez prévu d'accoucher. Selon les cas, votre médecin généraliste pourra
surveiller votre grossesse, en collaboration avec le spécialiste ; en fonction du risque présenté avant
la grossesse ou reconnu au cours de celle-ci, le médecin décidera soit d'une hospitalisation, soit d'une
surveillance à domicile avec l'aide d'une sage-femme, selon l'organisation du réseau périnatal de votre
région.

L'HOSPITALISATION

Elle n'est pas exceptionnelle : 20 % des femmes enceintes ont eu au moins un séjour, ou plus, à la
maternité au cours de leur grossesse.

Quelle surveillance ?

Elle sera à la fois clinique : prise régulière de la tension artérielle, du poids, de la diurèse (la quantité
d'urine collectée), de la température, des pertes éventuelles (sang ou pertes blanches) ; et elle
concernera aussi l'état de la maman : comment sent-elle bouger son bébé ? Comment se sent-elle ?
Si la maman éprouve une baisse de moral, elle pourra rencontrer la psychologue de la maternité et
s'entretenir avec elle de ce qui ne va pas. La participation à des « groupes de paroles» animés par des
sages-femmes – en fonction des possibilités locales – sera aussi un moyen de soulager les mamans du
poids de l'inquiétude.

Les examens complémentaires

• **La mesure de la longueur du col par échographie**

Elle permet d'apprécier le risque d'accouchement prématuré. Cet examen est plus objectif que le
toucher vaginal et il permet de mieux surveiller l'état du col, sa longueur ou sa dilatation.

D'autres examens permettent également de mesurer les risques pour le bébé : bouge-t-il moins ?
Son état se détériore-t-il progressivement à mesure que l'on se rapproche du terme ?

Voici en quoi consistent ces examens.

• **L'échographie du bébé** (p. 214)

Elle permet de surveiller sa croissance, son développement, sa mobilité, la quantité de liquide amniotique – qui va de pair avec la croissance – ; on peut ainsi établir une évaluation (score de Manning) qui
permet de mieux suivre l'état du bébé.

HYPERMÉDICALISATION

*Aujourd'hui, il y a une tendance à considérer toutes les grossesses comme « à risque » et à faire bénéficier toutes les
femmes des mêmes examens. Cette hypermédicalisation commence à être remise en question par des professionnels :
il est important de faire plus et mieux pour les situations à haut risque et, au contraire, de faire moins et mieux pour
les situations à faible risque qui représentent plus de 90 % des grossesses. Des parents remettent aussi en cause cette
hypermédicalisation de toutes les grossesses : elle les empêche, disent-ils, de profiter pleinement de l'attente de leur
bébé et les fait douter de leurs capacités à mener à bien la grossesse et l'accouchement.*

• **Le doppler**

Couplé à l'échographie, il permet de mesurer le flux sanguin dans les vaisseaux (p. 134). On peut ainsi apprécier si la quantité qui passe dans les artères utérines, les vaisseaux du cordon et les artères cérébrales du fœtus est normale ou insuffisante. On utilise le doppler dans diverses circonstances :

– le plus souvent au cours d'une grossesse à risque quand on soupçonne soit un retard de croissance *in utero*, soit une atteinte fœtale. L'examen permet alors d'en confirmer l'existence et d'en préciser la gravité, donc de prendre une décision thérapeutique : faire naître l'enfant avant terme par exemple ;

– plus rarement, l'examen est fait au cours d'une grossesse normale en apparence mais qui a été précédée d'une ou, *a fortiori*, de plusieurs grossesses anormales. L'examen est pratiqué de façon systématique à partir de la 22e semaine, puis répété en fonction des données ou de l'examen clinique.

• **Les examens biologiques**

Certains examens – obtenus par des prises de sang régulières – sont des « marqueurs » du risque de l'atteinte fœtale et sont utilisés comme une aide à la décision de faire naître le bébé plus tôt, avant que son état ne s'aggrave. Nous ne détaillons pas ici ces examens car ils varient selon le risque en cause.

• **L'enregistrement du rythme cardiaque du fœtus, ou « monitoring fœtal ».**

C'est l'examen le plus important car c'est en fonction des données qu'il apporte, et de celles du doppler, que la décision sera prise de « sortir » ou non le bébé d'un environnement qui lui devient très défavorable. Le monitoring permet d'apprécier le caractère normal ou non de l'activité cardiaque du fœtus. C'est un peu comme lorsqu'on fait un électrocardiogramme à un adulte. Le rythme est considéré comme normal lorsqu'on voit de bonnes oscillations du rythme cardiaque avec de fréquentes phases d'accélération, ce qui témoigne de la bonne vitalité de l'enfant. Lorsque l'enfant dort, le rythme oscille moins et est moins variable.

LA SURVEILLANCE À DOMICILE

Elle concerne surtout le risque d'accouchement prématuré encore modéré mais aussi certaines pathologies comme l'hypertension, les diabètes (gestationnel ou insulinodépendant), les conditions socio-économiques défavorables, les antécédents obstétricaux qui angoissent la maman et justifient une présence médicale plus fréquente. Cette surveillance est assurée par une sage-femme : elle passe au domicile de la future maman pour vérifier que tout va bien et faire les soins nécessaires. En général, une ou deux visites par semaine sont suffisantes. Si besoin, les visites sont plus fréquentes, une ou même plusieurs fois par jour. La sage-femme tient le médecin informé de l'évolution de la grossesse. Elle peut aussi faire faire à la maman des séances de préparation et de relaxation.

Dans des cas plus rares de grossesse très à risques, la surveillance peut être assurée par une sage-femme de l'hôpital, dans le cadre de ce qu'on appelle l'hospitalisation à domicile (HAD).

Vous venez de lire ce chapitre des grossesses à risques, et peut-être vous demandez-vous si vous ne devez pas vous classer dans cette catégorie. Le médecin vous indiquera si votre cas nécessite une surveillance spéciale et des examens particuliers. Ce chapitre n'est pas fait pour vous inquiéter inutilement, mais pour vous informer et pour que vous sachiez que dans certaines situations une surveillance médicale plus attentive, voire une hospitalisation, seront peut-être nécessaires.

Dans la double page suivante, un grand tableau fait le point sur votre santé, les examens à passer et formalités à accomplir, le développement de votre bébé, les préparatifs à faire.

VOTRE GROSSESSE MOIS APRÈS MOIS : L'ESSENTIEL

MOIS DE GROSSESSE OU SEMAINES D'AMÉNORRHÉE (SA)	VOTRE SANTÉ	CONSULTATIONS ET ÉCHOGRAPHIES
1er mois de 2 à 6 1/2 SA	• Après quelques jours de retard, un test de grossesse permet de faire le diagnostic	• La 1ere consultation prénatale a lieu dans les 3 premiers mois de la grossesse - interrogatoire médical et examen général - évaluation des facteurs de risques - information sur la grossesse et son suivi
2e mois de 6 1/2 à 10 1/2 SA	• Dès que vous savez que vous êtes enceinte, il est important de cesser de fumer et de boire de l'alcool • Mettez-vous au régime alimentaire future maman • Gardez votre activité physique : marche, natation, etc	prescription pour toute la grossesse des examens de laboratoire obligatoires - dépistage de l'anémie (NFS) en cas de facteur de risque - choix de la maternité dès maintenant en cas de problèmes pendant la grossesse
3e mois de 10 1/2 à 15 SA	• Prenez l'habitude de vous peser régulièrement • Observez un régime alimentaire équilibré. Attention si vous avez un sérodiagnostic négatif de toxoplasmose	• La 1ere échographie est en général faite à 12 SA. Évaluation du risque de trisomie 21 par la mesure de la clarté nucale et les marqueurs sériques • Un carnet de maternité vous sera envoyé par la Sécurité sociale
4e mois de 15 à 19 1/2 SA	• Surveillez votre poids • Continuez votre activité physique d'entretien : marche, natation, relaxation musculaire	• 2e consultation prénatale - examen général et obstétrical - toxoplasmose* - albuminurie - proposition d'une consultation psycho-sociale, dite "entretien prénatal précoce"
5e mois de 19 1/2 à 23 1/2 SA	• Tout au long de votre grossesse, minimisez les expositions aux substances chimiques présentes dans les produits du quotidien (cosmétiques, produits ménagers, etc.)	• 3e consultation prénatale - examen général et obstétrical - toxoplasmose* - albuminurie • La 2e échographie est en général faite vers 22 SA
6e mois de 23 1/2 à 28 SA	• Vous ne devez pas grossir plus de 350 à 400 g par semaine • Ne négligez pas la gymnastique prénatale	• 4e consultation prénatale - examen général et obstétrical - toxoplasmose* - albuminurie - dépistage de l'antigène HBS de l'hépatite - dépistage du diabète - recherche d'agglutinines irrégulières chez les femmes rhésus négatif. Une vaccination vous sera proposée si vous êtes rhésus négatif et votre conjoint rhésus positif
7e mois de 28 à 32 1/2 SA	• Contrôlez régulièrement votre poids	• 5e consultation prénatale - examen général et obstétrical - toxoplasmose* - albuminurie • La 3e échographie est faite vers 32 SA
8e mois de 32 1/2 à 36 1/2 SA	• Votre congé de maternité commence 6 semaines avant la date prévue pour l'accouchement (parfois plus tôt). Profitez-en pour vous reposer	• 6e consultation prénatale Elle est faite en général sur le lieu d'accouchement - examen du bassin et pronostic de l'accouchement - toujours les mêmes examens biologiques (toxoplasmose*, rhésus) - contrôle plus fréquent de l'albumine dans les urines (tous les 10 jours) pour dépistage de la toxémie gravidique ou d'une infection urinaire - recherche du streptocoque B par prélèvement vaginal
9e mois de 36 1/2 à 41 SA	• Le plus important au cours de ce dernier mois est de vous reposer	• 7e consultation prénatale - consultation à la mternité et décision du mode d'accouchement notamment si le bébé est en siège - consultation avec l'anesthésiste * En cas de négativité

FORMALITÉS	VOTRE BÉBÉ	VOS PRÉPARATIFS
• Déclaration de la grossesse par le médecin ou la sage-femme - envoyez le feuillet rose à la Sécurité sociale - envoyez les 2 feuillets bleus à la CAF avant la fin de la 14e semaine • Pensez à prévenir votre employeur	• À la fin de ce premier mois il mesure 5 mm et pèse environ 1 g	
	• Il mesure entre 2 et 3 cm et pèse environ 11 g • À 8 SA l'ébauche de tous les organes est formée. Le cœur est bien visible à l'échographie et l'on peut entendre ses battements cardiaques	• Pensez à vous inscrire dans une maternité dès la déclaration de grossesse • Si vous avez l'intention de mettre votre enfant dans une crèche, inscrivez-le dès maintenant, les places sont rares • Bannissez les pesticides de votre environnement intérieur et du jardin
	• Le bébé tient tout entier sur l'écran. Tous les organes sont visibles • Il mesure 10 cm et pèse environ 45 g	
À l'issue de chaque consultation - envoyez à la Sécurité sociale la feuille de maladie si vous n'avez pas la carte vitale - envoyez à la CAF l'attestation qu'elle vous a transmise, complétée par le médecin ou la sage-femme	• Ses cheveux poussent • Il mesure 18 cm et pèse environ 225 g	
	• Ses ongles sont maintenant visibles • Il mesure 25 cm et pèse environ 500 g • Au cours de ce mois, ses mouvements deviennent perceptibles • En cas de naissance après 22 SA ou au-delà de 500 g, l'enfant peut être déclaré à l'état civil	• Pensez à vous inscrire aux séances de préparation à l'accouchement, qu'elles soient individuelles ou collectives
	• Il bouge de plus en plus • Il mesure 31 cm et pèse environ 1 kg	• Notez les achats que vous voulez faire : établissez une liste • Si vous avez choisi de faire garder votre enfant par une assistante maternelle, il est grand temps de commencer votre recherche
• Si vous êtes suivie à l'extérieur de la maternité, pensez à demander votre dossier médical	• Il entend • Il mesure 40 cm et pèse entre 1 300 et 1 700 g • En cas de naissance, il sera admis ou transféré vers une maternité de niveau III disposant d'une unité de réanimation néonatale	• Pensez au berceau de votre bébé • Préparez la chambre
• Envoyez à la Sécurité sociale l'attestation d'arrêt de travail • Il est possible de reporter 1, 2 ou 3 semaines du congé prénatal sur le congé postnatal	• C'est le mois du "fignolage" • Il mesure 45 cm et pèse plus de 2 000 g • En cas de naissance, il sera transféré vers une maternité de niveau II disposant d'une unité de néonatalogie	• Préparez votre valise et celle de votre bébé
	• Votre bébé est prêt à naître : il mesure environ 50 cm et pèse plus de 3 000 g (cela dépend du sexe)	

Et si une complication survient

Dans la grande majorité des cas, la grossesse est un événement naturel, qui se déroule sans problème, et se termine de façon heureuse par la naissance, à terme, d'un enfant en bonne santé. **Cependant, dans un petit nombre de cas, surgissent des complications** qui peuvent avoir un retentissement sur la santé de la mère ou sur celle de l'enfant.

En vous décrivant ces complications, notre but n'est pas de vous alarmer inutilement, mais seulement de vous alerter pour qu'en présence de tel ou tel symptôme vous pensiez à prévenir aussitôt le médecin qui pourra prendre les mesures qui s'imposent.

Si vous n'avez pas le temps, ou l'envie de lire dès maintenant ce chapitre, reportez-vous à la page 263. Vous y trouverez la liste des symptômes à signaler au médecin dès leur apparition car ceux-ci sont des signaux d'alerte, des signes avant-coureurs de complications qui peuvent survenir.

En schématisant, on peut distinguer trois groupes de complications.

Dans le premier, on classe les complications dues au fait même de la grossesse. Exemple : l'avortement spontané ou fausse couche ; évidemment seule une femme enceinte risque cet accident.

Dans le deuxième groupe, on classe les complications qui peuvent résulter de maladies survenant au cours de la grossesse. Exemples : la toxoplasmose ou la listériose.

Le troisième groupe comprend les complications qui sont la conséquence d'une maladie que la future mère avait avant d'être enceinte, sans s'en douter parfois. Il y a, en effet, des maladies qui entrent en conflit avec la grossesse, par exemple le diabète ou l'hypertension.

Les complications tenant à la grossesse elle-même

Ces complications sont très différentes selon qu'elles surviennent au début ou à la fin de la grossesse. Les complications du début sont essentiellement la fausse couche, la grossesse extra-utérine et la môle hydatiforme.

LES FAUSSES COUCHES

Dans le langage courant, la *fausse couche* désigne l'interruption spontanée de la grossesse : « Elle a fait une fausse couche ». Dans le langage médical, on parle plutôt d'*avortement spontané*. C'est pourquoi nous emploierons l'une ou l'autre expression avec quand même une préférence pour *fausse couche* qui est l'expression la plus fréquemment utilisée par les femmes.

C'est pendant les trois premiers mois que les fausses couches sont les plus fréquentes.

Comment se manifeste une menace de fausse couche ?

Votre grossesse semblait débuter normalement et vous observez soudain quelques pertes de sang, parfois accompagnées de douleurs au bas-ventre.

Avant de vous affoler, demandez-vous d'abord si vous n'êtes pas à la date théorique de vos règles. Il arrive en effet qu'une femme enceinte perde un peu de sang à cette période, pendant les deux ou trois premiers mois de la grossesse. Ces pertes n'ont aucun caractère de gravité. Hormis ce cas, toute perte de sang doit être considérée comme un signal d'alarme et vous conduire chez le médecin sans tarder. Lui seul pourra, en vous examinant, essayer de trouver la signification de cette perte de sang. C'est souvent difficile dans l'immédiat et, dans la plupart des cas, le médecin demandera un dosage sanguin de l'hormone de grossesse (appelée βHCG) ainsi qu'une échographie. En fonction des résultats de ces deux examens, il sera possible de préciser si la grossesse évolue favorablement ou non.

Que faut-il faire ?

Une menace de fausse couche est généralement imprévisible dans l'immédiat. Que faire en attendant ? Il n'y a pas grand-chose d'autre à faire que... d'attendre, pour voir comment les événements vont tourner : fausse couche ou non. Et cette situation inconfortable peut durer quelques jours, le temps de refaire une échographie.

Il y a quelques années, en présence d'une menace de fausse couche, on prescrivait automatiquement à la future mère un traitement hormonal. Cette attitude est maintenant abandonnée, car on a constaté que les traitements hormonaux ne servaient à rien, sauf parfois à prolonger la rétention dans l'utérus d'un œuf qui ne se développait plus. En cas de pertes de sang, et tant qu'un diagnostic précis n'est pas posé, il est préférable d'interrompre son activité, et d'aller voir le médecin au rythme qu'il jugera nécessaire pour faire face à la situation.

En revanche, si la menace d'interruption de la grossesse est en rapport avec une cause connue, une malformation utérine, une béance du col par exemple, un traitement peut être justifié.

Que va-t-il se passer ?

Dans certains cas, tout se déroule favorablement. Les pertes de sang diminuent, le col reste fermé, l'utérus continue de se développer. L'échographie confirme que l'évolution de la grossesse se poursuit.

Ces cas correspondent habituellement à des difficultés d'adhérence de l'œuf à l'utérus, appelées souvent *décollement placentaire partiel*. Ce décollement guérit habituellement sans

15 % DES GROSSESSES, EN MOYENNE, SE TERMINENT PAR UNE FAUSSE COUCHE. CE CHIFFRE MONTRE QUE DE NOMBREUSES FEMMES PEUVENT ÊTRE CONFRONTÉES À CET ÉVÉNEMENT. LA FRÉQUENCE AUGMENTE AVEC L'ÂGE DE LA MÈRE : ELLE EST DE 40 % AU-DELÀ DE 40 ANS.

traitement. (Parfois, au contraire, il s'aggrave progressivement et aboutit à une fausse couche spontanée).

Vous ne pourrez cependant reprendre vos activités habituelles que lorsque le médecin jugera que la menace d'avortement est écartée.

Bien des femmes ont alors, après cette menace de fausse couche, la crainte de mettre au monde un enfant mal formé. Cette crainte est injustifiée car, si l'avortement ne se produit pas et si la grossesse se poursuit, elle a autant de chances d'aboutir à une naissance normale qu'une autre grossesse.

Dans d'autres cas, la menace se précise peu à peu : les pertes de sang augmentent progressivement, l'utérus ne se développe plus, l'échographie confirme l'interruption de la grossesse qui se traduit par des pertes de sang assez abondantes accompagnées de « coliques » ressenties dans le bas-ventre : ce sont les contractions de l'utérus qui expulsent l'œuf et qui peuvent être douloureuses.

• **S'il n'y a pas d'hémorragie importante**, vous n'êtes pas obligée de vous rendre aussitôt à la maternité ; une fausse couche ne nécessite pas automatiquement une intervention médicale. Mais, bien sûr, mettez-vous rapidement en rapport avec le médecin ou l'équipe de garde de la maternité où vous avez prévu d'accoucher.

Celle-ci vérifiera, sous échographie, que l'œuf a été complètement rejeté. Si ce n'est pas le cas, l'œuf sera évacué par aspiration (il est aspiré par une sorte de pompe à vide électrique). Il est rare aujourd'hui de pratiquer un curetage (l'œuf est retiré avec une curette). L'aspiration se fait sous anesthésie locale ou générale et nécessite une courte hospitalisation. En général, les éléments de l'œuf sont confiés au laboratoire pour une analyse anatomo-pathologique afin de s'assurer que c'est bien l'œuf qui a été retiré et non pas de la muqueuse utérine (il faudrait alors recommencer l'aspiration). Aujourd'hui, grâce à un médicament, il est possible de provoquer des contractions de l'utérus qui feront expulser l'œuf défectueux. Le médecin vous proposera probablement de choisir l'une ou l'autre méthode (intervention ou médicament).

• **S'il y a une hémorragie importante**, faites-vous transporter d'urgence à la maternité.

Dans les jours qui suivent

Combien de temps faut-il se reposer après une fausse couche ? Normalement en quelques jours vous serez remise sur pied. Si vous êtes d'un groupe sanguin rhésus négatif, le médecin vous fera faire une *vaccination antirhésus +*. Vous comprendrez pourquoi en lisant ce qui concerne le facteur rhésus (p. 259).

Il est normal de se sentir triste et bouleversée après l'interruption d'une grossesse désirée. Le sentiment de solitude, voire d'abandon, peut être renforcé par les circonstances de la fausse couche : « Cela s'est passé à la maison, j'étais seule chez moi, sans personne pour m'aider à comprendre ce qui se passait. » La fausse couche met fin aux premières interactions entre la mère et l'enfant et aux premiers rêves et projets autour du bébé. Le sentiment de perte est bel et bien présent, laissant un vide dans l'existence des parents. Après une fausse couche, la femme peut se sentir dévalorisée, inapte à devenir mère. Elle se sent souvent coupable de ce qui vient d'arriver et cherche une explication pour comprendre et se rassurer. « J'ai été trop active, trop stressée », « Je ne désirais pas assez ce bébé », « Je n'étais probablement pas prête. » Les fausses couches sont banales pour les médecins, pas pour les futures mamans qui sont souvent déprimées par ce qu'elles considèrent comme un échec.

Ne vous accusez pas de la situation, car elle n'est presque certainement pas causée par quelque chose que vous ou votre conjoint auriez fait. D'ailleurs il n'y a en général rien à faire pour prévenir une fausse couche. Mais c'est une réaction fréquente de se sentir coupable, cela aide à avoir prise sur la douleur ; essayer de trouver une explication permet de mieux supporter l'épreuve.

L'entourage ne comprend pas toujours qu'on puisse être affecté par la perte d'un bébé qui n'avait pas vraiment vécu et a tendance à banaliser l'événement : « Ce n'est pas grave » « C'est très fréquent. » Plutôt que de se sentir pressée d'oublier, la femme a besoin de compréhension et de respect pour son chagrin. Il lui est nécessaire de prendre son temps pour surmonter l'épreuve et faire le deuil à son rythme de cet enfant perdu (voir *La perte du bébé qu'on attendait*, p. 378).

Un décret paru en 2008 permet d'enregistrer l'enfant à l'état civil si la fausse couche a lieu à une période où l'on peut identifier le sexe, en général au-delà de 15 semaines d'aménorrhée.

Pourquoi cette fausse couche ?

Après une fausse couche, vous vous posez des questions pour l'avenir. Vous voudriez en connaître la cause et les mesures à prendre pour éviter qu'elle ne se renouvelle à la grossesse suivante.

D'abord, un point important : le plus souvent la fausse couche est accidentelle ; après, la femme mène à bien ses autres grossesses.

• Dans la majorité des cas, ces avortements spontanés précoces sont dus à une **anomalie chromosomique**. Vous avez vu au chapitre 7 la définition des chromosomes. Une anomalie du nombre, de la forme ou de la répartition des chromosomes aboutit à un œuf défectueux qui, le plus souvent, n'a pas d'avenir. L'arrêt de la grossesse provient en quelque sorte d'une erreur de la nature qu'elle corrige elle-même en expulsant l'œuf. Parmi ces œufs défectueux, on trouve souvent ce que l'on appelle un *œuf clair* où n'existe pas (ou plus) d'embryon. Seule s'est développée la partie destinée à former les annexes de l'œuf (p. 135). Sauf exception, un avortement par anomalie chromosomique ne doit pas faire craindre pour les grossesses ultérieures.

Dans d'autres cas, au contraire, il y a à l'origine de l'avortement une cause permanente qui, faute d'être reconnue, risque de provoquer des avortements à répétition.

Les avortements à répétition

Parmi les nombreuses causes pouvant provoquer des avortements à répétition, on peut distinguer plusieurs groupes : les causes locales qui siègent au niveau de l'utérus ; les maladies maternelles ; les causes immunitaires.

• **Les causes locales utérines** sont parmi les plus fréquentes.
Ainsi l'*utérus* peut être mal formé de façon congénitale, insuffisamment développé (utérus infantile – comme on peut en voir chez les femmes dont la mère a pris du Distilbène, p. 226).

La *muqueuse* ou *endomètre* peut être le siège de cicatrices (après curetage), ou d'une infection qui peuvent agir en perturbant la nidation, en compromettant la nutrition correcte de l'œuf, ou en empêchant sa croissance normale.

La *partie supérieure du col*, celle qui touche l'utérus, est normalement fermée pendant toute la durée de la grossesse. Ainsi, l'œuf ne peut pas être rejeté à l'extérieur sous l'influence de la pesanteur. Mais il arrive que « l'isthme » – c'est le nom de cette partie du col – ne joue plus son rôle de verrou et qu'il s'ouvre plus ou moins. Cette « béance » peut être congénitale, ou elle peut être la conséquence d'un traumatisme : accouchement difficile, avortement provoqué, curetage.

• **Les maladies maternelles**. Il est rare qu'une infection soit à l'origine d'avortements à répétition.

• **Les causes immunitaires** (p. 107). Il arrive que les mécanismes permettant normalement à cette « greffe » très particulière de prendre et à l'œuf de se développer, ne se mettent pas en place et provoquent ainsi un avortement. Le diagnostic en est malheureusement difficile et les traitements aléatoires.

L'avenir

Vous le voyez, un avortement spontané peut être dû à des causes variées. Après une première fausse couche, il est rare que le médecin fasse faire des examens complémentaires.

S'il s'agit au contraire de plusieurs fausses couches successives, à répétition, le médecin fera faire d'autres examens plus sophistiqués : échographie, radiographie de l'utérus, hystéroscopie pour rechercher une anomalie locale (utérine) ; spermogramme pour rechercher d'éventuelles anomalies ; examens de sang à la recherche d'une infection ou d'une parasitose ; caryotype des parents, etc. Ce bilan, pour complet qu'il soit, ne donne pas toujours les résultats escomptés. En effet, dans 20 à 25 % des cas, aucune cause n'est retrouvée.

Quelques semaines seront nécessaires pour faire ces examens. Il faudra également du temps pour pratiquer un traitement médical ou chirurgical, suivant la cause que ces examens auront éventuellement permis de dépister. Ne vous impatientez pas si vous êtes pressée d'être à nouveau enceinte. Il est, de toute façon, recommandé, après une fausse couche, d'éviter une nouvelle grossesse dans les deux à trois mois qui suivent. Ce temps est en effet nécessaire pour retrouver un équilibre physique et psychologique.

LA GROSSESSE EXTRA-UTÉRINE (GEU)

Au lieu de se nider dans l'utérus, l'œuf peut se fixer, de façon anormale, dans une trompe (schéma p. 100). N'ayant pas la place de se développer il meurt, en général avant le 3e mois. Mais avant, il va, peu à peu, éroder la paroi de la trompe, et la fissurer, voire même la faire éclater, réalisant alors un accident très grave. Il est donc indispensable de faire le plus tôt possible le diagnostic de la grossesse extra-utérine pour pouvoir aussitôt intervenir. En effet, il n'y a pas d'autre solution : une grossesse extra-utérine ne peut pas évoluer. Sa fréquence est de 1 à 2 %.

Dans la pratique, une grossesse extra-utérine se signale par des pertes de sang noirâtres qui peuvent même survenir avant la date prévue pour les règles, et induire la femme en erreur. Plus ou moins rapidement, surviennent également des douleurs dans le bas-ventre, parfois très intenses. Deux examens orientent le diagnostic : le dosage de βHCG (qui montre l'existence d'une grossesse), et l'échographie qui montre que l'utérus est vide et qu'il existe une image anormale dans une trompe. Un examen confirme ce diagnostic : la **cœlioscopie**. On introduit, sous anesthésie générale, par une petite incision au niveau de l'ombilic, un tube muni d'un système d'éclairage et d'une mini-caméra vidéo. On peut visionner sur une télévision l'intérieur de l'abdomen et confirmer l'existence d'une grossesse extra-utérine ; dans ce cas on l'opère en même temps : soit on incise la trompe atteinte et on enlève l'œuf, soit on enlève toute la trompe si elle est trop lésée. En cas d'hémorragie interne grave, on a recours à une intervention classique (en incisant la paroi abdominale).

Dans certains cas, il arrive que le diagnostic de grossesse extra-utérine soit possible sans cœlioscopie, uniquement par échographie. Si on a la certitude de ce diagnostic, un traitement médical à base d'un médicament (le **méthotréxate®**) est possible. C'est au chirurgien d'en décider avec l'accord de sa patiente. Une injection de ce produit peut suffire pour détruire l'œuf implanté dans la trompe. Une surveillance très stricte est indispensable pendant plusieurs semaines, notamment par des dosages répétés de βHCG.

Vous comprenez donc qu'il est nécessaire de faire le diagnostic aussi vite que possible. Si au début de votre grossesse vous avez des pertes de sang accompagnées de douleurs, il est très important de consulter le médecin sans tarder, *a fortiori* si vous avez déjà fait une grossesse extra-utérine (car la tendance à la récidive est indiscutable) ou si vous portez un stérilet (que l'on a accusé de favoriser la GEU).

Après une grossesse extra-utérine, comme après une fausse couche (p. 237), la femme peut se sentir déprimée : « Outre l'inquiétude pour l'avenir (pourrai-je à nouveau être enceinte ?), je me sens atteinte physiquement et moralement. Mon corps est vide et inutile. Je suis tellement fragile que j'ai été obligée de cacher votre livre car sa vue me faisait pleurer », nous a écrit Delphine.

Après une grossesse extra-utérine, il est possible de mener à bien ensuite une ou plusieurs grossesses. Il est vrai cependant que cette affection a tendance à se reproduire. Si vous avez déjà eu une grossesse extra-utérine, n'hésitez pas à consulter rapidement dès le moindre retard de règles et, de même, lorsque vous aurez la certitude d'être enceinte, au moindre symptôme anormal.

LA MÔLE HYDATIFORME

Cette complication est rare sous nos climats (1 pour 2 000 grossesses) alors qu'elle est beaucoup plus fréquente dans d'autres régions (1 % en Asie du Sud-Est). Due à une anomalie chromosomique, elle est caractérisée par une dégénérescence kystique du placenta avec, 9 fois sur 10, un œuf sans embryon. Elle se traduit par des pertes de sang apparaissant dès le début de la grossesse, un utérus plus gros que la normale et surtout une élévation tout à fait anormale de l'hormone de grossesse (βHCG). Elle n'évolue jamais normalement et, dès le diagnostic fait, on procède aussitôt à une aspiration du contenu de l'utérus et à un curetage. Une surveillance est nécessaire ensuite car 10 à 20 % des môles évoluent vers une tumeur maligne appelée chorio-carcinome. Cette surveillance repose essentiellement sur des dosages répétés de βHCG. En cas d'évolution maligne, une chimiothérapie s'impose.

La fausse couche, la grossesse extra-utérine, la môle hydatiforme : ces trois complications interrompent la grossesse. Mais les complications dont nous allons vous parler maintenant, lorsqu'elles sont bien diagnostiquées, bien prises en charge, permettent à la grossesse de se poursuivre et d'évoluer habituellement d'une manière satisfaisante.

LA TOXÉMIE GRAVIDIQUE

La toxémie gravidique, ou prééclampsie, est une affection causée par une anomalie dans la formation du placenta (p. 136), donc dès le tout début de la grossesse. Mais les symptômes apparaissent bien plus tard et de façon variable selon les femmes : exceptionnellement avant la 20ᵉ semaine d'aménorrhée (5ᵉ mois), souvent après le 7ᵉ mois, parfois seulement dans les dernières semaines, voire les derniers jours. C'est une des rares complications que vous pouvez, au moins en partie, diagnostiquer vous-même. La toxémie gravidique se caractérise en effet par la présence d'albumine dans les urines, par des œdèmes d'apparition rapide et par l'élévation de la tension artérielle

La présence d'albumine (ou protéinurie) dans les urines
Cette présence n'est jamais normale et peut témoigner, au cours de la grossesse, soit d'une infection urinaire, soit d'une toxémie débutante. C'est pourquoi il est nécessaire de surveiller régulièrement les

urines par des analyses et d'autant plus que l'on avance dans la grossesse.

Comme vous l'avez vu (p. 219), vous pouvez facilement faire vous-même cet examen à l'aide de papiers index colorés qui changent de couleur quand il y a présence d'albumine dans les urines. Lorsque l'index coloré marque +, prévenez sans tarder votre médecin ou votre sage-femme. Vous remarquerez peut-être que les urines sont plus foncées, plus concentrées, moins abondantes.

Des œdèmes

Les chevilles gonflent, les doigts deviennent « boudinés », avec impossibilité de retirer ses bagues, le visage lui-même peut enfler. Ces œdèmes ne traduisent pas toujours l'apparition d'une toxémie. C'est ainsi que les chevilles peuvent gonfler même au cours d'une grossesse normale, par exemple quand il fait très chaud. Mais si les œdèmes apparaissent brutalement et augmentent rapidement, ou s'ils s'accompagnent d'une prise brutale et excessive de poids, vous devez les considérer comme un symptôme d'alarme et consulter sans tarder votre médecin.

Une élévation anormale de la tension artérielle

Celle-ci est souvent révélée par des maux de tête persistants, une sensation de bourdonnement, un malaise général avec le sentiment que « quelque chose ne va pas ». C'est le médecin qui constate l'élévation de la tension lors de la consultation. On considère comme anormaux des chiffres atteignant ou dépassant 14/9. C'est surtout le chiffre de la minima qui est important.

La toxémie gravidique est plus fréquente :

• lors d'une première grossesse
• chez les femmes après 40 ans
• chez les femmes ayant déjà eu une toxémie gravidique ou un retard de croissance intra-utérin lors d'une grossesse précédente, même si la récidive est loin d'être la règle
• lors d'une grossesse gémellaire
• chez les femmes diabétiques, ayant un diabète insulino-dépendant
• chez les femmes souffrant d'une affection rénale s'accompagnant d'une hypertension artérielle et à vrai dire toutes les hypertensions antérieures à la grossesse quelle qu'en soit l'origine.

LES RISQUES DE LA TOXÉMIE GRAVIDIQUE

Ils concernent le bébé et la mère.

• Pour le bébé : puisque la toxémie gravidique est la conséquence d'un défaut de fonctionnement du placenta, celui-ci ne transporte plus tous les éléments dont le bébé à besoin. La croissance fœtale peut être ralentie (risque d'hypotrophie), le placenta peut se décoller (hématome rétroplacentaire) et l'enfant peut même décéder in utero. Une prise en charge précoce de la toxémie gravidique permet de faire naître le bébé avant que son placenta n'assure plus les besoins vitaux.

• Pour la mère, les reins sont atteints et fonctionnent mal, avec les conséquences sur la tension qui devient difficile à contrôler; les facteurs de la coagulation sanguine peuvent être altérés avec comme conséquence des risques d'hémorragie au moment de l'accouchement. De plus une hypertension mal contrôlée peut entraîner des convulsions cérébrales : c'est la **crise d'éclampsie**.

Grâce une surveillance médicale régulière et plus rapprochée en fin de grossesse, ces complications gravissimes de la toxémie peuvent être prévenues et sont aujourd'hui rares mais pas exceptionnelles.

EN CAS DE TOXÉMIE GRAVIDIQUE, QUE VA-T-IL SE PASSER ?

Il n'y a pas véritablement de traitement de la toxémie gravidique, en dehors de faire naître l'enfant. L'apparition des ces anomalies (albuminurie, œdèmes, hypertension artérielle) amènera à faire un bilan qui sera plus facile à réaliser au cours d'une hospitalisation de quelques jours, afin de préciser au mieux le retentissement éventuel de ces troubles sur la santé de la mère et de l'enfant. Ce bilan comprend différents examens de sang, une échographie avec Doppler et l'enregistrement régulier du rythme cardiaque fœtal (monitoring).

• Si la femme enceinte n'est pas trop éloignée du terme, l'accouchement sera déclenché sans délai si cela est possible, ou bien une césarienne sera pratiquée.

• Si la maman est très loin du terme, elle restera hospitalisée ; avec le repos allongé sur le côté (qui favorise un meilleur fonctionnement rénal), la prise de médicament visant à stabiliser l'hypertension artérielle, on peut espérer une stabilisation et espérer atteindre ainsi une période où la naissance, souvent très prématurée, de l'enfant ne pose pas de problème vital.

Tout cela peut vous paraître brutal mais la toxémie gravidique est une complication très sérieuse de la grossesse. C'est pourquoi, dans certains cas, la maman peut être transférée dans une autre maternité, de niveau II ou III, selon le terme de la grossesse (p. 278). Sachez que cette décision n'est jamais prise à la légère et toujours dans votre intérêt et dans celui du bébé.

Après l'accouchement, il est indispensable de faire le point de la situation. En effet le risque de récidive lors d'une nouvelle grossesse est toujours possible. Les médecins pensent d'ailleurs que la prise de petites quantités d'aspirine entre la 15e et la 37e semaine pourrait jouer un rôle préventif chez les femmes ayant eu une toxémie gravidique lors d'une première grossesse.

Nous vous rappelons qu'il est essentiel de surveiller très régulièrement ses urines, surtout dans les deux derniers mois. C'est le meilleur moyen de dépister soi même et aisément la survenue d'une toxémie gravidique.

*Lorsqu'elles sont confrontées à une complication grave de la grossesse, comme la toxémie ou l'éclampsie, les mères se sentent envahies de **sentiments douloureux** : l'inquiétude pour la santé de leur bébé et la leur, la culpabilité (« Qu'est-ce que j'ai fait de mal ? »), l'échec (« J'ai raté ma grossesse »). Il y a en plus le stress provoqué par l'urgence de la situation. Et la solitude face au milieu médical qui ne mesure pas toujours ce que ressentent les mères, et face à l'entourage, notamment le père : lui aussi est angoissé et ne sait comment aider. N'hésitez pas à parler de ce qui vous préoccupe en interrogeant le médecin ou les sages-femmes de l'équipe. Ils sont là également pour vous soutenir dans ces moments difficiles.*

LE RETARD DE CROISSANCE INTRA-UTÉRIN (RCIU) ET L'HYPOTROPHIE FŒTALE

Il arrive que le bébé ne se développe pas suffisamment au cours de la grossesse. On dit qu'il est hypotrophique, ce qui signifie insuffisamment nourri. Ce poids au-dessous de la moyenne peut être normal. En effet, les examens successifs montrent que, même avec des chiffres inférieurs à la moyenne, la croissance se poursuit régulièrement. À la naissance, le bébé aura simplement un poids (et parfois une taille) inférieur à la moyenne. C'est un problème génétique. Il y a des familles à enfants petits, et d'autres à enfants gros.

Mais le vrai retard de croissance est anormal. Plusieurs causes peuvent intervenir :

• elles peuvent venir de la mère : hypertension artérielle et toxémie ; malnutrition sévère et prolongée et surmenage ; intoxications chroniques (tabagisme, alcoolisme)

• elles peuvent venir de l'œuf ou du fœtus : anomalie du cordon ombilical ; malformations fœtales.

La cause peut exceptionnellement venir d'une carence psychologique ou sociale. Dans ce cas, il est important que la vulnérabilité de la maman soit reconnue pour qu'elle puisse être aidée par une équipe médico-psycho-sociale.

Mais dans 30 % des cas, aucune cause n'est retrouvée. Parfois le retard de croissance intra-utérin est passager : même avant de naître, les enfants ne grossissent pas tous à la même vitesse.

Le diagnostic de l'insuffisance de développement du bébé dans l'utérus est fait plus ou moins tôt au cours de la grossesse et il est confirmé par l'échographie. Une surveillance très stricte du fœtus s'impose alors (examens cliniques, échographie, doppler, enregistrement du rythme cardiaque fœtal) car l'évolution du retard de croissance intra-utérin peut être grave.

Dans les meilleurs cas l'enfant naît à terme et pèse simplement moins que la moyenne. Il ne pose généralement pas de problèmes particuliers. Dans les cas moins favorables, une atteinte fœtale risque d'apparaître ; elle entraîne la surveillance particulière décrite ci-dessus ; mais parfois on ne peut éviter une *mort in utero*.

Le traitement comprend bien sûr celui de la cause, quand elle est connue (traitement de la toxémie, par exemple). Le repos sera le plus absolu possible (avec parfois hospitalisation) sur le côté gauche, car cela permet une meilleure irrigation du placenta. De nombreux médecins y ajoutent de petites quantités quotidiennes d'aspirine. Les cas très graves d'atteinte fœtale peuvent conduire à interrompre la grossesse, généralement par césarienne.

L'INSERTION BASSE DU PLACENTA

Normalement, l'œuf se nide dans le fond de l'utérus. Mais il arrive parfois qu'il s'insère à la partie basse de l'utérus, plus ou moins près du col qu'il peut même recouvrir complètement (placenta dit recouvrant). C'est ce qu'on appelle le placenta *prævia* (étymologiquement, ce mot veut dire « sur le chemin » : *præ-via*).

Habituellement, cette insertion anormale ne gêne pas le développement de l'enfant. Par contre, sous l'influence notamment des contractions de fin de grossesse, elle peut aboutir à un décollement partiel du placenta. Ce décollement provoque des hémorragies d'abondance variable, mais qui peuvent se répéter, et surtout s'aggraver brutalement. En cas d'hémorragie en fin de grossesse, il faut voir immédiatement le médecin et se conformer à ses instructions. Il fera faire une échographie qui permettra de préciser l'insertion exacte du placenta.

Le repos absolu, en milieu hospitalier le plus souvent, est indispensable jusqu'à l'accouchement. Celui-ci pourra nécessiter une césarienne si le placenta recouvre totalement le col, ou si l'hémorragie est importante.

L'HÉMATOME RÉTROPLACENTAIRE

L'hématome rétroplacentaire se produit lorsque le placenta se décolle de l'utérus avant la délivrance. On ne connaît pas la raison de ce décollement prématuré. On pense qu'il peut s'agir d'un défaut de vascularisation du placenta. Il semblerait que le décollement soit plus fréquent lorsque le placenta est bas inséré ou en cas de toxémie gravidique.

L'hématome rétroplacentaire survient presque uniquement au cours des trois derniers mois de la grossesse. Et cette complication se produit plus facilement en cas de toxémie gravidique, d'hypertension artérielle, si la mère a déjà eu plusieurs enfants, si elle est âgée de plus de 38-40 ans. Dans le cas où une femme a déjà eu un hématome rétroplacentaire lors d'une précédente grossesse, elle est alors particulièrement suivie (échographies et Doppler répétés).

Le diagnostic est en général rapide : c'est l'association d'une hémorragie à une douleur liée à la contraction de l'utérus qui donne l'alerte. L'hospitalisation en urgence est indispensable car les risques de souffrance fœtale sont grands. La césarienne est le traitement le plus souvent mis en œuvre, à moins que le décollement ne soit très discret et n'ait pas de retentissement sur l'enfant.

LES ANÉMIES

Les besoins en fer sont nettement augmentés au cours de la grossesse. Une partie du fer nécessaire est fournie par l'alimentation, une autre est puisée dans les réserves de l'organisme maternel. Si ces réserves sont insuffisantes (ce qui peut être le cas dans certaines grossesses rapprochées), le déficit en fer va entraîner une anémie. Celle-ci peut se traduire par des symptômes tels que fatigue anormale, essoufflement, pâleur, mais l'anémie peut aussi être entièrement cachée et révélée seulement par un examen du sang. Ces anémies sont le plus souvent sans conséquence lorsqu'elles sont traitées par du fer que certains médecins préconisent d'ailleurs systématiquement. Elles n'ont pas de retentissement sur l'enfant. Aujourd'hui la recherche d'anémie (c'est-à-dire la numération globulaire) fait partie des examens obligatoires.

LE DÉNI DE GROSSESSE

On connait un peu mieux aujourd'hui cette absence de conscience de la grossesse au-delà du premier trimestre. Le déni de grossesse s'interrompt le plus souvent au milieu du deuxième trimestre ou au troisième mais il peut exceptionnellement se prolonger jusqu'à l'accouchement.

Comment une femme peut-elle porter un enfant sans en avoir conscience, sans le sentir dans sa chair ? Comment ces grossesses peuvent-elles ne pas être reconnues par les proches et les professionnels ? Cela paraît impensable et pourtant le déni de grossesse existe. Il correspond à une « organisation » psychique très complexe qui ne permet pas à ces mères de faire de place à l'enfant ; elles ne se sentent pas enceintes. Le bébé se développe ainsi dans leur corps sans qu'on le voit, certains parlent de petit « passager clandestin ». Et puisque c'est toujours la mère qui annonce au père, à sa famille, à ses amis, qu'elle attend un enfant, son entourage ne peut qu'ignorer cette grossesse non dite et enfouie.

Les professionnels de santé sont de plus en plus sensibilisés à l'importance d'accueillir ces mères, ces pères, sans jugement et avec la plus grande bienveillance. Au-delà de l'exploration du contexte qui a conduit au déni de grossesse, c'est le devenir de la relation mère-enfant qui est en jeu et qu'il convient de soutenir. Un livre récent — à travers des histoires surprenantes et des réflexions et interrogations autour de la grossesse, la maternité, le couple, etc. — est consacré à ce phénomène : *Elles accouchent et ne sont pas enceintes - Le déni de grossesse*, de Sophie Marinopoulos et Israël Nisand, éditions Les Liens qui Libèrent.

Il existe une association pour la reconnaissance du déni de grossesse www.afrdg.info

Quand une maladie survient

La survenue d'une maladie pendant la grossesse inquiète : les maladies ont alors mauvaise presse. En effet, s'il n'est pas douteux que, dans la majorité des cas, ces maladies soient sans conséquences particulières, il reste vrai qu'elles peuvent parfois entraîner des complications graves : avortement, accouchement prématuré, malformations fœtales. Nous n'allons, bien sûr, pas parler de toutes les maladies, mais de celles qui risquent d'avoir des conséquences pour le bébé. Quoi qu'il en soit, même si vous ne constatez aucun autre symptôme, le seul fait d'avoir de la fièvre, même passagère, doit vous conduire à consulter le médecin.

VOUS AVEZ DE LA FIÈVRE

Ce symptôme, souvent anodin lorsqu'il est fugace, ne doit pas être pris à la légère pendant la grossesse. Si vous avez de la fièvre, vous devez consulter le médecin, surtout si elle est isolée, sans autre symptôme pouvant la relier à une infection virale saisonnière, type grippe ou gastro-entérite. Il n'est pas question de passer en revue toute la pathologie infectieuse susceptible de provoquer de la fièvre (voir plus loin) mais d'insister sur le fait qu'en cas de fièvre le risque est avant tout pour le bébé et qu'un bilan complet s'impose pour rechercher la cause de cette fièvre.

Si vous êtes au-delà du 6e mois de grossesse, une hospitalisation en maternité peut être conseillée afin de prendre les mesures qui s'imposent : mise en route d'un éventuel traitement antibiotique sans attendre les résultats des examens complémentaires demandés. Tout cela sera décidé par l'équipe médicale de la maternité où vous avez prévu d'accoucher. N'hésitez pas à la consulter : c'est leur métier de prendre soin de vous et de votre bébé.

LA TOXOPLASMOSE

Cette maladie est due à un parasite, le toxoplasme, présent dans les viandes, surtout le mouton et le porc, mais pas exclusivement. Consommer de la viande saignante risque de transmettre le parasite : il est donc important de bien cuire la viande que l'on mange. En outre, le chat est un vecteur du toxoplasme que l'on peut retrouver dans ses selles. C'est pourquoi il faut respecter certaines règles d'hygiène à cet égard.

Les symptômes de la toxoplasmose sont en général très discrets : ganglions du cou enflés, légère fièvre, fatigue et douleurs musculaires et articulaires. La banalité de ces symptômes fait que de nombreuses futures mères (55 à 65 %) sont immunisées sans le savoir. Les autres, qui ne le sont pas, risquent d'attraper la maladie pendant la grossesse et de contaminer leur bébé, ce qui peut avoir de sérieuses conséquences pour sa santé.

Comment savoir si je suis immunisée contre la toxoplasmose ?

En France, le sérodiagnostic de la toxoplasmose fait partie des examens prénataux obligatoires.

• Si le sérodiagnostic est positif (il montre un taux d'anticorps dans votre sang), cela signifie que vous avez déjà eu la maladie et que vous êtes donc immunisée : vous ne courez aucun risque.

• Si le sérodiagnostic est négatif (vous n'avez pas d'anticorps contre la maladie), vous n'avez pas eu la maladie et vous n'êtes pas immunisée. Il faudra alors faire pratiquer chaque mois un sérodiagnostic pour dépister une éventuelle infection et mettre en route un traitement.

Je ne suis pas immunisée, quelles précautions dois-je prendre ?

• Les précautions alimentaires sont importantes : pas de viande crue ni saignante (p. 82) mais au contraire bien cuite. Si vous avez un jardin potager, lavez-bien les légumes et les fruits qui ont pu être souillés par un chat. Si vous jardinez, n'oubliez pas que la terre a pu être également souillée : faites-le avec des gants et lavez-vous bien les mains.

• Prudence si vous avez un chat à la maison : voyez ce que nous disons p. 51. Si vous le caressez, pensez à vous laver les mains avant de passer à table.

Je ne suis pas immunisée, quels sont les risques ?

Il n'y a de risque que si vous contractez la toxoplasmose pendant votre grossesse ce qui, avec les précautions conseillées, est aujourd'hui tout à fait exceptionnel. La gravité du risque dépend du « moment » de la grossesse où la maladie est contractée.

• Au premier trimestre, il est rare que le toxoplasme traverse le placenta, mais la contamination à cette période est grave : avortement, mort ou graves malformations neurologiques.

• Au second trimestre, le placenta est plus facile à traverser par le toxoplasme. L'atteinte du fœtus est grave car tout le système digestif est touché, ainsi que le foie et la rate.

• En fin de grossesse, la contamination est plus fréquente et moins grave avec des atteintes neurologiques ou oculaires. En général, l'enfant naît indemne et c'est plus tard que l'on évoque la maladie en raison de symptômes anormaux. C'est pourquoi, aujourd'hui, la tendance actuelle est de faire pratiquer à la maman un sérodiagnostic de toxoplasmose un mois **après** la naissance pour ne pas passer à côté d'une contamination tardive.

En cas de toxoplasmose survenant au cours de la grossesse

On donne d'emblée à la future mère un traitement antibiotique (en général plusieurs sont utilisés). En même temps, on essaie de préciser l'importance du risque fœtal par des échographies répétées, éventuellement par amniocentèse. En cas d'atteinte fœtale certaine, une interruption médicale de grossesse pourra être envisagée. S'il n'y a pas de signe évident d'atteinte certaine du fœtus, le traitement sera poursuivi jusqu'à l'accouchement.

LA LISTÉRIOSE

Comme la rubéole et la toxoplasmose, la listériose est une maladie bénigne ou même inapparente chez la mère, alors qu'elle est souvent redoutable pour le fœtus. Elle concerne 0,1 à 0,2 naissance pour 1000.

Elle est transmise soit par des aliments d'origine animale (viande, œufs, lait, fromage), soit par contact avec un animal infecté, soit enfin si des aliments ont pu être, d'une manière ou d'une autre, en contact avec des sécrétions ou excréments animaux. Le bacille responsable traverse le placenta et atteint l'enfant. Celui-ci peut mourir dans l'utérus. Mais le plus souvent la maladie provoque un accouchement prématuré donnant naissance à un enfant qui mourra en quelques jours dans plus de la moitié des cas.

Il est important de dépister la maladie chez la femme enceinte, car le bacille est très sensible aux antibiotiques. Malheureusement, ce dépistage est difficile car l'affection se cache souvent sous le masque d'une maladie banale : grippe, infection urinaire, etc. Chez une femme enceinte, tout épisode de fièvre qui ne peut être rapidement rattaché à une cause évidente doit faire rechercher le bacille dans le sang, la gorge, l'urine et les pertes vaginales. C'est le seul moyen de faire le diagnostic et d'instaurer un traitement. Si celui-ci est suffisamment précoce, l'enfant sera indemne.

La **prévention** la plus efficace consiste à s'abstenir de manger des aliments qui peuvent être dangereux : fromages au lait cru, fromage vendu râpé, mais aussi poissons fumés, coquillages crus, surimi, tarama. Évitez les rillettes, pâtés, foie gras, aliments en gelée. Pour le jambon, préférez les produits préemballés. Enlevez la croûte des fromages. Les plats cuisinés et restes alimentaires seront bien réchauffés avant d'être consommés. Les légumes consommés crus et les herbes aromatiques doivent être soigneusement lavés. Viandes et poissons doivent être suffisamment cuits. Il est également nécessaire de nettoyer fréquemment le réfrigérateur, de le désinfecter ensuite à l'eau de javel, et de surveiller la température qui doit être en permanence entre 3 et 7° maximum. Voyez aussi page 82.

LE PARVOVIRUS B19

L'infection par le parvovirus B19 (appelée également 5e maladie) se manifeste de façon discrète, en général au printemps et par petites épidémies, plutôt en milieu scolaire.

Les symptômes sont semblables à ceux de la grippe, avec un peu de fièvre, des douleurs articulaires, des « rash » cutanés (aspect de coup de soleil au visage). Dans 1/3 des cas, il n'y a pas de symptôme.

Le risque d'atteinte fœtale est d'environ 10 %. Le virus attaque les globules rouges du fœtus entraînant chez celui-ci une anémie, d'où l'aspect d'*anasarque* (œdème généralisé de tous les tissus) à l'échographie du 2e ou 3e trimestre. Au 1er trimestre, le risque est celui d'une fausse couche (moins de 5%).

Lorsque l'atteinte par le parvovirus est soupçonnée, le diagnostic se fait par une sérologie maternelle (prise de sang). La surveillance se fera ensuite par échographie. Dans 1/3 des cas, la disparition de cet œdème est possible ; s'il s'aggrave, le traitement consiste à faire des transfusions au fœtus. La guérison est le plus souvent obtenue.

À noter que l'infection par le parvovirus B19 ne provoque pas de malformations.

LA RUBÉOLE

Lorsqu'elle touche une femme enceinte, la rubéole représente un risque de malformation grave pour le nouveau-né (cataracte, surdité, malformation cardiaque, etc.), surtout lorsque l'infection survient dans les trois premiers mois de la grossesse. Heureusement, plus de 95 % des femmes enceintes sont immunisées contre la rubéole, soit parce qu'elles ont été vaccinées, soit parce qu'elles ont contracté la rubéole pendant l'enfance.

Comment savoir si l'on est immunisée ? En faisant un sérodiagnostic, d'ailleurs systématiquement demandé en début de grossesse. Le sérodiagnostic recherche dans le sang la présence d'anticorps antirubéoleux. Ainsi la future maman peut-elle savoir si elle est immunisée.
• Si c'est le cas, il n'y a rien à craindre.
• Si elle ne l'est pas, ce qui est très rare, il conviendra pour certaines professions plus exposées que d'autres à la contagion (enseignante, puéricultrice, infirmière…) de refaire le sérodiagnostic tous les 15 jours jusqu'à la fin du troisième mois. Au delà, le risque de malformation est minime.

Après l'accouchement, il est conseillé aux femmes non-immunisées de se faire vacciner et d'éviter toute grossesse, pendant les trois mois suivant la vaccination, par une contraception efficace. *A priori*, le vaccin ne comporte pas de risque mais il s'agit d'une mesure de prudence.

LES AUTRES MALADIES INFECTIEUSES

Une future mère n'est pas à l'abri des autres maladies infectieuses, surtout s'il y a de jeunes enfants dans la famille. La question est de savoir, pour les plus fréquentes, si elles peuvent atteindre l'enfant à naître.
• La **varicelle** survient exceptionnellement pendant la grossesse (presque toutes les futures mères l'ayant eue pendant l'enfance) : 1 cas pour 10 000 femmes enceintes.

Le risque éventuel pour la maman, qui aurait véritablement contracté la maladie pendant la grossesse, est celui d'une pneumonie souvent grave. Le risque de transmission du virus de la mère à l'enfant est faible en début de grossesse (inférieur à 5 %). Il est de 20 % pendant la grossesse et de 80 % après l'accouchement. La possibilité d'atteinte fœtale est maximum entre 8 et 20 semaines d'aménorrhée, avec risque de fausse couche ou de malformation. En cas de maladie contractée le dernier jour de la grossesse, il existe un risque exceptionnel mais réel de varicelle néonatale, parfois très sévère.

La varicelle est suspectée chez la maman s'il y a eu un risque de contagion et en cas d'une éruption de vésicules. Le diagnostic est confirmé par l'augmentation des anticorps, retrouvée par deux contrôles successifs. En cas de varicelle avant 20 semaines, il faudra rechercher, par des examens échographiques très spécialisés ou par IRM, une atteinte fœtale.

Il n'y a pas de traitement pour éviter la transmission mère - enfant. Le traitement de la mère par antiviraux a seulement a pour but de diminuer l'intensité de l'éruption et le risque de pneumonie.

• La **grippe** n'a généralement pas de conséquences sauf exceptionnellement au cours d'épidémies de grippe particulièrement sévères. Il est malgré tout conseillé aux femmes enceintes de se faire vacciner, surtout en période épidémique.

• L'**infection à cytomégalovirus** est due à un virus proche de celui de l'herpès. 40 à 50 % des femmes enceintes ne sont pas immunisées naturellement, et 1 à 3 % d'entre elles pourront être infectées au cours de la grossesse.

Pour l'instant, les médecins sont malheureusement assez démunis devant cette maladie. Le diagnostic d'infection maternelle pendant la grossesse est difficile car les formes inapparentes sont les plus fréquentes. L'accord n'est pas fait sur l'utilité d'un dépistage systématique, comme on le fait pour la toxoplasmose. Actuellement, on a tendance à réserver ce dépistage aux femmes à risques, celles qui sont au contact de jeunes enfants : mères d'enfants allant à la crèche, personnels des crèches (puéricultrices, infirmières et médecins), institutrices de maternelles, etc. En effet la contamination se fait par la salive, les larmes, les urines et les selles des jeunes enfants.

Quand on a pu faire le diagnostic de la maladie en cours de grossesse, on juge de l'état du fœtus grâce à l'amniocentèse, à la ponction de sang fœtal, à l'échographie et à l'IRM. Et, après la naissance, on peut déceler la présence du virus chez l'enfant.

Aujourd'hui, on ne peut proposer que des mesures préventives concernant essentiellement l'hygiène : ne pas partager les mêmes couverts que les enfants, ne pas « finir » leur assiette, sucer leur cuillère ou goûter le biberon ; éviter d'embrasser l'enfant sur la bouche, éviter le contact avec les larmes et le nez qui coule ; penser à se laver les mains après la manipulation des jouets, après le change des couches, avoir du linge de toilette séparé, etc. Il n'existe aucune vaccination préventive pour les femmes. Pour l'enfant, après la naissance, on dispose d'un médicament efficace mais très toxique ; le médecin décidera de son utilisation éventuelle au cas par cas.

• La **rougeole** ne semble pas susceptible de donner de malformation. Par contre, quand elle est contractée dans les jours précédant l'accouchement, l'enfant peut naître avec une rougeole congénitale capable de donner des complications pulmonaires graves. Aussi, toute femme enceinte non immunisée contre la maladie doit recevoir des gamma-globulines dans les 72 heures suivant le contact suspect.

• La **scarlatine** ne présente pas de gravité pour l'enfant si elle est précocement et correctement traitée chez la mère.

• Le **zona** est rare au cours de la grossesse. Il n'a en général aucune conséquence ni pour la mère, ni pour l'enfant.

LES INFECTIONS URINAIRES

En dehors des troubles urinaires « mécaniques » dont vous avez vu la fréquence (p. 196), il est possible que la future mère éprouve, outre des envies fréquentes d'uriner, des douleurs à la vessie et lorsqu'elle urine, une sensation de brûlure. Parfois, les douleurs se situent plus haut que la vessie, à la hauteur de l'abdomen ou des reins. Certaines femmes prennent même ces douleurs pour des contractions de l'utérus.

La cause de cette cystite est une infection urinaire. Elle peut s'accompagner d'urines anormalement troubles, parfois teintées de sang. Bien entendu il faut consulter le médecin qui demandera un examen cytobactériologique des urines (ECBU). Celui-ci montrera la présence de microbes, en général de la famille du colibacille ou de l'entérocoque. Il existe des bandelettes vous permettant de dépister vous-même ces infections urinaires.

Traitées rapidement, ces infections guérissent facilement mais elles ont souvent tendance à réapparaître. Aussi, après une infection urinaire, faut-il exercer une surveillance plus attentive des urines car, non ou insuffisamment traitées, ces infections risquent de s'étendre aux reins (pyélonéphrites), mais surtout semblent pouvoir retentir sur l'évolution de la grossesse et déterminer une hypotrophie de l'enfant et un accouchement prématuré (p. 271).

LA CHOLESTASE GRAVIDIQUE

Il s'agit d'un mauvais fonctionnement du foie, provoqué par la grossesse, qui se manifeste le plus souvent au troisième trimestre. Le premier symptôme en est le prurit gravidique (p. 195). Ces démangeaisons vont progressivement se généraliser et entraîner des lésions de grattage, ainsi que des troubles du sommeil si elles sont intenses. Un bilan sanguin montrera le disfonctionnement hépatique. Ce bilan sera refait et en fonction de l'importance des symptômes (prurit, troubles du sommeil et anomalies biologiques), un accouchement provoqué pourra être envisagé, d'autant qu'il y a de grands risques pour le bébé.

L'HÉPATITE VIRALE

Cette maladie se manifeste par une jaunisse accompagnée de démangeaisons intenses sur tout le corps mais elle peut aussi s'accompagner d'un minimum de symptômes, voire passer complètement inaperçue. Il existe plusieurs sortes d'hépatites virales. L'hépatite A survient surtout après ingestion d'aliments porteurs du virus (les crustacés et coquillages en particulier). L'hépatite B s'attrape surtout par voie sanguine.

L'hépatite peut avoir des conséquences sérieuses si elle survient au cours de la deuxième moitié de la grossesse car, dans certains cas, elle peut entraîner un accouchement prématuré. L'enfant lui-même peut avoir une hépatite soit par passage du virus à travers le placenta, soit par contamination maternelle directe à la naissance.

Depuis peu, on sait qu'une hépatite maternelle, même guérie depuis longtemps, risque d'être dangereuse pour l'enfant, notamment pour l'hépatite B. En effet, dans 10 % des cas, même après guérison apparente, le virus reste dans le sang. Cette situation concernerait environ 1 % des femmes enceintes. Il existe alors un risque de contamination de l'enfant au moment de la naissance. Mais ce risque est annulé par l'injection à l'enfant, immédiatement après la naissance, de gamma-globulines antihépatite et par une vaccination. C'est la raison pour laquelle, la recherche dans le sang maternel d'anticorps antihépatite (dits antigènes Hbs et Hbe) se fait systématiquement entre 24 et 28 semaines. En cas de réaction positive, l'enfant sera vacciné après la naissance.

Il existe d'autres hépatites. L'hépatite D n'existe qu'associée à une hépatite B dont elle partage les caractéristiques et la prévention. L'hépatite E est exceptionnelle en France. L'hépatite C se transmet par voie sanguine. Les transfusions n'en sont plus responsables depuis 1991 en raison d'un dépistage systématique. L'hépatite C concerne donc essentiellement les toxicomanes qui utilisent des drogues injectées. Son risque de transmission à l'enfant est très faible, sauf si elle est associée au sida.

LES TRAUMATISMES

Les conséquences des traumatismes sont évidemment variables selon l'intensité du choc et l'âge de la grossesse. Dans les quatre premiers mois, l'utérus est encore protégé dans le bassin. Au contraire d'une idée reçue, les avortements après traumatisme sont exceptionnels. L'utérus devient beaucoup plus vulnérable en se développant : décollement du placenta, accouchement prématuré.

> **INTERVENTIONS CHIRURGICALES**
> *Peut-on se faire opérer quand on est enceinte ? Oui, c'est possible, et l'anesthésie ne comporte aucun risque pour l'enfant. Par contre, pendant la grossesse, on ne pratique une intervention que si cela est nécessaire, une appendicite aiguë par exemple.*

Les chutes simples sont fréquentes : 80 % surviennent après la 32e semaine car le développement de l'utérus entraîne un déplacement du centre de gravité du corps. Mais les lésions les plus graves surviennent après les accidents de la circulation, d'où l'importance de la ceinture de sécurité. Quoi qu'il en soit, après une chute importante ou un accident, allez immédiatement à la maternité. Si vous êtes RH-, on vous fera une injection de gamma-globulines au cas où le choc aurait entraîné le passage de globules rouges du bébé dans votre circulation (p. 260).

ET LE STRESS ?

Beaucoup de femmes s'inquiètent d'être stressées pendant leur grossesse, elles ont peur que cela ait une influence sur la santé de leur bébé. Les soucis, les contrariétés, les chagrins, font partie de la vie quotidienne, comme les moments de joie et de plaisir. Il est difficile d'éviter toutes les causes de stress mais il est possible de se soulager des tensions, de l'inconfort qu'il provoque et de protéger ainsi son bébé d'éventuels effets. Ne restez pas seule, envahie par vos difficultés, confiez-vous à votre entourage, voyez avec votre compagnon s'il pourrait vous décharger de différentes tâches. Certaines mamans nous ont dit être apaisées d'avoir parlé à leur bébé de ce qu'elles ressentaient. L'entretien prénatal précoce peut être l'occasion d'évoquer avec la sage-femme ce que vous éprouvez. S'il s'agit de stress dans votre vie professionnelle, parlez-en au médecin du travail. La relaxation — par la gymnastique aquatique, le yoga, la sophrologie, etc. — peut apporter une réelle détente. Enfin n'oubliez pas que le stress face à une nouvelle expérience comme la grossesse et l'accouchement est légitime et peut cacher une préoccupation saine, celle du bébé à naître.

Si votre état d'anxiété persiste, si d'autres troubles apparaissent — grande irritabilité, palpitations, fatigue, sommeil perturbé, perte de l'appétit — demandez de l'aide à votre médecin qui évaluera la nécessité d'un soutien psychologique et/ou médicamenteux. Attendre un enfant peut en effet faire remonter à la conscience des fragilités de l'enfance et de l'adolescence, des émotions transmises de mères en filles.

Si vous étiez malade avant d'être enceinte

Chez une femme atteinte d'une maladie, la survenue d'une grossesse peut poser certains problèmes. Certains médicaments sont contre-indiqués au début, lorsque l'embryon est le plus fragile, et il convient alors de modifier le traitement dès que la grossesse a commencé. C'est probablement ce qui aura été fait dans le cadre de la consultation avant la conception (p. 26 et 222).

Il arrive que, sous l'influence de l'effort supplémentaire que la grossesse demande à l'organisme, la maladie se complique et s'aggrave. À l'inverse, il arrive que la maladie menace la grossesse dans son évolution, perturbe l'accouchement et retentisse sur l'état de l'enfant.

Pour illustrer les problèmes que peut poser la coexistence d'une maladie antérieure à la grossesse et la grossesse présente, voici quelques exemples choisis en fonction des situations les plus fréquentes, en terminant par les questions chirurgicales souvent rencontrées.

LE DIABÈTE

Cette maladie du métabolisme (c'est-à-dire de la transformation des sucres apportés par l'alimentation) est due à une insuffisance d'une hormone sécrétée par le pancréas et appelée insuline. Elle se traduit par la présence de sucre dans les urines, et par une glycémie (taux du sucre sanguin) au-dessus de la normale. Autrefois, le diabète rendait la grossesse très dangereuse et pour la mère et pour l'enfant. Aujourd'hui, les progrès de la médecine ont considérablement réduit les risques. La mortalité périnatale a beaucoup chuté depuis quelques années pour se rapprocher des chiffres observés dans la population générale. Certaines complications restent cependant plus fréquentes : l'hypertension artérielle, l'hydramnios et des signes de souffrance fœtale en fin de grossesse. D'autres complications risquent de survenir si le diabète est mal contrôlé : fréquence accrue des fausses couches, des malformations fœtales, voire même des morts fœtales dans les dernières semaines de la grossesse.

On distingue deux variétés de diabète :

- le type 1 qui nécessite toujours un traitement par insuline. Il est dit « insulino dépendant ». Il est relativement rare chez les femmes enceintes

- le type 2 qui est beaucoup plus fréquent et peut être contrôlé par le seul régime alimentaire, ou par des médicaments efficaces (par voie buccale). Mais ces derniers sont contre-indiqués pendant la grossesse où seule l'insuline est autorisée.

Quand le diabète est connu avant la grossesse, celle-ci peut se dérouler sans encombre à condition :
• D'avoir « préparé » la grossesse avec le diabétologue : il vous proposera un régime rigoureux, un fractionnement des doses quotidiennes d'insuline en trois injections au minimum, ainsi que des examens d'auto-surveillance glycémique très fréquents (6 fois par jour) car c'est dans les toutes premières semaines de la vie embryonnaire que se produisent les malformations fœtales qui peuvent être la conséquence d'un mauvais équilibre du diabète de la mère ; on compte seulement 1,2 % d'anomalies congénitales chez les femmes « préparées » contre 11 % chez les autres.

• De suivre très strictement le traitement et le régime qui auront été prescrits.

• D'être surveillée très régulièrement (toutes les deux semaines) par le diabétologue et l'accoucheur.

• D'accepter, si elle est nécessaire, une hospitalisation avant la conception ou en début de grossesse, pour équilibrer le diabète si ça n'a pas été fait auparavant ; plus rarement en fin de grossesse si apparaît la moindre complication.

Grâce à cette surveillance attentive tout au long de la grossesse, le pronostic s'est considérablement amélioré. L'accouchement s'effectue le plus souvent à terme, mais il n'est pas rare qu'on le déclenche à 38-39 semaines. La césarienne n'est pas obligatoire, mais reste plus fréquente que chez les non-diabétiques. Le nouveau-né – qui est souvent gros – doit être surveillé pendant les premiers jours de sa vie, car il est souvent hypoglycémique. Un apport de sucre – par voie intraveineuse ou par l'alimentation plus ou moins continue – est donc en général nécessaire.

LE DIABÈTE GESTATIONNEL

Le diabète peut apparaître au cours de la grossesse. On l'appelle « diabète gestationnel ». Certaines femmes risquent plus que d'autres d'en être atteintes :

• celles qui ont un surpoids important

• celles qui ont des diabétiques dans leur famille proche (parents, frères et sœurs)

• celles qui ont déjà mis au monde de gros enfants ou des enfants morts-nés

• celles qui ont déjà eu des glycémies élevées au cours de la prise de la pilule.

Chez toutes ces femmes, mais aussi pour toutes les futures mères, un dépistage systématique sera fait entre la 24e et la 28e semaine par des prises de sang : dosage de la glycémie à jeun et/ou après absorption de sucre. Le diabète gestationnel doit être surveillé avec le même sérieux qu'un diabète habituel. Le régime permettra le plus souvent d'obtenir un contrôle de la glycémie. Plus rarement, il faudra lui adjoindre un traitement insulinique. Le diabète gestationnel peut disparaître après l'accouchement mais il a tendance à réapparaître lors d'une future grossesse, ou à partir de 40-50 ans sous forme d'un vrai diabète type 2.

À noter. Au cours de la grossesse, il arrive assez souvent qu'on retrouve la présence de sucre dans les urines (glycosurie). En général, il s'agit d'une simple anomalie de filtrage du sucre par le rein. La présence de sucre dans les urines n'a aucune valeur pour dépister un diabète gestationnel. La recherche de sucre dans les urines est donc inutile.

Alimentation en cas de diabète gestationnel. Les apports en glucides (sucres) sont à fractionner au cours de la journée en 3 repas et 2 à 3 collations pour éviter une montée importante du taux de sucre dans le sang. Les boissons et les produits sucrés, les jus de fruits sont à éviter.

L'HYPERTENSION ARTÉRIELLE

L'association hypertension artérielle et grossesse n'est pas rare (10 % environ). Il est fréquent que ces deux états ne fassent pas bon ménage et aboutissent à une grossesse « à risque ». C'est dire l'importance de la prise régulière de la tension au cours des consultations.

• Si cette hypertension est connue avant la grossesse, elle est en général traitée et surveillée et la surveillance sera celle d'une grossesse « à risque » (p. 228).

• Si elle se révèle pendant la grossesse, et lorsqu'elle s'associe à une albuminurie et des œdèmes, il s'agit vraisemblablement d'une toxémie gravidique (ou prééclampsie). Cette situation nécessite une attention particulière. Si cette hypertension avec albuminurie se confirme, elle impose une hospitalisation avec un bilan plus complet (voir p. 240).

L'OBÉSITÉ

On apprécie l'existence et l'importance d'un surpoids en calculant ce que l'on appelle **l'indice de masse corporelle** (poids divisé par le carré de la taille exprimée en mètres, voir p. 79). La normale se situe entre 18 et 25. De 25 à 30 on parle de surpoids. Au-dessus de 30, il s'agit d'obésité ; vous trouverez des exemples dans l'encadré ci-dessous.

Les femmes qui ont un surpoids et, *a fortiori* les femmes obèses, ont tendance à avoir plus de complications : hypertension artérielle, diabète gestationnel, toxémie. C'est dire la nécessité d'une surveillance médicale régulière.

Par ailleurs, les femmes déjà obèses avant d'être enceintes ont tendance à prendre plus de poids que les autres pendant la grossesse. C'est une raison de plus pour suivre un régime alimentaire strict. Mais la ration quotidienne ne doit pas être inférieure à 1 500-1 800 kcal car il faut assurer la croissance de l'enfant. La restriction doit porter principalement sur les graisses (pas plus de 30 g par jour répartis entre le beurre et les huiles) et sur les glucides – les sucres – qui doivent être absorbés en quantité modérée. L'alimentation sera composée surtout de protides (viandes grillées, œufs, poissons), de légumes verts, de fromage non gras, de laitages et de fruits. Plus le régime est pauvre en calories, plus il est indispensable de prendre, en supplément, du fer, des vitamines, du calcium.

POIDS NORMAL, SURPOIDS, OBÉSITÉ
Une femme de 1,60 m pèse 55 kg. Pour trouver l'indice de masse corporelle, il faut diviser le poids (55 dans l'exemple choisi) par le carré de la taille (1,60 x 1,60 = 2,56). Ce qui donne 21,48. Cette femme a un indice de masse corporelle normal. Si une femme de 1,60 m pèse 70 kg, l'indice de masse corporelle est de 27,34, il est donc trop important, il y a surpoids. Si une femme de 1,60 pèse 80 kg, l'indice de masse corporelle est de 31,25, il y a obésité.

Certaines études montrent que le surpoids peut rendre difficile l'allaitement maternel. En revanche, celui-ci favorise la perte de poids qui se produit après la grossesse. Les enfants sont souvent (comme ceux des femmes diabétiques) de poids élevé, d'où des difficultés possibles au moment de l'accouchement et un plus grand nombre de césariennes.

Pour bien faire, il faudrait qu'une femme obèse désirant un enfant fasse un traitement pour perdre du poids avant le début de sa grossesse et qu'elle ne prenne pas plus de 6 à 7 kg durant celle-ci. Ce dernier objectif peut sembler difficile à atteindre par la future maman. Mais elle peut y arriver car le bébé, en puisant dans ses réserves, va l'aider à stabiliser son poids.

L'ÉPILEPSIE

Chaque année, 2 000 enfants naissent en France de mère épileptique (0,3 à 0,5 % des naissances). Ces grossesses posent le double problème de l'aggravation éventuelle de l'épilepsie, et du rôle malformatif possible de certains médicaments anti-épileptiques. Pour donner à ces grossesses le maximum de chances d'évoluer favorablement (c'est heureusement ce qui se produit dans 90 % des cas)

certaines précautions doivent être prises :
• dans les deux mois précédant la grossesse, avec l'aide du neurologue, faire en sorte d'équilibrer l'épilepsie avec un seul médicament, et prescrire de l'acide folique dont la prise sera poursuivie au moins jusqu'à 12 14 semaines de grossesse
• prise de vitamine K pendant le 9e mois
• surveillance échographique régulière pour dépister une éventuelle malformation.

LES ALLERGIES

On estime que l'allergie touche 10 à 15 % de la population. Elle n'est donc pas exceptionnelle au cours de la grossesse. Elle se traduit surtout par des manifestations respiratoires et cutanées.

L'ASTHME
Il représente le trouble respiratoire le plus fréquent au cours de la grossesse. Presque tous les médicaments utilisés habituellement sont autorisés pendant la grossesse, y compris les dérivés de la cortisone. Il est en revanche déconseillé de commencer une désensibilisation en cours de grossesse.

LA RHINITE ALLERGIQUE
Elle est relativement fréquente. Elle se traduit par une sensation de « nez bouché » et par des écoulements. Le traitement local à base de pulvérisations donne habituellement de bons résultats. Cette rhinite est le plus souvent liée à un déséquilibre hormonal, avec congestion des muqueuses.

LES TROUBLES DERMATOLOGIQUES (URTICAIRE, ECZÉMA, PRURIT, ETC.)
Ils peuvent être traités comme d'habitude. Toutefois, en ce qui concerne les médicaments antihistaminiques, il n'y a pas encore assez de recul pour être certain de leur innocuité. Les antihistaminiques locaux sont habituellement autorisés sans problème. De toute façon, consultez votre médecin qui, selon les cas, pourra prescrire certains antihistaminiques.

L'ALLERGIE ALIMENTAIRE
En France, les allergies alimentaires concernent environ 8 % des enfants. Afin de diminuer les risques d'allergie chez l'enfant à naître, en particulier chez celui dont un des parents proches (père, mère, frère, sœur) est déjà allergique, il est recommandé à la maman de supprimer l'arachide de son alimentation pendant la grossesse et l'allaitement. L'arachide est en effet l'un des allergènes les plus dangereux ; par ailleurs, sa suppression n'entraîne pas de déséquilibre nutritionnel.

LES MALADIES SEXUELLEMENT TRANSMISSIBLES

LE SIDA
On sait maintenant qu'à côté des malades présentant un sida déclaré et en évolution, un grand nombre de personnes sont porteuses du virus de l'immunodéficience humaine (VIH) et ne présentent aucun signe de la maladie (elles sont dites séropositives). L'évolution vers l'apparition des signes cliniques et

le sida déclaré est retardée par des médicaments antiviraux (trithérapie) qui se sont révélés très efficaces. Par contre, il n'existe pas actuellement de traitement permettant de guérir du sida.

Un certain nombre de femmes ignorent leur séropositivité et ne la découvrent qu'au moment de la grossesse. En effet, la loi de 1993 oblige les médecins à proposer (la femme peut refuser) un dépistage systématique. Les risques de l'association VIH et grossesse concernent à la fois la femme et l'enfant.

Pour la femme, en cas de simple séropositivité sans aucun trouble, la grossesse n'aggrave pas l'évolution de la maladie VIH. Dans les autres cas (sida déclaré), le risque d'aggravation est bien réel.

Pour l'enfant, la majorité des enfants contaminés le sont en fin de grossesse, notamment au moment de l'accouchement. Cependant le pronostic fœtal s'est considérablement amélioré : le taux de transmission du virus VIH de la mère à l'enfant passe de 20 % à 8 % si l'on traite la mère pendant la grossesse et l'accouchement par AZT (Rétrovir®). Ce traitement, associé à une césarienne faite avant la rupture des membranes et le début du travail, permet d'abaisser ces chiffres au dessous de 1 %.

Tous les enfants nés de mère séropositive sont séropositifs à la naissance car les anticorps de la mère sont transmis à l'enfant à travers le placenta. Il s'agit bien des anticorps de la mère et cela ne signifie pas que les enfants sont infectés. La difficulté est de pouvoir rassurer au plus vite les parents sans avoir à attendre pendant plusieurs mois la disparition des anticorps de la mère dans la circulation de l'enfant. On dispose actuellement de tests permettant de répondre précocement à cette question.

L'allaitement maternel est contre-indiqué chez les femmes séropositives car il augmente le risque de transmission du VIH à l'enfant.

L'HERPÈS

L'herpès est une maladie virale qui concerne environ 10 millions de personnes en France. C'est une maladie contagieuse, sexuellement transmissible et qui a tendance à récidiver car le virus de l'herpès reste à vie dans l'organisme.

Cette maladie se traduit par l'apparition de petites vésicules, comme celles de la varicelle, groupées sur une plaque rouge. L'herpès peut se situer au niveau du visage, surtout sur les lèvres, ou au niveau de l'appareil génital (vulve, vagin et col). Au cours de la grossesse, seul l'herpès génital est dangereux pour l'enfant : celui-ci peut être contaminé au passage des voies génitales lors de l'accouchement, et risque une encéphalite d'une très grande gravité. Aussi quand existe une poussée d'herpès génital **au moment de l'accouchement**, la césarienne s'impose absolument. Ainsi l'enfant sera indemne. Mais, alors que l'herpès vulvaire est facilement visible, celui du col est impossible à diagnostiquer cliniquement. Aussi peut-on proposer dans ce cas une recherche de cellules herpétiques au niveau du col au cours du mois qui précède l'accouchement. Si cette recherche est positive, la césarienne peut s'imposer.

Si vous, ou votre mari, avez déjà fait des poussées d'herpès, il est indispensable de n'avoir, pendant la grossesse, que des rapports protégés (préservatifs).

Après la naissance, et quelle que soit la localisation de l'herpès, des précautions très strictes d'hygiène sont nécessaires pour ne pas contaminer le nouveau-né qui a de la peine à se défendre contre les infections virales ; en cas d'herpès labial, il est malheureusement déconseillé d'embrasser le bébé.

GONOCOCCIE ET INFECTIONS À « CHLAMYDIÆ »

La gonococcie (ou blennorragie) entraîne habituellement des pertes et une irritation vulvo-vaginale importantes. Le risque est, d'une part, l'infection des membranes de l'œuf avec rupture prématurée de la poche des eaux ; d'autre part, la contamination de l'enfant au moment de l'accouchement (avec notamment des conjonctivites parfois graves). Des pertes ou une irritation doivent conduire à consulter sans attendre.

Les infections à *chlamydiæ* sont très fréquentes et passent volontiers inaperçues (simples pertes blanches avec irritation locale peu importante) au point que certains médecins ont proposé leur dépistage systématique au cours de la grossesse. Le risque pour l'enfant est, là encore, celui d'une infection des membranes avec accouchement prématuré ; d'autre part celui d'une infection par contact direct avec le col et le vagin au cours de l'accouchement. Cette infection peut provoquer conjonctivites et pneumonies. Là aussi, devant de tels symptômes, il faudra consulter sans attendre.

LES CONDYLOMES VÉNÉRIENS
Appelés encore crêtes de coq, ce sont des sortes de petites verrues qui se situent au niveau de la vulve. Ces verrues guérissent habituellement par de simples applications de différentes crèmes ou pommades, mais lorsqu'elles sont très nombreuses, il peut être nécessaire de les enlever par électrocoagulation.

LA SYPHILIS

Cette maladie vénérienne existe encore. Mais c'est la syphilis maternelle qui est importante. Une syphilis paternelle ne peut intervenir que comme source de contamination éventuelle de la mère.

C'est à partir du 5ᵉ mois que la syphilis peut se transmettre à l'enfant dans l'utérus. C'est pourquoi il est essentiel de faire un dépistage en début de grossesse. Ce test est obligatoire, il est automatiquement fait (prise de sang) au moment de la déclaration de grossesse.

Si le test est négatif, il est important de ne prendre aucun risque de contamination après.

Si le test est positif, la future maman est soignée (surtout avec de la pénicilline), et l'enfant vient au monde en bonne santé. L'important est donc d'être soignée à temps, c'est-à-dire avant le 5ᵉ mois. Non soignée, une femme n'a que 35 % de chances de mettre au monde un enfant normal et sain.

Lorsque la mère a été malade, on fait par prudence, à la naissance, des analyses du sang du bébé, pour savoir s'il n'a pas été atteint, et s'il est nécessaire ou non de lui faire un traitement.

ADDICTIONS ET GROSSESSE

L'ALCOOLISME

En cas d'alcoolisme maternel, l'enfant peut être atteint à la naissance du syndrome de « l'alcoolisme fœtal ». Heureusement ce syndrome est plutôt rare, bien que non exceptionnel dans certaines régions. Le nouveau-né est particulièrement agité dans les jours qui suivent la naissance et son aspect est bien particulier ; sa taille, son poids, son périmètre crânien sont inférieurs à la normale. L'alcool peut avoir des conséquences irréversibles sur le cerveau et le système nerveux du bébé. Il existe un retard du développement physique et intellectuel s'accompagnant de troubles caractériels. Cette description dramatique est celle d'un enfant dont la mère a bu régulièrement de très nombreux verres de vin par jour ; ou plusieurs litres de bière.

Le rôle de l'alcool semble double. D'une part il traverse directement le placenta et se retrouve dans le sang du bébé. Là, il perturbe le métabolisme et le développement des cellules embryonnaires, d'autant que le foie de l'embryon – ou du fœtus – n'est pas aussi bien équipé que celui de l'adulte pour détruire l'alcool. D'autre part, l'alcool entraîne des carences et une malnutrition maternelles qui perturbent les échanges avec l'enfant. Même en quantité modérée, l'alcool favoriserait la prématurité et le risque de faible poids à la naissance. La consommation d'alcool, même occasionnelle, et surtout en début de grossesse (période d'embryogénèse), est très fortement déconseillée.

Si une femme, même alcoolique chronique, cesse de boire avant le début de la grossesse, son enfant sera aussi normal que n'importe quel autre.

LE TABAC

Dans le chapitre sur la vie quotidienne (p. 56), nous avons déjà parlé des cigarettes. Mais ici, il nous paraît nécessaire d'en redire un mot. Malgré les recommandations et les actions de prévention, et alors qu'on sait combien le tabac peut nuire au bébé, il y a encore trop de femmes enceintes qui fument. Pourquoi ne pas profiter de la grossesse pour prendre la bonne résolution d'arrêter de fumer ? N'hésitez pas à vous faire aider par des professionnels, sage-femme tabacologue, homéopathe, acupuncteur, etc.

LES DROGUES

L'usage de la drogue tend malheureusement à se répandre dans nos sociétés et l'on constate une certaine banalisation de sa consommation, y compris chez les femmes enceintes et dans certains milieux, notamment en ce qui concerne le cannabis (p. 57). Les drogues peuvent être responsables d'avortement, de malformations diverses, de retard de croissance intra-utérin, de prématurité, d'une grave souffrance du bébé qui a la naissance peut être un état de manque.

Les problèmes posés par la consommation de drogue (surtout lorsqu'il s'agit d'une drogue dure) sont en général aggravés par : l'usage de drogues multiples ; l'association au tabagisme ou à l'alcoolisme ; les conditions socio-économiques défavorables qui provoquent une marginalisation sociale et qui sont source d'une mauvaise prise en charge de la grossesse.

LES MALADIES CARDIAQUES

Toutes les maladies cardiaques n'ont pas la même gravité, mais toutes imposent les mêmes mesures de prudence en raison du travail supplémentaire que la grossesse impose au cœur : repos le plus complet possible, régime pauvre en sel, vie calme sans émotions ni fatigue, surveillance médicale régulière et fréquente. Certains médicaments, notamment les anticoagulants, sont interdits au début de la grossesse (risques de malformations) et à la fin de celle-ci (risques d'hémorragies). Quant aux interventions de chirurgie cardiaque, elles sont plus ou moins bien tolérées selon leur type. À vrai dire, s'il s'agit d'une maladie cardiaque sévère, la grossesse a pu être contre-indiquée. Il arrive parfois qu'une interruption médicale de grossesse soit conseillée en raison de la gravité. Enfin, si la grossesse se poursuit, l'accouchement sera prévu dans une maternité niveau III à proximité d'un centre de chirurgie cardiaque.

LES MALADIES DE LA THYROÏDE

La grossesse entraîne une augmentation de l'activité de la glande thyroïde (et de son volume, ce qui est fréquemment perçu par l'entourage). C'est pourquoi il est important, particulièrement chez les femmes présentant avant la grossesse une pathologie même légère de la thyroïde, de se faire suivre par un contrôle **régulier** des taux sanguins des hormones thyroïdiennes (TSH). En effet, une hypothyroïdie maternelle non traitée peut avoir des conséquences défavorables sur le développement psychomoteur de l'enfant. C'est en fonction du résultat de ces dosages que le médecin adaptera le traitement. Après l'accouchement, il sera nécessaire de rééquilibrer le traitement.

LES TROUBLES NEUROPSYCHIQUES

La grossesse est une période d'instabilité qui modifie chez certaines femmes à la fois l'humeur et le comportement (p. 37) Il n'est donc pas étonnant que les femmes qui sont déjà, bien avant leur grossesse, fragiles sur le plan psychique, puissent à cette occasion traverser une période de grand déséquilibre. Il est important de pouvoir les aider et de réagir dès que l'entourage ou le conjoint constatent que « quelque chose ne va pas ». Si ces mamans ne le font pas d'elles-mêmes, il ne faut pas hésiter à les inciter à consulter leur médecin pour une prise en charge adaptée qui parfois peut être médicamenteuse. Dans ce cas, c'est le médecin psychiatre qui est le mieux placé pour prendre la décision.

Nous vous signalons l'existence du CICO : cette consultation reçoit des femmes suivies pour une **pathologie mentale** *(psychose et troubles bipolaires) qui souhaitent attendre un enfant, ou déjà enceintes. La consultation est non sectorisée et donc ouverte aux patientes adressées par les établissements hospitaliers, médecins, sages-femmes, de la région parisienne. Hôpital Sainte-Anne, 1 rue Cabanis, 75014 Paris, Tel. 01 45 65 83 08.*

LE FACTEUR RHÉSUS

Hier particulièrement redoutées, les complications dues au facteur rhésus ont aujourd'hui pratiquement disparu. Voici pourquoi.

Chacun d'entre nous appartient à un groupe sanguin désigné par les lettres A, B, O, AB. À ces quatre groupes dits « classiques » parce que les plus anciennement connus, sont venus s'ajouter d'autres groupes tout aussi importants : ainsi le facteur rhésus. 85 % des humains possèdent ce facteur dans leur sang et sont dits *Rhésus positif* ; les 15 % restant ne le possèdent pas et sont dits *Rhésus négatif*. Lors des transfusions la compatibilité entre le sang du receveur et celui du donneur doit être respectée, faute de quoi peuvent survenir des accidents plus ou moins graves. Ainsi quand le sang d'un sujet rhésus négatif entre en contact avec du sang rhésus positif, il réagit en fabriquant des anticorps (ou agglutinines) antirhésus. On dit que le sujet rhésus négatif *s'immunise*.

Le seul cas *où une immunisation antirhésus peut survenir au cours de la grossesse est celui d'une femme rhésus négatif ayant déjà conçu un enfant avec un homme rhésus positif.*

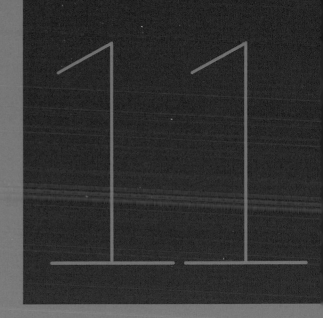

11

Quand
accoucherai-je ?

Quand accoucherai-je ? À peine sait-elle qu'elle est
enceinte qu'une future mère se pose la question.
Et pas seulement elle mais son mari, l'entourage,
les amis : « **C'est pour quand ?** »
Bébé naît à la date prévue, ou presque :
c'est la situation la plus fréquente.
Mais la naissance peut survenir avant cette date :
c'est l'accouchement prématuré.
D'autres fois, le terme est dépassé :
c'est la grossesse prolongée.

La date prévue

Maintenant que vous êtes enceinte, vous souhaitez des précisions sur la durée de la grossesse : est-ce 9 mois tout juste, et à partir de quelle date faut-il faire le calcul ?

Il serait facile de répondre à cette question si l'on connaissait avec précision la date de la conception – c'est-à-dire celle du premier jour de la grossesse – et la durée exacte de la grossesse. Mais ces deux éléments sont variables.

LA DATE DE LA CONCEPTION

Elle correspond à celle de l'ovulation puisque l'ovule ne vit que quelques heures s'il n'est pas fécondé. Or, pour une femme régulièrement réglée tous les 28 jours, l'ovulation se situe entre le 13e et le 15e jour du cycle, avec un maximum de fréquence au 14e jour.

L'accouchement et la naissance

Le neuvième mois est celui de la lassitude, les futures mamans sont fatiguées, essoufflées, elles dorment mal, elles ont envie d'accoucher. Elles se sentent prêtes à se séparer de leur bébé pour enfin le prendre dans les bras. Avec des nuances, la plupart des mères éprouvent ce sentiment d'une étape qui se termine, à la fois physique et psychologique.
Voici venu le temps de l'accouchement. La future maman veut tout savoir de lui : comment il s'annonce, comment il débute, combien de temps il dure, s'il fera souffrir, quand il faut partir pour la maternité, etc.
Ce chapitre va s'efforcer de répondre à toutes ces questions, en commençant par quelques explications d'ordre anatomique qui permettent de comprendre le mécanisme de l'accouchement : les contractions utérines poussent l'enfant vers le bas, et celui-ci doit franchir plusieurs passages. Tout un chapitre, le suivant, traite de la douleur et de l'accouchement.

D'abord quelques explications

Voyez, page 287, la situation de l'enfant à la veille de la naissance. À l'intérieur de l'utérus, l'enfant est entouré comme dans un sac par deux fines membranes : l'amnios et le chorion. À l'intérieur de ce sac, le liquide amniotique est représenté par la partie bleutée qui entoure l'enfant.

À la partie inférieure de l'utérus se trouve le col qui, pendant toute la durée de la grossesse, reste fermé comme un verrou. L'accouchement sera la sortie de l'enfant hors de l'utérus, hors des voies génitales de la mère. Cette sortie ne peut se faire sans un moteur qui pousse l'enfant vers le bas. Ce moteur, ce sont les contractions de l'utérus qui vont avoir deux effets :
• elles vont ouvrir le col de l'utérus
• elles vont faire franchir à l'enfant le tunnel (la filière pelvigénitale) formé par le bassin osseux et les parties molles du périnée et de la vulve.

On peut considérer l'accouchement comme la résultante de différentes forces : les contractions utérines qui cherchent à pousser l'enfant dehors, la façon dont l'enfant s'adapte dans le bassin, la résistance liée au bassin et aux muscles. Voyons les forces en présence : le moteur utérin, l'enfant, puis le tunnel à franchir.

LE MOTEUR : L'UTÉRUS

L'utérus est un muscle formé de fibres musculaires lisses, comme celles de l'intestin ou du cœur par exemple. Ces fibres ont le pouvoir de se contracter de façon autonome, automatique, c'est à dire qu'elles échappent à la volonté : vous ne pouvez ni les diminuer, ni les augmenter. Cela ne veut pas dire que vous allez rester passive pendant votre accouchement, nous vous en reparlerons.

Les contractions apparaissent en général à partir du 6e mois de la grossesse et parfois plus tôt. Ces contractions sont ressenties par la future maman mais ne sont pas douloureuses. C'est seulement au moment de l'accouchement qu'elles entrent véritablement en scène, qu'elles agissent pour de bon.

UN JOUR LE MOTEUR SE MET EN MARCHE

Qu'est-ce qui, un beau jour, déclenche les contractions ? Pour l'instant, il est impossible de répondre d'une manière précise à cette question, mais il est vraisemblable que plusieurs facteurs entrent en jeu.

Le **fœtus** lui-même joue probablement un rôle important. Dans les jours et les heures qui précèdent l'accouchement, ses glandes surrénales deviennent hyperactives. Mais nous ne savons pas comment s'exerce cette influence. Une autre hormone est connue pour déclencher et entretenir les contractions : c'est l'*ocytocine* sécrétée par l'hypophyse. C'est elle que l'on emploie en perfusion intraveineuse au cours de l'accouchement pour renforcer et régulariser les contractions. À la fin de la grossesse, elle est sécrétée à la fois par l'hypophyse de la mère et par celle du fœtus.

Certains facteurs sont purement mécaniques : la **distension utérine**, qui existe en fin de grossesse, agit sur le col pour le forcer progressivement à s'ouvrir. Elle peut aussi agir sur le muscle utérin pour lui faire sécréter des substances actives sur la contraction : les prostaglandines. Fabriquées par l'utérus, le taux des prostaglandines augmente nettement en fin de grossesse.

Des **facteurs nerveux** interviennent également – comme des réflexes – dont le point de départ serait le col utérin. Il est fréquent que le simple toucher vaginal d'une femme à terme déclenche l'accouchement dans les 24 heures qui suivent. On ignore toutefois la nature exacte de ces réflexes.

En conclusion, on peut dire qu'aucun de ces différents facteurs ne paraît suffisant à lui seul pour déclencher l'accouchement. Mais il est possible qu'ils s'associent selon un mécanisme qui nous est encore inconnu, pour provoquer, puis entretenir et renforcer les contractions.

EFFET DES CONTRACTIONS

L'utérus commence donc à se contracter. Les contractions vont exercer leur force de haut en bas, c'est-à-dire du fond de l'utérus vers le col. Ce faisant, elles vont avoir une action sur le col : en effet,

EFFET DES CONTRACTIONS UTÉRINES
Les contractions utérines tendent à diminuer la longueur de l'utérus. Il se ramasse sur lui-même comme l'indiquent les flèches. Le fond de l'utérus est poussé du haut vers le bas, le col est tiré du bas vers le haut, la tête de l'enfant servant d'appui contre le col. Ainsi le col est-il amené à s'ouvrir et l'enfant à sortir.

à chaque contraction, les parois de l'utérus tirent le col vers le haut. Et c'est ainsi que peu à peu le col va s'ouvrir. Il est en effet indispensable, pour que l'enfant puisse sortir de l'utérus, que s'ouvre le col comme vous pouvez vous en rendre compte sur les schémas a, b, c, d, ci-dessous. Certes, au cours de la grossesse, le col a subi un ramollissement progressif qui rend son ouverture plus aisée, mais **il ne peut s'ouvrir que grâce à l'action des contractions utérines.**

... Dilater le col

Dans un premier temps, le col se raccourcit progressivement jusqu'à disparaître et se confondre avec le reste de l'utérus. On dit qu'il **s'efface**. Mais au début, il est encore fermé (schéma b). C'est dans un second temps que le col s'ouvre, et toujours sous l'influence des contractions. On dit alors qu'il **se dilate** (schéma c).

Cette dilatation est exprimée en centimètres. La dilatation complète du col correspond à une ouverture de 10 cm de diamètre. Les modifications du col s'évaluent par le toucher vaginal, pratiqué régulièrement au cours de la dilatation.

Au cours du premier accouchement, chez la primipare – la femme qui met au monde son premier enfant –, l'effacement et la dilatation du col constituent deux phénomènes bien distincts qui se suivent dans le temps. Chez la multipare – la femme qui a déjà eu des enfants – ils vont souvent de pair : le col s'efface et se dilate en même temps. L'enfant ne peut sortir de l'utérus tant que la dilatation du col n'est pas complète, et ce sont les contractions utérines seules qui produisent cette dilatation.

... Pousser l'enfant vers le bas

Les contractions agissent sur le col pour l'ouvrir, mais elles agissent également sur l'enfant : elles le poussent peu à peu vers le bas.

Cette descente progressive de l'enfant se fait simultanément à la dilatation du col. L'enfant ne pourra donc sortir de l'utérus que lorsque la dilatation sera complète.

L'EFFACEMENT ET LA DILATATION DU COL
On voit, dessinés schématiquement, la tête de l'enfant, le liquide amniotique (en bleu), les membranes de l'œuf (trait sombre), le tout à l'intérieur de l'utérus dont le col, en bas, s'ouvre dans le vagin.

Au début de l'accouchement, le col de l'utérus est fermé.

Peu à peu, sous l'effet des contractions, le col perd sa longueur : on dit qu'il s'est effacé. Mais il reste encore fermé.

Le col en train de s'ouvrir : il se dilate. Les membranes retiennent le liquide amniotique qui forme une poche plus ou moins tendue contre le col : c'est la poche des eaux.

Col ouvert, poche rompue, la tête de l'enfant va maintenant pouvoir descendre pour sortir de l'utérus. Puis elle va traverser le vagin et la vulve dilatés au maximum.

Toujours sous l'effet des contractions, un peu de liquide amniotique s'accumule entre la tête du bébé et le pôle inférieur de l'œuf : c'est la poche des eaux (schéma c, page précédente). Son rôle est de répartir la pression des contractions utérines autour du col de l'utérus. Ainsi la douleur de la mère est atténuée et la tête du bébé est protégée.

Les contractions, après avoir ouvert le col, vont faire franchir à l'enfant le bassin maternel qui forme comme un tunnel.

LE TUNNEL À FRANCHIR : LE BASSIN MATERNEL

Le tunnel à franchir constitue ce qu'on appelle la *filière pelvigénitale*. C'est en la traversant que l'enfant rencontrera sur sa route divers obstacles.

Cette filière est d'abord formée d'abord par le **bassin osseux** (schéma 2 ci-contre) qui n'est pas extensible car il est constitué de quatre os solidaires et articulés les uns aux autres : le sacrum et le coccyx en arrière, les os iliaques droit et gauche sur les côtés et en avant, là où ces deux os se rejoignent pour former le pubis (ou *symphyse pubienne*).

Pendant la grossesse, l'enfant est situé au-dessus du pubis. Au cours de l'accouchement, il va devoir traverser le bassin, puis en sortir. L'orifice d'entrée du bassin, par où entre l'enfant, est encore appelé *détroit supérieur*. Il a un peu la forme d'un cœur de carte à jouer. L'orifice de sortie du bassin est appelé *détroit inférieur*. Cette filière est également formée de muscles et de tissus extensibles qui tapissent et s'insèrent sur les bords du bassin osseux : c'est ce que l'on appelle le **périnée** ou **bassin mou**, par opposition au bassin osseux qui est dur et inextensible.

Ce sont ces deux obstacles (bassin osseux et bassin mou) que l'enfant devra franchir simultanément au cours de sa descente (schéma 3).

A noter que les muscles du périnée (schéma 4) vont être soumis pendant l'accouchement à des tensions considérables, notamment lors de l'expulsion. Ce qui explique l'utilité des exercices proposés après l'accouchement pour renforcer le périnée (voir p. 345 et 398). Pour les accouchements suivants, le bassin mou sera franchi plus aisément, le chemin ayant été tracé, si l'on peut dire, par le premier enfant.

L'ENFANT

Au terme de la grossesse, au moment où va se déclencher l'accouchement, l'enfant est prêt à effectuer sa sortie. Vous l'avez vu, il est habituellement en position verticale, tête en bas, siège en haut, c'est-à-dire dans le fond de l'utérus, entouré par les membranes et par le liquide amniotique, qui le protègent (schéma 1).

Pour franchir les différents obstacles que nous venons de voir, l'enfant va effectuer toute une série d'évolutions qui vont lui permettre de s'adapter aux formes et aux dimensions du tunnel. La tête commence par franchir l'orifice supérieur du bassin, ou détroit supérieur. On dit qu'elle **s'engage**.

En même temps qu'elle s'engage, la tête s'oriente obliquement : c'est que l'orifice supérieur du bassin lui offre plus de place pour passer en oblique ; disons qu'il est plus facile d'entrer dans le bassin la tête tournée du côté droit ou du côté gauche, et fléchie vers le bas, que la tête droite ; c'est pourquoi l'enfant fait ce double mouvement : rotation oblique et flexion vers le bas. L'exemple classique pour comprendre

LE BASSIN MATERNEL

1. LA SITUATION DE L'ENFANT AVANT LA NAISSANCE

Corps de l'utérus (muscle épais)

Chorion

Amnios

Liquide amniotique

Placenta

Orifice interne du col

Orifice externe du col

Vous voyez sur ce schéma que le col de l'utérus a deux orifices : celui qui est vers le vagin (orifice externe) et celui qui est vers le bébé (orifice interne). En fin de grossesse, il est normal chez une femme ayant déjà eu un ou plusieurs enfants que l'orifice externe soit ouvert. L'orifice interne s'ouvrira au début du travail.

2. VU D'EN HAUT LE BASSIN OSSEUX DE LA FEMME

Nous voyons le détroit supérieur, les vertèbres lombaires, les os iliaques droit et gauche (larges surfaces), la symphyse du pubis (devant), le sacrum (bas de la colonne vertébrale) et le coccyx (bout du sacrum).

3. LES DIFFÉRENTS PASSAGES À FRANCHIR

Col utérin

Vagin

Muscles du bassin et du périnée

Parties molles du périnée

Entrée du bassin (détroit supérieur)

Sortie du bassin (détroit inférieur)

4. LE PÉRINÉE

Coccyx Intestin Utérus Vessie

Anus Périnée

Vagin

Vulve

Pubis

Urètre

PRÉLUDE À L'ACCOUCHEMENT

Dans quelques heures, cet enfant sera né. Sur l'image de gauche, on voit la position de l'enfant et la place qu'il occupe dans le corps maternel. Sur l'image de droite, bien que l'utérus soit fermé, la tête de l'enfant va s'engager dans le bassin. C'est le prélude à l'accouchement – ressenti par la mère comme un poids au bas du ventre – quelques jours, parfois quelques heures avant les premières contractions.

ORIENTATION ET ENGAGEMENT DU BÉBÉ

Comme vous le voyez sur ces schémas du canal osseux, l'enfant qui naît ne sort pas « tout droit » : il change deux fois d'orientation.
À gauche, la femme est représentée couchée, à droite le schéma la représente debout.

ce mécanisme est celui de l'œuf que l'on doit faire passer dans un anneau : l'œuf présenté dans son grand axe vertical franchit l'anneau ; présenté dans l'axe transversal, il ne peut pas passer (schéma 5). Cet engagement, surtout pour un premier enfant, peut se produire à la fin de la grossesse, dans les semaines qui précèdent l'accouchement. (Il est parfois ressenti douloureusement par la future mère.) Une fois le détroit supérieur franchi, la tête de l'enfant descend progressivement dans le bassin. Lorsqu'elle rencontre les muscles du périnée, au niveau du détroit inférieur, elle effectue une seconde rotation qui va l'amener dans un grand axe antéro-postérieur. En effet, au niveau de l'orifice de sortie du bassin, ou détroit inférieur, l'ouverture la plus grande est, non plus dans un diamètre oblique, comme au niveau de l'orifice supérieur, mais dans le sens antéro-postérieur. Là encore, la tête s'oriente pour profiter au mieux des dimensions maximales de l'orifice.

5. LE PASSAGE DE LA TÊTE

Transversalement, la tête de l'enfant ne peut pas passer.

Verticalement, elle le peut.

Ainsi, au cours de la traversée du bassin, l'enfant aura modifié deux fois l'orientation de sa tête, ce que vous pourrez constater sur les dessins ci-contre à gauche. En d'autres termes, l'enfant est entré dans le bassin en regardant son épaule (la droite ou la gauche), et il sort en regardant le sol.

Pour sortir du détroit inférieur, la tête de l'enfant, en appuyant, va étirer le périnée et la vulve (qui sont suffisamment élastiques pour permettre au bébé de naître). C'est la période d'expulsion. Elle correspond à « l'envie de pousser ». En effet, la pression de la tête sur les muscles du périnée déclenche le réflexe de pousser. Cet étirement est parfois associé à des sensations de plaisir sexuel, mais plus souvent à de la douleur. La sensation est parfois si surprenante, ou douloureuse, que la mère tente de résister, et contracte involontairement ses muscles.

La durée de cette période est toujours courte comparée à la phase de dilatation, au maximum 30 minutes. Et moins la mère résiste, plus la durée de l'expulsion est courte.

L'enfant est aidé

La descente progressive de la tête, cette traversée du tunnel, est facilitée par trois éléments.

• Les os du bassin sont soudés entre eux par des articulations. Or, à la fin de la grossesse – et c'est parfois assez douloureux – ces articulations se relâchent, relâchement qui élargit le bassin de quelques millimètres.

• Les os du crâne de l'enfant ne sont pas complètement soudés, leur soudure ne sera définitive que plusieurs mois après la naissance. Ainsi le crâne de l'enfant garde-t-il une certaine malléabilité qui lui permet de se façonner à la taille du passage étroit qu'il doit franchir.

• Enfin, les parties molles – vagin et périnée – ont une élasticité naturelle.

Pour terminer, deux remarques.

• Nous avons constamment parlé de la tête comme si elle seule importait : c'est ce qui se passe en pratique, car elle représente la partie la plus volumineuse de l'enfant. Quand la tête a franchi un obstacle, le reste du corps suit sans difficulté.

• Les différents mouvements effectués par l'enfant au cours de l'accouchement sont le résultat des contractions de l'utérus mais aussi de la façon dont le bébé s'adapte dans le bassin.

Présentation du sommet

Présentation de la face

Présentation du front

En résumé, il est important de comprendre que la contraction utérine constitue le moteur essentiel de l'accouchement. C'est elle qui permet la dilatation progressive du col et la descente de l'enfant, phénomènes qui se déroulent simultanément. Il n'y a pas d'accouchement normal sans contractions utérines régulières et efficaces.

L'accouchement comprend donc deux phases successives, et de durée inégale :
• la première (c'est la plus longue), la **dilatation** du col de l'utérus
• la deuxième (beaucoup plus courte), l'**expulsion** de l'enfant.

Vous retrouverez ces deux phases dans le film de l'accouchement que nous décrirons un peu plus loin (pp. 293 et suivantes). Après la naissance de l'enfant, une troisième phase terminera l'accouchement, phase au cours de laquelle sera rejeté le placenta, et qu'on appelle la **délivrance** (p. 309).

LES DIFFÉRENTES « PRÉSENTATIONS »

Le plus souvent – 95 fois sur 100 – l'enfant a la tête en bas au moment de l'accouchement. On appelle *présentation* la partie de l'enfant qui pénètre (qui s'engage) la première dans le bassin. Habituellement, la tête s'engage complètement fléchie, le menton sur le thorax, et présente le sommet du crâne (l'occiput) à l'entrée du bassin.

La présentation du sommet
Elle est la plus fréquente, c'est celle qui correspond à ce que vous lirez dans la description de l'accouchement.

La présentation de la face
Dans ce cas, la tête est complètement défléchie, rejetée en arrière. L'accouchement naturel est possible, mais il est souvent difficile, surtout chez la femme qui a son premier enfant. On a le plus souvent recours à une césarienne.

La présentation du front
La tête est en position intermédiaire entre la face et le sommet. L'accouchement par la voie naturelle est impossible (la tête présente à l'engagement un diamètre trop grand). La césarienne est nécessaire.

La présentation transversale
Elle est également appelée présentation de l'épaule. L'enfant se présente horizontalement, dos en haut ou en bas. La césarienne s'impose.

Présentation
transversale

Présentation du siège

La présentation du siège

Ici l'enfant se présente le siège en bas, la tête se situant dans le fond de l'utérus. Ce sont soit les fesses (deux-tiers des cas), soit les pieds (un tiers des cas) – voir les schémas – qui se présentent en premier.

Le diagnostic de la présentation se fait en fin de grossesse, en palpant l'abdomen vers 7 mois 1/2 - 8 mois ; ce n'est en effet qu'au cours de cette période que l'enfant prend sa position définitive dans l'utérus. On peut confirmer le diagnostic par une échographie.

Si votre enfant se présente par le siège, ne vous étonnez pas de voir le médecin prendre certaines précautions. En effet, la difficulté, au moment de l'accouchement peut tenir au fait que la tête – qui sort la dernière du bassin – peut, selon son orientation et son volume, se bloquer dans le bassin, situation dangereuse pour le bébé. Aussi faut-il distinguer :

• les sièges de femmes ayant déjà accouché d'enfant de poids normal (ou *a fortiori* élevé) dont le bassin est normal. L'accouchement ici ne diffère guère de celui d'un accouchement habituel.

• Les sièges de femmes ayant leur premier enfant et pour lesquelles il est indispensable de réunir le maximum d'éléments de pronostic avant l'accouchement ; il faudra en particulier préciser le volume du fœtus par une échographie et les dimensions du bassin par une radiopelvimétrie, ou par une mesure par scanner.

Quand l'enfant est encore en présentation du siège quatre à cinq semaines avant l'accouchement, le médecin, par manipulation du ventre de la mère, peut aider l'enfant à basculer pour l'amener la tête en bas ; c'est ce que l'on appelle « la version par manœuvres externes », qui réussit plus souvent chez la femme qui a déjà eu des enfants. En cas d'échec de la version, le médecin évaluera les possibilités d'un accouchement par les voies naturelles ou la nécessité de programmer une césarienne.

En cas d'accouchement par la voie naturelle, comme la poussée est plus longue, l'anesthésie péridurale est fréquemment proposée dès le début de la dilatation. Enfin, il est possible que la présentation du siège provoque une luxation de la hanche. Elle sera recherchée dès la naissance par l'examen du bébé. Au moindre doute, une échographie des hanches sera pratiquée.

LA VERSION PAR MANŒUVRES EXTERNES EN PRATIQUE
- *Elle se fait à la maternité, sur rendez-vous*
- *un traitement visant à relâcher l'utérus est donné à la future maman*
- *le médecin contrôle par échographie la présentation, puis fait éventuellement un enregistrement du rythme cardiaque de l'enfant*
- *la version ne dure que quelques minutes*
- *un nouvel enregistrement du rythme cardiaque fœtal est parfois effectué*
- *si vous êtes rhésus négatif, et le père rhésus positif, une injection de gammaglobulines anti D vous sera faite*
- *vous quitterez la maternité après un peu de repos et vous pourrez regagner votre domicile.*

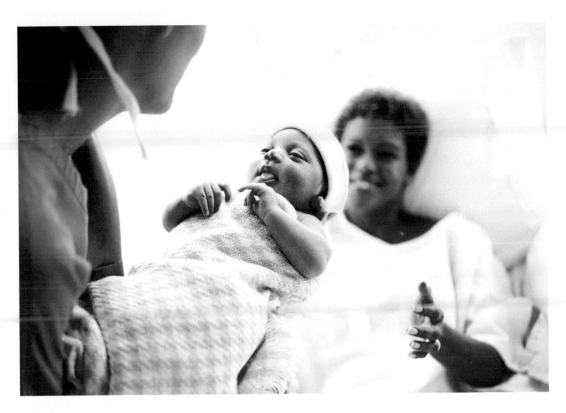

Le film de l'accouchement

COMMENT DÉBUTE UN ACCOUCHEMENT

L'accouchement ne débute pas toujours de façon nette, précise et stéréotypée, et il vous arrivera peut-être, surtout si vous accouchez pour la première fois, de vous demander si le moment est venu de partir pour la maternité.

Au moins en théorie, le début de l'accouchement est marqué par l'expulsion du bouchon muqueux et l'apparition de contractions utérines régulières et plus ou moins douloureuses.

Le bouchon muqueux

Il est constitué de sécrétions glaireuses, parfois teintées de sang, il bouche le col de l'utérus pendant la grossesse. C'est pourquoi, lorsqu'il est expulsé, la future mère pense qu'il faut partir aussitôt à la maternité. Ce n'est pas le premier signe qui doit vous déterminer, car cette expulsion peut précéder l'accouchement de 24 ou 48 heures, voire plus. Elle peut aussi passer inaperçue. Cette expulsion est le signe que le col de l'utérus commence à se modifier. Ce qui va vraiment marquer le début de l'accouchement, c'est l'apparition de contractions utérines particulières.

L'apparition de contractions utérines longues, régulières et douloureuses

Des contractions peuvent apparaître dans les derniers mois et surtout dans les dernières semaines de la grossesse. Vous pouvez les percevoir en plaçant la main sur le ventre : vous le sentez durcir de temps en temps. Mais ces contractions n'ont pas de rythme précis, pas de périodicité : elles sont anarchiques, courtes et en général peu douloureuses. Elles ne traduisent pas le début de l'accouchement.

Il en est de même de certaines douleurs, perçues tantôt comme une sensation de pesanteur, tantôt comme celle d'une distension osseuse et qui peuvent correspondre à l'engagement de la tête ou aux modifications du bassin. Mais ces douleurs ne s'accompagnent pas de contractions.

Ces contractions courtes, anarchiques, ces douleurs sans contractions n'indiquent pas le début de l'accouchement. C'est l'association contractions longues (plus d'une minute) et régulières qui signent vraiment le début de l'accouchement.

La douleur est le plus souvent présente, mais à des degrés divers selon les femmes. Certaines futures mamans disent avoir éprouvé à ce moment-là des sensations particulières : à la fois un sentiment d'être déconnecté de la réalité, d'être « ailleurs », et de la fatigue. Ces sensations sont probablement liées à la production de béta-endorphines, ces hormones de protection contre la douleur sécrétées par notre organisme.

Les premières contractions sont habituellement ressenties dans le ventre, mais elles peuvent aussi être ressenties au niveau des reins. Au début, les contractions sont peu intenses, pas toujours faciles à percevoir, se manifestant comme un simple pincement, ou comme la douleur qui accompagne souvent les règles.

Lorsque ces pincements sont si discrets qu'on n'est pas sûre qu'ils correspondent bien à des contractions, il y a un moyen simple de s'en assurer : il faut poser la main sur le ventre ; s'il durcit, c'est bien que l'utérus se contracte.

LES CONTRACTIONS QUI ANNONCENT L'ACCOUCHEMENT
Si c'est le fait de ressentir les contractions qui vous a donné l'alerte, peu à peu vous remarquerez que ces contractions auront d'autres caractéristiques qui achèveront de lever le doute :
• les contractions sont régulières, elles reviennent selon un rythme précis, vous pouvez d'ailleurs noter le temps qui s'écoule entre deux contractions
• elles sont de plus en plus rapprochées
• elles sont de plus en plus longues
• elles sont de plus en plus intenses, de plus en plus douloureuses
• votre respiration devient plus ample au moment des contractions.

Vous aurez l'impression que les contractions montent comme une vague, qu'elles vous envahissent, se propagent comme une onde qui naît au milieu du dos, se divise en deux branches qui entourent les hanches, et se rejoignent dans le ventre en enserrant le corps comme une ceinture.

Lorsque vous aurez constaté que les faibles contractions du début, les petits pincements qui vous ont donné l'alerte sont finalement devenus ces contractions bien rythmées, de plus en plus rapprochées, de plus en plus longues, de plus en plus intenses, de plus en plus douloureuses, vous saurez que c'est vraiment la naissance de votre enfant qu'elles préparent.

LA DOULEUR ET L'ACCOUCHEMENT

Dans ce chapitre, nous parlons surtout de l'aspect dynamique et mécanique de l'accouchement : comment il débute, quelles en sont les principales phases, etc. La douleur sera abordée en détail au chapitre 13. Mais sachez d'ores et déjà qu'elle est plus ou moins forte selon les femmes, qu'elle n'est pas la même tout au long de l'accouchement. Et surtout, une fois que vous saurez reconnaître l'approche, la montée d'une contraction, votre attitude, à partir de ce moment-là, pourra, dans une certaine mesure, diminuer ou amplifier la douleur

Comment être sûre que l'accouchement a bien commencé ?

Si vous hésitez encore, c'est possible, vous pouvez prendre un bain chaud. Vous pouvez aussi mettre à 10 minutes d'intervalle deux suppositoires d'un antispasmodique que vous aura peut-être prescrit le médecin ou la sage-femme. Il peut aussi s'agir d'un médicament à prendre par la bouche (Spasfon®). Si c'est un faux début de travail, les contractions s'estomperont et disparaîtront. S'il s'agit bien du début de l'accouchement, ni le bain, ni les médicaments n'auront d'action, les contractions continueront.

Pour le cas où vous n'auriez pas de médicament antispasmodique, ou pas de possibilité de prendre un bain chaud, ce seront les caractéristiques des contractions que nous avons décrites plus haut qui vous donneront une réponse. Et si, au contraire, les contractions restent irrégulières, n'augmentent ni en fréquence, ni en durée, ni en intensité, il y a de fortes chances pour qu'elles n'indiquent qu'un **faux début de travail**. Au bout de quelques heures, ces contractions disparaîtront comme elles sont venues. Et l'accouchement ne s'annoncera peut-être que quelques jours, ou même quelques semaines plus tard.

Les fausses alertes sont-elles fréquentes ? Elles se produisent dix à quinze fois sur cent, et le plus fréquemment au moment de l'engagement de la tête de l'enfant dans le bassin.

Avant de partir, vous pouvez faire un mini-lavement (ou suppositoire). Cela vous évitera, quelques heures plus tard, lorsque vous aurez des envies de pousser et en même temps des fausses envies d'aller à la selle, de vous crisper pour vous retenir. Vous pourrez calmement laisser votre périnée se relaxer, sans crainte d'avoir envie d'aller à la selle sur la table d'accouchement. Mais si le suppositoire ne faisait pas d'effet, ne soyez pas gênée en cas d'émission de selles ou d'urines lors de l'expulsion. C'est fréquent puisque le bébé appuie sur le rectum, c'est banal pour l'obstétricien ou la sage-femme. Quant au papa, placé à la tête du lit, il ne sera pas confronté directement à l'incident.

La perte des eaux

Certaines femmes pensent que le premier signe de l'accouchement est la perte des eaux. En fait, celle-ci peut avoir lieu à des moments variables.

Elle peut se produire avant même que l'accouchement ait commencé vraiment (« Un cas particulier » p. 296).

La perte des eaux a généralement lieu pendant la dilatation. Si la rupture de la poche des eaux ne se fait pas spontanément, le médecin ou la sage-femme peut décider de la rompre lorsque le col est ouvert de 5 ou 7 cm, afin d'accélérer la dilatation et la descente du bébé. Lorsque la poche des eaux se rompt, l'eau qui s'écoule est celle comprise entre la tête du bébé et le col. L'enfant baigne toujours dans son liquide et celui-ci continue d'être renouvelé jusqu'à la naissance.

Autrefois, on ne provoquait pas artificiellement cette rupture, et lorsqu'elle avait lieu à dilatation complète, l'enfant naissait la tête recouverte de ses membranes, d'où l'expression « né coiffé » ; c'était considéré comme un signe de chance.

QUAND PARTIR POUR LA MATERNITÉ ?

Faut-il partir dès les premières contractions ? À la perte du bouchon muqueux ? À la perte des eaux ? Faut-il attendre d'avoir une quasi-certitude que l'accouchement a bien commencé ?

Cela dépend si vous attendez votre premier enfant, si c'est le deuxième ou, a fortiori, le troisième. Le premier accouchement est le plus long (« la durée de l'accouchement » p. 310). Entre les premières contractions et la dilatation complète (p. 298), il s'écoule plusieurs heures, vous avez donc le temps de voir venir. Pour vous donner quand même une indication plus précise, nous vous dirons ceci : notez le rythme de vos contractions, vous n'aurez pas besoin de partir avant qu'elles se reproduisent toutes les 10 minutes environ et qu'elles durent au moins 1 minute.

Si vous attendez votre deuxième enfant, la dilatation sera plus rapide, vous partirez dès que les contractions seront régulières et bien rythmées, quel que soit l'intervalle.

Cela dit, pour décider du moment du départ, vous tiendrez évidemment compte d'autres facteurs : jour ou nuit, distance de la maternité, quartiers à traverser, etc. Il est évident que pour un premier enfant s'annonçant la nuit, il est moins urgent de partir que pour un troisième s'annonçant à midi et en pleine ville.

Si vous hésitez encore à partir, allez à la maternité où la sage-femme vous examinera et, selon les cas, vous gardera ou vous renverra chez vous. Cela est valable même si vous devez être accouchée par un médecin de votre choix. Ne pensez pas qu'il suffira de l'appeler au téléphone pour avoir son avis : il ne pourra pas vous le donner sans examen.

Une des angoisses de bien des futures mères, c'est de se retrouver seules en pleine nuit, au moment de partir pour la maternité (par exemple si, du fait de sa profession, leur mari se déplace souvent).

Le plus rassurant, c'est de prévoir des solutions de rechange – amis, voisins, ambulance –, d'inscrire soigneusement leur numéro de téléphone. Plusieurs lectrices m'ont signalé que certains taxis ne voulaient pas assurer le transport d'une femme sur le point d'accoucher. C'est pourquoi il est important d'avoir le numéro d'une ambulance. La recommandation peut paraître superflue, mais j'ai noté plus d'une fois que la future mère n'y avait pas pensé. En cas d'extrême urgence, n'oubliez pas qu'il y a toujours le SAMU ou les pompiers.

UN CAS PARTICULIER : LA PERTE PRÉCOCE DES EAUX

Normalement, vous perdrez les eaux pendant l'accouchement, c'est-à-dire lorsque vous serez déjà à la maternité. Mais il peut arriver que cette perte survienne avant le début du travail, quand vous êtes encore chez vous. Vous vous en rendrez sûrement compte car le liquide amniotique, de couleur blanchâtre, est relativement abondant (un bon verre, parfois plus). Même si la perte vous paraît plus minime (il peut s'agir d'une simple fissure de la poche des eaux) et même en l'absence de tout autre signe faisant penser que l'accouchement va commencer, vous partirez pour la maternité. Si possible, vous partirez en voiture en position allongée ou semi-allongée (et non pas à pied). N'hésitez pas à demander une ambulance, même pour un court trajet. Tout se passera bien sans doute ; mais, lorsque la poche des eaux est rompue, il y a quand même des risques d'éventuelles complications, notamment de procidence du cordon, c'est-à-dire la sortie du cordon hors de l'utérus. Soyez prudente, rendez-vous à la maternité rapidement.

L'ARRIVÉE À LA MATERNITÉ

Le moment de partir est venu. Vos deux valises, la vôtre et celle du bébé, sont déjà prêtes. (Au sujet de votre valise, et de celle du bébé, voyez *Qu'emporter à la maternité* chapitre 18). Ce n'est pas le moment de regarder si rien n'y manque. Votre mari ou votre mère auront toujours le temps de vous apporter ce que vous aurez oublié. Ne demandez pas à la personne qui vous conduit d'aller vite. Encore une fois, vous avez tout le temps.

Dans les taxis de New York, il y a un petit écriteau : « Sit back and relax », c'est-à-dire : « Installez-vous bien et détendez-vous. » Imaginez que vous avez ce petit écriteau devant les yeux.

Vous arrivez à la maternité. Une sage-femme vous accueille et vous accompagne dans la petite salle réservée aux premiers examens.

La sage-femme prend rapidement connaissance de votre dossier ou consulte votre carnet de maternité. Puis elle vous examine, comme lors des autres consultations prénatales : poids, tension, urines, mesure de la hauteur utérine, toucher vaginal et monitorage (c'est-à-dire enregistrement du rythme cardiaque fœtal et des contractions utérines).

Alors, de deux choses l'une :

• ou c'est une fausse alerte, cela arrive : le travail n'a pas encore commencé et vous n'avez plus qu'à rentrer chez vous

• ou la sage-femme constate que le travail a effectivement commencé en touchant le col de l'utérus. S'il a commencé à se dilater, c'est bien le début de l'accouchement : la première phase, la dilatation.

La sage-femme pourra vous dire à quel stade en est la dilatation. Vous avez vu que celle-ci passe par différents stades que l'on évalue en centimètres. Par exemple, la sage-femme vous dira : « Vous en êtes à 3 cm. » Vous serez alors installée dans une salle dite de « prétravail », ou en salle de naissance si la dilatation est plus avancée.

Maintenant que vous avez passé le stade du doute, que vous êtes entre les mains expertes de la sage-femme, que vous savez qu'elle va s'occuper de vous régulièrement, vous n'avez qu'une chose à faire : vous détendre, et vous rappeler ce que vous devez faire pendant la dilatation — on vous l'a expliqué, si vous avez suivi des séances de préparation à l'accouchement. Et vous le retrouverez en détail à la page suivante. Peut-être, d'ailleurs, la sage-femme qui vous a préparée sera-t-elle à vos côtés pour vous le redire. Il est également possible que ce soit votre mari qui reste près de vous.

À son arrivée, le plus souvent, la future mère est accueillie chaleureusement. Si cela ne se passe pas ainsi (par exemple il y a beaucoup d'admissions en même temps et le personnel est surchargé), l'important est de ne pas vous énerver mais de vous concentrer sur vous et votre bébé. Vous savez que, le moment venu, toute l'équipe sera là pour vous soutenir et vous aider.

LA DILATATION

Cette première phase de l'accouchement, la dilatation, qui a commencé lorsque vous étiez chez vous et que vous avez senti les premières contractions, va maintenant se poursuivre.

Il n'est pas possible de vous dire combien de temps va durer la dilatation. Cela dépendra de plusieurs facteurs (p. 310).

Pendant cette période, vous serez régulièrement surveillée par la sage-femme.

Ces examens sont nécessaires pour apprécier :
• l'efficacité des contractions utérines
• le caractère progressif et régulier de la dilatation du col
• la progression de la tête dans le tunnel du bassin
• l'état de l'enfant par monitorage du rythme cardiaque fœtal.

Vous pouvez également, au cours de la dilatation, voir pratiquer un certain nombre de gestes dont il ne faudra pas vous étonner et encore moins vous alarmer.

• Il peut être ainsi nécessaire de vous administrer différents médicaments par voie intramusculaire, c'est-à-dire en piqûre. Ils sont destinés à régulariser la marche de l'accouchement et à éviter qu'il ne dure trop longtemps. On vous fera aussi probablement une perfusion par voie intraveineuse qui vous apportera les éléments nécessaires.

• De même, si vous n'avez pas perdu les eaux spontanément, la sage-femme ou l'accoucheur rompront les membranes au cours du travail. Ce geste est indolore, vous n'aurez que la sensation du liquide chaud qui s'écoule.

• Il est également probable que les contractions et le rythme cardiaque de l'enfant seront surveillés par le monitoring, de façon continue ou discontinue.

Quand votre col sera complètement dilaté, commencera une nouvelle phase de l'accouchement qui correspond à la sortie de l'enfant. On appelle cette phase l'expulsion. C'est un terme médical que je suis bien obligée d'employer, mais je ne l'aime pas : une mère n'expulse pas son enfant, elle le met au monde.

Si vous devez être accouchée par un médecin de votre choix, la sage-femme le tiendra régulièrement au courant des progrès du travail, et lui-même jugera quand il devra venir.

À noter : il n'est pas interdit de boire pendant la dilatation : eau, thé, etc.

CE QUE VOUS DEVEZ FAIRE PENDANT LA DILATATION

Les contractions, vous allez vite vous en rendre compte vous-même, sont involontaires : vous ne pouvez ni les augmenter, ni les diminuer, ni en modifier le rythme. Pour vous donner une idée de leur fréquence et de leur durée, en plein travail elles reviennent toutes les 3 à 5 minutes et durent au moins 1 minute.

Mais vous ne resterez pas passive pour autant. Votre attitude, votre comportement peuvent avoir une grande influence sur le déroulement de l'accouchement : il sera d'autant plus rapide que vous serez calme et détendue.

C'est le moment de mettre en pratique ce que vous avez appris en préparant votre accouchement : bien respirer, bien vous détendre et changer de position. Vous allez comprendre pourquoi.

Respirer

Lorsqu'un muscle se contracte, c'est-à-dire travaille, il consomme de l'oxygène. Et plus il se contracte, plus il en consomme. Or, votre utérus est en train de fournir un travail intense. Il a donc particulièrement besoin d'oxygène. Vous devez aussi continuer à en envoyer à votre enfant. Pour cela, le meilleur moyen : respirer bien régulièrement.

Vous détendre

Les contractions de l'utérus sont involontaires. Mais si vous ne pouvez les provoquer, vous pouvez les rendre plus ou moins douloureuses. En effet, que fait votre utérus ? Comme vous l'avez vu, il se contracte régulièrement pour ouvrir peu à peu le col.

Dans des conditions normales, le col s'ouvre graduellement jusqu'à la dilatation complète. Mais lorsque la mère est contractée, le col de l'utérus, qui a déjà tendance à résister à la dilatation, résiste encore plus. Il en résulte une douleur.

Pour expliquer cette douleur, le docteur Read, un des pionniers de l'accouchement sans douleur, faisait une comparaison avec la vessie : comme l'utérus, la vessie est fermée par un col. Au repos, celui-ci demeure contracté et empêche l'urine de s'écouler. Lorsque la vessie a besoin de se vider, le col qui la ferme se relâche, les parois de la vessie se contractent et expulsent l'urine. Mais si vous êtes obligée de vous retenir, vous vous contractez pour vous opposer à l'ouverture du col qui ferme la vessie. Cet effort, d'inconfortable devient rapidement douloureux, ou même intenable s'il se prolonge. La douleur ne disparaît que lorsque vous laissez la vessie dilater son col et se vider.

Pendant la dilatation, il faut donc, pour ne pas contrarier la nature, que vous restiez bien détendue. Pour y parvenir, recherchez d'abord une bonne position.

> **VOTRE BÉBÉ VA NAÎTRE**
> *C'est votre accouchement, c'est aussi la naissance de votre bébé. Ne vous concentrez pas uniquement sur le travail : pensez à votre enfant, aux efforts qu'il fait pour naître.*

QUELLE EST LA MEILLEURE POSITION À ADOPTER PENDANT LA DILATATION ?

Souvent, c'est de se mettre sur **le côté**, bien calée par un oreiller ou un coussin de relaxation. Mais vous trouverez vous-même la position dans laquelle vous serez la plus détendue : debout, assise, allongée ou en déambulant dans la maternité.

Pendant la dilatation, il est bien aussi de **changer de position**. Cela déclenche un mouvement des articulations qui fait de la place au bébé et facilite sa descente. Changer de position permet d'atténuer la douleur. Par exemple, en étant assise, on peut se pencher en avant, en s'appuyant sur les coudes ou sur les mains : le bas du dos se relâche et les douleurs localisées à cet endroit s'atténuent. Certaines maternités proposent des objets permettant des mouvements. Par exemple un gros ballon sur lequel la femme s'assied : en le faisant légèrement rouler, elle fait bouger son bassin. Ou bien, assise ou debout, elle se tient à une barre et fait des étirements.

Certaines sages-femmes proposent aux futures mères de s'installer ainsi : à genoux, les coudes et les avant-bras reposant sur le dossier relevé du lit d'accouchement, et en écartant suffisamment les genoux pour que le ventre ne soit pas comprimé. Cette position permet de bien se détendre entre les contractions en posant la tête sur les avant-bras. Pendant la contraction, le bébé bénéficie de toute la place dans le bassin ce qui favorise sa descente. La maman peut rester dans cette position jusqu'à la sortie du bébé ; si le médecin ou la sage-femme le souhaitent, ils lui demanderont de s'installer sur le côté ou sur le dos au moment de l'expulsion.

En un mot, pendant la dilatation, la femme est libre de ses mouvements. À la condition, bien sûr, qu'il n'y ait pas de nécessité médicale à surveiller le bébé en continu par l'enregistrement de son rythme cardiaque. À noter toutefois qu'il existe des appareils, qui, en utilisant des capteurs spéciaux, permettent à la maman de déambuler tout en surveillant l'enregistrement du cœur de son bébé.

Une fois que vous serez bien installée, **détendez-vous** complètement en relâchant tous vos muscles. Ensuite, au moment où vous sentirez la contraction monter, évitez de vous crisper. Une sorte de réflexe de défense tend à vous raidir contre la contraction. Il faut lutter contre ce réflexe et, au contraire, vous détendre. Si au lieu de résister, vous « accompagnez » la contraction, vous verrez qu'elle deviendra plus familière, moins agressive, moins douloureuse. C'est ainsi que la dilatation se fera sans encombre et en vous faisant le moins souffrir. Le docteur Read disait : « À femme contractée, col contracté. À femme détendue, col relâché. » Rappelez-vous bien cette formule, elle vous sera précieuse. Lorsque la femme a confiance en elle et en l'équipe qui l'entoure, lorsque la présence de son mari est rassurante, la contraction « passe » mieux.

Pensez aussi à votre bébé, à votre joie de bientôt le voir. Il se sentira en sécurité et vous-même, vous aurez moins mal puisque vous vous concentrerez sur son bien-être à lui.

Si vous êtes encore chez vous, il peut être agréable de prendre un bain tiède et de vous décontracter, ce qui aide le col à se dilater grâce à la détente que procure le bain. Une seule condition : n'avoir pas perdu les eaux. Et si vous êtes déjà à la maternité, pourquoi ne pas demander de prendre ce bain sur place, certaines maternités sont équipées de baignoires où l'on peut se relaxer pendant le travail.

Vous trouverez (pp. 342 et suivantes) des exercices qui vous apprendront à vous détendre complètement. Ce sont, entre autres, des exercices respiratoires. Voici comment les utiliser pendant la dilatation.

QUAND FAUT-IL RESPIRER ? QUAND FAUT-IL SE DÉTENDRE ?

Dès qu'une contraction approche (vous savez maintenant comment elle s'annonce), le rythme de la respiration change, l'inspiration est plus longue. Faites des respirations profondes en suivant ce nouveau rythme (p. 342).

Dès que vous aurez senti que la contraction est passée, vous reprendrez votre respiration habituelle, vous vous détendrez le plus possible, c'est cela qui vous permettra de bien maîtriser la contraction suivante. Et, à chaque nouvelle contraction, vous ferez des respirations profondes.

Tout au long du travail, et plus particulièrement à la fin de la période de dilatation, surtout si la tête est déjà bien engagée, il est possible que vous ressentiez au cours des contractions le besoin de « pousser ». À ce stade, en poussant, vous n'aideriez pas le travail, vous le rendriez seulement plus douloureux. De plus, cela aboutirait, non à un gain, mais à une perte de temps. Pousser sur un col incomplètement dilaté gêne la dilatation, et prolonge la durée de l'accouchement. D'autre part, ces efforts prématurés de poussée risquent de vous fatiguer et de vous faire arriver en moins bonne forme au moment où, au contraire, vous devrez participer activement à la naissance de votre enfant et dépenser toute l'énergie musculaire dont vous disposez. Signalez à la sage-femme cette envie de pousser. Elle vous montrera des positions qui vous aideront à ne pas pousser : par exemple, à genoux, la tête penchée, appuyée sur les bras. Vous pouvez aussi faire des **respirations haletantes** (p. 343) qui vous empêcheront de pousser.

Il arrive parfois au cours du travail que se produisent dans les bras et les jambes des fourmillements accompagnés de crampes et d'une certaine sensation de malaise général. Informez-en la sage-femme. Tout ceci disparaît très vite avec une injection intraveineuse de calcium.

LA SURVEILLANCE DU BÉBÉ

On a toujours surveillé l'état du bébé du début à la fin du travail, notamment par l'auscultation des bruits du cœur. Aujourd'hui, cette surveillance du bébé pendant l'accouchement mais aussi pendant la grossesse (p. 229) se fait par l'enregistrement du rythme cardiaque fœtal (RCF), appelé aussi monitoring du RCF. Cela permet de déceler les éventuelles modifications qui pourraient apparaître.

Pour cela, des capteurs sont posés sur le ventre de la mère et reliés à un appareil électronique enregistreur. Ainsi, on peut voir se dessiner les variations du rythme cardiaque du bébé en même temps que l'amplitude des contractions de la mère. Lorsque le bébé bouge, ou si vous changez de position, l'enregistrement devient parfois plus difficile : le cœur du bébé n'est plus en face du capteur et il y a perte du signal. Selon les appareils, une lumière rouge s'allume et au bout de quelques secondes ou minutes une alarme retentit. Ne vous inquiétez pas, tout continue à aller bien pour votre bébé et son cœur bat toujours normalement. Ces alarmes sont faites pour avertir la sage-femme que l'enregistrement ne fonctionne pas et qu'elle doit venir replacer les capteurs.

Grâce à ce monitoring, on peut dépister une anomalie du rythme cardiaque et, en fonction de l'importance et de la permanence de cette anomalie, prendre la décision de faire sortir l'enfant très rapidement, soit par les voies naturelles, soit par césarienne.

Si nécessaire, il est possible d'utiliser une autre technique (beaucoup moins répandue) : une goutte de sang est prélevée directement sur le cuir chevelu de l'enfant pour mesurer le Ph ou les lactates, ce qui permet de déceler indirectement un éventuel manque d'apport d'oxygène. Dans cette hypothèse, le médecin prendra la décision de terminer rapidement l'accouchement, le plus souvent par césarienne, lorsque la dilatation n'est pas trop avancée.

L'EXPULSION : LA MISE AU MONDE

Lorsque la dilatation sera complète, la deuxième phase de l'accouchement va commencer, elle sera d'ailleurs plus courte : 20 à 30 minutes pour une première naissance, beaucoup moins pour les suivantes.

À ce stade, les contractions deviennent plus rapprochées et durent plus longtemps. La tête de l'enfant appuie sur les muscles du périnée. Cet appui vous donne le besoin de pousser et entraîne une réaction d'ouverture des muscles du périnée. Cette envie de pousser est souvent moins bien perçue lorsque vous êtes sous anesthésie péridurale. Quoiqu'il en soit, il est important que vos efforts de poussée soient bien dirigés. Suivez les conseils de la sage-femme ou du médecin.

Il peut arriver que, même à dilatation complète, vous n'ayez pas encore envie de pousser. Les contractions sont alors moins douloureuses : profitez de cette pause pour vous reposer.

Au moment de la dilatation, vous aviez essentiellement à supporter les contractions, à les laisser faire leur travail, en restant détendue. Maintenant au contraire, vous allez participer activement à la naissance de votre enfant, vous allez aider l'utérus à faire son travail pour pousser l'enfant vers le bas. L'enfant sort du tunnel osseux du bassin, il va franchir le tunnel plus souple formé par le vagin et par le périnée (p. 287). Vos efforts de poussée, s'ajoutant au travail de l'utérus et à la réaction d'ouverture du périnée, vont aider la tête à franchir ces obstacles.

La dilatation vous a fatiguée et vous avez peur de ne pas avoir la force de pousser. Ne vous inquiétez pas. Votre corps va secréter des hormones qui vont agir comme des stimulants et vous donner l'énergie pour ce grand moment.

CE QUE VOUS DEVEZ FAIRE PENDANT L'EXPULSION

Que faut-il faire pour aider l'utérus dans son travail à ce stade ? Abaisser le diaphragme et contracter les abdominaux. Ainsi, l'utérus comprimé de haut en bas par le diaphragme, d'avant en arrière par les abdominaux, accentuera sa pression sur l'enfant. Mais l'important c'est que vos efforts de poussée coïncident avec les contractions qui déclenchent l'étirement du périnée et l'ouverture de la vulve.

Pour y arriver, voici comment procéder.

La contraction s'annonce

Mettez-vous dans la position d'expulsion : dos relevé, cuisses écartées, pieds dans les étriers. Ou peut-être : les jambes posées sur des sortes de demi-gouttières rembourrées sur lesquelles genoux et mollets prennent appui, ceci est la position classique d'accouchement (voyez aussi p. 304). Relâchez bien le périnée. Faites une bonne respiration profonde (p. 342).

La contraction est là

Bouche fermée, inspirez profondément, c'est ainsi que vous abaisserez au maximum le diaphragme. Arrivée au sommet de l'inspiration, bloquez votre souffle. Puis, contractez fortement vos muscles abdominaux à partir du creux de l'estomac pour appuyer le plus possible sur l'enfant et le pousser vers le bas, tout en vous efforçant de garder le périnée bien relâché.

C'est le traditionnel « inspirez, bloquez, poussez ». Pour vous aider à pousser, saisissez des deux mains les barres soutenant les étriers, et tirez sur vos mains. Dans l'effort, vos épaules se soulèvent du lit : c'est bien, faites le dos rond ; inclinez la tête sur la poitrine.

Ne vous inquiétez pas si vous n'arrivez pas à bloquer votre souffle aussi longtemps que dure la contraction, c'est difficile à faire. Pour vous aider, rejetez par la bouche l'air que vous avez dans les poumons, reprenez rapidement une bouffée d'air, bloquez de nouveau votre souffle et continuez à pousser jusqu'à la fin de la contraction.

La contraction est passée

Vous venez de fournir un violent effort ; maintenant faites une respiration profonde en inspirant et en expirant largement.

Entre deux contractions

Relâchement musculaire pour récupérer vos forces et respiration normale. Sauf indication du médecin, ne poussez pas entre les contractions.

En lisant ce qui précède, vous vous demandez peut-être si vous saurez bien distinguer les moments où il faut pousser, ceux où il faut vous détendre. Ne vous faites pas de souci, le médecin ou la sage-femme, à côté de vous, suivront la progression de l'enfant et vous guideront.

Contrairement à ce que les femmes redoutent souvent, cette phase de l'expulsion n'est pas la plus pénible de l'accouchement : le col est complètement ouvert, il ne résiste plus. Les contractions utérines sont perçues de façon moins douloureuse que pendant la dilatation. Certaines femmes ne poussent pas parce qu'elles ont peur que la tête de l'enfant n'ait pas la place de passer. Elles se représentent le vagin comme il est en dehors de la grossesse. Or, en fait, il est très différent, il s'est préparé pour le passage de l'enfant (p. 147).

Grâce à vos efforts, la tête de l'enfant commence à apparaître dans l'ouverture de la vulve et l'on peut voir les cheveux. À chaque contraction, la vulve se dilate davantage et une plus grande partie de la tête apparaît. À un certain moment, on vous demandera de ne plus pousser. C'est en effet alors au médecin ou à la sage-femme de dégager lentement et progressivement la tête hors de la vulve. À ce stade, ne soulevez pas la tête, laissez-la bien sur le lit, cela vous évitera de pousser ; et pour vous aider, faites la respiration haletante, comme à la fin de la dilatation (p. 343).

Vous verrez qu'il est impossible de respirer de la sorte et de pousser en même temps. Et lâchez les barres que vous teniez : vous n'avez plus d'effort à fournir, au contraire. Un effort de poussée risquerait de faire sortir brutalement la tête et de provoquer une déchirure plus ou moins importante du périnée.

Les fortes contractions vous ont peut-être fait un peu oublier votre bébé. Il va bientôt venir au monde. Préparez-vous à l'accueillir.

Différentes manières de pousser

« Inspirez, bloquez, poussez » : c'est la base de la préparation classique, la technique de poussée le plus souvent recommandée pendant toute l'expulsion. C'est ce que nous venons de vous décrire.

Une autre proposition est faite au sujet de la poussée, qui, d'après leurs auteurs, protège mieux le périnée et évite les prolapsus. C'est en particulier la proposition du docteur Bernadette de Gasquet (p. 336) ; elle parle de *poussée en expiration freinée*, voici sa méthode.

« Lorsque le réflexe de poussée se manifeste, les abdominaux se resserrent spontanément sur le bébé et le poussent en avant. À ce moment-là, la mère n'a pas à pousser en force le bébé vers le bas (ce qui forcerait également sur la vessie) : elle « se retire » de l'enfant, le laissant glisser à travers le périnée qui s'ouvre devant lui.

« La poussée en expiration freinée se fait mieux lorsque la mère est accroupie ou assise et que, dans cette position, elle peut s'étirer : par exemple en s'accrochant au cou de son mari, ou à une barre, ou en étant soutenue sous les aisselles. Cet étirement accentue le serrage abdominal et relâche le périnée. Sinon on peut aménager la position gynécologique classique : allongée sur le dos les genoux étant ramenés sur la poitrine, la mère les repousse de ses mains ; en faisant ce geste, elle augmente la pression abdominale ». Dans cette même position, vous pouvez aussi, en ayant les coudes bien ouverts, tirer les genoux vers vous, pendant que votre mari les retient légèrement.

> Vous trouverez le détail de cette méthode dans le livre de B. de Gasquet **Bien-être et maternité**, Éditions Albin Michel. Ainsi que dans son DVD : **Positions d'accouchement**, dans lequel l'auteur explique bien, entre autres informations, comment utiliser les différents accessoires (ballon, coussin, etc.) lors de la préparation à la naissance et au moment de l'accouchement.

Ces différences dans la manière de respirer, de pousser, peuvent paraître un peu compliquées, mais nous vous en parlons pour que vous ne soyez pas prise au dépourvu si ce que la personne qui est à vos côtés vous demande est différent de ce que je vous ai décrit dans ce livre. De toute façon, vous ne serez pas seule, vous aurez une sage-femme près de vous ; au fur et à mesure du déroulement de l'accouchement, elle sera là pour vous guider, pour vous aider.

D'AUTRES POSITIONS POUR ACCOUCHER ?

Selon les pays, les cultures, les époques, la manière d'accoucher a varié. Les femmes ont été assises, accroupies, debout, allongées. Aujourd'hui, la position encore la plus répandue dans les maternités est la position classique : la mère est sur le dos – allongée ou en position semi-assise –, elle a les jambes relevées et les cuisses écartées. Pour l'accoucheur et pour la sage-femme, c'est la position qui favorise le mieux leur travail au moment de la sortie de l'enfant.

Depuis quelques années, une nouvelle tendance se dessine. Certaines maternités proposent d'autres positions d'accouchement, souvent en fonction des préférences des sages-femmes et de ce qu'elles ont exposé au cours des séances de préparation.

• **Accoucher allongée sur le côté** (du côté du dos du bébé car cela facilite sa descente). La jambe du dessus est surélevée et repliée vers la poitrine, en appui sur un étrier. Cette position entraîne moins de douleurs lombaires et un meilleur relâchement du périnée. Elle permet un aussi bon contrôle du périnée par la sage femme que la position couchée classique. Elle est très courante en Grande-Bretagne.

• **Accoucher accroupie** sur un siège spécial appelé « siège hollandais ». Cette position profite de l'effet de la pesanteur et favorise un bon relâchement du périnée (moins de déchirure, semble-t-il). L'expulsion se fait lentement, en expirant, avec probablement moins de compression des gros vaisseaux, et donc moins d'hémorroïdes.

Une variante de cette position, plus fréquemment proposée : la femme est accroupie sur une table d'accouchement disposant d'un arceau auquel elle s'accroche et d'un cale pied pour prendre appui jambes écartées.

• **Accoucher debout**. Cette position est peu pratiquée pour le moment. Pour qu'elle soit confortable, il convient que la maman soit soutenue par une large sangle abdominale passée autour du corps, laquelle sangle est accrochée au plafond de la salle d'accouchement.

En position verticale, il semble que le travail soit mieux supporté avec une meilleure répartition des charges et donc moins de douleurs.

• **Accoucher à quatre pattes ou à genoux**. Encore peu pratiquée en France, cette position, buste relevé en appui, semble atténuer la douleur des contractions car elle libère le sacrum du poids de l'utérus.

Insistons sur un point important : il semble indispensable que le père soit associé au choix de la position d'accouchement et fasse part de ce qu'il souhaite ou ressent. Pour certains hommes, des positions (à quatre pattes par exemple) sont difficiles à accepter et, si elles sont imposées, peuvent compromettre l'équilibre futur du couple.

Il est difficile de conseiller une position d'accouchement plutôt qu'une autre car, nous l'avons dit, cela dépend de l'organisation de la maternité et de la pratique des sages femmes. Il est certain que ce serait bien que les mères puissent choisir la position dans laquelle elles se sentent le mieux puisque, au fil des années, la position classique n'a pas montré de supériorité évidente par rapport aux nouvelles. Et, au-delà de la position choisie, un accouchement réussi dépend à la fois de la capacité de la maman à être détendue et concentrée et de l'accompagnement de la sage-femme, qui soutient la femme tout en étant très vigilante sur les règles de sécurité.

L'ÉPISIOTOMIE

Le dégagement de la tête hors de la vulve peut être plus délicat dans certaines conditions : gros enfant, périnée très résistant ou anormalement fragile. Cette fragilité du périnée peut être constitutionnelle, ou acquise (prise de poids importante au cours de la grossesse avec infiltration des tissus). Le médecin, ou la sage-femme, peut être amené, pour faciliter la sortie du bébé et limiter la pression sur le périnée, à pratiquer une incision du périnée : c'est l'épisiotomie qui est généralement faite latéralement.

Il y a quelques années l'épisiotomie était volontiers pratiquée, notamment lors d'un premier accouchement. Aujourd'hui elle est moins fréquemment faite parce que des études ont montré que sa réalisation était souvent peu justifiée.

Les femmes redoutent l'épisiotomie, c'est compréhensible, elles ont peur que cela fasse mal. L'épisiotomie est parfois indolore : le passage de la tête du bébé comprime les terminaisons nerveuses du périnée, ce qui le rend insensible. Et si la mère a une péridurale, elle ne sentira pas l'épisiotomie. Lisez aussi page 390.

La réfection du périnée est nécessaire s'il y a eu une épisiotomie préventive ou à la suite à d'une déchirure lors du passage du bébé. Ce moment est parfois mal supporté par les mamans qui le trouvent désagréable et ont envie d'en terminer avec cette dernière phase de l'accouchement. Soyez patiente, le médecin a besoin d'un peu de temps, d'abord pour insensibiliser le périnée par une anesthésie locale, si la péridurale ne fait plus son effet ; ensuite, il doit pouvoir faire son travail de chirurgie réparatrice dans les meilleures conditions possibles, ce qui n'est pas toujours facile, notamment en cas de déchirure un peu complexe.

> **MOINS D'ÉPISIOTOMIES**
> LEUR NOMBRE A DIMINUÉ DE FAÇON IMPORTANTE, PASSANT DE 50,9 % EN 1998 À 26,8 % EN 2010 (ENQUÊTE INSERM).

LE PREMIER CRI

La tête une fois sortie, le médecin ou la sage-femme dégage une épaule, puis l'autre. Le reste du corps de l'enfant suit sans difficulté.

Votre enfant est né : ses narines se dilatent, son visage se plisse, sa poitrine se soulève, sa bouche s'entrouvre. Pour la première fois de sa vie, il respire. Il pousse un cri. La sensation que vous éprouverez en entendant ce premier cri est difficile à décrire : immense émotion, satisfaction intense mêlée de fierté ; une certaine peine à réaliser que cet enfant que vous venez de porter neuf mois en vous est maintenant à côté de vous ; lassitude à cause de l'effort intense que vous venez de fournir. Ces sentiments seront riches, multiples, envahissants. D'ailleurs, vous ne chercherez pas à les analyser, ce qui comptera d'abord pour vous ce sera de faire connaissance avec votre bébé, de le regarder, de le sentir contre vous. Dès la minute de la naissance, on pose l'enfant sur le ventre de sa maman, ainsi le contact mère-enfant est aussitôt établi, ou plutôt rétabli. La mère peut mieux sentir l'enfant, le toucher, mieux percevoir la réalité de son corps. Et lorsque le père est témoin de la naissance, cette soudaine réalisation du triangle est bouleversante. Parfois il faut un peu de temps pour que les parents se sentent à l'aise avec leur bébé. Peu importe, la relation s'établira petit à petit grâce aux contacts affectifs qui vont se nouer entre vous trois. Ne vous inquiétez pas si votre bébé ne crie pas en naissant : un enfant en pleine forme, plein de vitalité, peut ne pas crier, cela arrive.

Impressions et émotions
autour de la naissance

En quelques minutes, la **naissance d'une famille**

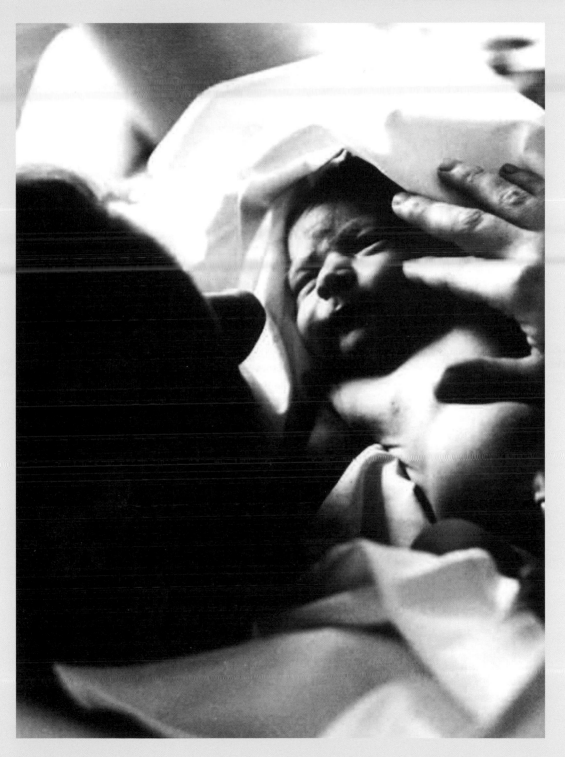

VOUS DÉCOUVREZ SON VISAGE

Il y a maintenant dans la salle de naissance une personne de plus : votre bébé. Avec son premier cri, ou ses premiers vagissements, vous découvrez son visage. Le nouveau-né est posé sur votre ventre, encore mouillé du liquide amniotique. La sage-femme le sèche aussitôt avec un petit drap, puis elle le couvre avec une couverture que vous avez peut-être apportée pour qu'il ne se refroidisse pas ; pour la même raison, elle va lui mettre un petit bonnet sur la tête.

Le premier examen

Il s'est passé juste une minute depuis la naissance, et la sage-femme a déjà fait un examen – **le test d'Apgar** – pour s'assurer que les fonctions vitales de votre bébé se sont bien adaptées à la vie aérienne :
• sa peau est devenue rose
• son attitude est tonique
• il réagit vigoureusement
• il respire sans effort
• son cœur bat aussi rapidement qu'avant sa naissance, entre 120 et 160 battements par minute (il suffit de poser ses doigts sur la cage thoracique pour le vérifier).

Ces éléments sont facilement observés sans vous séparer de votre bébé ; ils attestent que le cœur, les poumons, la circulation sanguine et le système nerveux s'adaptent à la vie en dehors de l'utérus. Votre bébé n'a plus besoin du placenta pour vivre. Il est autonome.

SUR L'ACCUEIL DU NOUVEAU-NÉ, *voyez aussi page 312.*

La sage-femme vérifie que vous n'avez pas de saignements anormaux. Si tout va bien, par discrétion, on vous laisse tous les trois quelques instants, tout à l'intimité de votre rencontre avec ce bébé que vous avez imaginé, et qui peut être si différent. La sage-femme, ou le médecin, pose deux pinces sur le cordon et le coupe entre les pinces. Ce geste est absolument indolore. Le cordon est constitué d'une gelée et ne contient aucun nerf sensitif. Selon les maternités, on prélève parfois quelques millilitres de sang du cordon pour mesurer le Ph et les lactates (p. 301). Un bracelet d'identité est posé au poignet du bébé.

Si vous souhaitez allaiter, et si votre bébé manifeste son envie de téter, vous pouvez le mettre au sein dès maintenant. Sinon, installez-le dans le creux de votre bras, regardez-le, laissez-lui le temps de vous regarder, vous et son père. Ces contacts visuels des premiers instants permettent au nouveau-né d'établir un lien très fort avec ses parents.

Lorsque tout s'est bien passé, le bébé naît dans un état de vigilance particulière qui lui permet de retrouver ce qu'il connaissait avant la naissance, et d'être rassuré : l'odeur de sa mère, les bruits de son cœur, sa voix, la voix de son père...

Parfois le bébé a plus de mal à s'adapter à son nouvel environnement : il peut avoir des glaires dans la gorge, il faudra aspirer les mucosités qui le gênent ; il peut respirer plus difficilement, il aura besoin d'un peu d'oxygène pour reprendre de la vigueur. Votre bébé recevra d'abord les soins indispensables et vous ferez plus ample connaissance quand tout ira bien. Si la maman a été éprouvée par un accouchement un peu difficile, le père peut prendre le relais et, dès que le cordon est coupé, garder son bébé contre lui.

Les réflexes, qui seront vérifiés dans les jours suivant la naissance, sont déjà présents : le bébé rampe vers le sein en remontant une jambe après l'autre, c'est le réflexe de la marche automatique (qui sera testé le bébé étant debout) ; il oriente sa bouche vers le mamelon, c'est le réflexe d'orientation ; puis il sort sa langue et cherche à téter : c'est le réflexe de fouissement ; il tête le sein dès que le mamelon est dans sa bouche, c'est le réflexe de succion ; il referme ses doigts sur votre doigt ou le sein, c'est le grasping. Tous ces réflexes témoignent du bon état du système nerveux et correspondent à une adaptation indispensable pour survivre sans la protection utérine, ni le placenta.

Les premiers soins

Maintenant que vous avez fait connaissance avec votre bébé, les premiers soins peuvent commencer. L'enfant est posé sous une lampe chauffante car il ne sait pas encore maintenir sa température à 37°. Il va être pesé, recevoir des gouttes pour protéger ses yeux d'une éventuelle infection. En général, il sera mesuré à l'examen de sortie de la maternité, lorsqu'il sera plus détendu et que ses jambes s'allongeront d'elles-mêmes. Si votre bébé est recouvert de mucosités, celles-ci sont nettoyées. En revanche, l'enduit (le vernix) est laissé car il protège contre le froid. Selon les établissements, le bébé est baigné après la naissance, ou plus tard, à l'heure habituelle de la toilette.

Votre enfant est ensuite habillé avec les vêtements que vous avez apportés. Vous pouvez le garder contre vous, le laisser dans les bras de son père, ou demander qu'on le mette dans son berceau.

Avant la sortie de la maternité, on prélèvera quelques gouttes de sang au talon du bébé pour le dépistage systématique de certaines maladies : phénylcétonurie, hypothyroïdie, hyperplasie des surrénales, drépanocytose et mucoviscidose. Si vous souhaitez que votre enfant soit suivi par un pédiatre de votre choix, celui-ci peut venir l'examiner à la maternité.

LA DÉLIVRANCE

Tout n'est pas encore tout à fait terminé pour vous. Dans les minutes qui suivront la naissance de l'enfant, vous ressentirez encore quelques contractions utérines, mais beaucoup moins intenses que celles de l'accouchement. Elles ont pour résultat de décoller le placenta qui adhérait à l'utérus. Quand le placenta est décollé, le médecin ou la sage-femme appuie sur l'utérus, et le placenta est alors expulsé. C'est ce qu'on appelle la délivrance. Et lorsque la mère pousse, en serrant bien le ventre, le placenta sort tout seul, sans que cela fasse mal. Le placenta est examiné par le médecin ou la sage-femme. S'il en manque un fragment, on procède à une révision utérine (p. 321).

Si l'on a été amené à faire une épisiotomie, celle-ci est alors recousue sous anesthésie locale, ou sous anesthésie péridurale, si vous en avez eu une pour l'accouchement. Ce petit acte chirurgical est un peu désagréable mais c'est un geste qui est fait rapidement.

Enfin, après une toilette locale, vous resterez sous surveillance pendant environ deux heures, puis vous serez reconduite dans votre chambre.

LA DÉLIVRANCE DIRIGÉE
Pour diminuer la perte de sang lors de l'accouchement, il a été démontré que l'injection d'ocytociques dès la sortie des épaules du bébé était un moyen très efficace. Cette « délivrance dirigée » est aujourd'hui systématiquement pratiquée presque partout dans le monde.

LA DURÉE DE L'ACCOUCHEMENT

Il est impossible de vous dire : « un accouchement dure tant d'heures », car trop de facteurs peuvent faire varier cette durée. Les statistiques permettent cependant de donner un ordre de grandeur : une femme, pour mettre au monde son premier enfant, a besoin en moyenne de 8 à 9 heures, pour le deuxième de 6 à 6, c'est-à-dire, près de 3 heures de moins.

L'accouchement d'un deuxième enfant dure moins longtemps parce que le col de l'utérus et le vagin, ayant déjà été dilatés, offrent moins de résistance à une nouvelle dilatation.

Mais ces chiffres ne sont que des moyennes établies sur quelques milliers d'accouchements, et votre accouchement pourra être plus rapide ou plus lent. Une chose est certaine : aujourd'hui, on ne laisse plus traîner un accouchement en longueur ; on dispose de moyens efficaces pour en régulariser le déroulement et en réduire la durée. La dilatation du col est la phase la plus longue. Elle représente près des neuf dixièmes de la durée totale, c'est-à-dire sept à huit heures pour un premier enfant, quatre à cinq pour un deuxième.

L'expulsion, par contre, ne dure en général que 20 à 25 minutes dans le premier cas, et moins de vingt minutes dans le second. Parfois même pour un deuxième enfant, l'expulsion suit immédiatement la dilatation complète.

Voici quelques-uns des facteurs qui peuvent écourter, ou au contraire, prolonger l'accouchement :
• la présentation : l'accouchement d'un « siège » est un peu plus long que celui d'un « sommet »
• la puissance et la fréquence des contractions qui varient beaucoup selon les femmes
• la mobilité de la maman pendant la phase de dilatation : le mouvement favorise la descente du bébé.

QUI SERA LÀ ?

Certaines lectrices nous ont demandé de parler des personnes qui seront présentes lors de l'accouchement. Nous comprenons leur souhait, mais c'est difficile d'être précis car cela dépend vraiment de l'organisation de la maternité et de l'heure de l'accouchement. Cela peut aller d'une personne – la sage-femme est toujours là – à deux, trois, ou plus : l'accoucheur, un anesthésiste, une puéricultrice, etc. Il peut y avoir aussi l'élève sage-femme ou l'élève puéricultrice qui effectuent leur formation. Il est important que votre intimité soit respectée. Si vous souhaitez que seuls les professionnels indispensables soient présents, n'hésitez pas à le dire.

Du côté de la famille, cela dépend du désir des parents. Cela dépend aussi de la maternité. Souvent, le père est là, nous en reparlerons plus loin. S'il ne peut venir, ou s'il ne le souhaite pas, la mère peut désirer avoir quelqu'un d'autre près d'elle (sa mère, sa sœur, une amie).

Et que penser de **la présence des enfants** que certains parents souhaitent ? Aucun des arguments entendus jusqu'ici ne nous a convaincus de l'opportunité de cette présence. L'argument principal des parents est de dire : « Le bébé sera mieux accepté par ses frères et sœurs. » Autrement dit, les parents se mettent à la place des enfants, sans pouvoir imaginer le choc que pourrait produire tout de suite, et plus tard, l'image de la naissance. Un accouchement peut être émouvant, merveilleux, mais aussi très violent. De quel droit imposer à un enfant une scène aussi impressionnante, aussi chargée d'émotions ? Est-on bien sûr de ne pas le choquer ? Voir sa mère dans cette position, la voir mettre au monde, peut-être dans la douleur et le sang, celui qui deviendra son frère ou sa sœur peut le troubler profondément. Le risque de le perturber semble plus grand que le plaisir qu'il pourrait en ressentir. Et même si l'enfant ne dit rien, ce n'est pas sûr qu'il ne soit fortement marqué.

LE PÈRE

« Vais-je assister à la naissance de notre enfant ? » Certains pères ne se posent pas la question : ils seront là, bien sûr, pour accompagner leur femme et accueillir leur bébé. D'autres pères hésitent : être présent, c'est se retrouver face à des images enfouies dans ses rêves ou ses fantasmes, c'est être confronté à un ensemble de sensations fortes et complexes.

Être là...

D'après une enquête que nous avons faite, près de huit pères sur dix viennent, mais leurs motivations sont variées.

Certains pères sont là pour assister à un documentaire sur l'accouchement. Mais ces pères ne sont pas les plus nombreux.

La plupart viennent et comme mari (pour être aux côtés de leur femme) et comme père (être là pour le grand moment). « Bien sûr je vais assister à l'accouchement, cela va de soi. J'étais là pour la naissance de notre premier enfant, on se sent très forts, très proches. Je sais que ma femme trouve dans ma présence à la fois du calme et de l'énergie. » « J'ai voulu être là pour l'accueillir, j'ai pu le prendre dans mes bras, il avait à peine 10 minutes. »

On trouve aussi des différences entre les pères, selon le temps de présence à l'accouchement : à côté de celui qui ne quitte pas sa femme, il y a le père présent seulement pendant une partie de l'accouchement, et qui n'assiste pas à la sortie du bébé. D'autres fois au contraire, le père demande à la sage-femme de le prévenir au moment de la naissance, car il trouve trop long le temps du travail. Il arrive enfin que le père qui avait décidé d'être là ait, au dernier moment, un empêchement. Vrai ? Ou fuite ?

Et où se met le père quand il est dans la salle d'accouchement ? Souvent, impuissant à aider sa femme à mieux supporter la violence de ce qu'elle vit, et se sentant désemparé, le père se met dans un coin de la pièce. Il se fait le plus discret possible, dans une position assez inconfortable où il se sent un peu inutile, spectateur exclu de l'action. Il reste là jusqu'au moment où l'enfant naît ; alors le père retrouve une place, où il peut vivre le plaisir d'accueillir son enfant, et la joie de partager ce moment particulièrement fort avec la femme qu'il aime.

Mais le père peut aider sa femme pendant le travail : par sa présence, par sa proximité, par son contact physique, par sa main sur le ventre, près du bébé, par son bras autour du cou de sa femme. Si le père sent qu'il peut aider, sa main rassurera. Il peut par exemple donner le brumisateur d'eau, installer les oreillers ou passer le masque à oxygène ; ou encore aider sa femme à changer de position, à se mettre debout à côté du lit d'accouchement. Ce sont de petits gestes qui apportent chaleur et réconfort.

Au sujet de la place du père dans la salle d'accouchement, une amie sage-femme m'a demandé de rappeler à celui-ci qu'en fait il n'est bon ni pour lui ni pour sa femme qu'il se mette exactement en face d'elle pendant la naissance (et encore moins de filmer cet instant). Sa vraie place, sa bonne place, c'est d'être à côté d'elle.

... Ou ne pas être là

Du côté de la mère, les réticences à la présence du père peuvent être diverses et souvent emmêlées.

• Désir de vivre seules ce moment si important de leur vie de femme, de se prouver qu'elles sont capables de mener à bien leur accouchement sans aide, mais aussi désir de vivre cet accouchement comme elles le veulent avec le droit de crier si elles en ont envie.

• Peur d'exposer leur intimité, pour d'offrir à l'homme qu'elles aiment un spectacle peu flatteur et que ce spectacle compromette leurs relations sexuelles futures, pour de la peur du mari, surtout si une intervention est nécessaire et qu'il risque de s'évanouir. En cas d'intervention, certains médecins font sortir le père, d'autres acceptent qu'il reste.

Et d'ailleurs, lorsqu'un homme ne vient pas, c'est souvent l'angoisse qui le retient : angoisse de voir, en vrai, la scène imaginée cent fois et de ne pas la supporter : impuissance devant la douleur de sa femme, peur des actes médicaux, crainte, comme sa femme, que leurs relations sexuelles en pâtissent.

Et lorsqu'un accouchement précédent s'est mal passé, le père hésite à venir : « Il a fallu utiliser les forceps et on m'a demandé de sortir. J'ai entendu le bébé pleurer, on m'a dit de revenir, et quel choc : ma femme avait les pieds dans les étriers, une paire de ciseaux qui pendait de la région vaginale, il y avait du sang partout, les forceps par terre, j'étais bouleversé. »

On a si souvent dit au père que sa place était dans la salle d'accouchement qu'il promet en général de venir, mais, s'il change d'avis, il se croit obligé comme un mauvais élève d'inventer une excuse : « J'avais un rendez-vous urgent », ou « J'ai raté le train. » Si c'est l'angoisse qui le retient d'être auprès de sa femme, il vaut en effet mieux qu'il s'abstienne ; rien n'est plus contagieux que la peur. Or une femme, à ce moment-là, a besoin de calme avant tout. Mais comme l'a dit une mère : « Qu'il n'aille pas trop loin. S'il est dans le couloir à portée de voix, c'est déjà rassurant. »

UN CHOIX LIBRE
Pour un homme, décider d'assister ou non à la naissance de son enfant, est vraiment un choix qui doit être libre (comme doit l'être, par exemple, pour la mère, la décision d'allaiter). Des médecins regrettent l'attitude de certaines équipes médicales qui, lorsque le père n'est pas présent à l'accouchement, se posent aussitôt des questions sur « la qualité du couple ». Les attitudes qui entourent la naissance sont plus que de simples gestes, elles ont des prolongements psychologiques et affectifs, une signification profonde. Elles ne doivent être dictées ni par l'entourage, ni par la mode. C'est au père et à la mère de voir ensemble ce que profondément ils souhaitent, ils prendront alors leur décision. Et l'équipe médicale a un rôle à jouer pour accueillir et soutenir les pères, qu'ils soient présents ou non en salle de naissance.

L'ACCUEIL DU NOUVEAU-NÉ

Le temps est heureusement loin où le nouveau-né était manipulé sans ménagement pour lui faire pousser son premier cri, puis vite emmené loin de ses parents pour subir des examens médicaux. Les équipes médicales ont pris conscience du fait qu'il faut assurer au bébé une certaine continuité avec le monde qu'il vient de quitter : il sort d'un abri liquide, chaud, douillet, obscur, bien clos et il se trouve projeté dans le bruit, la lumière vive, l'agitation, les manipulations, la pesanteur. Il faut donc le traiter avec douceur, ne pas l'aveugler, éviter tout geste brutal. Si l'accouchement s'est déroulé normalement, si tout va bien, les premiers examens peuvent attendre. Le père, la mère, le nouveau-né se voient enfin, ils ont besoin de ce moment d'intimité.

UN PEU D'HISTOIRE
En 1974, un obstétricien, Frédérik Leboyer, publiait un livre et un film : « Pour une naissance sans violence » (Éditions du Seuil) dont l'impact a été considérable car il dénonçait les souffrances inutiles qu'infligeait au nouveau-né la violence de certaines pratiques obstétricales bien établies. Prendre conscience de la difficulté de venir au monde, trouver les gestes pour un autre accueil à la naissance, dans un climat de douceur et de sérénité : on le doit à Frédérik Leboyer et à ceux qui l'ont suivi.

« Peau à peau »

La sage-femme, qui a accompagné la maman pendant l'accouchement, a à cœur de favoriser au mieux les liens mère-père-enfant. Dès sa sortie, le bébé est soigneusement essuyé et séché pour qu'il n'ait pas froid, puis posé en « peau à peau » sur sa maman, bien installé sur le côté. Le visage est également tourné de côté pour une meilleure surveillance, le nez, la bouche sont bien dégagés. Le peau à peau est comme une bouillotte, il permet au bébé de ne pas se refroidir. Un petit bonnet est appliqué sur sa tête pour les mêmes raisons de confort et de chaleur. Les soins nécessaires (poids, soin du cordon, soin des yeux, etc.) peuvent se faire plus tard, par exemple au moment où la maman regagne sa chambre. Toujours dans l'idée de ne pas refroidir l'enfant, le bain n'est plus systématique.

Dans la première heure qui suit la naissance, le bébé est dans un état d'éveil calme. Il peut découvrir tranquillement, en confiance, le monde qui l'entoure. Sur le ventre de sa maman, il va retrouver les bruits du cœur et les mouvements de la respiration qui l'ont accompagné durant neuf mois. Sous la main de sa mère qui le caresse, en entendant la voix familière de ses parents, le bébé se détend.

Échanges de regards

Regardez-le, laissez-le vous regarder. Tous les parents sont surpris et émus par l'intensité et la profondeur du regard de leur nouveau-né. Ces premiers échanges visuels sont un moment fondateur de l'établissement du lien parents-enfant. Même s'il y a une difficulté, par exemple le bébé doit être placé en couveuse, il est important de permettre ces échanges de regards.

Puis, si on lui laisse le temps, le bébé rampe vers le sein et il commence à téter avec vigueur. À ce moment-là aussi, il retrouve des sensations d'avant la naissance : le liquide amniotique et le colostrum ont des goûts et des odeurs proches.

Que de chemin parcouru depuis les années 60-70 où l'enfant, dès la naissance, était « kidnappé » par les professionnels pour accomplir des gestes essentiellement techniques ! Même si dans la réalité quotidienne des salles de travail, avec la succession imprévisible des accouchements, cette attention et ce respect du nouveau-né ne sont pas présents partout, bon nombre de professionnels sont aujourd'hui sensibilisés à ce nouvel état d'esprit et se préoccupent autant de la qualité de l'accueil du nouveau-né que de sa santé physique.

La césarienne

Le médecin vous a annoncé qu'une césarienne allait être programmée, ou envisagée si les circonstances de l'accouchement la rendait nécessaire, et vous êtes peut-être déçue, voire un peu inquiète. Sachez que c'est une intervention aujourd'hui très répandue : en effet, en France, elle concerne un accouchement sur cinq. On est toutefois loin des chiffres de certains pays d'Amérique du Sud (Brésil par exemple) ou d'Asie (comme le Vietnam) : presque un accouchement sur deux a lieu par césarienne, essentiellement pour des raisons de convenance, plus rarement par nécessité médicale.

On distingue en général deux types de césarienne : l'une programmée, ou « prophylactique », c'est-à-dire prévue à l'avance ; l'autre décidée au cours du travail, selon différents degrés d'urgence. Les conditions de réalisation de l'intervention sont identiques ; par contre ce que ressent l'équipe médicale et surtout la maman est très différent : la césarienne programmée se fait dans le calme, chacun est prévenu et tient son rôle ; la césarienne non programmée se pratique dans une ambiance un peu plus tendue où l'équipe (obstétricien, anesthésiste, sage-femme, pédiatre, puéricultrice) doit se mobiliser rapidement ; quant à la maman, elle peut vivre difficilement cette situation d'urgence.

LA CÉSARIENNE PROGRAMMÉE

En France, un peu moins de la moitié des césariennes sont programmées, en général après la 39e semaine, c'est-à-dire 10 à 15 jours avant le terme.

Pour quelles raisons programme-t-on une césarienne ?

La future maman a déjà eu une césarienne et les raisons de cette nouvelle césarienne sont les mêmes que lors de la grossesse précédente : c'est probablement le motif le plus fréquent. De plus, certains médecins préfèrent ne pas tenter l'accouchement par les voies naturelles lorsque l'utérus est déjà porteur d'une cicatrice, donc théoriquement plus fragile.

Une césarienne peut également être programmée parce que l'on estime que la poursuite de la grossesse jusqu'à son terme fait courir un risque à l'enfant : prééclampsie, diabète, placenta *prævia* recouvrant le col, certains types de grossesses gémellaires, âge « avancé » de la maman avec notamment une grossesse obtenue par procréation assistée, retard de croissance intra-utérin sévère ; ou tout simplement parce que le médecin estime qu'il y a un faisceau d'arguments en faveur de la césarienne et qu'il ne « veut faire courir aucun risque » à sa patiente. La décision de la césarienne est en général prise lors de la dernière consultation.

Dans certains cas, le médecin vous dira qu'une césarienne sera peut-être pratiquée mais qu'il est possible de tenter l'accouchement par les voies naturelles ; si nécessaire, la césarienne se décidera en cours de travail. Vous serez ainsi préparée à cette éventualité.

LA CÉSARIENNE PROGRAMMÉE EN PRATIQUE

Lors de la dernière consultation prénatale, ou lors d'une visite proche du terme, le médecin organise l'intervention avec les possibilités du bloc opératoire. Il vous précise le jour et l'heure. Il vérifie que vous avez passé la consultation anesthésique et que votre carte de groupe sanguin est conforme. Il prescrit les bas de contention que vous apporterez à la maternité.

Le jour J-1

La veille de l'intervention, vous êtes accueillie à la maternité par une sage-femme qui vérifie le contenu du dossier médical ; la sage-femme effectue un monitoring pour s'assurer que le bébé va bien et elle vous donne les informations sur le déroulement de la césarienne prévue le lendemain. Le personnel de la maternité vous installe ensuite dans votre chambre et vous explique comment effectuer la douche avec un produit antiseptique comme la Bétadine® (pour éviter au maximum les risques d'infection). Un rasage des poils du pubis est effectué par une infirmière ou une aide-soignante. Un repas léger est servi. En général l'anesthésiste passera vous voir, sauf s'il est occupé par une urgence. Il précisera d'être à jeun (sans manger, ni boire) 6 heures avant l'intervention

Le jour J

Le jour de l'intervention, vous prenez une nouvelle douche à la Bétadine®, vous enfilez les bas de contention et ôtez, si vous en portez, bijoux, vernis à ongles, lentilles (les lunettes peuvent être conservées). Puis vous vous rendrez au bloc opératoire, le plus souvent à pied. Les vêtements du nouveau-né seront remis à la sage-femme ou à la puéricultrice. C'est le papa, s'il le souhaite, qui habillera votre bébé.

En salle d'opération

Les différents gestes ou attitudes – comme dans ce qui a précédé – peuvent varier selon les maternités.

• Vous êtes installée sur la table d'opération et l'abdomen ainsi que la région vulvaire sont nettoyés à la Bétadine® par l'infirmière du bloc.

• L'infirmière met en place la sonde urinaire ; le geste est indolore car il est fait avec une petite anesthésie locale (spray) ; la sonde urinaire est posée pour que le chirurgien ne soit pas gêné par une vessie pleine au cours de l'opération.

• Puis l'anesthésiste installe la péridurale ou la rachianesthésie (p. 336) en vous plaçant en position assise, pendant que le chirurgien et l'infirmière se préparent.

• Vous vous allongez légèrement sur le côté et un nouveau badigeonnage est effectué avec l'antiseptique, puis des champs opératoires sont mis en place (sorte de draps qui protègent la zone de l'opération) et la césarienne peut commencer.

L'acte chirurgical

Le chirurgien incise d'abord la peau, puis les muscles de la paroi abdominale pour parvenir jusqu'à la cavité abdominale. L'utérus est alors incisé transversalement à sa partie basse. Tout ceci est totalement indolore. La maman perçoit seulement les contacts des mains du chirurgien et les manœuvres chirurgicales qu'elle peut voir se refléter dans le scialytique qui éclaire le champ opératoire. Le bébé est alors extrait par l'ouverture ainsi pratiquée. Il est présenté à sa maman qui peut le toucher, l'embrasser, puis il est emmené par son papa et la sage-femme dans la salle d'accueil des nouveau-nés pour une petite toilette. Le bébé est alors souvent confié à son papa, en « peau à peau » sur sa poitrine, le papa confortablement installé dans un fauteuil. Un moment inoubliable disent certains pères.

Commence le deuxième temps de l'opération qui consiste à refermer l'utérus et la paroi abdominale puis la peau. On utilise de plus en plus des fils résorbables que l'on n'a pas besoin de retirer. Au total la césarienne a duré moins d'une heure.

LE PAPA EN SALLE D'OPÉRATION ?
Certains parents le demandent et cela est possible si le chirurgien et l'anesthésiste sont d'accord. Quand tout est prêt, le papa est introduit en salle d'opération habillé en tenue de bloc (blouse, masque, gants...) et il s'assied à côté de l'anesthésiste, proche du visage de sa femme.

La salle de réveil et le retour dans la chambre

Après la césarienne, la maman est installée en salle de réveil, parfois avec son bébé et le papa. Elle est surveillée pendant au moins deux heures au cours desquelles les « constantes » (tension artérielle, pouls, oxygénation) sont vérifiées toutes les 15 minutes ; les pertes de sang sont particulièrement surveillées, ainsi que la bonne rétraction de l'utérus et des antalgiques sont prescrits selon les douleurs ressenties. La maman peut regagner sa chambre environ deux heures après la naissance, à condition qu'elle puisse bouger les jambes, que les constantes soient stables et que la douleur ne soit pas trop forte.

LES JOURS QUI SUIVENT

Vous continuerez d'être très surveillée pendant au moins 24 heures ; une perfusion peut être laissée en fonction de la situation. La sonde urinaire sera retirée le lendemain. Il est possible de boire 4 heures après la naissance et de manger légèrement 6 heures après.

Un léger endolorissement peut persister au niveau de la cicatrice. En revanche une « vraie douleur » n'est pas normale ; si c'était le cas, il faut la signaler car elle peut nécessiter l'avis du chirurgien.

Les suites de la césarienne sont habituellement simples mais la fatigue est parfois plus grande les premiers jours. Les deux premiers jours, les contractions de l'après-naissance, ou tranchées, sont plus douloureuses car elles se font sur un utérus cicatriciel plus sensible. De plus, elles peuvent être accompagnées de douleurs abdominales liées à la reprise du transit intestinal. Durant cette période, un régime adapté est recommandé.

Il est possible qu'il y ait, au bout de 48 heures, un petit drain à enlever au niveau de la cicatrice (tous les chirurgiens n'en mettent pas).

Vous vous lèverez dès le lendemain de l'intervention. Alors que vous n'aurez fait que quelques pas, ce premier lever pourra vous sembler difficile. Ne vous découragez pas, dès le 2e ou 3e jour, vous pourrez aller et venir facilement. En attendant, le personnel de la maternité prendra en charge les soins de votre nouveau-né (changes, bains, etc.), et vous vous occuperez de lui pour les repas. Une césarienne n'empêche pas d'allaiter quand la maman le souhaite. La montée de lait peut être simplement plus tardive (4e-5e jour au lieu du 2e-3e jour), compte tenu de la plus grande fatigue.

Reposez-vous bien ces premiers jours (demandez à vos amis d'attendre un peu pour vous rendre visite). D'autant plus que votre séjour sera un peu plus long que pour un accouchement normal par voie basse (sortie au 5e-6e jour en moyenne) et qu'il vous sera plus agréable de profiter de vos visiteurs en fin de séjour.

Le préjudice esthétique est quasiment nul puisque l'intervention est presque toujours pratiquée par une incision basse, transversale, cachée dans les poils du pubis. Dans les semaines qui suivent, la cicatrice peut devenir saillante et provoquer des démangeaisons. C'est transitoire. La cicatrice n'aura son aspect définitif qu'environ 8 mois après l'accouchement.

LE RETOUR À LA MAISON

Si tout va bien, il a lieu entre le 5e et le 6e jour après la naissance. Un traitement anticoagulant peut être prescrit, avec contrôle des plaquettes par le laboratoire, si les conditions médicales (risque de thrombose) le rendent nécessaire. Selon les régions et les réseaux périnataux, une sage-femme et/ou une puéricultrice passe à domicile (p. 394) pour vérifier que tout va bien et vous apporter l'aide nécessaire.

Le saignement vaginal dure quelques semaines, comme pour un accouchement par les voies naturelles. Il est préférable d'attendre qu'il soit terminé pour prendre un bain mais les douches sont autorisées dès le lendemain de la naissance. L'activité sexuelle, forcement ralentie, peut être reprise sans risque au bout d'un mois.

Quand vous serez rentrée chez vous, vous éprouverez le besoin de vous reposer, c'est normal. Vous retrouverez peu à peu votre énergie d'avant la grossesse. Évitez de porter des charges lourdes pendant au moins un mois (p. 395).

Mais il faut contacter la maternité – plutôt que votre médecin traitant qui n'est pas au courant des données de l'intervention – devant tout signe anormal (cicatrice rouge et douloureuse, douleurs, fièvre, saignements).

LA CÉSARIENNE NON PROGRAMMÉE

Elle est pratiquée au cours du travail d'un accouchement qui était prévu par les voies naturelles, ou bien en urgence avant même le début du travail.

LA CÉSARIENNE AU COURS DU TRAVAIL

Les raisons sont multiples :

• Elles peuvent tenir à des raisons « mécaniques », avec un bébé trop gros ou qui se place mal ou dont la tête est mal fléchie (p. 286) ; ou bien au bassin de la maman avec des dimensions insuffisantes mais c'est plus rare. Il peut s'agir aussi d'une stagnation de la dilatation qui est souvent la conséquence d'un problème mécanique méconnu.

• Les anomalies du rythme cardiaque fœtal témoignant que le bébé ne supporte plus les contraintes du travail sont une indication fréquente à « passer en césarienne », comme le disent les médecins. Il peut s'agir aussi d'une urgence qui survient au cours du travail.

LA CÉSARIENNE EN URGENCE AVANT LE TRAVAIL

C'est le domaine de l'urgence et parfois même de l'extrême urgence lorsqu'il y a un risque vital pour la mère et aussi pour l'enfant : saignement anormal et inexpliqué, fièvre chez la maman qui s'aggrave et témoigne d'une infection, procidence du cordon. Citons également la prééclampsie, l'hématome rétro-placentaire, le placenta *praevia* qui saigne anormalement ou le placenta *accreta* (p. 320).

Code rouge, orange, vert

En fonction du degré d'urgence défini par le médecin ou la sage-femme, les différents intervenants (chirurgien, anesthésiste, pédiatre, infirmière) sont prévenus selon un code afin de faciliter l'organisation des soins.

• Code rouge : c'est l'extrême urgence. Entre la décision de la césarienne et la naissance, il ne faut pas dépasser 15 minutes.

• Code orange : c'est une menace à court terme pour la mère et pour l'enfant et le délai entre décision et naissance ne doit pas dépasser 30 minutes.

• Code vert : pas de danger à court terme et le délai entre décision et naissance peut être de 1 heure.

Quel que soit le code, il faut bien comprendre que les différents temps de la césarienne tels que exposés plus haut peuvent se télescoper, surtout en code rouge : après quelques explications rapides du « pourquoi » aux parents, on passe au bloc et on extrait le bébé.

APRÈS UNE CÉSARIENNE NON PROGRAMMMÉE

La prise en charge (intervention, suites opératoires, retour à la maison, etc.) est la même que pour la césarienne programmée. Par contre le chirurgien essaie de passer voir la maman le soir ou le lendemain ; il peut ainsi expliquer tranquillement les raisons de cette césarienne et pourquoi il estime que l'événement à l'origine de cette urgence a de fortes chances de ne pas se reproduire ; cela peut rassurer les mamans pour une grossesse suivante et les réconforter. Les mères ont souvent un sentiment d'échec, celui d'avoir « raté leur accouchement », tout en comprenant que cette césarienne urgente a permis de sauver leur bébé.

REPRENDRE CONFIANCE APRÈS LA DÉCEPTION ET LA FRUSTRATION

Avoir une césarienne est mal vécu par certaines mamans : « La naissance m'a échappé » disent-elles souvent. Ces sentiments de déception et de frustration sont d'autant plus fortement ressentis que la césarienne n'était pas programmée, ou qu'une séparation avec leur nouveau-né a eu lieu. Dans ces cas s'ajoutent le souvenir de l'urgence de la situation et l'inquiétude qui l'a accompagnée, la rapidité de ce qui s'est passé, le contact trop bref avec leur bébé, l'impression d'avoir été dépossédée de cet événement si important.

Le lendemain de l'intervention, les mamans sont souvent un peu abattues et ne se sentent pas toujours en harmonie avec leur conjoint : les papas sont rassurés que tout se soit bien passé, les mamans gardent un sentiment d'inachevé. De plus, elles souffrent du manque d'autonomie des premiers jours et de leur incapacité à s'occuper du bébé.

Prendre contre soi rapidement son bébé, en peau à peau, est souvent pour la mère une façon de réparer, de combler ce qui a manqué. L'équipe de la maternité favorise dès la naissance les contacts corporels entre la maman et son nouveau-né et facilite le plus possible les soins que la maman peut donner à son bébé (le change, la toilette) ; si nécessaire, la puéricultrice donne momentanément au papa le rôle que la maman ne peut assumer, du moins dans les 2 ou 3 premiers jours. Une rencontre avec la psychologue de la maternité est souvent proposée. En étant soutenue par son conjoint et par toute l'équipe médicale et paramédicale, en partageant son ressenti, sa culpabilité, la femme prend peu à peu confiance en elle et se sent vraiment la mère de son bébé.

LA CÉSARIENNE : ET APRÈS ?

Certaines mamans pensent qu'à une césarienne ne peut succéder qu'une nouvelle césarienne. Ce n'est vrai qu'en partie. Une nouvelle césarienne sera programmée si l'indication de la première césarienne se présente à nouveau (gros bébé, siège...) ou si le médecin qui suit la grossesse estime que c'est préférable. Dans le cas contraire, un accouchement par les voies naturelles sera envisagé et, dans de nombreux cas, se passera sans difficulté.

Le risque de rupture de cicatrice de la précédente césarienne est exceptionnel pendant la grossesse. Et il est rare (autour de 1 %) pendant le travail. Il est annoncé par des douleurs persistantes, malgré la péridurale, un saignement anormal, une dilatation du col qui stagne. Dans ce cas, la césarienne se fait au cours du travail.

Il est donc juste de dire qu'une césarienne précédente augmente le risque d'avoir une nouvelle césarienne pour l'accouchement suivant. Mais ce n'est pas automatique. Et vous n'avez pas à être inquiète si on vous propose un accouchement par les voies naturelles : il y a de nombreuses chances pour qu'il se passe très bien et vous serez plus particulièrement surveillée.

LE PLACENTA ACCRETA

Il s'agit d'une insertion anormale du placenta qui pénètre dans le muscle utérin au niveau de la cicatrice d'une précédente césarienne ; l'augmentation des césariennes explique l'augmentation de fréquence du placenta accreta. Cette anomalie, qui peut être évoquée par l'échographie et confirmée par l'IRM, entraîne un haut risque d'hémorragie pendant l'accouchement ; celui-ci doit avoir lieu impérativement en milieu chirurgical.

Forceps, ventouse
et autres interventions

Le forceps et la ventouse

• Le forceps un instrument composé de deux sortes de « cuillères », destiné à saisir la tête de l'enfant pour l'aider à descendre et à sortir. Il peut se poser sous péridurale s'il y en a une en cours, mais aussi dans certains cas sous anesthésie locale. Les conditions d'application du forceps sont aujourd'hui bien codifiées. Si un forceps est nécessaire lors de votre accouchement, vous n'aurez rien à redouter, ni pour vous-même, ni pour votre enfant. À la place du forceps, certains praticiens utilisent des « spatules » qui ont la même fonction.

• La ventouse (ou *vacuum extractor*) est un instrument en matière souple, ou métallique, qui est mis en place sous la tête de l'enfant au moment d'une contraction, et donc en même temps qu'une poussée. Elle permet, par la flexion de la tête, de faciliter son passage. Les indications de la ventouse sont pratiquement les mêmes que celles du forceps. L'usage de l'une ou l'autre dépend des habitudes du médecin.

À noter que l'application du forceps peut laisser des traces sur les joues du bébé, mais elles sont passagères. Il en est de même pour la ventouse, où une petite bosse se dessine au sommet de la tête à l'endroit où la ventouse a été appliquée. La trace disparaît en moins de 24 heures.

La délivrance artificielle

Vous avez vu (p. 309) qu'habituellement le placenta se décollait tout seul, grâce aux contractions utérines qui réapparaissent dans les minutes suivant la naissance de l'enfant. Il arrive, pour des causes diverses (manque ou mauvaise qualité de ces contractions, adhérence anormale du placenta), que le placenta ne se décolle pas ou se décolle partiellement. Le risque est alors l'hémorragie qui peut parfois être grave et tout à fait inattendue. C'est une des raisons qui font déconseiller l'accouchement à la maison. Le médecin doit introduire la main dans l'utérus afin de décoller artificiellement le placenta. Cette intervention se fait grâce à l'anesthésie de la péridurale. Elle se fait sous anesthésie générale, s'il n'y a pas eu de péridurale, et s'accompagne d'une injection d'antibiotiques.

La révision utérine

Il arrive qu'une hémorragie apparaisse après l'accouchement et la délivrance. Le médecin doit alors en chercher la cause. Elle est en général due à un fragment de placenta ou de membrane resté dans l'utérus. Pour l'extraire, le médecin fait le même geste que celui de la délivrance artificielle (introduction de la main dans l'utérus), sous anesthésie péridurale, ou générale.

Le thrombus vaginal

Cette complication de l'accouchement, peu fréquente, est liée à la rupture d'un vaisseau du système veineux vaginal profond (qui est particulièrement congestionné lors de la phase d'expulsion). Cette rupture, qui a eu lieu à l'intérieur du vagin, ne se voit pas au début. Peu à peu le saignement, d'abord contenu par les tissus, va se manifester par un gonflement, souvent douloureux mais la douleur peut être masquée par le péridurale. Ce gonflement peut prendre des proportions considérables et il nécessite une intervention chirurgicale lorsque la perte de sang devient importante.

Accoucher chez soi : ce n'est pas recommandé

Accoucher à la maison fait rêver certains couples : ceux qui ont entendu parler d'une naissance à domicile qui s'était passée d'une manière parfaite ; ceux qui ont été choqués par des photos d'accouchements très médicalisés, entourés de nombreux appareils ; celles qui ont envie de vivre un accouchement à leur rythme : marcher, être libre de leurs mouvements, prendre un bain ; enfin les couples qui souhaitent que leur enfant naisse dans une ambiance familiale, au milieu des leurs.

En fait, peu de couples choisissent cette naissance à la maison : selon les statistiques du ministère de la Santé, il y aurait 3 500 accouchements à domicile par an (sur environ 800 000 naissances).

Aujourd'hui, la plupart des professionnels de santé déconseillent fortement l'accouchement à la maison car son issue est incertaine. On dit qu'un accouchement s'est bien passé une fois qu'il est terminé. Que faire en cas de souffrance fœtale aiguë, procidence du cordon ou hématome rétro-placentaire, par exemple ? Ou que faire devant une hémorragie de la délivrance ?

Puisque la raison principale du désir d'accoucher à la maison est d'être entourée au moment de la naissance d'une atmosphère chaleureuse, familiale et tendre, une des solutions est d'essayer d'obtenir partout que l'accueil soit amélioré.

Dans ce but, certaines maternités essaient de changer le décor, en mettant des couleurs et des lumières différentes pour donner au cadre austère de la maternité un aspect plus familier, en organisant des lieux de rencontre et d'échange entre les mères et les couples. Il faut espérer que ces exemples de maternités conviviales se multiplieront, car, outre un cadre plus chaleureux, ce qu'apprécient les parents dans de tels lieux, c'est aussi le contact avec les autres.

L'accouchement ambulatoire et les maisons de naissance pourraient également être une solution pour ceux qui veulent allier humanisation de la naissance et sécurité. Mais ces deux propositions peinent à s'installer en France.

L'accouchement ambulatoire

Il est traditionnellement pratiqué aux Pays-Bas. Aujourd'hui, il est également répandu aux États-Unis, mais en raison du coût très élevé de l'hospitalisation.

Voici comment se déroule l'accouchement ambulatoire. Lorsque les premières fortes contractions se font sentir, la future mère téléphone à la sage-femme qui l'a suivie pendant sa grossesse pour qu'elle vienne voir où en est le travail. En attendant que la dilatation se fasse, la maman marche, prend un bain, se détend en écoutant de la musique. Quand la sage-femme estime que le moment est venu, c'est le départ pour la maternité où la maman accouchera, assistée par la sage-femme. Si tout va bien, quelques heures après la naissance, parents, bébé et sage-femme reviennent à la maison. Et les jours suivants la sage-femme passe tous les matins, et une aide familiale vient plusieurs heures par jour pour aider aux tâches ménagères et aux soins du bébé.

Nous avons reçu des lettres enthousiastes de mères ayant accouché de cette façon. En France, quelques maternités mettent à la disposition de sages-femmes leur « plateau technique », afin que celles-ci puissent venir accoucher leurs patientes à l'hôpital. Ce peut être une bonne manière de concilier la sécurité technique de l'hôpital et l'atmosphère chaleureuse de la maison.

Malheureusement cette solution devient aujourd'hui difficile à appliquer car les sages-femmes ont de la peine à se faire assurer pour cette activité.

Les maisons de naissance

Ces maisons existent chez nos voisins suisses, anglais, allemands. Il s'agit d'une maison, ou d'un local, géré par des sages-femmes. Elles y accueillent les futurs parents pour les consultations, la préparation à la naissance. Les femmes peuvent y accoucher à condition de n'avoir aucune pathologie médicale. Ces maisons sont en liaison avec une maternité à laquelle il serait fait appel si un problème se présentait.

En France, le projet des maisons de naissance est à nouveau à l'ordre du jour. Par ailleurs, des professionnels ont créé dans des maternités un lieu pour une naissance « physiologique », avec une salle où l'on respecte autant que faire se peut le besoin de démédicalisation de la naissance. Cette salle a le même encadrement médical que les autres salles d'accouchement, avec les mêmes règles de sécurité et de fonctionnement administratif. À suivre...

L'accouchement anonyme

L'accouchement anonyme (anciennement appelé sous X ou sous le secret) donne la possibilité à la mère de mettre son enfant au monde sans donner son identité : toute femme prise en charge dans une maternité peut accoucher anonymement. L'enfant sera alors confié à l'adoption et ne pourra pas connaître l'identité de sa mère.

Il est en effet des situations où une femme est confrontée à une détresse si grande, à un isolement si profond, qu'elle se sent dans l'impossibilité matérielle et psychologique de s'occuper de son enfant. Il peut arriver qu'une naissance hors mariage la mette en danger, ou bien sa grossesse est issue d'un viol, ou tout autre cas dramatique. Il est important que la femme parle rapidement à des professionnels qui pourront l'aider et la soutenir : médecin, sage-femme, psychologue, assistante sociale.

L'accouchement au secret permet de donner naissance au bébé tout en préservant l'anonymat de la femme. Cet anonymat peut malheureusement être préjudiciable à l'enfant en l'empêchant plus tard de connaître ses origines. C'est pourquoi, si elles le souhaitent, les mères peuvent – ce qu'elles ne savent pas toujours – laisser des renseignements dans le dossier de l'enfant, par exemple une lettre, un message enregistré, leur nom dans une enveloppe scellée, des précisions sur le père ; ainsi l'enfant pourra avoir accès à sa majorité, s'il en fait la demande, à des informations sur son histoire. Certains adultes nés « anonymement » ressentent fortement le besoin d'avoir des renseignements sur leurs parents de naissance. Cela peut leur permettre de donner un sens au geste de leur mère biologique et les aide à penser qu'ils n'étaient pas un « mauvais » bébé et qu'elle n'était pas une « mauvaise » mère.

Une loi cherche à concilier le droit des enfants à connaître leurs origines et celui des femmes à mettre leur enfant au monde dans l'anonymat. Voyez les détails de cette loi au chapitre 17.

Pour en savoir plus sur ce sujet (place de la filiation biologique dans notre société, recherche des origines...), nous vous conseillons le livre de Sophie Marinopoulos et Catherine Sellenet : *Moïse, Œdipe, Superman... De l'abandon à l'adoption*, Fayard.

13

La douleur et l'accouchement

Il n'y a plus de fatalité à « accoucher dans la douleur ». Les futures mamans bénéficient aujourd'hui d'aides nombreuses pour vivre leur accouchement en toute conscience et être soulagées d'une grande part de la douleur.

Parlons d'abord en détail de cette douleur que les femmes ne ressentent pas toutes de la même manière. Puis nous aborderons les moyens de la supporter, de l'accepter ou de la supprimer : en se préparant à la naissance et/ou en ayant recours aux différentes anesthésies possibles au cours de l'accouchement.

Un accouchement est-il toujours douloureux ?

Lorsque l'utérus se contracte pour ouvrir le col, dès le début du travail, ses contractions sont perceptibles. D'ailleurs si la future mère ne sentait pas son utérus se contracter, elle ne saurait pas que le travail a commencé. Mais cette perception n'est en général pas d'emblée douloureuse. Puis les contractions augmentent d'intensité, parfois la poche des eaux se rompt, et la douleur apparaît, plus ou moins tôt, plus ou moins forte.

Oui, la douleur obstétricale existe, **mais**, et ce « mais » est important, elle est éminemment variable. Car la douleur n'est pas toujours perçue de la même façon. Cela dépend de la fatigue, de la peur, du stress, des expériences précédentes, etc. Certaines femmes mettent leur enfant au monde sans souffrir, sans besoin de médicament. Et d'autres ont très mal, elles se sentent dépassées par la douleur et elles ont besoin d'une anesthésie. Entre ces deux extrêmes, tous les degrés existent.

La douleur est donc variable selon les femmes. Elle varie aussi selon le moment de l'accouchement. Pendant la dilation, lorsqu'il y a douleur, elle est intermittente, elle correspond au moment précis où l'utérus se contracte. En dehors des contractions, la douleur disparaît ou s'atténue et la maman peut se reposer. Pendant l'expulsion, la douleur n'est plus due aux tensions sur le col mais à l'étirement du périnée et de la vulve : elle est alors plus ou moins continue jusqu'à la naissance du bébé mais dure peu de temps puisque cette phase est courte. Pour certaines femmes cet étirement est intolérable et pour d'autres c'est « comme une fleur qui s'ouvre ». C'est ce qu'ont dit plusieurs mamans, nous a rapporté une sage-femme, pour décrire le moment de la naissance de leur bébé. Et encore une fois, entre ces deux extrêmes, toutes les nuances existent.

Par ailleurs, tout au long de l'accouchement, l'organisme produit des hormones, les beta-endorphines, qui atténuent la douleur. Le stress, la peur, la fatigue empêchent ces hormones d'agir. Au contraire, tout ce qui rassure, qui détend, favorise leur action. Et si la maman se sent en confiance avec l'équipe qui la prend en charge, la douleur est moins forte.

La douleur peut aussi être provoquée par des facteurs organiques, anatomiques. Dans certains cas, la tête du bébé est orientée de telle manière dans le bassin qu'elle provoque des douleurs lombaires plus difficiles à supporter que les douleurs ordinaires (c'est ce qu'on appelle « accoucher par les reins »).

En fait, il est bien difficile de savoir comment la douleur est ressentie. Certaines femmes ne disent rien pendant l'accouchement et se plaignent le lendemain d'avoir eu très mal. D'autres crient, se lamentent, jurent que plus jamais elles n'accoucheront ; mais elles déclarent plus tard qu'en fait elles n'ont pas tellement souffert, et qu'elles seraient ravies d'avoir un autre enfant.

D'ailleurs certaines mamans auraient voulu pouvoir crier ; elles n'ont pas osé le faire. Il est vrai que cela peut faire peur à une autre future mère près d'accoucher ; cela peut aussi dérouter l'équipe médicale. Alors que le cri n'est pas nécessairement l'expression d'une grande douleur ; ce peut être aussi le moyen de soulager une tension trop forte.

Enfin, d'autres femmes supportent bien les contractions, les laissent passer sans panique et mettent au monde leur bébé non sans rien sentir mais sans souffrir et sans anesthésie.

Intensité, étrangeté, violence : l'accouchement confronte les femmes à un effort physique et des émotions inhabituels. Comment faire face ? Et lorsque la douleur s'installe, forte ou supportable, comment l'accepter, la diminuer ou même la supprimer ?

En France, la réponse est avant tout médicamenteuse, avec en premier lieu l'anesthésie péridurale, même s'il existe d'autres produits analgésiques (voyez la fin de ce chapitre). La réponse peut aussi être une préparation psychologique et physique puisque la douleur dépend également de l'appréhension, de l'accompagnement, des positions de la maman et du bébé pendant le travail (chap. 14).

Certaines futures mères pensent qu'elles n'ont pas besoin de préparation puisqu'une césarienne est prévue ou que la péridurale est facilement proposée à la maternité qu'elles ont choisie. C'est dommage parce que la préparation aborde bien d'autres points que celui de la douleur et la façon de la surmonter. D'ailleurs aujourd'hui on parle de *préparation à la naissance et à la parentalité*. Les séances font une grande place à l'accueil du bébé, aux premiers liens parents-enfant, aux difficultés éventuelles dans la construction de ces liens et à l'aide qui peut alors être apportée.

La préparation à la naissance et à la parentalité

La préparation à la naissance est issue de ce qu'on a appelé « l'accouchement sans douleur ». La plupart des mamans d'aujourd'hui ne savent pas de quoi il s'agit et pourtant c'est une approche de l'accouchement qui, dans les années 1950, a complètement transformé le vécu des futures mères. En les informant sur ce qui se passait en elles, sur la vie de leur bébé, sur la façon dont il allait naître, en leur proposant une préparation afin de dominer la douleur, « l'accouchement sans crainte et sans douleur » a montré aux femmes qu'elles pouvaient se réapproprier leur corps et se sentir, avec leur bébé, au centre de cet événement unique.

Cela a été un premier pas vers d'autres découvertes : le lien entre douleur et émotion, la continuité de la vie intra-utérine et de la vie après la naissance, les compétences du nouveau-né et les interactions précoces entre les parents et leur bébé. Cela a aussi permis aux professionnels de la naissance de comprendre l'importance de leur accompagnement, de leur présence en salle de naissance, en dehors de tout acte médical.

Voici les principes de la préparation à la naissance et à la parentalité. Dans le chapitre suivant, vous trouverez le détail des exercices à faire ainsi que d'autres méthodes proposées (yoga, haptonomie, etc.).

Les points forts de la préparation

Le but de la préparation à la naissance est d'aider la femme à mettre au monde son enfant dans les meilleures conditions possibles. Au cours des séances, la future mère apprend à mieux connaître son corps, ses modifications pendant la grossesse et l'accouchement. Elle découvre comment elle peut s'adapter physiquement et psychologiquement à ces transformations. Le père est invité à participer aux séances pour pouvoir accompagner et aider sa femme. La préparation à la naissance peut être animée par une sage-femme ou un médecin – le plus souvent, c'est une sage-femme qui s'en charge.

Dans la préparation, il y a une partie d'information sur la grossesse, l'accouchement, le séjour à la maternité, l'allaitement, le nouveau-né, les premières relations parent-bébé, et une part importante est donnée aux activités corporelles, aux respirations, à la relaxation.

Ces points concernent toutes les futures mamans, même si une césarienne est prévue ou si vous souhaitez absolument avoir une péridurale. D'ailleurs toutes les formes d'accouchement sont abordées au cours des séances, y compris la césarienne. Les objectifs de la préparation sont précisés par des recommandations professionnelles. Chaque sage-femme a sa façon de les atteindre : exercices physiques, yoga, activités en piscine, etc.

La préparation se fait en huit séances

Les séances sont remboursées à 100 % dès la déclaration de grossesse. La première séance est individuelle. Toutes les femmes n'ont pas les mêmes demandes, les mêmes craintes, les mêmes atouts pour les affronter. Elles ont besoin d'intimité, d'une relation de confiance pour s'exprimer sur ces sujets sensibles. Leur compagnon également. C'est pourquoi la première séance individuelle fait l'objet d'un « entretien précoce », si possible dès la déclaration de grossesse, en fin de premier trimestre (p. 211).

Les éléments de cet entretien peuvent être consignés dans votre dossier médical ; et soit à la fin de l'entretien, soit en fin de grossesse, ce document sera complété et un résumé vous sera remis pour faire un lien avec la sage-femme qui vous accueillera en salle de naissance pour l'accouchement ; il pourra aussi servir à rédiger votre « projet de naissance » (page suivante).

Si vous avez de nouvelles demandes, si votre situation évolue, n'hésitez pas à demander à la sage-femme une seconde entrevue : une consultation consacrée à ce sujet peut compléter ce premier entretien.

Les sept autres séances peuvent se faire en groupe, avec six femmes enceintes maximum. Certaines sages-femmes libérales proposent des séances individuelles, ou en couple, ou en groupe avec au maximum trois futures mamans, plus les conjoints s'ils le désirent.

Souvent les séances de préparation sont complétées par des entretiens entre les femmes qui vont accoucher, par des entretiens avec des mères et des pères qui viennent d'avoir leur enfant, par la projection d'un film sur l'accouchement. La sage-femme chargée de la préparation cherche à installer un climat de confiance. Cette confiance réciproque est un des éléments importants de la préparation. Les futures mères peuvent s'exprimer librement et notamment parler de leurs angoisses et de leurs peurs. Et pour une future mère, pouvoir parler de ce qui la préoccupe est sûrement un élément important de détente. Il existe aussi des groupes destinés aux seuls futurs pères. Enfin, dans le cadre des séances de préparation à la naissance, une visite de la maternité peut être organisée par la sage-femme. Les femmes apprécient de se familiariser avec ces lieux un peu mystérieux, de voir de près, dans la salle d'accouchement, les différents appareils (monitoring par exemple).

Les bienfaits de la préparation

L'intérêt d'une préparation est grand, les futures mères sont plus détendues, elles le disent, les futurs pères le confirment. Les Caisses d'assurance maladie reconnaissent les bienfaits de la préparation puisqu'elles recommandent aux femmes de la suivre. Il faut évidemment que la préparation soit bien faite. Mais de l'avis de certains, ce n'est pas toujours le cas : séances trop peu nombreuses, commencées trop tard, se limitant parfois à quelques exercices de gymnastique ou à quelques explications, des diapositives ou un film.

Enfin, la préparation ne suffit pas à garantir un bon accouchement, encore faut-il que la future mère soit bien accueillie à son arrivée à la maternité et bien accompagnée pendant le travail ; ces deux éléments sont déterminants pour créer un climat de détente et de confiance.

Heureusement il y a d'excellentes préparations, faites par des sages-femmes motivées et passionnées. Alors, si vous avez envie de suivre une préparation, comment savoir si elle est bien faite ? Avant de s'inscrire, les futures mères se renseignent sur l'organisation de la maternité (possibilité de péridurale, présence du père, etc.). Renseignez-vous également sur la préparation à l'accouchement : la première séance est-elle individuelle ? Le père est-il encouragé à venir aux séances ? Combien y-a-t-il de femmes enceintes par groupe ? Combien de temps dure une séance ? Parlez-en aussi à des futures mères ayant suivi la préparation ou ayant accouché dans cette maternité.

LE PROJET DE NAISSANCE

Il est probable que vous vivrez mieux votre accouchement si la sage-femme de la salle de naissance connaît vos besoins, vos aspirations, vos craintes. À l'exemple des Anglo-saxons qui l'utilisent depuis plusieurs années, les professionnels recommandent aujourd'hui aux parents de rédiger un « projet de naissance ».

Nous vous conseillons de préparer ce projet pendant la grossesse et en concertation avec la sage-femme qui suit votre préparation ; celle-ci vous indiquera les possibilités qui existent là où vous allez accoucher. Sachez toutefois que votre projet pourra ne pas être suivi en fonction des nécessités médicales dont est responsable le professionnel.

Le but de ce petit document est de faciliter la communication entre vous et la sage-femme de la salle de naissance, à un moment où vous et votre conjoint êtes concentrés sur l'arrivée du bébé, sur les contractions, et où la sage-femme est concentrée sur le déroulement médical. Vous pouvez noter par exemple que vous préférez marcher le plus longtemps possible plutôt que d'avoir une péridurale rapidement — ou le contraire. Vous pouvez aussi préciser que vous souhaitez garder votre bébé en peau à peau avant les premiers soins. La sage-femme saura ainsi mieux s'adapter à vos besoins. Si votre conjoint ne veut pas couper le cordon, mentionnez-le : la sage-femme ne lui posera pas la question, ce qui pourrait le mettre mal à l'aise, etc., etc.

EST-IL CONSEILLÉ DE FAIRE LA PRÉPARATION DANS LA MATERNITÉ OÙ L'ON VA ACCOUCHER ?

C'est mieux car cela vous permettra, en principe, de connaître quelques sages-femmes, de visiter les locaux et de recevoir des informations spécifiques à cette maternité (faut-il apporter les vêtements et les couches pour le bébé, où est la porte d'entrée la nuit... et mille autres détails utiles).

Mais ce n'est pas une obligation, et si vous avez l'impression que la maternité n'est pas bien organisée pour ces séances, ou si les horaires ne vous conviennent pas, ou pour toute autre raison, vous pouvez faire la préparation en ville, une sage-femme peut même venir à domicile si vous êtes au repos.

Cette question du lieu de votre préparation ne se posera peut-être pas. Aujourd'hui, certaines maternités ne font plus de préparation, pour des questions d'organisation. Dans ce cas, on vous donnera des adresses de sages-femmes libérales, qui reçoivent à leur cabinet ou se déplacent.

N'attendez pas trop pour vous renseigner et choisir la solution qui vous convient le mieux.

Les anesthésies
au cours de l'accouchement

Certaines futures mères refusent d'affronter la douleur, quelle que soit son intensité, soit parce qu'elles trouvent inutile de souffrir, soit parce qu'elles sont particulièrement angoissées et que l'accouchement leur paraît une épreuve insurmontable, ou encore parce qu'elles gardent d'une précédente naissance un souvenir trop pénible. Ces femmes n'envisagent pas d'accoucher sans anesthésie. C'est un sujet qu'elles pourront aborder avec la sage-femme au cours de la préparation.

D'autres mamans n'ont pas envie de souffrir mais elles souhaitent essayer de vivre cette expérience ; elles se disent qu'elles demanderont - ce qui est possible - une anesthésie si la douleur dépasse ce qu'elles peuvent supporter.

Ajoutons que l'anesthésie n'est pas toujours un choix : avec près de 20 % de césariennes, un accouchement sur cinq nécessite une anesthésie. Une complication peut parfois survenir : douleur trop intense, forceps et là aussi l'anesthésie sera inévitable.

L'ANESTHÉSIE PÉRIDURALE

L'anesthésie péridurale a été une révolution car elle est un extraordinaire progrès dans le domaine de la lutte contre la douleur. Elle n'insensibilise que la partie inférieure du corps (celle qui souffre) tandis que la conscience reste éveillée. C'est pourquoi elle a eu rapidement autant de succès auprès des femmes.

TOUTES LES FEMMES PEUVENT-ELLES AVOIR UNE ANESTHÉSIE PÉRIDURALE ?

Oui, toutes les femmes qui le désirent peuvent bénéficier d'une péridurale, à condition, bien évidemment, qu'il n'y ait pas de contre-indication médicale. Il n'y a plus de distinction entre le simple confort et la nécessité médicale, et la péridurale est remboursée dans tous les cas.

En pratique, la possibilité d'une péridurale dépend beaucoup de l'organisation de la maternité. Dans certaines, on comptabilise 90 % de péridurales, dans d'autres beaucoup moins. Pour autant, est-il souhaitable que chaque accouchement ait lieu sous péridurale, comme cela se passe dans certaines maternités, même si la femme ne l'a pas demandé ? Ce n'est pas sûr.

D'abord cela accentuerait la médicalisation de l'accouchement si souvent critiquée.

Ensuite les femmes ne demandent pas toutes une anesthésie. Elles veulent se rendre compte de ce qu'est la douleur de l'accouchement, si elles peuvent la dominer, et elles ont envie de voir comment elles y parviendront. D'ailleurs, comme nous en avons parlé au début de ce chapitre, un accouchement n'est pas toujours douloureux.

Enfin, le seul fait de savoir qu'elle peut avoir une péridurale détend souvent la mère, à tel point que, parfois, elle ne la demande pas, étonnée de constater qu'elle supporte très bien la douleur de la contraction.

Les femmes ont obtenu ce qu'elles voulaient, la péridurale pour toutes. Mais elles doivent garder un droit encore plus précieux : pouvoir faire respecter leur choix. Il s'agit de votre grossesse, de votre accouchement, c'est donc bien normal que ce soit votre désir qui l'emporte. C'est à vous, après y avoir réfléchi, et en avoir parlé avec votre mari, vos amies, dans les groupes de préparation, avec la sage-femme, avec le médecin, de prendre *votre* décision.

Parler à son médecin, n'est pas toujours facile. Pourtant il est important de pouvoir dire non, sous peine de renoncer à ses goûts, ses désirs. Il faut pouvoir dire non si on ne veut pas connaître le sexe du bébé avant la naissance, non si on ne veut pas d'anesthésie péridurale, non à un déclenchement de l'accouchement (sauf pathologie bien sûr) si on veut attendre le terme. Lorsqu'on attend un enfant, on est parfois en état de moindre résistance, comme à la merci de l'avis des autres et on n'ose pas donner le sien. C'est votre grossesse, votre enfant, un grand moment de votre vie, n'hésitez pas à dire ce que vous désirez vraiment.

> ANESTHÉSIE : QUELQUES CHIFFRES
> LA PRISE EN CHARGE DE LA DOULEUR PAR UNE PÉRIDURALE OU UNE RACHIANESTHÉSIE EST PLUS FRÉQUENTE : ELLE A CONCERNÉ 82 % DES FEMMES EN 2010 AU LIEU DE 75 % EN 2003 (ENQUÊTE INSERM).

COMMENT SE PRATIQUE L'ANESTHÉSIE PÉRIDURALE ?

Pour insensibiliser toute la moitié inférieure du corps, on injecte entre deux vertèbres lombaires un produit anesthésique qui se répand autour des enveloppes de la moelle épinière (dont l'une est appelée *dure-mère*, d'où le nom de cette anesthésie) et qui agit sur les nerfs qui en partent. La moelle épinière baigne elle-même dans un liquide appelé liquide céphalo-rachidien (schéma ci-dessous).

Cette injection indolore – car on fait d'abord une anesthésie locale – peut être faite en une seule fois comme n'importe quelle piqûre. Elle est faite par l'intermédiaire d'un petit cathéter qui est laissé en place, ce qui permet, en cas de besoin, de réinjecter du produit anesthésique sans faire une nouvelle piqûre. Dix minutes après l'injection du produit, la douleur disparaît. Il est possible à la femme de contrôler elle-même l'injection du produit, en fonction de ce qu'elle ressent. Certaines mamans ne veulent pas avoir mal mais ne souhaitent pas supprimer toutes les sensations.

Auparavant, on a placé une perfusion intraveineuse : elle permet de contrôler et de traiter rapidement d'éventuelles modifications de la tension artérielle que peut entraîner la péridurale. Mais la perfusion a surtout pour but d'administrer des médicaments (ocytociques) qui permettent de régulariser et de renforcer les contractions.

Il faut signaler qu'avec une péridurale la femme ressent moins le besoin de pousser au moment de l'expulsion. Cela doit encore plus l'inciter à faire des séances de préparation à l'accouchement.

La femme peut se lever quelques heures après l'accouchement, au début soutenue et aidée pour tester ses réactions.

LA PÉRIDURALE
L'espace péridural est celui où l'on injecte le produit anesthésique pour réaliser l'anesthésie péridurale. L'injection se fait entre deux vertèbres lombaires, à un endroit où il n'y a plus de moelle épinière proprement dite. La zone pointillée représente le liquide anesthésique en train de se répandre derrière la dure-mère. La péridurale est laissée en place une à deux heures après l'accouchement pour le cas où une complication surviendrait.

LA CONSULTATION AVEC L'ANESTHÉSISTE

Elle est obligatoire au cours du dernier trimestre de la grossesse, qu'une anesthésie soit prévue ou non. Le médecin vérifiera que l'anesthésie n'a pas de contre-indication chez la future mère. Un bilan sanguin, appréciant notamment la coagulation sanguine, sera fait ultérieurement, dans les jours ou les heures précédant l'accouchement.

Il faut signaler qu'un anesthésiste peut refuser la pose de péridurale en cas de tatouage dans la zone de ponction.

PEUT-ON FAIRE UNE PÉRIDURALE À N'IMPORTE QUEL MOMENT DE L'ACCOUCHEMENT ?

L'idéal est de la faire lorsque la dilatation du col est entre 2 et 6 cm. Faite au moment de l'expulsion, elle n'a plus le temps d'agir.

Quelques établissements proposent des anesthésies péridurales qui permettent à la mère de se déplacer. Cela demande un matériel particulier pour surveiller en permanence le rythme cardiaque du bébé.

Y A-T-IL DES CONTRE-INDICATIONS ?

Oui, quelques-unes. Certaines sont connues avant l'accouchement : infections de la peau, déformation importante de la colonne vertébrale ou antécédents chirurgicaux, affections neurologiques, troubles de la coagulation sanguine.

D'autres n'apparaissent qu'au moment de l'accouchement ou pendant le travail : souffrance aiguë de l'enfant, hémorragies, modifications de la tension. L'anesthésie péridurale est également contre-indiquée si la mère a de la fièvre.

LA PÉRIDURALE EST-ELLE DANGEREUSE POUR LA MÈRE OU POUR L'ENFANT ?

La péridurale est devenue un des gestes les plus courants de la pratique obstétricale. L'enfant ne court aucun risque puisqu'il s'agit d'une anesthésie locale qui ne diffuse que très peu dans le sang maternel. Pour la femme, on doit parler d'incidents plus que d'accidents. Il peut s'agir :
• de vertiges et de maux de tête, qui ne se produisent que lorsque l'aiguille d'injection est allée trop loin ; ils régressent en deux à trois jours
• de douleurs lombaires
• de sensations de décharges électriques dans les jambes ; elles disparaissent en quelques heures
• il peut y avoir une douleur au niveau de la ponction mais elle finit par disparaître.

LES ÉCHECS DE LA PÉRIDURALE

Il peut arriver que le médecin n'arrive pas à installer la péridurale. Il peut aussi y avoir des échecs partiels : une moitié du corps est bien insensibilisée mais l'autre ne l'est pas ou mal.

LA PÉRIDURALE INFLUENCE-T-ELLE LE DÉROULEMENT DE L'ACCOUCHEMENT ?

Bien que l'anesthésie réduise l'intensité des contractions, en règle générale elle diminue la durée de l'accouchement et le rend plus « facile ». L'enfant lui-même en bénéficie. En effet lorsque les femmes sont tellement angoissées que le travail n'avance plus, on constate que, sous péridurale, le col se dilate mieux, et les contractions se régularisent. On évite ainsi un accouchement traînant en longueur et un enfant souffrant d'un travail prolongé. D'autre part, si survient au cours de l'accouchement la nécessité d'un geste quelconque : application de forceps, délivrance artificielle, suture de l'épisiotomie ou même césarienne, aucune anesthésie supplémentaire n'est alors nécessaire. Dans certains cas, la péridurale est conseillée : accouchement gémellaire, accouchement par le siège.

PÉRIDURALE OU NON ? FAUT-IL SE DÉCIDER PENDANT LA GROSSESSE ?

Vous allez bien sûr en parler avec le médecin ou la sage-femme. Mais quelle que soit votre décision, sachez qu'elle n'est pas irrémédiable.

Si vous souhaitez absolument une anesthésie péridurale, cela sera pris en compte et noté dans votre dossier. Mais si tout se passe bien, et si vous n'éprouvez pas le besoin d'une anesthésie, elle ne vous sera, bien sûr jamais imposée, sauf indication médicale.

En revanche, si vous avez décidé d'accoucher sans péridurale, vous verrez de toute façon l'anesthésiste en consultation. Si une complication survenait, laissant prévoir que l'expulsion serait difficile et nécessiterait par exemple un forceps, ou si la douleur atteignait une intensité et une durée supérieure à ce que vous aviez imaginé, vous seriez peut-être soulagée qu'on vous propose une anesthésie.

LES AUTRES ANESTHÉSIES

LA RACHIANESTHÉSIE

C'est, comme la péridurale, une anesthésie dite loco-régionale qui insensibilise la moitié inférieure du corps. Techniquement, la rachianesthésie est plus facile à faire que la péridurale et elle agit plus rapidement. Mais sa durée d'action est limitée à environ une heure car on ne peut pas réinjecter de produit anesthésique. Elle est donc utilisée pour la césarienne, ou pour un forceps, ou en fin de dilatation car la naissance est proche.

L'ANESTHÉSIE LOCALE

On injecte dans les muscles du périnée, ou un peu plus profondément, un produit anesthésique (de la xylocaïne par exemple). L'anesthésie locale permet, sans douleur pour la femme, de faire ou de recoudre une épisiotomie, d'appliquer un forceps, mais elle n'atténue pas la douleur de la contraction utérine.

LE PROTOXYDE D'AZOTE

En fin de dilatation, le protoxyde d'azote peut être proposé. C'est un mélange de gaz (oxygène et azote) qui se respire dans un masque. Cela aide le col à se relâcher et améliore l'oxygénation des tissus. Ainsi, la douleur baisse.

L'ANESTHÉSIE GÉNÉRALE

Aujourd'hui l'anesthésie générale n'est plus pratiquée que lorsqu'il y a une contre-indication à la péridurale et à la rachianesthésie, ou en cas d'urgence lorsque péridurale ou rachianesthésie n'auraient pas le temps d'agir.

L'anesthésie générale a l'inconvénient d'endormir complètement la maman. Une femme qui n'a ni senti ni vu naître son enfant a parfois du mal à croire que ce bébé à côté d'elle à son réveil est le sien ; elle peut même avoir de la peine à réaliser qu'elle a vraiment accouché.

Aujourd'hui les professionnels de la naissance sont bien avertis de ces éventuelles difficultés. C'est pourquoi, lorsque la maman est bien réveillée et qu'elle a son bébé dans les bras, la sage-femme ou le médecin lui font le récit des premiers instants de son enfant. Votre conjoint pourra aussi vous raconter le moment où il a pris votre nouveau-né dans les bras. Ainsi le lien que vous aviez avec votre bébé avant la naissance sera maintenu.

PRÉPARATION OU ANESTHÉSIE ?

Après avoir lu ce chapitre sur les différentes possibilités de diminuer ou de supprimer la douleur de l'accouchement, vous vous demandez peut-être que choisir, que décider ?

En fait, la question ne se pose pas ainsi. Quelles que soient les circonstances, la préparation n'est pas une alternative à l'anesthésie mais participe au bon déroulement de la grossesse et de l'accouchement. Avoir une anesthésie, qu'elle soit nécessaire médicalement (césarienne, forceps ou position du bébé qui gêne sa descente et l'ouverture du col), ou souhaitée par la future mère, n'empêche pas de suivre une préparation. Se préparer, c'est apprendre à connaître son corps en train de se transformer ; c'est comprendre ce qui se passe et ce qui va arriver, et donc être rassurée ; c'est le plaisir de faire des exercices physiques et respiratoires, adaptés à la grossesse, qui permettent de se sentir bien, maintenant et au moment de la naissance ; c'est pouvoir rencontrer d'autres futurs parents et échanger des expériences ; c'est se préparer à accueillir son bébé, à devenir parent.

C'est pourquoi, même si une césarienne est programmée ou si vous avez choisi d'avoir une péridurale, nous vous conseillons de préparer votre accouchement, préparation classique, yoga, haptonomie, piscine... Vous ne le regretterez pas.

14

Comment préparer son accouchement

SE PRÉPARER PHYSIQUEMENT :
EXERCICES RESPIRATOIRES ET MUSCULAIRES
RELAXATION

D'AUTRES FAÇONS DE SE PRÉPARER
À ACCOUCHER : YOGA, HAPTONOMIE,
SOPHROLOGIE...

Comment préparer votre accouchement ? Tout ce livre est fait pour vous préparer à accueillir votre enfant, pour que vous l'aidiez à venir au monde. D'abord, bien sûr, en vous racontant comment se passe un accouchement. Au premier surtout, on connaît peu les détails. Un long chapitre en parle, lisez-le plusieurs fois, vous vous familiariserez avec l'inconnu, vous serez ainsi plus détendue.

Se préparer à accueillir un enfant, c'est aussi peu à peu faire sa connaissance. Après avoir lu le chapitre 5, cet enfant n'est plus un inconnu pour vous. D'ailleurs vous ne l'êtes pas non plus pour lui. Vous le verrez lorsqu'il reconnaîtra votre voix et celle de son père.

Il nous reste maintenant à vous parler des exercices physiques. Ils ne constituent pas l'essentiel de la préparation comme on le croit parfois, mais ils en sont le complément indispensable pour être en forme pendant la grossesse, pour aborder l'accouchement en connaissance de cause, pour prendre l'habitude de la relaxation, car même si l'on sait ce qui va se passer, il est normal d'être légèrement tendue.

Se préparer physiquement

Les exercices conseillés sont de trois sortes : les uns respiratoires, les autres destinés à assouplir les muscles qui joueront un rôle important au cours de l'accouchement ; les troisièmes vous apprendront le relâchement musculaire, la relaxation.

Ces exercices sont autant destinés à préparer votre accouchement qu'à faciliter votre grossesse, et à vous permettre de retrouver rapidement votre ligne, parce que vous aurez, par un entraînement régulier, conservé à vos muscles leur tonus et leur élasticité. Ces exercices veulent aussi vous aider à vous sentir mieux dans votre corps : apprendre à vous relaxer, à vous déplacer, à vivre ces mois d'attente avec sérénité.

Votre entraînement doit être progressif et régulier : il vaut mieux faire 10 minutes de gymnastique par jour que 20 minutes tous les deux jours. Enfin, faites les exercices lentement, calmement. Alternez les exercices respiratoires avec les exercices musculaires. Faites les mouvements dans une pièce bien aérée et, si le temps le permet, ouvrez toute grande la fenêtre.

Choisissez, pour faire vos exercices, le moment qui vous convient le mieux, mais ne les faites pas pendant la digestion. Si vous n'avez pas le temps de faire tous les mouvements indiqués, contentez-vous des exercices respiratoires et de la relaxation. Ce sont les plus importants, et pour votre grossesse, et pour votre accouchement.

Si vous suivez des séances de préparation, ces exercices qui sont, à de petites variantes près, ceux qu'on vous indiquera, vous permettront de les refaire plus facilement chez vous, ou bien de les commencer à votre convenance.

Et s'il vous a été impossible de faire les exercices ? Ne vous inquiétez pas, la sage-femme qui sera près de vous pendant l'accouchement vous apportera toute l'aide dont vous avez besoin. Et comme l'a dit le docteur Read, un des pionniers de l'accouchement sans douleur : « Le principal avantage des exercices, c'est qu'ils permettent à la femme de rester en bonne forme physique pendant sa grossesse et de lui apprendre à bien respirer et à se détendre convenablement. Toutefois, une femme qui n'aura pu faire aucun exercice, mais qui aura bien appris comment se passe un accouchement, mettra son enfant plus facilement au monde que celle qui a un corps d'athlète et qui ignore tout de l'accouchement. »

EXERCICES RESPIRATOIRES

Ces exercices vont être utilisés pendant le travail (phases de dilatation et d'expulsion). **Vous pouvez les pratiquer dès le 4e mois et jusqu'à l'accouchement pour vous entraîner**. Ils vous apporteront en plus bien-être et détente. Nous vous conseillons de les faire couchée, jambes pliées, soutenues par un coussin ou une chaise, ou bien assise sur un ballon, ou en tailleur sur le sol (*figures 1, 2, 3, 4*).

Lorsqu'on respire, on ne fait pas attention à la façon dont l'air rentre et sort de l'organisme. Voici comment prendre conscience de la manière dont vous respirez.

Installez-vous bien, assise ou couchée ; mettez une main sur la poitrine, l'autre sur le ventre. Si vous êtes assise, soyez bien stable, sans tension. Si vous êtes allongée, sentez votre dos posé sur le sol, les jambes soutenues par le coussin ou la chaise (si vous avez mal au bas du dos, la chaise vous soulagera davantage). Lorsque vous serez détendue, vous sentirez que votre ventre et votre poitrine se soulèvent et s'abaissent en même temps (*figures 1 et 2*). Vous sentirez que ces mouvements d'ouverture et de fermeture sont liés à ceux de vos côtes et modifient la pression dans l'abdomen, jusque dans le bassin et le périnée : la pression augmente quand l'air rentre et que les côtes s'ouvrent, la pression s'allège quand l'air sort et que les côtes se ferment. Ainsi la respiration est importante pour faire travailler le périnée, nous en parlerons plus loin.

La respiration profonde

Quand vous aurez bien pris conscience de la manière dont vous respirez, expirez à fond. Puis inspirez profondément par le nez, en gonflant le ventre et la poitrine (*figure 1*). Soufflez par la bouche, en laissant descendre le ventre et la poitrine. Faites cela très lentement. Recommencez plusieurs fois de suite.

Pour que cette respiration profonde soit bien efficace, voici ce que certaines sages-femmes conseillent : imaginez que l'air monte le long de l'utérus, le long de cette ligne brune qui se dessine peut-être sur votre ventre. Lorsque vous arrivez au bout de l'inspiration, pour ne pas bloquer votre

FIGURE 1

FIGURE 2

FIGURE 3

FIGURE 4

respiration, commencez à expirer en imaginant que vous soufflez le long de votre colonne vertébrale vers le bas, en direction du périnée et du col de l'utérus. Votre respiration s'inscrit ainsi dans un cercle qui entoure l'utérus et votre bébé. L'image du cercle aide l'expiration à bien s'enchaîner à l'inspiration.

Au début, vous éprouverez peut-être une sensation de blocage au niveau des côtes. Petit à petit, cette sensation disparaîtra. Au bout de quelques jours, votre respiration sera de plus en plus facile, à la fois plus lente et plus profonde. À ce moment-là, vous commencerez à faire l'exercice dans d'autres positions : en marchant, par exemple.

Ainsi, **dès les premières contractions, vous pourrez faire ces respirations profondes** en les adaptant au nouveau rythme qui s'installe à chaque contraction. Pensez à l'image du cercle qui entoure l'utérus et votre bébé. En expirant vers le bas du dos, vous relâchez cette partie du corps, ce qui fait de la place à l'enfant. L'objectif de ces respirations profondes est d'aider chaque contraction à agir sur le col de l'utérus pour l'ouvrir et pousser le bébé. En même temps vous continuerez à bouger, à vous déplacer entre les contractions : cela sera plus agréable pour vous et cela favorisera également la dilatation du col et la descente du bébé.

La respiration profonde sera aussi un bon entraînement pour les abdominaux dont la pression sera importante au moment de la sortie de l'enfant.

La respiration superficielle

Inspirez, puis expirez légèrement, sans faire de bruit. Seule la partie supérieure de la poitrine doit bouger ; le ventre reste presque immobile. Il ne s'agit pas de respirer de plus en plus fort, l'important est de bien expirer sans que le ventre bouge.

Selon les sages-femmes, il est conseillé de faire cette respiration bouche fermée (c'est la respiration **superficielle**), ou plutôt bouche ouverte (on l'appelle alors la respiration **haletante**). Vous verrez ce qui est le plus facile pour vous.

Cette respiration vous servira lorsque vous aurez peut-être envie de pousser et où il faudra vous en empêcher : à la fin de la dilatation (p. 300) et à la fin de l'expulsion (p. 303).

Vous pouvez vous entraîner de temps en temps. Détendez-vous d'abord et pensez à bien expirer. Si vous respirez trop vite, ou si vous n'expirez pas suffisamment, vous ressentirez peut-être des fourmillements dans les mains ou une sensation de vertige : votre organisme consomme trop d'oxygène et les muscles commencent à se tétaniser. C'est sans gravité et cela cesse dès que vous respirez à nouveau normalement. Si cela arrive en salle d'accouchement, la sage-femme vous aidera à respirer calmement ; si le stress est important, elle peut vous donner du calcium ou du magnésium et tout rentrera dans l'ordre.

La respiration au moment de la poussée

Cette respiration concerne la dernière phase de l'accouchement : la descente de l'enfant jusqu'à sa sortie. Il en existe deux variantes.

• **La respiration bloquée.** Cette technique est celle du traditionnel « inspirez, bloquez, poussez » (p. 302). Pour vous y entraîner, faites l'exercice suivant : inspirez à fond ; arrivée au sommet de l'inspiration, retenez votre souffle, gonflez le ventre, comptez mentalement jusqu'à 5, puis rejetez l'air par la bouche. Peu à peu vous arriverez à compter jusqu'à 10, 20 ou même 30, c'est-à-dire retenir votre souffle et gonfler le ventre une demi-minute.

• **L'expiration freinée.** C'est une autre technique (p. 303). Après une inspiration abdominale profonde, faite en gonflant le ventre, l'air est expiré très doucement par la bouche, en rentrant le ventre ; les abdominaux sont contractés le plus possible. C'est le même principe que la respiration profonde, mais on insiste sur la contraction des abdominaux pour aider le bébé à sortir. Pour vous entraîner, vous pouvez, par exemple, souffler dans un ballon de baudruche.

Il n'est pas nécessaire de s'exercer à ces deux respirations avant le neuvième mois.

Au moment de l'accouchement, il vous sera possible d'utiliser la première technique, la respiration bloquée, ou la seconde technique, l'expiration freinée, selon ce que vous ressentirez, selon ce que vous indiquera la sage-femme et ce qui sera le plus efficace. Dans l'un et l'autre cas, la poussée sera facilitée par une bonne position du bassin : installez les jambes sur les étriers, remontez les genoux sur la poitrine, votre dos sera bien à plat. Les mains peuvent être placées sous les genoux (*figure 5*) ou à l'intérieur des genoux, coudes relevés vers l'extérieur.

EN PRATIQUE
Les différentes respirations correspondent aux différentes phases de l'accouchement :
• La respiration profonde va accompagner les premières contractions qui signalent que le travail a commencé
• À la fin de la dilatation, quand les contractions seront devenues très fortes, et qu'il ne faudra pas pousser, vous utiliserez la respiration superficielle
• Au moment de la poussée et de la sortie du bébé, vous ferez soit la respiration bloquée, soit l'expiration freinée.
Ces différentes manières de respirer correspondent d'ailleurs aux moments clés de l'accouchement :
• Votre bébé annonce qu'il se met en route
• Votre bébé descend
• Votre bébé est prêt à naître.
À la première lecture, vous aurez peut-être de la peine à faire la différence entre ces respirations et leur efficacité selon les événements. Mais vous allez vite vous familiariser avec elles. Et, lors de votre accouchement, vous serez de toute façon guidée par la sage-femme, qui sera à vos côtés.

EXERCICES MUSCULAIRES

Élongation des cuisses et souplesse des articulations du bassin

• **Figure 6** : accroupissez-vous comme l'indique la figure. Au début, vous aurez du mal à garder les pieds à plat sur le sol. Vous sentirez les muscles de vos mollets et de vos cuisses se tendre doulou-reusement. N'insistez pas trop : il suffira de quelques jours pour que vous fassiez l'exercice sans peine. Habituez-vous à prendre cette position chaque fois que vous avez à vous baisser, au lieu de vous pencher en avant. Apprenez à descendre et remonter genoux écartés, dos bien droit et surtout évitez de vous cambrer. Pour vous aider, faites une respiration profonde et redressez-vous sur l'expira-tion en prenant bien appui sur le sol. Si vous n'y arrivez pas sans vous cambrer, mettez-vous à genoux et remontez en

EXERCICES MUSCULAIRES
Ces exercices sont à faire du 4e au 7e mois, jusqu'à l'accouchement si vous n'êtes pas gênée par votre ventre.

prenant appui sur un pied posé au sol, l'autre genou encore au sol. Votre compagnon peut vous aider, surtout si vous avez du mal à descendre pieds plats : il vous tient bien les mains et reste debout pen-dant que vous descendez en vous laissant aller en arrière.

• **Figure 4** (p. 343) : asseyez-vous en tailleur comme indiqué sur la figure, talons sous les fesses, genoux décollés du sol. Gardez le dos bien droit. Au début, vous vous fatiguerez vite. Pour vous délas-ser, allongez les jambes devant vous. Quand vous aurez pris l'habitude de cette position, qui aide à l'élongation des cuisses et à la souplesse des articulations du bassin, adoptez-la pour lire, regarder la télévision, etc. Si cette position est difficile pour vous, placez un petit coussin sous les fesses.

Élasticité du périnée

Le périnée est cet ensemble de muscles qui va être soumis à de fortes tensions pendant l'accouchement (p. 286). Il faut, dans un premier temps, prendre conscience de la situation exacte du périnée ; dans un deuxième temps, faire des exercices pour le renforcer et l'assouplir.

Voici comment vous prendrez conscience de votre périnée : lorsque votre vessie éprouve le besoin de se vider, faites la contraction qui contrarie ce besoin. De même quand vous avez envie d'aller à la

FIGURE 5

FIGURE 6

selle. Les muscles que vous avez contractés en avant et en arrière forment le périnée. Ce sont ces muscles que vous devez assouplir. Pour cela, il faut donc contracter en même temps les muscles qui ferment le canal urinaire et ceux qui ferment le rectum.

Et voici l'exercice à faire pour renforcer et assouplir le périnée :

• **Figure 7** : assise, légèrement penchée en avant, les genoux écartés l'un de l'autre, les avant-bras et les coudes posés sur les cuisses : vous contractez lentement et avec douceur le périnée, vous maintenez la contraction quelques secondes, puis vous la relâchez le double de temps. Cet exercice peut être fait aussi bien assise que debout, vous pourrez le répéter une douzaine de fois, 2 ou 3 fois par jour. Vous pourrez sans inconvénient faire le mouvement jusqu'à l'accouchement.

FIGURE 7

Pour bien muscler le périnée, l'exercice doit être fait avec une certaine force, et tenu 5 secondes au moins à chaque fois. S'il y a déjà eu des petites « fuites », l'exercice sera fait en douceur, sans à-coups.

Cet exercice peut sembler fastidieux, mais cela vaut la peine de le faire car il est très utile : avec un périnée souple, l'accouchement est plus facile, et surtout par la suite, les problèmes urinaires (« fuites », incontinence) sont moins fréquents. C'est pourquoi cet exercice est aussi très recommandé après l'accouchement.

Les « abdominaux »

On déconseille les exercices abdominaux classiques qui mobilisent les jambes et le tronc, car ils risquent de distendre la paroi abdominale, de favoriser les prolapsus et l'apparition d'une incontinence.

En revanche, les exercices de **rentré de ventre** entretiennent la musculature des abdominaux, favorisent la poussée et accélèrent la récupération d'un ventre plat après l'accouchement. Ces exercices

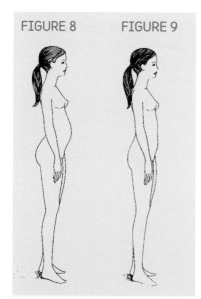

FIGURE 8   FIGURE 9

diminuent aussi les sensations de pesanteur dans le bas du ventre, et améliorent les problèmes de constipation. Il n'y a pas de risque de déclencher des contractions. Voici comment faire l'exercice : allongée ou assise sur un ballon, vous faites des respirations profondes (p. 342) en rentrant bien le ventre et en contractant le périnée lors de l'expiration. Vous pouvez faire cet exercice plusieurs fois par jour.

Contre les « maux de reins » : mouvement de bascule du bassin

À mesure qu'il augmente, le poids de l'enfant vous incite à vous cambrer de plus en plus, et maintient une tension permanente sur la région lombaire. C'est la principale cause du mal au dos et « aux reins » dont se plaignent toutes les femmes enceintes. Pour vous soulager, il faut que vous fassiez le mouvement inverse de la cambrure, en basculant le bassin. La sensation de bascule du bassin est souvent plus facile à éprouver assise sur

FIGURE 10 FIGURE 11

FIGURE 12 FIGURE 13

un ballon, ensuite vous ferez l'exercice dans d'autres positions. Faites décrire au ballon un cercle sur le sol : pour cela, vous allez pencher le bassin à droite par exemple, de telle sorte que la fesse droite appuie sur le ballon et que la gauche soit légèrement relevée, puis faites rouler votre bassin vers l'avant en rentrant les fesses pour sentir l'appui sur l'arrière du bassin ; penchez le bassin à gauche ensuite : fesse gauche en appui et fesse droite un peu relevée, puis faites rouler le bassin en arrière en étirant le bas du dos pour sentir l'appui sur l'avant du bassin. Respirez largement pendant chaque mouvement et rentrez bien le ventre sur l'expiration.

Voici maintenant comment faire l'exercice debout :
• **1er temps** : comme indiqué *figure 8*, dos creux, ventre en avant, placez la main gauche sur le ventre, la droite sur les fesses. Inspirez.
• **2e temps** *(figure 9)* : contractez lentement et progressivement les muscles abdominaux, serrez les fesses en les poussant en avant et vers le bas. Expirez.

Faites maintenant le même mouvement de bascule du bassin, mais en vous mettant à quatre pattes : bras bien tendus et verticaux, mains à 30 cm l'une de l'autre, cuisses également verticales et genoux à 20 cm l'un de l'autre.
• **1er temps** *(figure 10)* : étirez le dos vers le bas en éloignant les fesses des épaules, redressez la tête, relevez les fesses. Inspirez en faisant le mouvement et en relâchant le ventre.
• **2e temps** *(figure 11)* : arrondissez le dos comme un petit chat, contractez le ventre, serrez les fesses au maximum en les abaissant vers le sol, baissez légèrement la tête entre les bras. Expirez en faisant le mouvement.
• Le même mouvement peut être fait en alternant la respiration sur les deux temps : inspirez en arrondissant le dos (vous contracterez moins le ventre) et expirez en creusant le dos et en relevant les fesses (cela permet un meilleur relâchement du bassin).

La bascule du bassin peut aussi être faite en position allongée *(figures 12 et 13)* : couchée sur le dos,

D'autres façons
de se préparer à accoucher

C'est la préparation classique (issue de la psychoprophylaxie obstétricale) qui est la plus souvent proposée (p. 329). Mais d'autres préparations existent : yoga, , haptonomie, sophrologie, eutonie, hypnose, en piscine. Elles peuvent faire partie du cadre de la préparation à la naissance et être remboursées si elles sont faites par un médecin ou une sage-femme. Mais elles peuvent aussi être pratiquées en plus, pour le plaisir, pour le bien-être qu'elles apportent. Aller fréquemment à la piscine, faire régulièrement du yoga est une bonne façon de préparer son corps à l'accouchement et d'apprendre à se relaxer.

LE YOGA

Nous avons demandé au docteur de Gasquet, qui a une longue expérience de préparation à l'accouchement par le yoga, de nous en parler.

« Ce yoga n'est ni acrobatique, ni mystique, ni ésotérique. Il s'agit d'une écoute du corps, de ce nouveau corps "habité". Le connaître pour lui donner les meilleures chances de remplir sa mission : faire d'une femme une mère, d'un embryon un enfant. Ainsi les séances ne sont pas centrées uniquement sur l'accouchement, mais elles permettent une continuité corporelle avant, pendant, après la naissance. »

Le yoga demande un travail personnalisé : en fonction de la morphologie de la mère, de la position de l'enfant. Par exemple une femme mesurant 1,45 m a la même hauteur utérine qu'une femme de 1,75 m. Certaines postures seront bien pour l'une et pas pour l'autre. Certains bébés ont le dos à droite dans l'utérus. En général, dans ce cas, les mères ne peuvent pas rester allongées sur le dos. Il leur faudra des postures adaptées.

YOGA : OÙ S'ADRESSER ?
Pour avoir des adresses de professeurs, adressez-vous à la Fédération nationale des enseignants de yoga,
3, rue Aubriot, 75004 Paris.
Tél. : 01 42 78 03 05
info@fney.asso.fr

Les exercices sont toujours mis en relation avec la vie quotidienne – par exemple pour se baisser, pour se relever d'un fauteuil. Ils s'accompagnent d'une information notamment anatomique, d'explications des différents problèmes physiques d'une grossesse. Les exercices sont fonction de la demande des futures mères.

Les thèmes qui reviennent régulièrement sont les suivants : fatigue, insomnie, nausée, angoisse (surtout au début ou à la fin de la grossesse), douleurs dans le dos, problèmes circulatoires, digestifs, etc.

Autour de ces thèmes, les exercices proposés apportent des soulagements souvent immédiats, mais surtout ils constituent une recherche par les futures mères sur elles-mêmes, sur leur propre corps, sur leur manière de le faire bouger, de le ménager. L'objectif est une véritable « éducation » à partir de l'analyse des mauvais mouvements, des sources de tension, des compensations personnelles... Aucun exercice n'est donné comme un modèle à reproduire, c'est une proposition à essayer, à ressentir, à aménager en fonction de soi. Le tout est toujours rythmé par la respiration, la détente du ventre, l'écoute du bébé. Le père est convié aux séances. Sa présence permet tout un travail à deux beaucoup plus motivant. Une préparation spéciale est en général proposée sur le périnée, toujours dans la double perspective de la tonification et de l'élasticité.

En ce qui concerne l'accouchement, l'apprentissage porte essentiellement sur la respiration, les positions de la mère, la concentration, l'« état d'esprit ». La respiration est lente et profonde pendant la dilatation. Les positions dépendent de la présentation de l'enfant et du moment. Il n'y a pas une seule possibilité pour soulager la femme, mais plusieurs (un enfant situé haut dans l'utérus provoque chez la mère l'envie d'être verticale, de marcher).

La poussée se fait sans blocage, sur l'expiration. Cela suppose un apprentissage, une maîtrise du diaphragme, du périnée, des abdominaux. Moins violente, cette poussée est tout aussi efficace si elle est faite au bon moment (cela suppose que la femme sache reconnaître le moment où elle doit pousser).

Quant à « l'état d'esprit », il résulte de la confiance en soi, de la sécurité et d'éléments de concentration que l'enseignant doit favoriser.

« Après l'accouchement, conclut Bernadette de Gasquet, les mères peuvent revenir – avec ou sans leur bébé – pour connaître les exercices à faire après la naissance. »

L'HAPTONOMIE PÉRINATALE

Nombreux sont les couples qui souhaitent un accompagnement haptonomique, avant, pendant et après la naissance. Nous employons à dessein le terme de couple car il s'agit d'un accompagnement de la parentalité naissante et la présence du père est naturellement indispensable. Dans certaines situations particulières, des séances sont réalisées avec une femme seule, sans compagnon. Dans ce cas, une autre personne peut accompagner la mère et son bébé.

Qu'est-ce que l'haptonomie périnatale ?

L'haptonomie fait partie des sciences humaines, son objet d'étude est la physiologie affective des contacts inter-humains ; et son but, l'amélioration de la communication affective entre les êtres humains. D'inspiration phénoménologique, sa connaissance ne peut être théorique, mais nécessite une expérience émotionnelle. C'est un art de mettre en jeu un contact réel, un contact établi avec tact permettant une ouverture affective, dans une atmosphère de confiance réciproque.

L'approche haptonomique périnatale vise à accompagner, dès le début de la vie intra-utérine, la parentalité en développement d'un couple qui découvre la présence de son enfant. Elle est centrée sur la rencontre affective de la mère, du père et de leur enfant (ou de leurs enfants si ce sont des jumeaux), et sur le plaisir d'être ensemble.

HAPTONOMIE : OÙ S'ADRESSER ?
Vous pouvez vous procurer la liste des praticiens en écrivant au CIRDH (présidente Dominique Décant-Paoli, vice-présidente Catherine Dolto) 9 bis villa du Bel Air, 75012 Paris (en joignant une enveloppe timbrée) ou au cirdhidf@orange.fr

Voici les grandes étapes de l'accompagnement des parents et de leur bébé, guidés par un spécialiste formé en haptonomie.

L'accompagnement compte une huitaine de séances. Il s'agit toujours d'accueillir le couple en préservant son intimité, ce qui exclut le travail en groupe. Les effets psycho-corporels de la relation de tendresse qui s'instaure retentissent sur la mère et le père. C'est pourquoi il est intéressant d'entreprendre les séances dès le début de la grossesse, au plus tard au 6ᵉ mois. Néanmoins, le plus souvent, l'accompagnement commence entre le 3ᵉ et le 4ᵉ mois.

Les parents éprouvent alors un véritable émerveillement lorsqu'ils ressentent les capacités du bébé à répondre à une invitation affective. Le père, guidé par le praticien en haptonomie, fait la différence entre un contact qui lui permet de sentir le bébé bouger et un contact invitant sa femme et leur bébé dans une rencontre. La femme témoigne toujours que ce contact est plus léger, différent du quotidien, et qu'il est vécu comme une réelle rencontre à trois. Les parents sont invités à retrouver ces rencontres chez eux.

Pendant les séances suivantes, l'accompagnant sensibilise le père à des gestes destinés à favoriser la détente et le confort de sa femme, ce qui peut éviter les douleurs lombaires et les tensions diverses pendant la grossesse. Cela permet à la maman de retrouver aussi un sentiment de confort et d'équilibre dans le port de son bébé *in utero*. La qualité affective qui imprègne ces gestes procure à la maman un sentiment de sécurité et un bien-être dont bénéficie le bébé.

À partir du 7ᵉ mois, l'accompagnant aide le couple à développer sa propre capacité à vivre ensemble le temps du travail et de la naissance du bébé. Ce que le père a vécu pendant l'accompagnement haptonomique prénatal peut l'aider à dépasser ses appréhensions. D'autant plus qu'il a vécu une expérience personnelle qui l'a préparé à pouvoir aider sa femme.

L'accompagnant fera prendre conscience, pré-sentir, à la maman ce que peut être la descente du bébé pendant le travail. Grâce à un contact spécifique du père, la mère fera l'expérience de sa capacité à dépasser son seuil de vulnérabilité, à rester présente à son bébé et à le soutenir pendant les contractions. Le couple sera sensibilisé au choix des positions et à la mobilité qui facilitent la descente du bébé.

Pour le moment de la naissance proprement dite, la maman apprend à ressentir la différence entre une poussée volontaire (expulsion) et une poussée spontanée guidée (« éduction », conduire dehors), qui ouvre le chemin au bébé et qui protège le périnée. Enfin l'accompagnant sensibilise les parents à la façon de porter le bébé lorsqu'il sera né, de sorte qu'il ne soit pas manipulé mais soutenu, invité tendrement à participer.

Au moment de la naissance, en toute sécurité sur le giron de sa mère, l'enfant prend contact avec le monde, entouré par la chaleur, l'odeur du corps maternel, la perception auditive de sa voix, la présence paternelle, et le croisement des regards.

Les enfants ainsi accompagnés manifestent le plus souvent une ouverture au monde pleine de confiance et de quiétude.

Au cours des séances post-natales, il s'agira à la fois d'accompagner le couple dans les gestes quotidiens autour du bébé, et d'aider la maman pendant la période des suites de couches.

> **HAPTONOMIE :**
> **POUR EN SAVOIR PLUS**
> - *L'Haptonomie, amour et raison,* de Frans Veldman, (Editions PUF)
> - Dr Albert Goldberg, accompagnement haptonomique de la naissance et de la parentalité, "Association Bien-traitance, formation et recherches", 30 rue Erard, 75012 Paris
> - *L'haptonomie périnatale,* CD Rom du Dr Catherine Dolto, CNRS, Circo- Éditions Gallimard.
> - *Déjà père avant la naissance* (ouvrage cité p. 41) est la rencontre entre un obstétricien (Raymond Belaiche) et un psychanalyste (Bernard This) autour de l'accompagnement haptonomique.

LA SOPHROLOGIE

Pour la préparation à la naissance, l'approche sophrologique regroupe différentes techniques de relaxation. Elle a été mise au point en Espagne par le Pr A. Aguirre de Carcer.

La séance débute ainsi : d'une voix lente et douce, le *terpnos logos,* le sophrologue conduit à une prise de conscience corporelle et à une relaxation progressive, qui permettent à la future mère d'atteindre le « niveau sophroliminal » : c'est un état « au bord du sommeil », où la conscience est particulièrement perméable.

La future mère va alors renforcer et mémoriser ce qui est positif en elle (sensations, images) et éliminer ce qui la dérange, les pensées parasites, négatives… Puis, dans cet état de relaxation profonde, elle va s'entraîner à vivre positivement par anticipation et dans l'imagination une situation future : contractions, départ à la maternité, dilatation du col, poussée, période postnatale… C'est la sophro-acceptation progressive.

La future mère se familiarise ainsi avec ce qu'elle a ressenti, elle a davantage confiance en elle, elle se sent capable de porter, mettre au monde et s'occuper de son enfant.

Comme le yoga et l'haptonomie, la sophrologie ne consiste pas en l'apprentissage de gestes ou techniques, mais représente un chemin personnel physique et psychique.

> **SOPHROLOGIE : OÙ S'ADRESSER ?**
> *Pour tous renseignements, vous pouvez vous adresser à la Société française de sophrologie,*
> Tel. : 01 40 56 94 95
> contact@sophrologie-francaise.com
> Syndicat des sophrologues professionnels
> www.syndicat-sophrologues.fr

L'HYPNOSE

Au cours de la grossesse, l'hypnose peut être une aide efficace pour les futures mères. La « transe hypnotique », c'est ainsi qu'on appelle l'état d'hypnose, est le résultat d'une suggestion verbale permettant au sujet d'entrer dans un état dissocié. Le corps est ici mais l'esprit et l'inconscient sont ailleurs, autorisant la femme à observer avec recul et détachement sa situation présente. Si celle-ci est génératrice de souffrance (angoisse, troubles divers...), l'hypnose va permettre à l'inconscient de proposer des solutions que l'état de veille ordinaire ne permettait pas d'exprimer. Plongée dans un « ailleurs confortable », la femme trouve ainsi en elle la ressource nécessaire à la résolution de son mal-être.

L'hypnose est une approche originale, non médicamenteuse, respectueuse de la personne, et très valorisante ; c'est ce que disent les futures mères qui en ont bénéficié. L'hypnose connaît depuis quelques années un regain d'intérêt et elle est proposée comme préparation à l'accouchement dans de nombreuses maternités.

L'EUTONIE

L'eutonie (créée par Gerda Alexander au Danemark en 1938-1940) a longtemps été pratiquée par les masseurs kinésithérapeutes ; elle est depuis quelques années utilisée dans les cours de préparation à la naissance.

La spécificité de l'eutonie est d'aider la future maman à être attentive à ce qui se passe dans son corps afin qu'il y ait le moins de tensions possible. Les exercices proposés sont simples, se pratiquent dans différentes positions (assise, debout, allongée) de façon individuelle, avec le papa, ou avec d'autres femmes enceintes. On utilise des ballons, des balles de tennis, des demi-bûches en bois.

Il s'agit de prendre conscience de son corps et de ses transformations pendant la grossesse. La femme enceinte apprend à observer, à écouter ce qu'elle ressent dans le moment présent. L'équilibre est recherché dans la détente, pas dans la tension. On fait plaisir au corps pour qu'il s'en souvienne.

L'eutonie trouve sa place également dans les séances post-natales.

LA PRÉPARATION EN PISCINE

Cette préparation a plusieurs avantages :
• **une bonne relaxation**, que la future maman peut faire agréablement, allongée sur des tapis mousse, ou calée par des flotteurs
• **un bon entraînement musculaire** : les mouvements se font aisément grâce à la diminution de l'action de la pesanteur, la femme dans l'eau se sent à nouveau légère
• enfin, **la respiration et le souffle** se travaillent facilement dans l'eau avec des exercices d'apnée et d'expiration freinée.

Cette activité aurait aussi un effet favorable sur certains troubles dont se plaignent beaucoup de femmes enceintes : douleurs du dos et du bassin, constipation, varices par exemple. Après l'accouchement, les mouvements en piscine permettraient également une meilleure récupération musculaire et physique.

PRÉPARATION EN PISCINE : OÙ S'ADRESSER ?
Fédération des activités aquatiques d'éveil et de loisirs, 5, cité Griset, 75011 Paris (joindre un timbre).
Tél. : 01 43 55 98 76 - faael.free.fr

Les femmes apprécient de se retrouver, de faire ensemble des jeux collectifs, des marches dans l'eau. Il faut enfin signaler que la piscine est en général plus chauffée quand elle est réservée aux femmes enceintes.

Pour être efficace, il est important que le groupe de futures mamans soit restreint ; qu'une sage-femme donne des informations sur la grossesse, la naissance, et explique l'intérêt des exercices et des respirations pour l'accouchement. Au-delà de douze futures mamans, ces séances en piscine peuvent être une façon agréable de faire de l'exercice, mais il ne s'agit pas de préparation à la naissance.
• Pour répondre à quelques lectrices, ajoutons que si dans certaines maternités la dilatation se fait dans une baignoire d'eau à température du corps, il y a vraiment très peu d'accoucheurs qui pensent que la naissance elle-même puisse se faire dans l'eau.

UNE PRÉPARATION DE QUALITÉ
Vous le voyez, il y a plusieurs façons de se préparer à l'accouchement. Qu'il s'agisse de la préparation faite par un médecin ou une sage-femme, ou d'autres activités physiques, renseignez-vous avant de vous décider.
La préparation à la naissance ne se borne pas à apprendre quelques respirations ou à faire quelques exercices. C'est un travail corporel complet qui permet de prendre conscience des modifications du corps et de s'y adapter. C'est une information sur la grossesse, l'accouchement, les soins au bébé et les premières relations avec lui. C'est un nombre peu élevé de participantes. C'est un médecin ou une sage-femme disponible, qui sait écouter et conseiller. Avant de vous inscrire, ayez ces critères en tête.
Pour pratiquer d'autres activités prénatales (piscine, sophrologie, etc.), il est important de choisir des personnes compétentes, par exemple en demandant des adresses à leurs organismes professionnels, ou en vous renseignant auprès de la maternité ou d'autres futures mamans.

15

Votre enfant est né

Joie, fatigue, surprise et étonnement :
dans la vie d'un couple, dans le corps d'une femme,
peu de minutes vont paraître plus chargées
d'émotion, vont compter autant que ces secondes
de la naissance.
Votre bébé est enfin dans vos bras, vous l'appelez
par son prénom choisi avec amour, vous ne vous
lassez pas de le regarder.
Plus rien ne sera comme avant.

Se voir enfin :
le face-à-face

La tension qui accompagne plus ou moins l'accouchement et qui peut durer des heures, l'impatience, l'effort du travail et la fatigue, parfois l'énervement ou l'inquiétude font que la première réaction des parents à l'apparition du bébé c'est, après l'émotion, le soulagement, l'infini soulagement de le voir enfin, cet enfant tant attendu : ils en pleurent, en rient, en pâlissent, en deviennent tout rouges d'émotion et de joie.

Les parents veulent d'urgence vérifier que le bébé est bien normal, et même si le médecin ou la sage-femme les a rassurés, ils n'en finissent pas de le contrôler. Cela leur semble même parfois plus urgent à savoir que le sexe de l'enfant. (D'autant que, le plus souvent, ils le connaissent déjà.)

Ce qui est également fréquent, c'est l'étonnement des parents, la surprise : ils trouvent le bébé différent de l'image qu'ils s'en faisaient ; surtout la mère, elle a de la peine à identifier ce bébé soudain dans ses bras avec celui qu'elle portait dans son ventre.

La première émotion passée, **la mère** éprouve souvent une autre surprise : alors qu'elle attendait depuis des mois que cet enfant se sépare d'elle, maintenant qu'il vient de la quitter, elle sent en elle comme un grand vide. Comme me l'a écrit une lectrice : « J'avais l'impression de m'ennuyer de mon ventre. »

Pour certaines mères, ce sentiment de vide est fugitif, rapidement il se transforme en une impression de plénitude, d'accomplissement : c'est son bébé, elle est sa mère, l'évidence la rassure.

Parfois, au contraire, la rupture déroute la mère, la sensation d'étrangeté s'accentue : devant ce berceau, elle ne sent pas monter en elle l'amour maternel qu'elle s'attendait peut-être à éprouver tout de suite. Et l'inquiétude surgit ; comme un flot l'envahit le sentiment de sa responsabilité : « Il a besoin de moi, saurai-je m'en occuper ? » L'inquiétude peut venir de l'inexpérience si l'enfant est un premier-né, mais elle est renforcée par la fatigue qui suit toujours l'accouchement.

Ces surprises, ces sensations, que la mère les perçoive distinctement ou qu'elles restent confuses, vont heureusement s'effacer lorsqu'elle aura son enfant dans ses bras ; en le touchant, en le caressant, en le nourrissant, elle renouera avec son enfant un lien physique qui la rassurera. Et ce seront les débuts d'une longue histoire d'amour.

Cette histoire ne s'écrira pas en un jour, l'amour maternel n'est pas toujours un coup de foudre, il se développe souvent au contact de l'enfant, lentement, et grandit avec lui. Nous aurons bientôt l'occasion d'en reparler.

Quant aux pères, leur émotion après l'accouchement s'exprime de façons diverses. Ils sont heureux et fiers : « Ma femme allait bien, mon bébé allait bien, alors moi aussi. » Ils sentent qu'une étape est franchie : « J'ai été à la hauteur, j'ai réussi à être là : ce que ma femme attendait de moi et dont j'avais peur de ne pas être capable. » Certains sont si bouleversés qu'ils peuvent juste dire : « C'est trop beau, comme je suis heureux. » D'autres sont plus affectifs et s'adressent déjà au nouveau-né : « Ma jolie, te voici enfin. » Certains pères, peut-être pour se protéger de cette émotion qui les envahit, essaient de prendre un peu de distance, s'exprimant de manière parfois inattendue : « J'ai dit : qu'il est laid ! En fait il était fripé et il avait déjà des poches sous les yeux, à cet âge-là ! » Un autre raconte : « J'étais fasciné par ses pieds ; je me suis dit : celle-là, ça sera une basketteuse ! »

En général le grand moment de la vie d'un homme qui devient père, surtout d'un premier enfant, se situe quand, ce nouveau-né, il le prend dans ses bras. La femme, pour devenir mère, a déjà vécu neuf mois de grossesse et un accouchement. Rien de semblable pour le père. Aussi, pour lui, la paternité lui arrive-t-elle souvent comme un choc dans ce geste où, pour la première fois, il tient son enfant dans les mains.

Un autre geste important pour le père peut être la déclaration de l'enfant à la mairie. Il faut avoir assisté à ce qu'on appelle une formalité, mais qui en réalité est un acte important dans la vie d'un homme, pour comprendre tout ce qu'elle représente.

C'est dommage qu'aujourd'hui cette déclaration soit si souvent faite par la maternité ; elle devient alors un geste purement administratif. Bien entendu, les pères qui y tiennent peuvent parfaitement aller déclarer eux-mêmes à la mairie la naissance de leur enfant. Il suffit qu'ils préviennent la maternité.

T. BERRY BRAZELTON
Pédiatre américain, spécialisé en recherches sur le nouveau-né, T. Berry Brazelton est connu dans le monde entier, particulièrement en France où il a publié plusieurs livres qui sont devenus des ouvrages de référence. C'est en grande partie grâce aux travaux de T.B. Brazelton et à son NBAS (p. 372) que l'on a pu évaluer, apprécier les interactions précoces parents-bébé et la compétence du nouveau-né.

Et le bébé ? Comment va-t-il réagir ? Comme quelqu'un qui attend que vous le preniez dans vos bras, que vous le regardiez, que vous lui parliez, que vous le reconnaissiez, que vous l'entouriez. Il a besoin de votre attention, de votre chaleur pour s'éveiller dans ce monde où il vient d'atterrir. Dès la naissance, un enfant est réceptif, attentif à la voix, aux regards, aux gestes, aux soins de ceux qui l'entourent.

Il suffit de voir la manière dont un nouveau-né réagit quand T. Berry Brazelton s'adresse à lui : il prend délicatement le nouveau-né dans ses mains, lui parle doucement, lui fait suivre du regard un objet qu'il passe devant ses yeux, le fait réagir à un son, etc. Ceux qui ont vu les cassettes vidéo de Bernard Martino : *Le bébé est une personne* ont été fascinés par les mimiques de T. Berry Brazelton, par les réactions surprenantes du bébé et par le dialogue qui s'engage sous leurs yeux. On observe même des sourires dès la naissance. Certains parlent de « sourires aux anges » mais il semble que des états de grand bien-être s'accompagnent de vrais sourires.

La précocité de ces réactions va avoir des conséquences rapides et importantes : dès la naissance, l'enfant s'intéresse à la personne qui le tient dans ses bras, qui le regarde, la réciproque est vraie, des liens se nouent.

Par une autre voie, ces observations rejoignent celles qui ont été faites il y a déjà longtemps : le nouveau-né arrive au monde avec un besoin vital qu'on l'aime, il a autant soif d'affection, que de lait.

Mais allons maintenant le voir ce bébé, le regarder de plus près, faire le tour de ses possibilités, pour mieux faire connaissance avec lui.

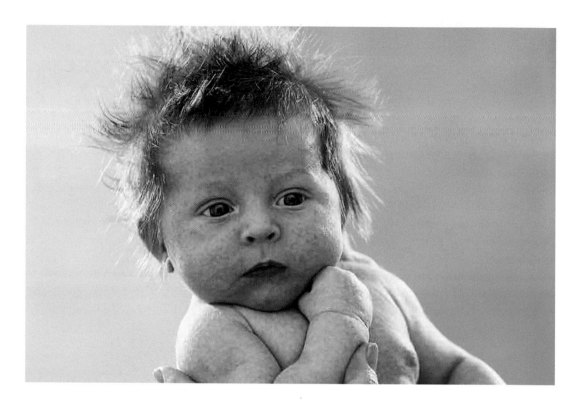

Le nouveau-né

Lorsque Mme de Sévigné vit pour la première fois sa fille qu'elle venait de mettre au monde, elle s'écria : « Mais elle a l'air d'une guenon ! » Puis, se tournant vers la sage-femme qui l'avait accouchée, elle ajouta : « Je ne l'en aimerai pas moins puisqu'elle est ma fille. » La petite guenon devait d'ailleurs devenir « la plus jolie fille de France », comme l'appelait Bussy-Rabutin.

Vous réagirez peut-être comme Mme de Sévigné lorsque vous verrez votre enfant. Un nouveau-né n'est pas toujours joli. Il est souvent rouge et fripé. Sa tête est parfois déformée, ses cheveux raides et ses mains violettes. Ne vivez donc pas dans l'idée que votre enfant sera un bébé joufflu le jour de sa naissance. Il lui faudra peut-être encore quelques semaines pour être un joli nourrisson.

Dès sa naissance, l'enfant se met à crier et à respirer. Il manifeste ainsi son indépendance vis-à-vis de l'organisme maternel. Jusque-là, en effet, il en était entièrement dépendant, relié au placenta par le cordon ombilical qui lui amenait les aliments et l'oxygène dont il avait besoin pour vivre et pour se développer. Ce passage de la vie placentaire à la vie autonome nécessite des transformations importantes de son organisme. Certaines fonctions s'adaptent progressivement, telle la fonction digestive ; d'autres vont devoir le faire brutalement, d'une minute à l'autre, dès la naissance : c'est le cas, par exemple, de la respiration.

> **L'EXAMEN DU NOUVEAU-NÉ À LA NAISSANCE** EST DÉCRIT PAGE 308.

La respiration

Dès la sortie des épaules, la première respiration s'instaure. Cette respiration, qui est le premier signe de la vie, naît avec l'enfant. Avec une rapidité étonnante, un profond bouleversement s'est produit dans l'organisme du nouveau-né. Quelques secondes avant de naître, le fœtus vivait encore de l'oxygène que sa mère lui fournissait. Son sang, partant du cœur, arrivait au placenta (par les artères ombilicales), se chargeait d'oxygène qu'il puisait dans le sang maternel, et revenait au cœur (par la veine ombilicale). Le placenta jouait donc le rôle de poumon. Les poumons du fœtus ne fonctionnaient pas encore.

L'enfant naît. Il est séparé du placenta. Il faut qu'il se procure lui-même son oxygène. Il ouvre la bouche, l'air s'engouffre dans ses poumons, les déplie, les gonfle, relève brutalement les côtes qui s'écartent. La cage thoracique se soulève. Les poumons deviennent roses et spongieux. Le sang venant du cœur se précipite dans les vaisseaux pulmonaires à la recherche de l'oxygène qui vient d'arriver : la circulation cœur-poumon est établie. En général, l'enfant pousse un cri vigoureux, ce qui montre que l'air passe bien dans les poumons.

Le nouveau-né respire maintenant comme un adulte. Mais pendant un an sa respiration sera irrégulière, tour à tour superficielle ou profonde, rapide ou ralentie. Le cœur bat très vite, de 120 à 130 fois par minute en moyenne, presque deux fois plus vite que chez l'adulte. Le sang ne met que 12 secondes pour accomplir une révolution complète. Chez l'adulte, il en met 32. Le cordon ombilical bat encore quelques minutes. Lorsqu'il cessera de battre, la sage-femme posera les pinces pour le couper.

Le poids et la taille

« Combien pèse-t-il ? » C'est une des premières questions que posent les parents à la naissance. Dans l'esprit du grand public, le chiffre optimal est de 3,5 kg. C'est déjà celui d'un gros bébé. La moyenne est de 3,3 kg (100 g de plus pour les garçons, 100 g de moins pour les filles), et, entre des bébés nés à terme, on peut noter des écarts considérables : certains bébés pèsent 2,5 kg, d'autres 4 kg et même plus. Ce qui concerne l'enfant pesant moins de 2,5 kg est traité au chapitre 10.

Plusieurs facteurs peuvent faire varier le poids du nouveau-né :
• d'abord l'hérédité, c'est-à-dire la stature du père et de la mère, la tendance familiale
• le rang de la naissance : en général chez une même femme, le deuxième enfant pèse un peu plus que le premier, et le troisième plus que le deuxième
• l'état de santé de la mère : certaines maladies peuvent soit augmenter le poids de l'enfant (diabète, obésité), soit au contraire le diminuer (toxémie)
• le repos de la mère pendant la grossesse : il est conseillé lorsqu'on a constaté que le fœtus était de petit poids
• enfin le tabac : le bébé dont la mère a continué de fumer pendant la grossesse est en général de plus petit poids que la moyenne.

Par contre le régime alimentaire ne joue qu'un rôle mineur et indirect sur le poids de l'enfant (à l'exception des grandes dénutritions qui ne se voient pas en France). Mais une restriction importante, ou une suralimentation, peuvent entraîner des complications chez la maman (par exemple une hypertension) ce qui risque d'avoir un retentissement sur la santé du bébé.

Dans les jours qui suivront sa naissance, votre enfant perdra du poids et cette perte de poids est normale. Il ne faut donc pas s'en inquiéter. Classiquement, la perte de poids est inférieure à 10 % du poids du corps. Au-delà, cette perte peut être normale mais il est préférable d'en parler avec un professionnel de santé afin de vérifier qu'il n'y a pas de problème particulier. La perte de poids est due en partie au fait que l'enfant évacue les déchets qui occupent encore son intestin ; elle est due également à l'élimination d'œdèmes, normaux chez le bébé, et provoqués par un excès d'eau dans les tissus. Dès le troisième jour, l'enfant commencera à reprendre du poids ; et entre le cinquième et le dixième jour, il aura retrouvé son poids de naissance.

Certains bébés ont un poids supérieur à la moyenne soit par hérédité, soit à cause du diabète de leur mère ; dans ce cas, ils seront soumis à une plus grande surveillance. À l'inverse, un bébé de petit poids peut « pousser » très vite après la naissance.

La taille, qui est en moyenne de 50 cm à la naissance, ne varie guère de plus de 2 ou 3 cm autour de ce chiffre, d'un bébé à l'autre.

L'aspect général

Ce qui vous frappera peut-être le plus lorsque vous verrez votre enfant, c'est que les proportions des diverses parties de son corps sont différentes de celles de l'adulte : le nouveau-né n'est pas un adulte en miniature. La tête est très volumineuse. Elle représente à elle seule un quart de la longueur totale, au lieu d'un septième. Le tronc est plus long que les membres. L'abdomen est légèrement saillant.

Les premiers mouvements de votre enfant vous paraîtront désordonnés. Ils le sont en effet, car le système nerveux, celui qui dirige les gestes, est imparfaitement développé chez le nouveau-né. Les mouvements ne s'organiseront qu'à mesure que le système nerveux se développera.

Une demi-heure après sa naissance, le petit poulain est sur ses pattes et trottine ; le petit veau aussi. L'enfant devra attendre un an pour pouvoir marcher. Mais dès la naissance, le bébé est capable de ramper vers le sein et de le trouver : c'est beaucoup !

L'attitude

Dans la première heure de vie, l'éveil du nouveau-né est souvent étonnant. Le bébé ouvre les yeux, cherchant à découvrir son nouvel environnement. Bien au chaud sur le ventre de sa maman, il redresse la tête et cherche lui-même le sein. « Quand on a posé ma fille sur mon ventre, elle avait la tête redressée et "regardait" autour d'elle comme si elle se demandait dans quel monde elle avait atterri », nous a écrit une lectrice. Puis, après la première tétée, le bébé reprend la position qu'il avait avant la naissance : bras et jambes fléchis, poings serrés, yeux fermés. Il faudra parfois plusieurs jours pour retrouver un moment d'éveil de la même qualité, c'est tout à fait normal.

La tête et le visage

Le bébé a du mal à tenir la tête car elle est volumineuse par rapport aux muscles du cou. Ne vous inquiétez pas si votre enfant arrive au monde avec une tête un peu déformée, crâne asymétrique ou en pain de sucre, bosse d'un côté ou de l'autre, etc. (« Il avait la tête cabossée », m'a écrit une lectrice.) Ces petites déformations sont très fréquentes. Elles sont dues aux fortes pressions que la tête subit lors de l'accouchement ou a une position trop appuyée sur les os du bassin pendant la grossesse. En dix ou quinze jours, elles disparaissent, et le crâne s'arrondit.

Si votre enfant est né par *ventouse*, la petite bosse sur le sommet du crâne, souvent importante, disparaîtra sans laisser aucune trace, en quelques jours. Il en est de même pour les traces sur le crâne ou sur le visage, dues à la naissance par *forceps*.

Les os du crâne, qui ne sont pas encore soudés, sont séparés par des espaces de tissus fibreux, les *sutures*. En deux points, ces espaces s'élargissent pour former les *fontanelles*. Vous sentirez vous-même ces zones molles en passant votre main sur le crâne du bébé. La plus grande, juste au-dessus du front, a la forme d'un losange. La plus petite se trouve à l'arrière du crâne. Les fontanelles se rétréciront peu à peu jusqu'à se fermer complètement, la plus petite vers 8 mois, la plus grande vers 18 mois.

• **Les cheveux**. Certains bébés naissent avec une chevelure abondante et généralement noire. D'autres sont presque chauves. Consolez-vous si votre bébé fait partie des seconds. Les premiers perdent la plus grande partie de leurs cheveux dans les semaines qui suivent la naissance. Par la suite, les cheveux repoussent plus clairs et plus fins.

• **Les yeux** sont très grands, leur taille a déjà les deux tiers de ceux de l'adulte. Les paupières sont larges, les cils et les sourcils apparents mais très fins. Le nouveau-né pleure sans larmes. Celles-ci n'apparaissent que vers la 4e semaine, souvent même plus tard. Le nez est court et aplati, l'oreille volumineuse par rapport à la face, mais bien dessinée, quoique son lobule ne soit pas encore formé. La bouche paraît démesurément grande, avec le maxillaire inférieur peu développé. Le cou est très court et donne l'impression que la tête repose directement sur les épaules.

La peau

À la naissance, la peau est recouverte d'un enduit sébacé blanchâtre, le vernix. Aujourd'hui, on laisse le vernix car il joue un rôle protecteur. Cependant la quantité de vernix est extrêmement variable d'un enfant à l'autre et ne vous étonnez pas si votre enfant naît avec très peu de cet enduit sur la peau. Le vernix sera absorbé par la peau pendant les premières heures de vie. Chez les enfants nés après le terme, le vernix a déjà disparu.

Les premiers jours, la couche superficielle de la peau se détache et le bébé pèle. Cela se fait progressivement si l'enfant est né en avance, en quelques heures s'il est à terme. La peau du nouveau-né est

Donc, un premier constat : le nouveau-né est plus précoce et plus doué qu'on ne le croyait. Dans le domaine de la vision, de l'audition, de l'odorat, voici ce qu'on peut dire aujourd'hui de l'état des recherches.

La vision

Dès sa naissance l'enfant voit, mais sa vision n'est pas la nôtre : elle est un peu plus floue. Il ne voit pas bien de loin, mais de près (de 20 à 40 cm) sa vision est bien meilleure que ce que l'on croyait. S'il ne voit pas encore les détails des visages, il en reconnaît les traits principaux. Il ne peut fixer que les visages qui sont face à lui car son champ visuel est essentiellement central.

Le nouveau-né est sensible aux différences de lumière : si tout d'un coup, il y en a trop, il est gêné, cligne des yeux ou les ferme complètement. Attention à l'excès de lumière pendant les premières semaines.

Il est sensible à ce qui brille ; ainsi il peut suivre des yeux une boule brillante. Les chercheurs ont constaté également que dès les premiers jours, le nouveau-né est attiré par une forme ovale, mobile présentant des points brillants. Ce n'est pas un rébus, c'est l'ensemble correspondant au visage humain. Le bébé peut suivre ce visage s'il bouge, et si pendant ce temps on lui parle, le bébé cligne des yeux. Ce visage est d'ailleurs précisément à la bonne distance pour lui, environ 25 cm.

C'est parce qu'il n'a pas eu l'occasion de l'exercer avant la naissance que la vision du nouveau-né n'est pas très développée (bien que certains chercheurs aient montré que déjà dans le ventre de sa mère l'enfant est sensible à une forte lumière, l'observation a été signalée p. 122). Mais cette vision va faire des progrès rapides. Le bébé cherche à voir même la nuit ; dans le noir il ouvre les yeux, les ferme, regarde d'un côté, de l'autre ; on a pu l'observer grâce à des rayons infrarouges.

Et dans ce domaine de l'activité visuelle, il y a de grandes différences d'un enfant à l'autre. On a l'impression que certains bébés passent leur temps à « regarder », alors que d'autres passent leur temps à dormir. Cette différence de rythme de développement se retrouvera dans tous les domaines tout le long de l'enfance.

Un mot pour finir : les nouveau-nés ont souvent l'air de loucher parce que les muscles de leurs yeux ne sont pas encore assez développés pour coordonner les mouvements.

L'ouïe

Elle est plus développée que la vision, c'est normal, le nouveau-né a déjà beaucoup entendu durant sa vie fœtale, au moins pendant les trois derniers mois. Il n'est donc pas étonnant de le voir sursauter si une porte claque ou s'il entend un bruit violent ; et son oreille étant déjà exercée, elle lui permet de distinguer des sons très proches les uns des autres. Et même lorsqu'il dort à poings fermés, si on chuchote près de lui, il remue légèrement, sa respiration se modifie, il cligne des yeux. Si l'on continue à parler doucement, il s'agite et finit par se réveiller. Avant la naissance, le bébé entendait déjà la voix de ses parents (p. 121). À la naissance, ces voix, l'enfant va les reconnaître.

Enfin on remarque que lorsqu'il y a vraiment trop de bruit autour de lui, l'enfant arrive à s'isoler. T. B. Brazelton rapporte qu'un enfant à qui l'on faisait un test pénible commença par crier, puis subitement s'arrêta ; malgré les bruits aigus et les lumières brillantes il s'endormit ; le test terminé, les appareils retirés, le nouveau-né s'éveilla aussitôt et se mit à crier. Ce sommeil brutal est une forme de retrait, le bébé se protège ainsi de stimulations trop importantes.

Le toucher

Le nouveau-né est très sensible à la manière dont on le touche, aux manipulations. Certains gestes le calment, d'autres au contraire l'agitent. Cela, les parents le découvrent très vite, mais cette sensibilité de la peau et du contact remonte très loin dans la vie de l'enfant : dans le ventre de la mère, il a réagi aux mains de ses parents se posant sur lui ; il a senti le liquide l'entourer ; il s'est frotté aux parois de l'utérus ; au moment de l'accouchement, l'action répétée des contractions sur son corps l'aide à sortir à l'air libre. Après la naissance, le bébé ressent avec malaise le vide autour de lui. Le petit berceau bien douillet, l'instinct que nous avons de le prendre contre nous, calment et rassurent l'enfant. Dans les couveuses, on a observé que pour apaiser le bébé, il suffisait de lui caler le dos et même le haut du crâne, contre une couverture roulée, ou un oreiller. Si votre bébé est prématuré et que, dans sa couveuse, il n'a pas l'air bien à l'aise, voyez avec la puéricultrice s'il ne serait pas possible de l'installer ainsi.

Certains parents aimeraient bien masser leur bébé, mais ne savent pas trop comment s'y prendre. Parlez-en avec la sage-femme qui saura vous indiquer quelques gestes de base. Pensez à le faire dans une pièce suffisamment chaude.

L'odorat

Une expérience est devenue classique : si on présente à un nouveau-né deux compresses, l'une ayant été en contact avec le sein de sa mère et l'autre non, le bébé se tourne vers la compresse maternelle. L'expérience a été effectuée il y a une trentaine d'années par Mac Farlane le 10e jour après la naissance. Depuis, H. Montagner et B. Schaal l'ont effectuée le 3e jour, puis dès la naissance par ce dernier. D'ailleurs, c'est principalement grâce à son odorat qu'un bébé reconnaît l'approche du sein maternel.

ODEURS ET SAVEURS
*Les réactions
d'un nouveau-né
de quelques heures.*

On fait sentir au bébé un coton imbibé d'odeur de banane, il a l'air ravi.

On dépose sur la langue du bébé du sucre, cela lui plaît.

Le goût

Le nouveau-né a 12 heures ; si on met sur ses lèvres un peu d'eau sucrée, il a l'air ravi ; si on y met une goutte de citron, il fait la grimace. Tout comme *in utero*, dès la naissance, l'enfant fait la distinction entre le sucré, le salé, l'acide, l'amer. Le sucré le calme, l'amer ou l'acide l'agite. C'est ce qu'illustrent les photos reproduites ci-dessus.

Les bébés sont très tôt sensibles aux goûts car ce sens s'est déjà exercé avant la naissance. Et depuis toujours les femmes qui allaitent savent que certains aliments donnent bon goût au lait, par exemple le cumin, le fenouil, l'anis vert. Ainsi le bébé tète avec plaisir, et la sécrétion lactée augmente. En comparaison, le bébé nourri au lait industriel a une nourriture bien fade et sans surprise !

Comment a-t-on pu établir si précisément le degré de sensibilité du nouveau-né ? Certaines fois par des moyens très simples, d'autres fois en ayant recours à des moyens plus sophistiqués.

Moyens simples comme l'observation directe de chaque réaction du bébé à une stimulation : tourner la tête ; réagir à un bruit sourd, lointain, léger, ou au contraire cesser de réagir aux mêmes bruits ; crier ou au contraire cesser de crier ; cligner des yeux ; remuer les pieds ; crisper les membres, sursauter ; chaque geste, même le plus discret, chaque mimique ou chaque cri a un sens.

Comme il est difficile de tout noter, de tout remarquer à la fois, les chercheurs prennent des kilomètres de films sur les bébés dans les situations les plus variées, dans les bras de leur père, de leur mère, du pédiatre ; en face d'objets, de formes et de couleurs diverses, en face de lumières d'intensité variée, etc. Puis ils passent ces films au ralenti, arrêtent l'image, reviennent en arrière et notent toutes les réactions de l'enfant. Grâce aux possibilités des films vidéo, aucun détail n'échappe à l'œil de l'observateur.

L'enregistrement du rythme cardiaque du bébé a permis de nombreuses observations. C'est en particulier grâce à lui qu'on a pu constater qu'un bébé était plus sensible à une voix féminine qu'à une voix masculine. Dans le premier cas le rythme cardiaque ralentissait, dans le second il n'y avait pas de changement.

De même, pour savoir plus finement à quels sons réagit un nouveau-né, on fait l'expérience suivante : on lui met dans la bouche une tétine, dans la tétine un capteur qui enregistre le rythme des

L'odeur de l'œuf pourri le fait hurler.

Une goutte de jus de citron lui fait faire la grimace.

Une goutte de sulfate de quinine (amer) : le bébé proteste vivement.

mouvements de succion. Puis on fait entendre au bébé différents sons , il réagit par des mouvements de succion : c'est l'accélération ou la diminution du rythme de ces mouvements qui permet de constater que le bébé est plus ou moins sensible aux différents sons présentés.

Ainsi ce nouveau-né que l'on croyait naguère si démuni, si fermé au monde dans lequel il arrivait, on l'a découvert prêt au contraire à réagir aux nombreuses stimulations de son environnement et de son entourage, programmé biologiquement pour éprouver tout un éventail de sensations.

Ce « on » recouvre l'ensemble de la société. Mais je suis persuadée et l'ai souvent dit, que la mère, elle, depuis toujours sentait que son enfant en savait plus sous ses yeux mi-clos qu'on ne le croyait autour d'elle. Ce qui change aujourd'hui, c'est le regard que cette société porte sur l'enfant, la manière dont elle le considère, manière qui à son tour va avoir – a déjà – une influence certaine sur l'enfant.

LA « COMPÉTENCE » DU NOUVEAU-NÉ

Lorsque la mère caresse son enfant ou le prend dans ses bras, elle sent qu'il réagit à son contact parce que son visage s'apaise : si elle lui parle et qu'il s'arrête de bouger, elle comprend qu'il a perçu ce que sa voix comportait de sollicitation.

L'enfant réagit à son tour par une mimique, puis la mère sourit, et ainsi de suite. Et sans cesse, de l'enfant à la mère, un va-et-vient de questions et de réponses s'établit : ils communiquent.

Lorsqu'une mère voit son bébé gêné par la lumière et la détourne, il rouvre les yeux. À chaque instant passe entre la mère et l'enfant un signal de reconnaissance. Si l'enfant appelle, sollicite à son tour et qu'on lui répond, sa mimique est encore une fois une réponse.

Cette sensibilité du nouveau-né aux stimulations les plus diverses, à la voix, au contact, aux gestes, à la lumière, aux odeurs se traduit donc chez lui par toute une gamme de comportements et d'émotions qui à leur tour provoqueront chez la mère, chez le père ou chez l'adulte qui s'occupe de lui, des réactions.

C'est cela qu'on a appelé la « compétence » du nouveau-né : la possibilité qu'il a, grâce à son équipement sensoriel et à sa sensibilité émotionnelle, de répondre aux stimulations, et de déclencher des réactions dans l'entourage. Cet enchaînement de stimulations et de réactions constitue des **interactions**. Comme nous vous le disions plus haut, T. Berry Brazelton, grâce à ses travaux, a été l'un des tout premiers à montrer ces interactions précoces, cette compétence du nouveau-né.

Un des buts de l'examen qu'il a mis au point, le NBAS est de montrer aux parents tout ce dont le nouveau-né est capable, de les sensibiliser à la stupéfiante variété des réactions que l'enfant possède déjà. Grâce à cet examen, les parents observent le nouveau-né avec un œil neuf, voient chaque réaction comme pouvant être le langage avec lequel le bébé va communiquer avec eux.

LE NBAS
(Neonatal Behaviour Assessment Scale, échelle du comportement néonatal) est couramment pratiqué aux États-Unis après la naissance et se répand en France et en Europe.

À propos de la compétence du nouveau-né, ajoutons :
• D'un enfant à l'autre, il y a de grandes différences ; on peut dire que chaque nouveau-né a sa personnalité : qu'il s'agisse des besoins en sommeil, des pleurs, de ses réactions lorsqu'on le touche, etc., chaque bébé a sa manière de réagir. Le sachant, les parents ne seront pas tentés de comparer sans cesse leur enfant aux autres, mais seront attentifs à sa personnalité, à ses particularités.

• Dans la journée, les nouveau-nés ont certes des moments d'éveil et d'échanges, mais ils dorment quand même la plupart du temps et ils ont besoin de calme. Les premiers jours, ne le réveillez pas (par exemple si vous avez une visite).

ÉCHANGES ET ATTACHEMENT

Chaque parent a sa manière d'entrer en contact avec son enfant. Chaque enfant a sa manière de répondre.

Parlons d'abord des mères

Pour la plupart d'entre elles, l'échange commence par le regard. « Il m'a semblé, à l'observation de ces moments d'échanges visuels, que le contact œil-à-œil dépassait le simple cadre de la fixation réciproque et constituait le moteur de ces interactions précoces où la mère, attentive et émue, fait connaissance avec l'enfant qu'elle vient de mettre au monde. Le regard du nouveau-né déclenche des conduites de recherche et d'échanges où se mêlent les stimulations verbales, mimiques, tactiles et posturo-kinesthésiques, le tout constituant les modalités de la communication qui vont prendre une importance plus grande ultérieurement. » (Monique Robin)

POUR EN SAVOIR PLUS
Sur la compétence du nouveau-né, l'attachement, les relations précoces parents-enfants, vous pouvez lire les ouvrages de T. Berry Brazelton :
La Naissance d'une famille *et* **Points forts, les moments essentiels du développement** *(Éditions Livre de Poche).*

Les mères aiment que leur bébé soit éveillé, le voir les yeux fermés les inquiète. « J'ai l'impression qu'il n'est pas vivant, tout change quand ses yeux sont ouverts... J'ai envie de lui parler, j'ai l'impression qu'il est là. » Par leur insistance à le désirer éveillé, certaines mères parviennent même à lui faire ouvrir les yeux.

Lorsqu'une mère regarde son enfant, c'est comme si elle lui parlait ; l'enfant lui répond en clignant de l'œil, en ouvrant la bouche, en bougeant les bras ; tout ceci signifie « message reçu ». À son tour, la mère répond, pas seulement avec les yeux, mais en lui parlant, en le caressant.

Et voilà au départ une source de différence d'un enfant à l'autre : un enfant éveillé recevra plus de stimulations qu'un enfant somnolent, stimulations qui le développeront plus rapidement. Sarah est une enfant très éveillée, les échanges avec l'entourage sont multiples, variés. Sarah très stimulée progresse à grands pas, vocalise et sourit. Sa mère est ravie. David au même âge dort presque toute la journée, il n'a d'échanges qu'au moment des repas et du bain, puis retourne... à ses rêves. Jugement de la mère : « Il n'est vraiment pas vif, quand je pense à sa sœur. »

D'autres mères aiment communiquer avec le bébé surtout en le touchant, en le caressant, en le portant ; ce contact est rassurant pour elles et apaisant pour le bébé. « Ce que j'aimais, disait une mère, c'était porter mon bébé. J'ai fait des kilomètres dans les couloirs de la maternité en la serrant dans mes bras, je suis sûre qu'elle retrouvait le balancement qu'elle avait connu dans mon ventre, et je la sentais si bien que ça me faisait vraiment plaisir. »

Les réactions dont l'enfant est capable dans les premiers jours vont avoir une conséquence importante : ces réactions montreront à sa mère – ou à la personne qui s'occupe habituellement de lui – qu'elle est capable de comprendre son enfant et de communiquer avec lui.

LA TÉTÉE

Pour bien des mères le grand moment de la communication c'est la tétée : côté bébé, toutes les sensations sont réunies, contact, satisfaction d'être nourri, sollicitation du goût, de l'odorat, c'est le bien-être ; et du côté de la mère, sentiment de plénitude, de jouissance physique et de satisfaction de pouvoir nourrir son enfant.

Au début une mère en doute, surtout avec son premier enfant, mais lorsqu'elle voit qu'à des stimulations les plus diverses – elle le caresse, elle le porte, elle lui parle – il répond et qu'il en est heureux, cela lui donne confiance dans ses propres capacités ; cela lui montre que visiblement elle apporte à son enfant ce qu'il attend d'elle.

En d'autres termes, la compétence du nouveau-né à entrer en relation avec sa mère, à tisser des liens avec elle, va peu à peu lui donner l'assurance de sa propre compétence. J. de Ajuriaguerra a

Après la naissance votre bébé et vous

Pendant les semaines qui suivent la naissance,
vous avez un grand programme à remplir,
vous vous sentez peut-être un peu dépassée,
ou débordée. Avec bébé à vos côtés, votre mari
plein d'attentions, et ce livre pour vous aider,
vous allez voir, **tout va bien se passer.**
Dès la naissance, votre bébé va spontanément
se diriger vers le sein pour téter. Souhaitez-vous
le laisser faire car vous avez envie de l'allaiter ?
Peut-être ne désirez-vous pas cette première tétée
car vous pensez le nourrir au biberon ?
Une autre interrogation va surgir rapidement :
comment mon corps va-t-il se transformer,
se réadapter ?
Et au milieu de ces considérations pratiques,
vous vous sentirez peut-être abattue. Un peu ?
Beaucoup ? Est-ce le *baby-blues* ?
Voici quelques pages à lire à tête reposée
pendant que bébé dort.

Sein ou biberon : comment se décider ?

C'est une décision que vous avez peut-être prise avant la grossesse. Dans certaines familles, dans certaines cultures, la question ne se pose pas : une maman nourrit au sein, ou au contraire au biberon. Mais les mois d'attente, les discussions avec votre conjoint, avec la sage-femme, les exemples de vos amies, peuvent vous rendre hésitante.

Sein ou biberon ? Les réponses apportées ont évolué au fil des années. Hier, le côté pratique du biberon était mis en valeur : les journées s'organisent plus facilement et on sait ce que prend le bébé, entendaient les mères. Aujourd'hui la tendance s'est inversée, probablement parce que le discours médical a changé : des médecins ont encouragé les mères à allaiter, ayant remarqué que les bébés nourris au sein résistaient mieux aux infections. Des études confirmèrent ces observations. Résultat : l'allaitement au sein est maintenant valorisé et le nombre de mères qui allaitent a augmenté.

Comment se décider ? Nourrir au sein ou au biberon, c'est choisir entre deux aliments, lait maternel ou lait industriel (appelé lait infantile). C'est aussi une autre façon de procéder, une intimité, une proximité différente, une autre disponibilité. Pour vous aider dans votre décision, entrons dans le détail de ces deux allaitements.

L'ALLATTEMENT AU SEIN

Les études scientifiques montrent que le **lait maternel** est bénéfique pour le bébé.

• Le lait de chaque espèce est adapté au petit de l'espèce correspondante et tous ces laits sont différents les uns des autres. Le lait maternel humain est adapté à la spécificité du bébé humain.

• Plus le bébé est prématuré, plus le lait maternel est important pour lui : son système digestif est fragile, il est sensible aux infections.

• Les premiers jours, le lait a un aspect particulier : c'est le colostrum, souvent jaune ou orangé, très riche en protéines et en vitamines. Sa composition évolue de jour en jour pour s'adapter aux besoins du nouveau-né.

• Le lait maternel est facile à digérer, presque toujours bien supporté. Son goût varie avec l'alimentation de la maman et sa composition change au cours de la tétée.

• Le fer que contient le lait maternel est bien absorbé.

• Le lait maternel protège l'enfant contre certaines infections en lui apportant les anticorps maternels. Il assure ainsi une protection naturelle pendant la durée de l'allaitement.

• Avec le lait maternel, l'enfant est mieux protégé contre les allergies qui se manifestent parfois. Un allaitement exclusif d'au moins quatre mois diminue le risque d'allergie chez le nourrisson. Et le risque d'obésité diminue également.

Parlons maintenant de **l'allaitement** lui-même.

• Nourrir au sein est profitable à la mère car cela favorise le retour à la normale de l'appareil génital : il y a une connexion étroite entre les glandes mammaires et l'utérus. Lorsque l'enfant tète, il déclenche un réflexe qui provoque des contractions utérines ; celles-ci aident l'utérus à revenir à ses dimensions normales.

• Allaiter au sein, c'est accepter pour un moment que les seins aient un rôle nourricier et non plus érotique. Cela peut gêner l'homme et aussi la femme. En parler avant la naissance permet de s'y préparer.

• C'est s'attendre à ce que les seins changent de volume, à ce qu'il y ait des écoulements de lait entre les tétées, c'est aussi éprouver des sensations nouvelles pendant que le bébé tète, parfois de plaisir ou de douleur. Faire quelques massages des bouts de sein est une façon de s'y habituer.

• C'est accepter de ne pas connaître la quantité de lait que prend le bébé, ce qui inquiète certaines mères. Les repères s'apprennent vite : à la maternité, vous serez aidée par les sages-femmes et les puéricultrices ; ensuite, si besoin, vous serez conseillée par une association de soutien à l'allaitement.

• Une expérience précédente difficile d'allaitement au sein, ou de sevrage, peut faire hésiter une maman à recommencer. Mais peut-être n'avait-elle pas eu à ce moment-là tous les conseils nécessaires ? Peut-être qu'avec ce nouveau bébé cela va se passer différemment ? Rencontrer d'autres mères dans une association peut aussi être utile.

L'ALLAITEMENT AU SEIN
LE TAUX D'ALLAITEMENT MATERNEL À LA MATERNITÉ, QUI AVAIT BEAUCOUP AUGMENTÉ ENTRE 1998 ET 2003, A CONTINUÉ DE PROGRESSER EN 2010 (ENQUÊTE INSERM).

• Le père a toute sa place lorsque la mère allaite. Il est là pour faciliter l'organisation quotidienne, pour que la mère puisse se reposer, se consacrer à d'autres tâches, à d'autres plaisirs en dehors des tétées. Une fois que l'enfant est nourri, il y a encore beaucoup à faire pour s'occuper de lui : le porter, le baigner, le cajoler, l'apaiser...

Si vous choisissez d'allaiter

Il est important que ce soit une décision de couple. Vous aurez besoin du soutien de votre mari, aussi bien physiquement que psychologiquement. Ce sera sa façon à lui de participer au bien-être de Bébé.

Combien de temps allaiter ?

Il n'y a pas de durée minimum. Toute quantité reçue par le bébé lui apporte des nutriments de qualité. Le relais peut à tout moment être pris avec du lait infantile. Par exemple, certains bébés ne prennent jamais de biberon : ils passent du sein à une alimentation diversifiée à la cuillère et boivent à la tasse.

> **« HÔPITAL AMI DES BÉBÉS »**
> *L'Unicef a lancé un label « Hôpital ami des bébés » dont l'objectif est de promouvoir les changements nécessaires pour que les hôpitaux deviennent des lieux favorables à l'allaitement. Plus de 16 000 institutions dans le monde ont déjà reçu ce label, notamment tous les hôpitaux de Suède. En France, ce label a été décerné aux maternités de Lons-le-Saunier (Jura), Cognaq (Charente), Mont-de-Marsan (Landes), Arcachon (Gironde), à l'hôpital de Saint-Affrique (Aveyron), à la clinique Adassa de Strasbourg (Bas-Rhin) et à la maternité « Les Bluets » à Paris.*

L'allaitement abîme-t-il la poitrine ?

Certaines mères posent la question. En fait, ce n'est pas l'allaitement mais la grossesse qui modifie la poitrine, puisqu'elle provoque une augmentation suivie d'une diminution de volume des glandes mammaires. En empêchant une diminution trop brusque du volume de ces glandes, l'allaitement serait même plutôt bénéfique. Pour la même raison, arrêter la montée de lait sans précautions suffisantes peut abîmer la poitrine.

Ce qui peut également l'abîmer, c'est de trop manger, d'avoir un régime qui fait grossir (pâtisseries, etc.), ce qui est le cas chez les femmes qui pensent qu'une alimentation « riche » améliorera la qualité de leur lait. C'est alors le poids de la graisse qui fait tomber les seins. Mais si l'on porte un soutien-gorge et si l'on a une alimentation équilibrée, on a de bonnes chances de retrouver sa poitrine d'avant la grossesse.

Cela dit, il y a des tissus plus fermes que d'autres. Certaines femmes ont allaité plusieurs enfants et gardent une poitrine parfaite. D'autres ont des seins tombants et vergeturés sans avoir jamais allaité. Et puis il y a la gymnastique faite avant l'accouchement et le sport (la natation en particulier) qui contribuent à la fermeté des muscles soutenant les seins.

En conclusion, il est difficile d'établir un lien de cause à effet entre allaitement et poitrine abîmée.

Comment la mère qui travaille peut-elle allaiter ?

Le report de trois semaines du congé prénatal sur le congé postnatal peut permettre d'allaiter plus facilement jusqu'à la reprise du travail. Ensuite, si vous le souhaitez, il sera possible de continuer à allaiter. La crèche ou l'assistante maternelle donneront des biberons de votre lait que vous aurez tiré chez vous ou sur votre lieu de travail, et Bébé tétera le sein lorsque vous vous retrouverez. Vous pourrez aussi choisir un allaitement mixte : tétées au sein lorsque vous serez avec votre bébé et biberons de lait infantile lorsqu'il sera gardé.

L'ALLAITEMENT AU BIBERON

De grands progrès ont été réalisés dans la fabrication des **laits infantiles**.

• Ils sont fabriqués à partir de lait de vache et sont modifiés selon une législation précise. Une loi oblige les industriels à suivre un cahier des charges pour adapter le mieux possible ces laits au bébé humain.

• Il existe plusieurs types de lait. Par exemple, certains peuvent être enrichis en ferments lactiques, ou contenir des substances épaississantes, pour améliorer leur digestibilité et diminuer les régurgitations. Le médecin vous conseillera sur leur utilité.

• Pour certains bébés intolérants aux protéines de lait de vache, il existe des préparations dont les protéines ont reçu un traitement particulier : ce sont les laits hypoallergéniques. Il existe également des préparations à base de soja. Là aussi, le médecin vous conseillera.

• Pour les bébés allergiques ou malades, il existe des laits spéciaux, sans protéines de lait de vache ou sans lactose. Ces laits sont délivrés sur ordonnance.

• Le lait infantile est généralement vendu en poudre et il faut le reconstituer avec de l'eau. La stérilisation des biberons n'est pas indispensable, ce qui est pratique. Mais le lait reconstitué doit être consommé rapidement pour empêcher le développement des germes.

Dans certaines familles, pour certaines mamans, nourrir avec un **biberon** est évident.

• Avec le biberon, les horaires et les quantités sont plus faciles à prévoir, c'est rassurant. L'organisation de la journée est plus simple.

• Le biberon peut être donné par une autre personne que la mère. La maman se sent moins dépendante. La famille, les proches sont heureux de donner le repas et de profiter de la présence du bébé à ce moment-là.

• Des mères apprécient d'avoir une relation moins fusionnelle avec leur enfant. Elles aiment le « peau à peau » avec leur bébé, sentir son corps contre le leur, mais pas au point de donner le sein.

• Il arrive que le biberon soit imposé par des motifs d'ordre médical car il existe quelques rares contre-indications à l'allaitement maternel : prise de certains médicaments, maladie infectieuse, par exemple le sida. Une chirurgie mammaire avec déplacement du mamelon empêche la lactation de se mettre en place. Il existe aussi des contre-indications transitoires : une maladie de la maman ou du bébé.

VOTRE DÉCISION

La plupart des mamans se décident pendant la grossesse, voire avant, mais elles savent que ce choix n'est pas inébranlable. Une maman nous a dit qu'elle changea d'avis après avoir lu que le bébé se dirigeait spontanément vers le sein à la naissance : elle trouvait naturel de le laisser faire. Mais une autre maman n'a pas apprécié les sensations de cette première tétée et a préféré donner le biberon.

Vous ne souhaitez pas allaiter ? Vous n'êtes pas un cas à part. Nous avons parlé plus haut des raisons de choisir le biberon. Il y a aussi des mères qui simplement ne désirent pas allaiter sans avoir de motivation précise ou consciente.

Surtout, ne vous sentez pas coupable. La décision vous appartient, c'est la meilleure pour vous et votre bébé, celle qui vous permettra de le nourrir en toute tranquillité, dans un plaisir partagé. Sachez dès maintenant que la digestion d'un bébé est parfois délicate au début et que c'est rarement le lait qui est en cause. Elle va s'améliorer avec le temps et la maturation du système nerveux de l'enfant.

Vous désirez allaiter : là aussi c'est votre décision, vous seule pouvez la prendre, comme vous prendrez celle du sevrage. L'allaitement maternel est souvent simple, parfois plus compliqué, notamment au début. Certaines mères se découragent et abandonnent alors que si elles étaient soutenues, elles reprendraient confiance en elles et pourraient allaiter leur enfant. Il existe de nombreuses associations qui aident les mères désirant allaiter. Voyez les adresses ci-contre. Et renseignez-vous (à la maternité, auprès de la sage-femme, à la PMI), il existe peut-être un groupe d'aide à l'allaitement dans votre ville. Dans ces groupes, vous trouverez soutien, encouragements, conseils.

Allez aussi dans ces groupes si vous n'arrivez pas à vous décider : voir des bébés nourris au sein peut vous aider à prendre conscience de ce dont vous avez envie pour vous et votre bébé. Lorsque votre enfant naîtra, vous saurez mieux si vous souhaitez le laisser aller vers le sein.

Et quelle que soit votre façon de faire, sachez que vous vous attirerez des commentaires, voire des critiques. À la maman qui donne le biberon : « Ah bon, tu ne lui donnes pas le sein ? C'est dommage », ou bien : « Tu ne fais pas chauffer le lait ? C'est pour ça que ton bébé régurgite (ou a le hoquet) ». À la maman qui donne le sein : « Il est toujours au sein, il a toujours faim, ton lait n'est pas assez nourrissant », « Tu le laisses trop longtemps au sein, cela va lui donner de mauvaises habitudes ». Il vaut mieux le savoir à l'avance pour ne pas être déstabilisée par ces réflexions et les prendre au contraire avec philosophie.

AIDE À L'ALLAITEMENT
• *Leche League*,
BP 18, 78620 L'Étang-la-Ville.
Tel. : 0 139 584 584
www.lllfrance.org
• *Solidarilait*,
Tel : 01 40 44 70 70
www.solidarilait.org
• *Vous pouvez vous adresser à la*
Coordination française pour
l'allaitement maternel (COFAM) :
www.coordination-allaitement.org ;
web@coordination-allaitement.org

Si, même après cette lecture, vous avez de la peine à prendre une décision, vous pouvez commencer à allaiter, quitte à vous arrêter par la suite, ce qui est toujours possible. En revanche, si l'on a commencé à donner le biberon, c'est difficile de se mettre à allaiter quelques jours plus tard.

Nous ne pouvons pas nous étendre plus longtemps sur le sujet ici. Nous en parlons en détail dans *J'élève mon enfant* : manière de donner le sein, horaires des tétées, régime de la maman (alimentation et vie quotidienne), soins des seins, sevrage, etc. Et la mère qui n'allaite pas trouvera dans ce livre tout ce qui concerne la préparation des biberons, quel lait choisir, horaire et quantité, etc.

Voici néanmoins quelques informations concernant l'**alimentation des premiers jours**. Sachez tout d'abord que, juste après la naissance, le bébé manifeste le besoin de sucer mais il n'a pas particulièrement faim car son estomac est rempli de liquide amniotique.

Vous allaitez au sein

La première tétée a lieu de préférence en salle d'accouchement, dans l'heure qui suit la naissance. La sage-femme ou la puéricultrice vous aidera à vous installer : en position semi-allongée ou sur le cÔté, le bébé encore en peau à peau contre vous, vous le soutenez au niveau des fesses pour qu'il se dirige vers le sein et prenne le mamelon. Votre bébé va téter 5 minutes, 10 minutes, ou plus si vous le laissez faire. Cela va dépendre de votre sensibilité et de son tempérament ; si la tétée est inconfortable pour vous (par exemple des tiraillements dans le sein), arrêtez-la et demandez de l'aide pour vous réinstaller et donner l'autre sein. Si votre bébé s'endort, vous lui donnerez l'autre sein plus tard ; s'il dort plus de 3 heures, stimulez-le doucement (en le prenant contre vous) pour qu'il prenne le sein et que la lactation s'établisse bien. C'est inutile de faire la toilette du mamelon avant la tétée, inutile également de faire les premiers soins avant cette première tétée. Le bébé fait rarement un rot après la première tétée car la quantité bue est faible (mais les éléments constituant le colostrum sont très nutritifs). Les deux ou trois premiers jours la quantité bue reste faible, puis augmente rapidement entre le quatrième jour et la fin du premier mois, pour rester assez stable ensuite pendant 6 mois.

Vous donnez un biberon

Le premier biberon est généralement donné plus tard que la première tétée au sein, lorsque vous serez de retour dans votre chambre. Certains bébés peuvent recevoir un peu d'eau sucrée (glucose 10 %) en salle d'accouchement. La quantité de lait infantile augmente petit à petit, jour après jour. Le bébé prend entre 10 et 30 ml par biberon le premier jour, entre 20 et 40 ml le deuxième, entre 30 et 50 ml le troisième, etc., pour arriver à environ 90 ml à la fin de la semaine. Les quantités bues par le bébé sont souvent variables d'un biberon à l'autre.

Le bébé va prendre entre 5 et 8 biberons par 24 heures les premiers jours ; le temps de digestion est d'au moins 2 h 30, plutôt 3 h. Les biberons de la maternité sont stérilisés, tout prêts avec 90 ml de lait ; il suffit de visser une tétine stérile. Un biberon ouvert se conserve une demi-heure environ, le reste doit être jeté. À la maison, la stérilisation des biberons n'est pas nécessaire.

Les suites de couches

Après la naissance, que va-t-il maintenant se passer en vous ? La grossesse et l'accouchement ont apporté de si profondes modifications à votre organisme qu'un délai de plusieurs semaines sera nécessaire pour que ces modifications s'estompent : certaines disparaîtront, d'autres laisseront leur marque. Après avoir porté un enfant, le corps d'une femme est différent, c'est pourquoi un deuxième accouchement peut ne pas se passer de la même manière que le premier. Les organes vont peu à peu retrouver leur place et leur taille. Ainsi, par exemple, l'utérus qui faisait saillie dans l'abdomen, va en six semaines retrouver sa situation dans le bassin. Parallèlement, le vagin et la vulve retrouvent leur tonicité habituelle, les ovaires et les trompes reprennent leur place. Mais bien sûr, cette remise en place des différents organes va se produire peu à peu.

C'est cette période de réadaptation qui dure six à huit semaines que l'on appelle les **suites de couches**. Elle se termine par la réapparition des règles : c'est le **retour de couches**.

Dans la plupart des cas, cette incontinence va régresser rapidement en quelques semaines, sans traitement. Des exercices simples peuvent aider à la guérison, comme contracter les muscles du périnée (comme pour retenir un gaz ou se retenir d'aller à la selle).

Les incontinences persistantes sont beaucoup plus rares. Il importe alors de les signaler au cours de la consultation postnatale (n'attendez pas plusieurs mois pour consulter). On vous conseillera certainement de faire une rééducation de la vessie et du périnée. Celle-ci, remboursée par la Sécurité sociale, est généralement faite par une sage-femme, mais parfois aussi par un kinésithérapeute spécialisé ou un médecin.

La **rééducation** se fait en 10 séances, à raison de 2 par semaine ; elle débute par des exercices musculaires, elle apprend en particulier à contracter les muscles du périnée. La femme peut contrôler elle-même la qualité de ses efforts : une sonde vaginale est reliée à un appareil qui enregistre ses contractions sur une courbe, la femme est ainsi incitée à améliorer sa performance à chaque tentative. Enfin, des séances d'électrostimulation sont généralement associées à cette rééducation.

Une guérison complète est souvent obtenue. Elle dépend de la persévérance (des séances d'entretien sont nécessaires), et surtout de l'intensité des troubles : en cas d'incontinence vraie et importante, une intervention chirurgicale est quand même parfois nécessaire à plus ou moins long terme.

La continence anale peut être fragilisée après l'accouchement (difficulté de retenir un gaz). Ne soyez pas gênée d'en parler au médecin ou à la sage-femme, cela se rééduque.

La toilette

Les douches sont possibles dans les heures qui suivent l'accouchement. Les douches chaudes sont même recommandées en cas de forte montée de lait afin de diminuer les tensions au niveau des seins. L'idéal serait de finir la douche par des douches fraîches sur le périnée et les jambes, car l'eau chaude peut provoquer des œdèmes.

Les bains ne sont conseillés qu'à l'arrêt de tout saignement.

Les seins

Pendant que certains organes régressent, d'autres se développent et s'apprêtent à entrer en fonction : ce sont les glandes mammaires. Après la naissance, l'organisme est prêt à nourrir l'enfant pendant quelques mois.

Pendant la grossesse, ces glandes, sous l'action des ovaires et du placenta, se sont multipliées. De même, les petits canaux qui conduiront le lait au mamelon (schéma p. 145). C'est la première phase de la lactation. L'hypophyse s'est mise à sécréter une nouvelle hormone, la *prolactine*, qui déclenchera la production du lait. Mais cette hormone n'est là qu'en attente. Elle n'agira que lorsqu'il n'y aura plus le placenta. L'accouchement a lieu, le placenta est expulsé. Le sang transporte la prolactine de l'hypophyse aux glandes mammaires. Celles-ci se mettent alors à fonctionner. C'est pourquoi on fait téter le bébé pour la première fois en salle d'accouchement, dans l'heure qui suit sa naissance.

N'hésitez pas à mettre votre bébé au sein alors que vos seins semblent vides. Ils ne sont jamais tout à fait vides. Outre l'aspect alimentaire, la succion du sein déclenche aussi la sécrétion d'ocytocine, une hormone qui favorise les contractions utérines et donc le décollement et la sortie du placenta. L'ocytocine contracte également les canaux pour que le lait sorte du sein. Et plus la glande mammaire sera vidée du lait produit, plus la production sera importante.

Souvent vers le 3e ou le 4e jour, les seins sont plus tendus. Ceci est dû au flux sanguin largement augmenté dans le sein pour faire face à la production de lait. C'est la deuxième phase de la lactation, appelée aussi **montée laiteuse**. Les veines sont plus visibles, bleutées. Vous pouvez aussi remarquer que votre bébé tète plus vigoureusement, la déglutition est plus bruyante et il est possible que les seins coulent spontanément. Le lait devient plus blanc, voire transparent à certains moment. Vers le 12e jour, le colostrum fait place au lait définitif.

La glande mammaire a parfois du mal à se faire à sa nouvelle tâche. Toute tension, contrariété ou douleur peuvent bloquer l'action de l'ocytocine et ainsi gêner la sortie du lait. Les seins deviennent alors durs et la production de lait est transitoirement ralentie, jusqu'à ce que les canaux se contractent à nouveau et que le lait s'écoule. Cette deuxième phase est quelquefois source d'inconfort pour la maman avec une légère augmentation de la température et des seins congestionnés. Vous les masserez doucement sous la douche pour que le lait s'écoule, ou vous les envelopperez de chaud ou de froid (par exemple avec un gant de toilette), selon ce qui vous fait du bien.

Dans les heures qui précèdent la naissance, le mamelon devient très sensible. Respectez cette sensibilité et ne laissez pas votre bébé trop longtemps au sein le premier jour : privilégiez plutôt des tétées de 10 à 20 minutes, fréquentes (de 6 à 12 ou 15 tétées réparties sur 24 heures). Petit à petit, le nombre de tétées va diminuer.

Si vous ne désirez pas allaiter, signalez-le au médecin ou à la sage-femme. On vous proposera un traitement destiné à éviter la production de lait. Pour que l'arrêt de la montée laiteuse se fasse en douceur, et si vous n'êtes pas opposée à ce que votre bébé tète, voici une autre façon de procéder : mettez votre enfant au sein pour vous soulager et donnez-lui un biberon le reste du temps. C'est un allaitement de transition qui durera quelques jours, et la lactation se tarira d'elle-même, sans médicament.

Le séjour à la maternité

Il est de plus en plus court : aujourd'hui bien des femmes sortent dès le troisième jour, parfois même avant (voyez page suivante « les sorties précoces »). En cas de césarienne, le séjour dépasse rarement cinq-six jours. La présence des sages-femmes, des auxiliaires de puériculture ou des puéricultrices est rassurante pour certaines mères et la prise en charge des repas permet un repos allongé dans la journée plus régulier qu'à la maison. Mais les allées et venues du personnel, les visites et les pleurs des autres bébés empêchent parfois de se reposer.

Pendant leur séjour, les mamans se plaignent souvent des conseils divergents des différents professionnels.

Cela ajoute au désarroi fréquent dans cette période. Vous serez moins déstabilisée si vous avez eu des informations pendant la grossesse. C'est un des buts de ce livre, ainsi que de la préparation à la naissance.

Quelle que soit la durée de votre séjour, profitez-en pour découvrir votre enfant, suivre ses progrès, qui, vous le verrez, seront très rapides. Après chaque tétée, gardez votre bébé un moment près de vous avant de le recoucher : pas de meilleure occasion de faire connaissance que ce moment où le bébé, heureux d'être nourri, sourit s'il est dans les bras de sa mère.

Vous ferez aussi connaissance avec votre enfant en le changeant, en lui faisant sa toilette. Aujourd'hui, la mère est invitée à s'occuper de son bébé très tôt, dès les premières heures. Ainsi, en rentrant chez elle, elle est déjà experte en puériculture au lieu d'être désemparée comme elle pouvait le craindre.

Si vous n'entreprenez pas de rédiger l'album de bébé, ce que souvent on abandonne vite, vous pouvez suivre la suggestion de cette lectrice : gardez les journaux parus au moment de la naissance ; les actualités, la mode, les événements divers seront des souvenirs amusants pour vos enfants.

Pour finir, une petite recommandation. Une amie sage-femme nous a dit : « Les mamans sont si contentes de montrer leurs bébés à leurs amis qu'elles arrivent à la fin de la journée épuisées par trop de visites. Et le bébé l'est également. » Pour votre repos, pour le sien, les premiers jours, essayez de n'avoir pas trop de visites. Si un jour vous avez vraiment envie de vous reposer complètement, dites-le à la sage-femme ou à l'infirmière, elle comprendra et elle fera le barrage.

SI VOUS VOUS SENTEZ FATIGUÉE,
et que vous ayez envie de rester un peu plus longtemps à la maternité, parlez-en à la surveillante, elle vous dira si c'est possible.

VOUS RENTREZ CHEZ VOUS

Certaines maternités acceptent un départ dès le deuxième jour. Une **sortie précoce** est possible sous certaines conditions : pas de complication médicale pendant la grossesse ni l'accouchement, pas de risque de complication dans les jours suivants, ni pour la maman ni pour le bébé. Ces sorties précoces sont généralement organisées avec des sages-femmes (libérales ou hospitalières et détachées du service) qui effectuent des visites à domicile tous les jours pendant 3 ou 4 jours. Le médecin traitant et le service de PMI participent parfois à cette surveillance. Cet accompagnement à domicile est d'ailleurs possible quelle que soit la durée de votre séjour à la maternité. Si vous souhaitez allaiter, cet accompagnement peut vous aider à surmonter les premières difficultés.

Le retour à la maison

C'est toujours un événement. Les mamans ont hâte de retrouver leurs habitudes, les aînés, d'installer leur bébé dans son berceau, de s'en occuper à leur rythme, de le présenter à l'entourage. Elles ont envie de vivre leur bonheur en famille, de le partager avec leur conjoint. Mais souvent les mamans ont aussi la crainte du surplus de travail, quelques doutes sur l'organisation au début, et l'appréhension de s'occuper du bébé sans le soutien des professionnels de la maternité. Lorsque la grossesse ou l'accouchement ont été compliqués, il y a la fatigue, le moral en baisse, parfois une difficulté à s'asseoir ou à rester debout à cause d'une cicatrisation de l'épisiotomie, peut-être des seins tendus avec une lactation qui s'installe tout juste ou des doutes parce qu'elle tarde.

Vous vous imaginiez resplendissante de bonheur avec votre nouveau-né dans les bras et vous vous trouvez parfois bien désemparée ! Heureusement, grâce au congé de paternité, le père est là et apporte un soutien bienvenu. Une sage-femme libérale, votre médecin traitant, une infirmière de PMI peuvent vous soutenir et venir à domicile. Il y a aussi les associations d'aide à l'allaitement dont vous avez peut-être pris les coordonnées soit lors des séances de préparation à la naissance, soit à la maternité. Si vous n'en connaissez pas près de chez vous, voyez p. 388.

Une fois rentrée chez vous, tâchez de vous reposer encore une bonne dizaine de jours, même un peu plus si vous le pouvez. Mieux vous vous reposerez pendant les suites de couches, plus vite vous pourrez reprendre votre vie active sans fatigue excessive. N'essayez pas de forcer la nature : il faut six semaines à vos organes pour revenir à leur état normal, et quelques mois à l'organisme pour qu'il retrouve complètement ses forces. Pendant cette période, évitez de vous fatiguer, ne montez pas trop d'escaliers, ne portez pas de lourdes charges, ne faites ni courses ni ménage importants, faites une bonne sieste après le déjeuner. Ce n'est pas toujours possible à moins que vous ayez près de vous, pendant les deux premières semaines, quelqu'un pour vous aider, mère, belle-mère, amie, aide extérieure, etc. Évidemment, si votre mari pouvait prendre quelques jours de congé supplémentaires, ce serait l'idéal.

Une spécialiste, le docteur Odile Cotelle, voit tous les jours des femmes qui ont porté des charges trop lourdes et dont le dos et le périnée ont souffert. C'est pourquoi elle nous demande de faire la recommandation suivante : pendant les mois qui suivent l'accouchement, faites tout pour éviter les poids excessifs ; essayez de vous faire livrer les provisions, beaucoup de magasins s'en chargent. Certains couffins et certaines poussettes sont trop lourds pour être portés seule, faites-le à deux. D'ailleurs, au moment d'acheter une poussette, à qualité égale, choisissez la plus légère. Quand vous portez votre bébé, essayez de ne pas porter d'objets lourds en même temps (par exemple un sac de provisions, une poussette) ; même si cela demande plus de temps, il vaut mieux faire plusieurs voyages. Lorsque Bébé est dans son sac-kangourou, placez-le – presque entre les seins – le plus haut possible et veillez à ce qu'il ne ballotte pas : c'est plus confortable pour lui et mieux pour vous. Enfin, si vous devez soulever quelque chose d'un peu lourd, pensez à contracter en même temps le périnée et le ventre.

Les relations sexuelles après l'accouchement

Les rapports sexuels peuvent être difficiles ou douloureux pendant quelque temps. Au début, une mère est plus soucieuse de son bébé que de sa sexualité ; il y a la fatigue, les problèmes matériels nouveaux, « il y a aussi un temps pour retrouver son corps », dit une mère. Ensuite le climat hormonal qui existe pendant les semaines qui suivent l'accouchement entraîne une sécheresse vaginale. Enfin, les rapports peuvent être douloureux s'il y a une cicatrice de déchirure ou d'épisiotomie, ou même simplement quelques « éraillures » ; on conseille dans ce cas un gel pour lubrifier.

Certaines fois, il n'y a pas seulement sécheresse vaginale, mais aussi rétrécissement vaginal, la lubrification peut alors ne pas suffire. En cas de carence extrême, le médecin prescrira des ovules ou des gélules vaginales contenant des œstrogènes.

Parfois aussi le père redoute les premières relations sexuelles : il a peur qu'elles soient douloureuses pour sa femme ; et si elle allaite, le côté nourricier des seins le perturbe souvent. Il peut se sentir exclu du duo mère-enfant. C'est pourquoi, le premier mois n'est pas toujours favorable à la vie sexuelle, ce qui n'empêche pas bien sûr la tendresse. Passées ces premières semaines, les inhibitions sont tombées, le couple a plaisir à se retrouver, la sexualité reprend sa place. Cela dit, comme pour toutes les relations affectives, chaque couple a sa façon à lui de se retrouver.

La contraception après la naissance

Le couple a envie de reprendre ses relations amoureuses, mais en même temps il ne souhaite pas avoir trop vite un autre bébé. Et il sait que la contraception dans les semaines qui suivent la naissance pose différentes questions. C'est pourquoi nous avons consacré plusieurs pages à ce sujet, à la fin de ce chapitre.

Le retour de couches

On appelle ainsi les premières règles qui surviennent après l'accouchement. Habituellement, ces règles sont un peu plus abondantes et plus longues que les règles normales. Le retour de couches peut être précédé d'une ovulation, qu'on allaite ou non.

La date du retour de couches varie selon que la mère allaite ou non son enfant. Un allaitement maternel complet, sous certaines conditions (voir MAMA p. 407), bloque généralement le fonctionnement des ovaires et l'ovulation ; les règles sont donc habituellement absentes, et le retour de couches survient seulement après la fin de l'allaitement, voire plusieurs mois après l'arrêt complet. En l'absence d'allaitement, le retour de couches se produit entre six et huit semaines après l'accouchement. Si vous prenez un traitement pour empêcher la lactation (traitement anti-prolactine), le retour de couches est possible plus tôt. Puis les cycles habituels reprennent, mais il se peut qu'ils soient légèrement perturbés pendant quelque temps.

La consultation postnatale

Quelques semaines se sont passées depuis l'accouchement. C'est le moment de faire un bilan complet. Un examen gynécologique et général est indispensable pour s'assurer que l'appareil génital et l'organisme tout entier ont retrouvé un état satisfaisant. Si la grossesse et l'accouchement se sont passés sans complications, la sage-femme peut pratiquer l'examen. Certaines femmes se sentent suffisamment bien pour ne pas avoir envie de subir cet examen. Pourtant celui-ci est important pour faire le point sur l'état de votre périnée, et pour envisager, si nécessaire, une rééducation appropriée.

Enfin, vous pouvez vous trouver confrontée à trois sortes de problèmes :
• une aggravation des troubles antérieurs ; par exemple si vous aviez une mauvaise circulation qui avait provoqué des varices et des hémorroïdes
• la persistance de troubles apparus au cours de la grossesse, comme une incontinence urinaire
• enfin, l'apparition de nouveaux problèmes : par exemple, certaines femmes souffrent de douleurs abdominales persistantes.

Faites une petite liste pour ne rien oublier lorsque vous irez à la consultation.

Certaines femmes, par pudeur, hésitent à aborder des domaines qui leur semblent trop personnels, par exemple la difficulté de la reprise des rapports sexuels. Difficultés psychologiques, conjugales ont parfois des causes physiques que le médecin saura traiter.

Votre régime pour retrouver la ligne

Pour retrouver votre poids d'avant la naissance, vous aurez vraisemblablement quelques kilos à perdre. Normalement, un régime alimentaire classique (voir plus bas) vous aidera à perdre l'excédent de poids.

Si vous allaitez, ne faites pas de régime amaigrissant : toute restriction alimentaire est contre-indiquée à cette période. Attention quand même à ne pas grossir, cela ne faciliterait pas la lactation et vous empêcherait plus tard de retrouver facilement votre poids.

Si vous n'allaitez pas ou si vous n'allaitez plus, voici quelques suggestions pour vous aider à retrouver votre taille et votre poids d'avant la grossesse, sans aller trop vite.

Vous pouvez garder la même répartition en trois repas principaux et un goûter. Le goûter est important (indispensable si vous allaitez) ainsi que le petit déjeuner, surtout si vous n'en preniez pas avant la grossesse.

La meilleure solution pour maintenir son poids et sa forme est d'avoir une alimentation équilibrée, sans grignotage, et une activité physique régulière.

En pratique

• une part de viande, poisson ou œuf par jour, avec de la viande rouge ou du boudin noir 2 fois par semaine, et des abats (foie, rognons) 2 à 3 fois par mois pour reconstituer vos réserves de fer
• un produit laitier (lait, fromage, laitage) 3 fois par jour
• des légumes et des fruits : au total, au moins 5 portions par jour
• des féculents ou produits céréaliers à chaque repas, sous forme de pain ou pâtes, riz, semoule, légumes secs, en entrée ou en plat principal
• des matières grasses en quantité modérée et en les variant (un peu de beurre sur les tartines ou les légumes, une cuillère d'huile pour les crudités)
• un produit sucré de temps en temps pour se faire plaisir.
Et buvez suffisamment, au moins 1,5 litre par jour, de l'eau de préférence.

La gymnastique et les sports

L'exercice physique sera un bon moyen pour vous aider à retrouver la ligne : il ne fait pas vraiment maigrir mais il aide à se remuscler ; il peut, en plus, par l'équilibre qu'il procure, régulariser l'appétit. Voyez plus loin quelques exercices à faire après l'accouchement.

Quant à une activité sportive, elle sera reprise progressivement, et plus tardivement si vous allaitez en raison du volume des seins qui peuvent gêner certaines activités. Le vélo, la marche, la natation sont excellents. À noter que les baignades sont possibles dès que les lochies (écoulement utérin après l'accouchement) ont disparu. Il vaut mieux éviter de muscler l'abdomen avant d'avoir repris la musculation du périnée ; tenez-en compte si vous faites des exercices en salle. Le footing, le tennis, l'équitation seront repris plus tardivement, comme toute activité physique qui entraîne des pressions abdominales répétées de haut en bas.

LES EXERCICES ABDOMINAUX CLASSIQUES
que tout le monde connaît (pédalages, ciseaux) ne peuvent être faits qu'après avis du médecin ou de la sage-femme, car ils créent une trop forte pression à l'intérieur du ventre, pression qui appuie sur le périnée et risque de le distendre.

EXERCICES À FAIRE APRÈS L'ACCOUCHEMENT

Dès le deuxième jour – sauf avis contraire du médecin – vous pourrez faire dans votre lit les exercices suivants :

Pour raffermir le périnée

Faites l'exercice indiqué (p. 340), mais en position allongée, couchée sur le dos, jambes repliées et écartées : pendant quelques secondes contractez les muscles qui ferment la vulve et le vagin en retenant une envie d'uriner. Gardez bien les genoux écartés sur les côtés pendant tout l'exercice, les fesses étant relâchées et posées sur le sol, et le ventre bien souple ; tout en continuant de respirer normalement.

Le stop-test consiste à arrêter quelques secondes le jet urinaire au début de la miction (action d'uriner). Cet exercice, qui a été longtemps recommandé, est aujourd'hui plutôt déconseillé. En effet, s'il est trop pratiqué, il peut entraîner chez certaines femmes des infections urinaires.

Pour durcir le ventre

Couchée sur le dos, jambes parallèles repliées, inspirez profondément, puis, en soufflant, rentrez le ventre au maximum, pendant 5 secondes au moins, si possible dix ; contractez en même temps le périnée ; puis détendez-vous et recommencez. Cet exercice ne comporte aucune contre-indication. Il n'est pas spectaculaire et cela peut sembler monotone de ne faire que cela mais il peut suffire pour retrouver un ventre plat. Vous pouvez répéter cet exercice plusieurs fois par jour (au moins 50 fois, réparties dans la journée, pour obtenir un résultat visible).

Pour activer la circulation dans les jambes

Couchée sur le dos, jambes allongées :
• exercice de rotation des pieds autour de la cheville : décrivez un cercle avec vos pieds dans un sens puis dans l'autre (3 fois)
• flexion et extension des pieds : repliez le pied sur la jambe, puis étendez-le lentement et au maximum comme si vous vouliez toucher du bout des orteils un objet placé quelques centimètres plus loin (3 fois)

À répéter de nombreuses fois dans la journée, mais à ne pas faire plus de trois fois de suite : sinon les jambes risquent de devenir douloureuses, en provoquant des courbatures.

Pour garder les seins fermes et bien maintenus

Lorsque vous n'allaiterez plus, vous pourrez recommencer les exercices indiqués au chapitre 14 pour garder une belle poitrine. Si vous n'allaitez pas, vous pourrez les faire dès le quinzième jour.

Sur le remboursement concernant les massages, exercices, rééducation périnéale à faire après l'accouchement, voyez chapitre 17.

APRÈS LA NAISSANCE, QUE FAIRE SI VOTRE CORPS A CHANGÉ ?

Après un accouchement, certaines femmes sont déroutées de se retrouver avec un autre corps : ce n'est plus celui de la grossesse, dont elles éprouvaient de la fierté, ce n'est pas non plus celui d'avant la naissance. En plus, la transformation brutale de ce « corps plein » en un « corps vide » peut troubler.

Sur le plan esthétique, tant du corps que du visage, la maternité peut avoir des conséquences qui varient avec chaque femme, mais qui ont tendance à augmenter avec le nombre des grossesses. Certaines femmes pensent qu'il y a un prix à payer pour la naissance d'un enfant, et elles se résignent. Elles oublient leur propre corps, tant elles sont préoccupées du bien-être de leur bébé. D'autres mères sont débordées, elles ont l'impression de n'avoir ni le temps, ni l'énergie de s'occuper d'elles-mêmes. D'autres enfin se posent des questions sur ces changements : vont-ils se maintenir, s'atténuer ou disparaître.

Les seins

Après la grossesse et l'allaitement, les seins vont diminuer de volume mais peut-être resteront-ils plus gros, ou au contraire perdre du volume, comme s'ils avaient littéralement « fondus ». Faites les exercices conseillés pendant la grossesse (chap. 14), portez un bon soutien-gorge... et soyez patiente. Il faut un peu de temps aux seins pour qu'ils retrouvent leur tonicité habituelle.

Le ventre

Le ventre peut rester distendu, les muscles abdominaux ne jouant plus leur rôle de sangle naturelle. La prévention est essentielle : c'est la gymnastique pendant la grossesse (p. 345), et après l'accouchement (p. 398). Dans ce domaine la persévérance est indispensable car on ne retrouve de bons muscles qu'après plusieurs mois d'exercices physiques réguliers. Un régime alimentaire aidera à éliminer l'excès de graisse. Pour retrouver un ventre plat, les massages ne sont pas efficaces. Quant aux appareils électriques vendus dans le commerce, ce sont vraiment des gadgets.

À propos de la chirurgie esthétique

Certaines femmes ont envie de faire appel à la chirurgie esthétique lorsque leurs seins restent trop gros, ou s'ils ont perdu du volume, ou bien si la peau du ventre reste distendue, plus ou moins « fripée ». Voici quelques remarques à ce sujet.

La chirurgie esthétique ne peut s'envisager au plus tôt qu'un an après l'accouchement. Ce n'est pas une décision à prendre rapidement. Il faut laisser du temps au corps pour qu'il retrouve sa silhouette et son aspect d'avant. Cela vous laissera le temps de savoir si vous êtes toujours sûre de désirer une intervention. Par ailleurs, vous savez que la chirurgie esthétique coûte cher, élément qui aura son importance pour prendre une décision.

Ensuite, pour recourir à la chirurgie esthétique, il est conseillé d'attendre d'avoir eu le nombre d'enfants désirés. Une nouvelle grossesse risque de remettre en cause les résultats obtenus. Et certaines interventions peuvent compromettre un prochain allaitement.

Enfin, bien sûr, les interventions doivent être pratiquées par des spécialistes compétents. Demandez à votre médecin s'il connait des adresses, sinon le conseil de l'ordre des médecins vous renseignera.

Les massages

Le massage du dos et des jambes peut soulager les sensations de fatigue, de lourdeur ou de douleurs diverses. Il est aussi un élément de bien-être. En revanche, le massage du ventre doit respecter certaines précautions. Un effleurage peut améliorer le transit intestinal, mais il ne faut pas « malaxer » la peau ni les muscles afin de ne pas les étirer et de ne pas les distendre. Ceci nuirait à la récupération progressive d'un ventre plat.

Le poids et la silhouette

Il faut compter six mois pour retrouver son poids, et environ un an pour retrouver son tour de taille. Il est important de perdre peu à peu les kilos superflus sous peine de voir s'installer une vraie obésité. Si au bout de ces six mois, vous n'arrivez pas à retrouver votre poids d'avant la naissance, parlez-en au médecin. Il vous conseillera peut-être de consulter un nutritionniste.

SI VOUS SOUFFREZ D'ACNÉ *et si vous allaitez votre bébé, ne prenez aucun traitement, interne ou externe, sans avis médical.*

La peau

Le masque de grossesse (p. 91) disparaît spontanément en quelques mois ; il en est de même de la pigmentation anormale de la ligne médiane abdominale, au-dessous de l'ombilic. Mais, pour cela, il faut s'exposer le moins possible au soleil ; et, ce qui est moins connu, si l'on accouche en hiver, il faut encore faire attention l'été suivant pour que des taches brunes n'apparaissent pas.

De la cicatrice de césarienne nous parlons page 318.

Les varices

Elles régressent en général presque complètement après une première grossesse. Ceci sera de moins en moins vrai au fur et à mesure que les grossesses se répéteront.

Les médicaments peuvent agir sur les troubles parfois entraînés par les varices (crampes, sensation de jambes lourdes) mais peu, ou pas, sur les varices elles-mêmes. Aussi, en cas de préjudice esthétique important faut-il s'orienter selon les cas :
• vers la sclérose (injection de produits dans les veines pour diminuer leur volume)
• ou vers la chirurgie qui consiste à enlever une, ou les deux grosses veines de chaque membre inférieur (intervention appelée stripping).

Le médecin vous indiquera ce qui convient le mieux dans votre cas. De toute manière continuez à suivre les conseils donnés (p. 193). Quant aux hémorroïdes, comme les varices, elles relèvent, selon leur importance et les troubles qu'elles entraînent, des médicaments, des scléroses ou de la chirurgie.

L'incontinence urinaire : nous avons parlé à différents endroits de cette autre conséquence possible de la maternité (pp. 195-391).

Ce petit chapitre a été écrit à la demande de plusieurs lectrices, mais il ne faut pas que sa lecture vous inquiète. Les traces laissées par la maternité sont variables d'une femme à l'autre. Certaines n'ont ni varices ni vergetures. Même après plusieurs naissances, de nombreuses femmes retrouveront un ventre plat, etc. De plus, le « préjudice esthétique » est vécu de façon bien différente selon les femmes. Certaines ne supportent pas leurs seins qu'elles trouvent trop gros, alors que d'autres aiment leur poitrine épanouie.

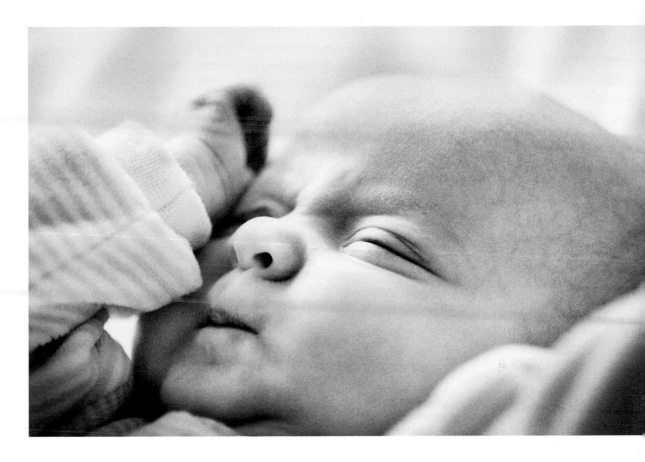

Les « idées bleues »

Vous êtes rentrée chez vous ; vous avez retrouvé votre maison ; votre enfant est installé dans le berceau que vous avez préparé avec amour. Vous avez toutes les raisons d'être heureuse et d'envisager l'avenir avec optimisme. Or il se peut, au contraire, que vous vous sentiez fragile, d'humeur instable, changeante, prête à pleurer à tout moment. Cette réaction est fréquente après l'accouchement. On l'appelle *baby-blues* (les idées bleues).

Vous venez de subir un bouleversement profond, au physique et au moral. Votre organisme tout entier a participé au travail considérable de l'accouchement. Les modifications hormonales sont particulièrement importantes à ce moment-là, et, vous vous en rendez compte vous-même, les remaniements psychologiques également. Vous avez vécu une attente de neuf mois, dont le terme a été peut-être mêlé d'angoisse et d'énervement. Vous êtes encore fatiguée, et vous vous trouvez tout d'un coup responsable des soins à donner à votre enfant. En plus, votre petit bébé, vous ne le connaissez pas encore bien, vous ne comprenez pas toutes ses réactions, ni peut-être ses

> **LE *BABY-BLUES***
> *Il concerne près de la moitié des femmes venant d'accoucher. Il survient le plus souvent entre le 3e et le 6e jour après la naissance.*

pleurs. C'est pour toutes ces raisons que vous êtes inquiète, énervée, prête à pleurer.

Si ce *baby-blues* survient alors que vous êtes à la maternité – ce qui est fréquent – parlez-en au personnel médical. Les accoucheurs, les sages-femmes, les puéricultrices savent qu'un grand nombre de femmes peuvent vivre un moment difficile, et qu'il faut leur apporter un soutien particulier. Certaines puéricultrices laissent se reposer les mamans qui en ont besoin et leur proposent de garder leur bébé à la nurserie le temps que ces mères le souhaitent. Et certains hôpitaux ont des psychologues attitrés : les mères peuvent parler, exprimer leurs craintes, et se sentir entourées et comprises. Ces professionnels savent apporter chaleur et réconfort à des femmes qui doutent de leurs capacités maternelles. Lorsque la mère peut trouver une aide à la maternité, il y a des chances pour que la dépression ne s'installe pas.

> **WWW.MAMAN-BLUES.FR**
> *L'association* **maman blues** *s'adresse aux femmes qui éprouvent des difficultés à se sentir mère, qui s'attendaient à éprouver joie et bonheur et sont fatiguées et débordées par l'arrivée de leur bébé. Ce site, non médical, leur propose écoute, soutien et conseils.*

Si cela n'était pas le cas, et que vous continuiez à être déprimée après votre retour à la maison, ne restez pas seule. Voyez avec votre mari, votre compagnon, comment vous pouvez vous organiser pour vous reposer. Peut-être votre mère, une amie, une sœur, peuvent-elles venir vous aider pendant quelques jours. Parlez-en avec votre médecin traitant, ou la sage-femme, ou voyez avec la PMI s'il est possible de mettre en place une aide à domicile.

Vous pouvez aussi aller dans un groupe d'aide à l'allaitement (adresses p. 388). Rencontrer d'autres mères, les écouter, leur parler pourra vous redonner confiance. Il existe des lieux d'accueil enfants-parents. Là aussi renseignez-vous auprès de la sage-femme de la PMI, de la CAF. Et tâchez de rester en contact avec le psychologue que vous aurez vu à la maternité.

Un sentiment de vide

Cet accouchement, vous l'avez attendu avec quelle impatience ! Et maintenant que cet enfant que vous avez abrité et protégé vous a quittée, vous avez peut-être l'impression d'un vide à la fois physique et moral. C'est normal. Toutes les femmes qui viennent d'accoucher ressentent cette impression, plus ou moins marquée. Dans bien des cas, l'allaitement est une bonne chose dans la mesure où il permet aux liens de se renouer. Mais dans d'autres cas il peut être source de stress, surtout si le bébé ne tète pas bien.

Et puis, vous craignez de ne pas savoir vous occuper de cet enfant qui vous paraît si fragile. Dites-vous que votre intuition vous guidera avec une sûreté dont vous serez vous-même étonnée. Sachez aussi que votre enfant est plus solide que vous ne croyez, surtout si vous le laissez vous stimuler. Votre bébé peut vous aider.

Voici ce que nous a écrit Julie : « J'ai vécu pleinement ma grossesse. Attendre un enfant tellement désiré, ne faire qu'un avec lui, c'est une expérience merveilleuse et unique. Si bien que la séparation physique d'avec mon bébé a été un petit traumatisme psychologique. Plus de gros ventre, je ne le sentais plus bouger. Bien sûr, je pouvais tenir mon bébé dans mes bras, voir son visage, mais il n'était plus en moi. Et puis j'ai éprouvé un sentiment de grande inquiétude pour cet enfant que j'ai aimé dès les premiers instants : j'avais peur qu'il lui arrive quelque chose, alors qu'à l'intérieur de mon ventre, il était protégé. Ce sentiment d'attachement intense m'a submergé plusieurs jours, je pleurais sans cesse car je prenais conscience de la grande responsabilité qui m'attendait. Heureusement, mon mari m'a soutenue, rassurée. Aujourd'hui, tout est rentré dans l'ordre et chaque jour qui passe nous comble de bonheur. »

L'amour maternel a souvent besoin de temps pour s'exprimer

Cette fragilité émotionnelle d'après l'accouchement s'accentue lorsque la mère n'est pas envahie dès le premier jour par l'amour maternel. Si cela vous arrive, ne croyez pas que vous soyez une mauvaise mère. L'amour maternel n'est pas toujours un coup de foudre. Il ne se développe souvent que peu à peu, semaine après semaine.

Prenez chaque jour un moment, après avoir baigné, nourri, changé votre bébé, pour vous asseoir près de lui, lui parler, lui sourire. Il est très sensible à votre présence. S'il pleure, ne fermez pas la porte de sa chambre, prenez-le dans vos bras. On vous dira que c'est une mauvaise habitude. Est-ce bien sûr ? Lorsqu'un bébé pleure, ce n'est pas par caprice. C'est qu'il a besoin d'une présence, et qu'on s'occupe de lui. Les pleurs, c'est sa manière d'appeler.

Lorsque votre enfant vous adressera son premier sourire, les moments difficiles que vous avez traversés seront oubliés. Lisez ces quelques lignes de France Quéré qui peut-être vous apaiseront : « Tu es là, et j'aime à te serrer dans mes bras, comme dans un songe. J'aime contenir ton épaule dans le creux de ma main, ton corps dans la courbe de mon bras. Voici : une conversation entre nous commence. Pendant des années nous allons bâtir ensemble le grand rêve exaucé ce matin. Notre imagination sera la reine, ta chambre le vert paradis. Nous rirons ensemble, nous jouerons, nous inventerons des histoires, notre vie sera poésie. Si ce n'est pas le bonheur, cela, qu'on me dise comment ça s'appelle » (*La Femme avenir*, France Quéré, Éditions du Seuil).

Une vraie dépression

Le plus souvent, le *baby-blues* disparaît en quelques jours. Plus rarement, mais quand même dans 10 % des cas, une vraie dépression du post-partum s'installe. Les symptômes sont plus marqués : la maman se sent triste, découragée, anxieuse, elle n'a plus le goût de s'occuper des tâches quotidiennes, parfois même elle n'arrive pas à s'intéresser à son bébé. D'autres troubles peuvent survenir : du sommeil, de l'appétit, de la vie sexuelle. Ces signes sont ceux d'une dépression qui ne disparaîtra pas toute seule. Malgré ces difficultés, certaines mamans hésitent à consulter ; elles pensent que ce qu'elles éprouvent est dû à la fatigue qui accompagne toute naissance ; parfois, elles se sentent coupables de ne pas éprouver la joie attendue, surtout lorsque la grossesse a été désirée. Et pourtant, il est important que la maman voie un médecin sans tarder qui pourra l'aider : accoucheur, généraliste, pédiatre de l'enfant, consultation de PMI, voire la consultation de l'hôpital le plus proche. Des médicaments, un soutien psychothérapeutique aideront la maman à retrouver un équilibre, à se sentir apaisée.

Écoutez ce que nous a écrit Christine : « Je me suis retrouvée devant un véritable gouffre. Je pleurais sans raison, j'étais terrifiée par les sentiments destructeurs et les pensées négatives qui m'envahissaient. J'ai cru que j'allais perdre la raison. J'ai vu un psychiatre qui m'a écoutée, sans me juger. Pourriez-vous dire à vos lectrices qu'une maman peut passer par des moments très difficiles, et s'en sortir. »

Six mois pour un bébé

Si vous avez une activité professionnelle, et que la date de reprise du travail dépend de votre décision, vous vous demandez peut être quand la reprendre : tout de suite ? Un peu plus tard ? Qu'est ce qui est meilleur pour l'enfant ? Pour vous-même ?

Il est difficile de donner un avis ; s'il est un domaine où le désir personnel, celui du couple, les possibilités financières interviennent, c'est bien celui-là. Les circonstances économiques actuelles et le chômage rendent pour certaines le choix particulièrement difficile.

Des mères veulent retravailler tout de suite, le pouponnage ne les tente pas. D'autres désirent rester un moment chez elles et pour l'enfant et pour elles-mêmes, et elles le peuvent. D'autres le voudraient, mais cela ne leur est pas possible financièrement ou professionnellement.

Le congé postnatal est de dix semaines. Certaines mères s'arrangent pour y ajouter leur mois de vacances, ou un congé sans solde. Il y a maintenant la possibilité de reporter trois semaines du congé prénatal après l'accouchement. Faisons un souhait : que toutes les mères puissent bénéficier de six mois après la naissance. Le bébé pourrait s'adapter en douceur à sa nouvelle vie. De son côté, la mère aurait le temps de se remettre complètement, de souffler. Tous les deux, Maman et Bébé, pourraient faire tranquillement connaissance.

Les six premiers mois de la vie d'un enfant sont importants, il s'y passe des événements à ne pas manquer pour bien connaître son enfant, sa façon de s'exprimer, ses formidables capacités à réagir, mais aussi sa très grande dépendance. De plus, les connaissances actuelles sur le développement du tout jeune bébé, sur sa psychologie, sur la précocité des interactions parents-bébé, entraînent chez les mères qui vont reprendre leur travail doute, culpabilité, regret de passer à côté de moments précieux. Tout ceci n'est pas simple à concilier et à aménager. C'est pourquoi six mois de congé donneraient un vrai choix à toutes les mères sans déranger vraiment leur carrière. Ils donneraient à la mère et à l'enfant la possibilité d'un bon départ.

Et d'ailleurs, on pourrait envisager que le congé prévu puisse se partager entre le père et la mère, comme cela se fait dans des pays nordiques. Certains pères seraient ravis et toute la famille en bénéficierait.

UN AUTRE BÉBÉ ?

Nos lectrices posent souvent la question : « Au point de vue médical, quel est l'intervalle idéal entre deux naissances ? » Bien sûr, il ne peut y avoir de réponse précise. Mais le bon sens dit qu'il est préférable que deux grossesses ne soient pas trop rapprochées. D'autre part, des statistiques américaines montrent que ce sont les bébés conçus entre dix-huit et vingt-quatre mois après la naissance précédente qui ont le moins de risque d'être de petit poids ou de naître prématurément.

D'ailleurs, la psychologie s'accommode bien de cet intervalle. Dans le cas cité plus haut, lorsque le nouveau bébé naîtra, l'aîné aura 2 ans 1/2 - 3 ans, âge réputé charmant. C'est souvent à ce moment-là que les parents se sentent prêts à accueillir un autre enfant.

Mais d'autres éléments pourraient, dans certains cas, modifier ces considérations, notamment l'âge des parents (p. 24). Au fur et à mesure que passent les années, les chances de devenir enceinte diminuent. Ainsi, il faut deux fois plus de temps pour concevoir un enfant à 35 ans qu'il n'en faut à 25. N'attendez pas trop.

La contraception après la naissance

Clore un livre sur la naissance par un chapitre sur la contraception peut sembler paradoxal. Et pourtant. Vous venez d'accoucher et vous êtes tout à la joie de cette naissance. La proximité de l'accouchement, les soins à votre bébé, l'absence de règles depuis 9 mois, vous ont fait oublier la question de la contraception. Mais, contrairement à ce que croient de nombreux couples, les suites de couches ne représentent pas une période toujours infertile. Que vous preniez un traitement anti-prolactine, ou que vous allaitiez complètement, ou tout simplement selon votre propre fonctionnement biologique, une ovulation est possible avant le retour de couches, entre 15 jours, 6 semaines, 6 mois... ou même plus, après l'accouchement.

C'est pourquoi nous vous conseillons d'aborder le sujet de la contraception avec le médecin ou la sage-femme dès la fin de la grossesse. Sinon vous en parlerez au cours du séjour à la maternité. Notez que si vous avez bénéficié d'une aide médicale à la procréation, et que vos cycles sont irréguliers, voire s'il y a une absence de règles, cela ne certifie pas qu'une ovulation soit absolument impossible. Et même des trompes non fonctionnelles n'empêchent pas totalement une grossesse.

Le choix d'un moyen de contraception va dépendre de vos souhaits personnels : désirez-vous être à nouveau enceinte sans trop attendre (tout en sachant que médicalement il est préférable de laisser passer un an entre l'accouchement et la grossesse suivante), ou non ? Est-ce que le moyen de contraception que vous utilisiez jusqu'à maintenant vous satisfaisait ou préféreriez-vous en changer ? Il est de toute façon important de connaître les méthodes utilisables dans les semaines qui suivent la naissance, d'autant plus qu'il est difficile de prévoir à l'avance si votre compagnon et vous-même souhaiterez reprendre assez vite votre vie amoureuse. Les femmes, les couples, n'ont pas tous envie d'avoir des rapports sexuels rapidement après la naissance. Ils préfèrent exprimer autrement les besoins de tendresse, le plaisir.

LES SEMAINES QUI SUIVENT L'ACCOUCHEMENT

Qu'il y ait allaitement ou pas, la période des suites de couches (les 6 à 8 premières semaines) est à part : la tonicité du vagin, la taille de l'utérus et le processus d'involution (p. 390 « le retour de l'utérus à la normale ») qui entraîne des contractions, sont à prendre en compte. C'est pourquoi diaphragme, cape, anneau vaginal et stérilet ne sont pas recommandés. Il est également souhaitable d'attendre 3 semaines après l'accouchement pour commencer la contraception hormonale (pilule, implant, patch, anneau vaginal). Certains médecins ou sages-femmes la prescrivent dès le retour à la maison ; il faut alors savoir que les hormones prises avant le retour de couches entraînent plus facilement des saignements irréguliers.

En fonction de votre mode de vie, de vos souhaits, le médecin ou la sage-femme étudiera avec vous ce qui est envisageable. Et d'autres moyens de contraception peuvent être utilisés pendant cette période, voyez le tableau page suivante.

QUEL MOYEN DE CONTRACEPTION UTILISER APRÈS L'ACCOUCHEMENT ?

Moyens de contraception	Mode d'allaitement		À partir de quel moment après la naissance		
	Allaitement maternel	Allaitement artificiel	Premiers jours après la naissance	Après 3 semaines	Après 6 semaines
Micropilule progestérone	oui	oui	éviter	oui	oui
Minipilule œstropro-gestative ou patch	non	oui	éviter	oui	oui
Stérilet	oui	oui	non	éviter	oui
Implant	éviter	oui	éviter	oui	oui
Anneau vaginal	non	oui	éviter	non	oui
Diaphragme ou cape	oui	oui	non	non	oui
Préservatif	oui	oui	oui	oui	oui
Spermicides seuls	Oui, selon les pro-duits utilisés	oui	non	non	oui
MAMA*	oui	non	oui	oui	oui
Retrait	Peu efficace	Peu efficace	Peu efficace	Peu efficace	Peu efficace

* Selon des critères stricts (p. 407)

Source HAS (Haute Autorité de Santé)

LES DIFFÉRENTS MOYENS DE CONTRACEPTION

Voici une revue des différents moyens de contraception, des plus anciens et dits « naturels » aux plus modernes et hormonaux, certains très efficaces, d'autres moins.

LE RETRAIT

La méthode consiste à interrompre le rapport avant l'émission du sperme (ou éjaculation). Cette méthode n'est pas adaptée lorsqu'il y a des rapports successifs et elle est peu fiable.

LA MÉTHODE DE LA TEMPÉRATURE

La courbe de température permet de connaître la date de l'ovulation et les périodes de fécondité (chap 1). Cette contraception est peu fiable après l'accouchement car la période ovulatoire est difficilement repérable avant le retour de couche.

LA MAMA (Méthode de l'Allaitement Maternel et de l'Aménorrhée)

La prolactine secrétée pendant l'allaitement bloque l'ovulation avec certaines conditions :
• vous allaitez exclusivement, sans donner aucun complément, ni d'eau, ni de lait
• le sein est stimulé par la succion du bébé ou par une excrétion au tire-lait au moins 6 fois par 24 heures
• l'espace entre deux tétées ou stimulations ne dépasse jamais 6 heures
• vous n'avez pas eu de retour de couches.

Si vous avez un rapport sexuel et que votre bébé espace ses tétées de plus de 6 heures, ou tète moins de 6 fois dans les 24 heures dans les 5 jours suivants, vous devez stimulez vos seins pour revenir à ce schéma des 6 tétées et moins de 6 heures entre elles : ceci pour empêcher une ovulation de survenir tant que les spermatozoïdes peuvent être encore actifs (environ 5 jours, exceptionnellement une semaine). Si les règles surviennent, prenez une pilule contenant exclusivement de la progestérone (voir plus loin).

Cette méthode de la MAMA est sûre si vous respectez ce principe de 6 tétées, au moins toutes les 6 heures, les 6 premiers mois, sans règles et si, en cas de changement de schéma, vous suivez les précautions mentionnées ci-dessus.

LE PRÉSERVATIF MASCULIN

Ses avantages principaux sont sa totale innocuité (il en existe aujourd'hui sans latex) et sa facilité d'emploi au cours du rapport lui-même. En plus, il diminue fortement le risque de MST (maladies sexuellement transmissibles) Ses inconvénients sont d'être mal accepté par un certain nombre d'hommes et surtout d'entraîner 5 à 8 % d'échecs. Ceux-ci sont exceptionnellement dus à une rupture du préservatif dont la fabrication est soigneusement contrôlée. Les échecs sont plutôt le fait d'une mauvaise utilisation :
• emploi de préservatifs à la seule période présumée féconde du cycle, celle-ci étant mal calculée
• mise en place trop tardive juste avant l'émission du sperme
• retrait trop tardif après l'éjaculation.

Malgré tout, le préservatif reste un bon moyen de contraception. Par ailleurs, on peut augmenter son efficacité par l'utilisation conjointe, par la femme, d'un produit spermicide. Enfin, à cette période des suites de couches, l'usage de préservatifs autolubrifiants peut faciliter des rapports parfois difficiles.

ou en cas de contre-indication aux oestrogènes. Elles sont parfois responsables de saignements irréguliers. Il existe deux types de micropilule avec des dosages différents en progestérone :

• l'une est faiblement dosée (Microval®) : le cycle n'est pas bloqué mais la glaire est modifiée, ce qui empêche les spermatozoïdes de passer le col et la muqueuse utérine ne permet pas la nidation. Le comprimé est actif pendant 27 heures, la prise doit être très régulière, avec moins de 3 heures d'écart d'un jour à l'autre

• Une autre micropilule (Cérazette®) est plus dosée : elle bloque l'ovulation et agit aussi sur la glaire et la muqueuse utérine. Le comprimé est actif pendant 36 heures.

Les plaquettes contiennent toujours 28 comprimés, tous de la même couleur et tous actifs avec le même dosage de progestérone, à prendre sans interruption.

Que faire en cas d'oubli de prise de pilule?

Ou si la diarrhée ou des vomissements surviennent dans les 4 heures suivant la prise.

• Prendre le comprimé oublié (ou le comprimé suivant s'il s'agit d'un problème digestif) le plus tôt possible et vérifier sur le mode d'emploi la marge de sécurité existante. Avec la micropilule faiblement dosée, vous devez avoir moins de 3 heures de décalage. Avec la plupart des autres, vous avez 12 heures. Si vous êtes dans la marge de sécurité, vous reprendrez le comprimé suivant à l'heure habituelle, même si cela vous fait prendre deux comprimés de façon rapprochée.

• Si vous êtes au-delà de la marge de sécurité, et si vous avez eu un rapport dans les 5 jours qui précèdent l'oubli, le risque de grossesse dépend du moment du cycle.

Le risque est important dans ces 3 cas :

- vous oubliez de reprendre le 1er comprimé de la nouvelle plaquette
- l'oubli a lieu dans la 1ere semaine de la nouvelle plaquette
- l'oubli a lieu au début de la 3e semaine de la plaquette

Dans ces cas la pilule du lendemain est nécessaire. Dans toute la mesure du possible consultez le médecin ou la sage-femme.

Il n'y a pas de risque si l'oubli a lieu dans la 2e semaine de plaquette et en fin de 3e semaine :

- si vous étiez dans la 2e semaine, continuez votre plaquette, sans autre oubli et utilisez un autre moyen de contraception (préservatif, diaphragme, spermicides) pendant 7 jours. Au bout de 7 jours, sans oubli, le cycle sera à nouveau bloqué et vous serez à nouveau protégée ;

- si vous étiez en fin de 3e semaine, enchaînez directement avec la plaquette suivante, sans interruption et sans prendre les comprimés inactifs. Les comprimés inactifs n'existent que dans les plaquettes de 25 ou 28 comprimés avec des couleurs différentes.

• Si vous n'avez pas eu de rapport dans les 5 jours qui précèdent l'oubli de la prise de pilule, poursuivez votre plaquette en utilisant un autre moyen de contraception pendant 7 jours.

S'il vous est arrivé plusieurs fois d'oublier de prendre un ou plusieurs comprimés, ce moyen de contraception n'est peut-être pas adapté à votre façon de vivre. Parlez-en au médecin ou à la sage-femme.

MINIPILULE ET MICROPILULE

Vous pouvez avoir des rapports sans risque dès le premier jour de pilule (prise le premier jour des règles). Et vous êtes à l'abri d'une grossesse même pendant les 7 jours d'interruption entre deux plaquettes.

Si vous commencez la pilule après le 21e jour après la naissance, et avant le retour de couches, vous ne serez protégée qu'après 7 jours de prise sans oubli. Si vous avez des rapports pendant cette période des 7 premiers jours, utilisez des préservatifs.

Vous pouvez prendre la pilule pendant plusieurs années à condition de faire pratiquer un examen médical de contrôle au moins une fois par an.

• Certaines pilules sont remboursées, d'autres non. Quelques régions ont mis en place un « pass contraception » qui permet un accès gratuit à la contraception, aux consultations et aux examens biologiques pour les jeunes de moins de 25 ans.

• Le **millepertuis**, utilisé par exemple en phytothérapie, peut diminuer l'efficacité de la pilule.

IMPLANT, PATCH, ANNEAU

L'implant ne contient qu'une seule hormone (la progestérone). Il s'agit d'un bâtonnet (une petite allumette) que l'on implante sous la peau du bras. L'implant reste actif pendant quatre ans et il est efficace à 100 %. Son inconvénient réside dans la possibilité (10 à 20 %) de saignements irréguliers et intempestifs. Comme toutes les contraceptions hormonales, il est préférable de ne poser un implant que quelques semaines après l'accouchement ; mais certains services de maternité acceptent de le poser avant la sortie.

Le patch contraceptif est identique au patch anti-nicotine. Il repose sur le principe d'administration d'hormones (comme la pilule œstroprogestative) mais qui s'absorbent par la peau et non par la bouche. Le patch se pose sur la peau, on le change au bout d'une semaine et cela pendant trois semaines. Ensuite, il y a un arrêt d'une semaine. Il est contre-indiqué pendant l'allaitement.

L'anneau intra-vaginal est placé par la femme dans le vagin et il est laissé en place trois semaines. Il s'enlève pendant une semaine (où surviennent les règles) et il est remplacé par un nouvel anneau après cet arrêt. Lui aussi repose sur la libération d'hormones absorbées par le vagin. Il est efficace, bien toléré et n'empêche pas des traitements locaux si nécessaire (infection vaginale par exemple). Il est contre-indiqué pendant l'allaitement.

• L'oubli du patch dans la 1ère ou la 3ème semaine, l'oubli de l'anneau dans la 1ère semaine, comportent les mêmes risques de grossesse qu'un oubli de pilule à ces périodes (voyez page précédente).

LES CONTRE-INDICATIONS À LA CONTRACEPTION HORMONALE

• Pour les produits contenant des œstroprogestatifs

- Le risque vasculaire : si vous avez déjà eu une phlébite, si vous êtes porteuse d'une anomalie génétique responsable d'une maladie thromboembolique ; l'hypercholestérolémie et l'obésité. Le tabagisme aggrave le risque vasculaire, surtout après 35 ans.

- Avant et après une intervention chirurgicale imposant un repos allongé

- Certaines cardiopathies, l'hypertension, le diabète, selon son stade d'évolution

- Certains traitements.

• Les produits ne contenant que de la progestérone faiblement dosée ne sont pas contre-indiqués en cas de risque vasculaires ou de diabète, mais le sont en cas de maladie de foie (hépatite en cours, par exemple) ; ou en cas de certaines tumeurs actuelles du sein ou de l'ovaire.

QUE SE PASSE-T-IL À L'ARRÊT DE LA CONTRACEPTION HORMONALE ?

Le premier cycle qui suit l'arrêt de la contraception hormonale est souvent un peu plus long avec une ovulation retardée. Si vous ne souhaitez pas être enceinte, prenez d'autres précautions que les précautions habituelles. Ce sont d'ailleurs les troubles de l'ovulation avec risques de grossesse qui sont à l'origine d'une légende : la femme serait plus féconde après arrêt de la pilule. Ce qui est inexact. On conseille généralement d'attendre deux cycles pour que l'appareil génital reprenne son fonctionnement normal mais aucune anomalie n'a été constatée quand la grossesse survient dès l'arrêt de la pilule.

La pilule du lendemain ou contraception d'urgence

La marque la plus utilisée en France (délivrée sans ordonnance) se prend sous forme d'un comprimé. Au-delà de 72 heures suivant un rapport non protégé, la pilule est inefficace. Il existe une autre contraception d'urgence, uniquement sur prescription médicale, inefficace au-delà de 5 jours. Quelle que soit la pilule utilisée, les effets secondaires sont souvent importants : nausées, vomissements, douleurs abdominales et saignements plus ou moins abondants pouvant faire croire que les règles surviennent. Il est préférable de faire un test sanguin de grossesse une semaine après le rapport. La pilule du lendemain n'est pas efficace à 100 %. Plus elle est prise tôt, moins il y a de risque que la grossesse se développe.

LA STÉRILISATION : UNE CONTRACEPTION DÉFINITIVE

La stérilisation à visée contraceptive est autorisée. Un délai de réflexion de 4 mois, avant la stérilisation, est obligatoire. Parmi les procédés de stérilisation, la technique Essure® est la plus utilisée depuis quelques années. Il s'agit d'un procédé de stérilisation par voie hystéroscopique, qui consiste à déposer des microimplants à l'entrée des trompes de Fallope. Cette technique se pratique en milieu hospitalier, public ou privé, et en ambulatoire (entrée et sortie le même jour), sans anesthésie générale et elle ne nécessite pas d'incision, donc pas de cicatrice.

En effet, le principe du procédé Essure® est le même que celui de la ligature des trompes : boucher les trompes pour empêcher la fécondation de l'ovule par un spermatozoïde. Mais au lieu d'accéder aux trompes en pratiquant une coelioscopie (p. 239), le médecin passe par les voies naturelles : le vagin, puis l'utérus, d'où le nom de stérilisation « hystéroscopique » (voir dans l'utérus). L'intervention ne dure pas plus d'une demi-heure et ne nécessite pas d'arrêt de travail au-delà d'une journée. Elle est prise en charge à 100 %. La contraception est alors définitive car le procédé est irréversible.

EN CONCLUSION

Vous l'avez vu, chaque méthode de contraception a des avantages et des inconvénients, et votre choix sera la conséquence d'un compromis. Le médecin ou la sage-femme vous conseillera et vérifiera s'il existe d'éventuelles contre-indications.

En fait, dans de nombreux cas, ce qui rend le choix difficile, c'est moins l'hésitation entre les avantages et les inconvénients des différents moyens de contraception qu'une certaine réticence à la contraception elle-même. Les causes de cette résistance sont nombreuses et complexes : crainte de la nocivité d'une ingestion régulière d'hormones, présence d'un « corps étranger » dans l'utérus, sentiment de culpabilité devant la possibilité d'avoir une vie sexuelle sans risque, convictions religieuses. Ces réticences existent chez toutes les femmes, à des degrés divers. C'est important d'en prendre conscience car ce sont ces réticences qui expliquent la plupart des échecs de la contraception. Ils tiennent, en effet, moins aux limites de telle ou telle méthode qu'à sa mauvaise utilisation. C'est ainsi que les grossesses survenues alors que la femme prend la pilule sont le plus souvent dues à un oubli (plus ou moins volontaire) ou à un arrêt de sa prise, par lassitude notamment. On voit alors que la question n'est pas celle de la meilleure méthode de contraception mais plutôt celle du degré d'adhésion de la femme et du couple.

À bientôt

Chère lectrice, cher lecteur, pendant neuf mois nous avons partagé avec vous cette merveilleuse aventure de la grossesse. Cette période si particulière de la vie d'une femme, d'un homme, est exceptionnelle, surtout lorsqu'il s'agit du premier enfant. Vos lettres, écrites avec chaleur et confiance, nous le disent tous les jours.

Maintenant votre bébé est né. Nous espérons vous retrouver autour de *J'élève mon enfant*, un livre écrit pour vous accompagner dans les premières années de la vie de votre enfant, pour vous parler de lui, semaine après semaine, pour faire avec vous sa connaissance, vous raconter ses possibilités. Vous les découvrirez, bien sûr, mais elles ne sont pas toujours apparentes, à telle enseigne que certaines n'ont été perçues que ces dernières années : votre enfant va reconnaître des sons qui lui étaient déjà familiers dans son monde utérin, votre voix, celle de son père, le bruit de la clé dans la serrure. Il s'était habitué à vos pas, au mouvement de votre corps montant l'escalier. Il va maintenant retrouver ces bruits, ces gestes, ce balancement, en étant dans vos bras.

Votre bébé va être dépendant de vous, dans tous les domaines, pendant de nombreux mois, et cette totale dépendance va vous bouleverser, vous attendrir et vous lier plus vite, plus fort que vous ne l'auriez imaginé. Et dans le même temps, il va témoigner d'étonnantes « compétences » à s'éveiller au monde et aux relations avec son entourage. Alors, nous vous laissons à votre joie, à votre bébé, à vos découvertes réciproques.

Au revoir et à bientôt !

17

Mémento pratique

Vous attendez un enfant
Les premières démarches,
les premières questions pratiques

C'est à toutes ces questions et à bien d'autres que nous allons répondre dans ce chapitre dont voici les principales rubriques :

● Un prénom bien choisi. Est-on libre de choisir n'importe quel prénom pour son enfant ?
Quels sont les prénoms le plus souvent donnés aujourd'hui ? (pp. 417-418).

● Qu'emporter à la maternité ? (p. 419).

● Ce dont votre bébé aura besoin. Composition de la layette. Choisir le berceau, le lit, le landau.
Les produits nécessaires pour la toilette. (p. 420 et suiv.).

● Vous êtes enceinte : les démarches administratives et les formalités (p. 425).

● L'assurance maternité : comment en bénéficier ? La déclaration de grossesse et les visites médicales obligatoires. Le remboursement des frais de soins (pp. 426 et suiv.).

● À savoir si vous travaillez (p. 430).

● Les congés avant et après la naissance : congé de maternité, de paternité, d'adoption, le régime des exploitantes agricoles et des femmes exerçant une activité indépendante (pp. 432 et suiv.).

● Les formalités après la naissance (p. 436).

● Qui va garder votre enfant ? Assistantes maternelles, crèches, autres modes de garde (pp. 438 et suiv.).

● Si vous êtes seule (p. 442).

● La PMI joue un rôle important auprès des futurs parents et des parents (p. 443).

● Des informations juridiques : filiation et reconnaissance de l'enfant, nom de famille. Mariés ? Non mariés ?
L'autorité parentale. En cas de séparation des parents. L'accouchement anonyme (pp. 444 et suiv.).

● Les prestations familiales (pp. 451 et suiv.).

● Quelques adresses (p. 459).

● Les lectrices et les lecteurs belges , luxembourgeois et suisses, ceux habitant au Québec et dans les pays du Maghreb trouveront pages 461 et suivantes des renseignements sur la protection de la maternité dans leur pays.

UN PRÉNOM BIEN CHOISI

Bien avant la naissance, le choix du prénom est un sujet très discuté dans les couples. Certains parents font des listes, il y en a qui se décident rapidement, d'autres hésitent jusqu'au dernier moment. D'ailleurs, qu'ils connaissent ou non le sexe de leur bébé, certains parents préfèrent avoir un choix de plusieurs prénoms pour donner à leur enfant celui qui lui ira le mieux lorsqu'ils le verront. C'est une bonne idée !

Le choix n'est jamais neutre

« Pourquoi m'as-tu donné ce prénom ? » C'est une question qu'un jour ou l'autre tout enfant pose. Certains parents pourront répondre aussitôt : « C'était le prénom de ta grand-mère, ou de ton oncle » ; ou bien : « Depuis toujours, je souhaitais prénommer ma fille aînée Caroline ». D'autres parents hésiteront un peu : « Cela nous est venu comme ça ; Nicolas (ou Marie) nous plaisait. » Et puis, en y réfléchissant, ils se souviendront peut-être avoir vu, un peu avant la naissance, un beau bébé qui se prénommait Nicolas ou Marie.

Ce choix peut avoir un rapport direct avec l'histoire familiale ou personnelle, c'est le cas des exemples précédents. Le choix peut aussi correspondre à des convictions religieuses, à des préoccupations philosophiques, littéraires et même politiques. Les familles catholiques choisissent souvent des prénoms du Nouveau Testament : Pierre, Paul, Jacques, Marie, Anne. Les familles juives choisissent des prénoms tirés de l'Ancien Testament : David, Simon, Sarah, Jérémie, Samuel ou Isaac, comme aussi beaucoup de familles protestantes. Il faut d'ailleurs remarquer que les prénoms tirés de la Bible connaissent une certaine vogue.

La Révolution avait vu naître des Liberté, des Égalité, des Kléber, des Marceau, la guerre de 14 des Fochette, des Joffrette, et même des Verdun pour les garçons !

La vogue de l'écologie a mis à l'honneur les noms de fruits ou de fleurs et l'attachement à une région (Corse, Bretagne, etc.) voit naître des petits Colomban et des petites Iseult.

• Lorsque vous chercherez un prénom pour votre bébé, vous aurez le choix parmi les 2 000 prénoms simples couramment employés et les infinies combinaisons qu'offrent les prénoms composés. Et pourtant sachez que, malgré cette abondance, quel que soit le moment considéré, seuls dix prénoms (pour chaque sexe) désignent entre un quart et un tiers des nouveau-nés, et que vingt ans plus tard, aucun de ces prénoms ne sera plus à la mode !

• Aujourd'hui le prénom est de plus en plus utilisé dans les rapports sociaux. À peine a-t-on fait connaissance, qu'on l'utilise.

• Les prénoms d'aujourd'hui répondent de plus en plus à un souci d'originalité. Mais ce prénom, original ou classique, l'enfant va le porter toute sa vie (à moins qu'il ne décide d'en changer et il lui faudra alors des raisons très sérieuses). Peut-il avoir une influence sur la personnalité de l'enfant et ses relations avec les autres ? Certainement, c'est pourquoi il importe d'y réfléchir avant, et de ne pas être pris de court à la naissance au point d'accepter, comme cela s'est vu, le premier prénom que le médecin vous suggérera. Ce prénom, votre enfant devra le prononcer et l'entendre des milliers de fois à l'école, et plus tard.

• Le prénom est une sorte de cadeau que les parents font à l'enfant à sa naissance (les Anglais d'ailleurs disent « *given name* », nom donné) et ce cadeau, il faut que les parents aient vraiment plaisir à l'offrir. Mais on ne choisit bien quelque chose qu'en le soupesant et en le comparant. Alors n'hésitez pas à en parler d'abord entre vous, puis autour de vous, avant d'arrêter définitivement votre choix.

Mais souvent, c'est la première idée, la vôtre, qui vous semblera la meilleure. Après avoir recueilli les avis des autres, faites confiance à votre propre jugement.

● Un ou plusieurs prénoms ?

C'est une question de tradition et de pays. Il y a des familles où l'on donne trois prénoms, même quatre, ou plus, et d'autres un seul. Le choix est souvent affectif, on est heureux de rappeler les prénoms des grands-parents, ou parfois amical, on donne le prénom de sa meilleure amie. Si les parents sont de nationalités différentes, cela permet de nommer l'une et l'autre. Enfin, avoir plusieurs prénoms permet, le cas échéant, arrivé à l'âge adulte, de choisir son deuxième ou troisième prénom comme prénom usuel, ce qui peut se faire sans qu'aucune formalité soit nécessaire.

Le choix et la loi

● **Tous les prénoms sont-ils admissibles ?**

Nous sommes loin de l'époque où seuls étaient autorisés les prénoms du calendrier, et où les prénoms d'origine étrangère n'étaient admis qu'à condition de justifier d'une origine familiale.

La loi du 8 janvier 1993 laisse une grande liberté dans le choix du prénom. Les officiers d'état civil ne doivent saisir le procureur de la République que s'ils estiment que le prénom choisi risque d'être ridicule pour l'enfant, soit à lui seul, soit associé aux autres prénoms ou au nom de famille. Le procureur pourra alors transmettre le dossier au juge aux affaires familiales qui a le pouvoir de supprimer le prénom et même de le remplacer d'office si les parents ne le font pas.

Vous voyez qu'à ce tout premier stade de la vie de l'enfant, c'est déjà son intérêt propre qui est pris en considération et non la volonté des parents. Cet « intérêt de l'enfant », notion protectrice fondamentale de notre droit, sera privilégié jusqu'à sa majorité.

● **L'enfant pourra-t-il faire modifier son prénom ?**

Une requête au tribunal de grande instance, devant un juge aux affaires familiales, est toujours envisageable lorsque le prénom usuel est tombé en désuétude, ou lorsqu'un prénom étranger a été simplifié ou francisé, ou plus généralement lorsque l'on justifie d'un intérêt légitime. Il convient cependant de prouver l'usage prolongé du prénom que l'on désire alors adopter.

● Il peut arriver que l'administration de la maternité commette une erreur en inscrivant le prénom de l'enfant à sa naissance. La demande de rectification doit être faite auprès du procureur de la République, mais ne nécessite pas d'action judiciaire.

Ce que disent nos sondages

Nous avons fait des sondages pour savoir quels étaient en ce moment les prénoms le plus souvent choisis. Voici les résultats. La tendance est aux prénoms courts (deux syllabes, parfois une), se terminant par « a » chez les filles (Eva, Anna) et par « o » chez les garçons (Hugo, Enzo). Les prénoms composés deviennent rares.

● **Prénoms souvent donnés**

Pour les filles : Alicia, Anaïs, Anouk, Aurélie, Célia, Chloé, Clara, Emma, Eva, Flavie, Inès, Jade, Léa, Léna, Line, Lisa, Lola, Lou, Lucie, Maeva, Margaux, Manon, Marie, Océane, Pauline, Sarah.

Pour les garçons : Alexandre, Axel, Antoine, Baptiste, Benjamin, Clément, Enzo, Hugo, Léo, Louis, Lucas, Martin, Mathis, Maxime, Nathan, Nicolas, Olivier, Raphaël, Romain, Theo, Thomas, Tom.

● **Prénoms d'hier qui sont de nouveau à la mode**

Adèle, Angèle, Blanche, Céleste, Charlotte, Clémence, Garance, Héloïse, Jeanne, Joséphine, Justine, Léopoldine, Mathilde, Mélanie, Rosalie, Ursule.

Adrien, Anatole, Antonin, Armand, Arthur, Auguste, Augustin, Balthazar, Casimir, Eloi, Emile, Eugène, Gabriel, Gaspard, Jules, Lucien, Marius, Max, Oscar, Paul, Victor.

● **Quelques prénoms mixtes :** Alix, Alex, Ange, Camille, Charlie, Clarence, Loïs, Maé, Mael, Noa, Noha

● **Quelques prénoms composés :** Anna-Charlotte, Anna-Lise, Marie-Amélie, Marie-Lou, Lou-Anne, Lisa-Marie ; Jean-Baptiste, Léo-Paul, Marc-Antoine, Pierre-Antoine, Pierre-Louis.

● **Prénoms d'héroïnes ou de héros de la littérature**

Alice, Bérénice, Cassandre, Élise, Eugénie, Fanny, Juliette, Ninon, Ophélie, Oriane, Pénélope, Roxane ; Achille, Hippolyte, Julien, Quentin, Robinson, Solal, Tristan, Ulysse, Virgile.

● **Prénoms venus d'ailleurs**

d'Espagne et d'Italie : Angela, Anna, Carla, Chiara, Laetitia, Lina, Lucia, Luna, Maia, Maria, Olivia ; César, Côme, Cristobal, Diego, Esteban, Lucca, Marco, Mateo ou Matteo, Nino, Paolo.

des pays slaves et de Grèce : Anastasia, Elena, Elsa, Helenka, Ludmilla, Nadia, Natacha, Sofia, Sonia, Sophie, Tatiana, Tania, Zoé ; Alexandre, Boris, Constantin, Cyrille, Dimitri, Sacha, Stanislas, Vladimir, Yannis.

du Maghreb : Anissa, Khadija, Leila, Malika, Nour, Norah, Rachida, Yasmina ; Ali, Amine, Amir, Karim, Medhi, Mohamed, Omar, Rachid, Samir, Sofiane, Yacine.

d'autres pays : Audrey, Emmy, Fiona, Jennifer, Gabriela, Linda, Leslie, Melissa ; Alistair, Allan, Bryan, Eliott, Ethan, Florian, Ilan, Jason, Joris, Kévin, Ryan.

Formes anglaises de prénoms français : Alison, Laureen,

Priscilla, Tiffany ; Christopher, Geoffrey, Grégory, Jérémy, Michaël, Steven.

● **Prénoms bretons** : Anaëlle, Enora, Gwenola, Maëlle, Morgane, Nolwenn, Romane, Solenn, Tiphaine ; Alan, Corentin, Elouan, Erwan, Gwendal, Killian, Loïc, Maël, Malo, Tanguy, Titouan, Yann.

● **Prénoms de la Bible** : Esther, Ève, Judith, Marthe, Myriam, Rachel, Rebecca, Salomé, Sarah ; Adam, Daniel,

David, Élie, Jonas, Jonathan, Joseph, Joshua, Lazare, Luc, Marc, Nathanaël, Noé, Samuel, Simon, Timothée, Zacharie.

● **Prénoms de fleurs** : Anémone, Camélia, Capucine, Églantine, Fleur (Flore), Hortense, Hyacinthe, Iris, Jasmine, Lilas, Marjolaine, Marguerite, Rose, Valeriane, Violette.

● **Prénoms de fruits** : Cerise, Clémentine, Myrtille, Prune.

● Sur le **nom de famille**, voyez page 445.

QU'EMPORTER À LA MATERNITÉ ?

La tradition dans les maternités des hôpitaux voulait que le trousseau pour la mère et pour le bébé soit fourni par l'établissement. Cette habitude se perd. Comme les cliniques, les hôpitaux donnent presque toujours des listes de vêtements à apporter. Renseignez-vous à ce propos au moment de l'inscription. Si vous n'avez pas de liste précise, voici ce que nous vous conseillons de mettre dans votre valise et dans celle de bébé. Pensez à les préparer un mois avant la date prévue pour la naissance.

Votre valise

● Pour l'accouchement
• 1 chemise de nuit, 1 grand tee-shirt ou 1 veste de pyjama : vous mettrez ce vêtement à votre arrivée à la maternité et vous le garderez pendant l'accouchement, il ne faut pas que vous regrettiez de le voir taché avec un désinfectant.
• 1 gilet, 1 paire de chaussettes à mettre éventuellement pendant le « travail ».
• 1 brumisateur pour vous rafraîchir le visage.
• De la lecture, de la musique, pour le cas où l'accouchement serait un peu long.

● Pour le séjour à la maternité
• 2 pyjamas, tee-shirts ou chemises de nuit. Si vous allaitez votre enfant, prenez-les faciles à ouvrir devant ou assez larges pour les soulever et installer votre bébé dessous
• des soutiens-gorge s'ouvrant également devant ou assez larges pour pouvoir les soulever
• des petites compresses (en gaze) que vous mettrez dans votre soutien-gorge pour protéger vos bouts de seins, ou des coussinets ou des mouchoirs en coton
• des vêtements confortables si vous ne souhaitez pas rester en pyjama ou chemise de nuit pendant la journée
• des slips jetables
• des protections hygiéniques
• 1 peignoir et des pantoufles
• vos objets de toilette
• des mouchoirs, des serviettes de toilette.

À cette liste classique, vous pouvez ajouter :
• 1 taie d'oreiller colorée qui donnera meilleure mine à Maman et Bébé pour les photos.
• des petits coussins pour être plus confortable.
• quelques-uns de vos aliments préférés : tisane ou thé, pruneaux…
• 1 châle léger vous rendra de grands services, surtout si vous souhaitez allaiter dans la discrétion.

Mais n'emportez pas de bijoux. Et rangez et surveillez vos objets personnels (ordinateur, carte bancaire, chéquier, etc.). Ne gardez que ce qui est indispensable.

N'oubliez pas un appareil photo ; si vous avez une caméra, prenez-la également : votre enfant aura ainsi des souvenirs audiovisuels de ses premiers jours, ce qui l'amusera beaucoup.

Mettez également dans votre valise une enveloppe contenant : votre carnet de maternité ou de surveillance médicale, votre livret de famille (nécessaire pour la déclaration de naissance) ou, à défaut, une pièce d'identité, le reçu du paiement que vous avez effectué pour vous inscrire à la clinique, votre carte de groupe sanguin, de quoi lire et écrire.

Enfin, si vous avez l'intention de tenir un cahier où vous inscrirez au jour le jour les renseignements concernant la santé, le développement et le régime de votre enfant, emportez-le pour noter les événements des premiers jours,

La valise de votre bébé

● **Pour la naissance**
• 1 body en coton
• 1 brassière ou 1 gilet chaud
• 1 pyjama
• 1 paire de chaussettes ou chaussons
• 1 serviette éponge
• 1 petite couverture chaude
• 1 bonnet : dès la naissance, on le met au bébé pendant quelques heures.

● **Pour le séjour à la maternité**
• 4 ou 5 bodys ou brassières en coton
• 4 pyjamas
• 1 brassière en laine ou 1 gilet

• 2 ou 3 paires de chaussettes ou chaussons
• 4 à 6 couches en coton
• 2 serviettes de toilette.

● **Pour la sortie**
• 1 bonnet
• 1 nid d'ange ou 1 petit sac de couchage, il vous servira ensuite pour les sorties de bébé. Le nid d'ange se présente comme un sac, avec une fermeture éclair, qui sert à bien emmitoufler le nouveau-né : il s'y trouve comme dans un petit nid.

Le plus souvent les couches sont fournies par la maternité, mais renseignez-vous avant de faire la valise de bébé.

CE DONT VOTRE BÉBÉ AURA BESOIN

Si c'est la première fois que vous avez un enfant, qu'autour de vous, dans la famille, il n'y en a pas encore, il est possible que vous ne sachiez pas ce dont il aura besoin comme vêtements, pour sa toilette, etc. Voici une liste complète. Et si, au départ, vous ne voulez pas consacrer un vrai budget au trousseau de bébé, vous allez voir qu'en faisant le tour de vos amies et de la famille, votre enfant sera quasiment vêtu, couché, promené, au moins les premiers mois, sans achats.

La layette de votre bébé

C'est de la layette qu'il faudra vous occuper d'abord, car c'est elle qui doit être prête en premier lieu. Si votre enfant arrivait plus tôt que prévu, vous auriez toujours le temps de vous procurer le landau, dont il ne se servira que plusieurs semaines après sa naissance, ou le berceau, dont il n'aura besoin qu'au retour de la maternité. Mais, dès la première heure, il faudra l'habiller.

● **Au début, votre enfant va grandir et grossir très vite**
Et c'est parce que le poids et la taille d'un enfant changent si vite, que l'on divise les six premiers mois en trois tailles : 1 mois, 3 mois et 6 mois.

Pour faire vos achats, tenez donc bien compte de la croissance de votre enfant et n'achetez pas trop à l'avance pour ne pas risquer de vous retrouver avec des vêtements devenus vite trop petits.

Certaines marques proposent une taille « naissance ».

Cette taille peut être bien adaptée à certains bébés, par exemple à des jumeaux qui sont souvent de petits poids. Mais cette taille « naissance » risque de ne pas servir longtemps à un bébé de poids moyen. Pour lui, il vaut mieux prévoir la taille « 1 mois ».

Quant aux **bébés prématurés**, on trouve dans les magasins de puériculture toute une layette adaptée à leur poids et à leur taille.

● **Voici la layette de base.**
Vous y ajouterez des couches. Et vous l'adapterez à la saison où naîtra l'enfant et à la région que vous habitez.

Vous pouvez compléter cette layette par un petit peignoir de bain, avec capuchon pour essuyer la tête du bébé. Et pour les sorties, un **nid d'ange** (petit sac avec capuche) ou une **combinaison-pilote** seront pratiques car ils enveloppent bien le bébé.

La layette de base	1 mois	3 mois	6 mois
Bodys en coton	6 5	6	6
Brassière de laine	1		
Pyjamas	4 3	4 2	4
Surpyjamas ou turbulettes	1	2	2
Combinaisons	4	4	4
Robes ou salopettes		2	2
Cardigans en laine ou vestes en laine	1	1	1
Cardigans en coton (molletonné)	1	1	1
Chaussons ou chaussettes	4	4	4
Serviettes (pour les repas)	3	3	3
Bonnet	1	1	1

Le **body** est devenu l'incontournable de la layette du bébé : à manches longues ou courtes, façon débardeur ou à fines bretelles, blanc ou coloré, rayé ou à motifs, il devient un vêtement à lui tout seul lorsqu'il fait chaud. Toujours en coton, il est agréable à porter et couvre bien le ventre. On peut utiliser les bodys dès la naissance car certains se croisent et se ferment par des petits liens ou des pressions : on n'a pas à les enfiler par la tête, ce que n'aime pas un nouveau-né.

La **turbulette**, ou gigoteuse, est un petit sac de couchage avec emmanchures et s'enfile sur le pyjama. Elle remplace la couette, déconseillée chez le bébé. Vous la choisirez plus ou moins épaisse, selon la saison. Le **surpyjama** est un peu plus chaud que la turbulette puisqu'il a des manches.

La **combinaison**, avec entrejambe à pressions qui facilite le change, est pratique en toute saison : avec ou sans manches, version longue ou courte, en coton léger ou plus épais. Elle peut être remplacée par un pantalon ou une jupe et une blouse, une barboteuse, une robe et un caleçon, etc.

● **Ce que vous pourrez faire vous-même**
Presque tout si vous aimez coudre, tricoter et si vous avez du temps : robes, salopettes, peignoir de bain, draps ; et tout ce qui est en laine : brassières, vestes, chaussons, bonnets, etc. Vous trouverez des modèles dans les albums de layette, ou dans les magazines féminins.

Le berceau, le lit

Pour coucher votre enfant, vous aurez le choix entre le classique berceau, que vous achèterez tout garni ou que vous garnirez vous-même et un vrai petit lit en bois ou en rotin.

Si vous n'avez pas déjà un lit ou un berceau et que vous hésitiez à acheter l'un plutôt que l'autre, nous vous conseillons le lit. Dans un berceau, un enfant ne peut dormir que quelques mois ; dans un lit, il peut rester jusqu'à 2-3 ans ; mais si vous avez la possibilité qu'on vous prête un berceau, ne le refusez pas ! De tout temps, les berceaux ont bercé les bébés, et cela leur plaît beaucoup.

Une solution intermédiaire : le lit en toile monté sur tube métallique, qui est économique, facile à transporter, mais qui sert moins longtemps.

Quelle que soit la solution que vous adoptiez, choisissez un lit ou un berceau qui soit :
• d'un entretien aisé. S'il est en bois laqué, vous le savonnerez facilement. S'il est entièrement garni de tissu, il faut que la garniture soit détachable et facile à laver ;
• stable, et répondant à toutes les normes de sécurité.

Si le lit a des barreaux, l'espace entre ceux-ci doit être compris entre 45 et 65 mm (c'est la norme européenne).

Et si vous décidez d'avoir tout de suite un vrai lit, achetez-le avec de hauts barreaux (lit anglais) : c'est le lit classique, toujours pratique.

Comment coucher votre bébé ? Toujours sur le dos.

La literie

Dans les lits d'enfants, il n'y a pas de sommier, le matelas est posé directement sur un simple châssis de bois.

• Choisissez un **matelas ferme, bien adapté aux dimensions du lit** (pour éviter le risque que le bébé se coince entre le matelas et la paroi du lit).

Pour protéger le matelas, il y a deux solutions : l'alèze molletonnée en coton imperméabilisé, douce, pratique, qui est très confortable et qui peut bouillir, ou l'alèze en caoutchouc, que l'on recouvre d'un molleton et d'un drap de dessous.

• Ne mettez **pas d'oreiller** (le bébé risquerait d'y enfouir son nez)

• **Ni de couverture ou de couette** (le bébé pourrait glisser dessous).

Pour couvrir votre bébé, vous lui mettrez une turbulette ou une gigoteuse (petit sac de couchage avec emmanchures à enfiler par-dessus le pyjama), ou un surpyjama.

• Vous pouvez prévoir quelques couches en tissu : le bébé a de fréquentes régurgitations ; et une couche (pliée en deux) placée sous sa tête, sera plus facile à changer plusieurs fois par jour que le drap de dessous. Certaines maternités demandent d'ailleurs d'apporter, pour cet usage, des couches en tissu.

• Si votre enfant doit naître en été, prévoyez une **moustiquaire**.

Sa chambre

Que vous ayez la possibilité de transformer une pièce de votre appartement en chambre d'enfant, ou que vous consacriez à votre enfant un coin dans une pièce, il faut que vous pensiez suffisamment tôt à installer l'un ou l'autre. Si vous avez des peintures à y faire, il faut leur laisser le temps de bien sécher. Si vous avez acheté de nouveaux meubles, installez-les bien avant la naissance. La peinture et les meubles peuvent dégager des substances toxiques pour le bébé. Il est raisonnable de terminer les travaux de rénovation et d'aménagement plusieurs semaines avant la naissance et d'aérer le plus souvent possible avant l'arrivée du bébé.

Pensez à l'âge où votre enfant sortira de son parc, se traînera à quatre pattes ou commencera à marcher : pour qu'il puisse le faire sans crainte et sans trop de dégâts, il faut que les angles de vos meubles ne soient pas trop aigus, les murs pas trop fragiles, les rideaux non plus, autant dire que dans la chambre tout doit être solide, lavable, sans danger, pratique et propre ! Pas toujours facile, mais voici quelques suggestions.

En installant la chambre de votre enfant pensez dès maintenant à déplacer les prises de courant placées trop bas. Les enfants touchent toujours les prises quand elles sont à portée de leurs mains. Pour être hors d'atteinte, elles doivent se trouver à 1,50 m du sol. Il existe des prises de courant dans lesquelles les enfants ne peuvent pas enfoncer les doigts.

Pour prévenir des réactions allergiques, surtout s'il y a une prédisposition dans la famille, évitez si possible tapis et moquette de laine ; installez plutôt un revêtement lavable ou du parquet.

Le meuble le plus important sera bien entendu le **lit** ou le **berceau**, que vous aurez pris soin de bien choisir puisque votre enfant y passera la plus grande partie de son temps pendant les premiers mois.

● Pour changer votre enfant

Vous avez plusieurs possibilités :

- une **table à langer** ; le modèle le plus simple consiste en un matelas à langer posé sur un support soutenu par des tubes métalliques ; si vous pouvez l'installer près d'un lavabo, ce sera plus pratique pour la toilette de bébé.

- une **commode** : soit spécialement prévue à cet effet (on en trouve dans tous les magasins de puériculture), soit une commode que vous possédez déjà. Les tiroirs serviront à ranger les vêtements de l'enfant. Et, sur le dessus, vous placerez le matelas à langer. Il en existe de nombreux modèles (rembourrés, avec des poches, etc.), dans des coloris variés.

Lorsque votre bébé sera sur la table à langer, **vous aurez toujours une main posée sur lui** : il suffit d'un instant d'inattention pour que le bébé, même tout petit, tombe. C'est une cause fréquente d'accidents.

Pendant les premiers mois, vous n'aurez besoin dans cette chambre que d'un lit et d'un meuble pour changer votre bébé. Mais si vous voulez, dès maintenant, meubler entièrement la chambre, mettez-y un parc, une chaise haute et transformable ou un petit fauteuil inclinable, un coffre à jouets.

Si vous ne disposez pas d'une chambre, réservez dans

une pièce un coin qui sera celui de votre enfant. Vous y réunirez ce dont il a besoin (lit, meuble à langer). Installez ce coin dans la chambre la plus tranquille. Votre enfant aura besoin de calme. Mais, si dans la journée, il doit dormir dans votre chambre, il vaut mieux qu'il n'y reste pas la nuit au-delà des premiers mois. Roulez son lit dans une autre pièce. Votre sommeil et le sien seront meilleurs.

● **Pour la santé et le confort de votre bébé**
Installez-le dans une chambre saine : propre, sèche, régulièrement aérée. Et fraîche : pas plus de 19-20°. C'est aussi une pièce où on ne fume pas. D'ailleurs, on ne doit pas fumer dans un appartement où séjourne l'enfant car on sait que la fumée est nocive pour ceux qui fument mais aussi pour ceux qui les entourent.

Sa nourriture

Si vous n'avez pas l'intention d'allaiter votre enfant, voici le matériel nécessaire :
• des biberons gradués, à large goulot pour faciliter le nettoyage
• des protège-tétines
• des tétines : il en existe différents modèles. Le plus pratique est celui qui comporte une fente, mais vérifiez qu'il s'adapte bien au goulot de vos biberons
• 1 brosse longue appelée goupillon pour nettoyer les biberons
• 1 petit biberon (pour l'eau et plus tard le jus de fruit) sera utile.

Si vous souhaitez stériliser les biberons, vous trouverez dans le commerce toute une gamme de stérilisateurs à tous les prix : électriques, à micro-ondes, à froid.

Vous rendront également service : un chauffe-biberon électrique, un thermos à biberon, un mixer, car il permet en un minimum de temps d'obtenir un maximum de finesse pour les purées, la viande, le poisson, etc.

Il existe un appareil qui cuit à la vapeur, mixe et réchauffe le repas de Bébé. Un peu cher mais très pratique.

Même si vous allaitez votre enfant, prévoyez un biberon une boîte de lait et une bouteille d'eau minérale. Cela vous évitera de vous affoler si un jour vous n'avez pas de lait.

Sa toilette

Pour donner le bain, vous pouvez utiliser soit une baignoire pour bébé (il y a plusieurs modèles), soit simplement un lavabo — mais seulement les premières semaines car le lavabo sera vite trop petit. Pour éviter d'avoir mal au dos lorsque vous donnez le bain, au lieu de mettre la baignoire de bébé au fond de la grande baignoire, placez une planche suffisamment large en travers de la grande baignoire, et posez la baignoire de bébé sur cette planche.

En plus de la baignoire, vous pouvez avoir une petite cuvette double en matière plastique pour laver votre bébé lorsque vous le changerez.

Vous aurez besoin en outre pour sa toilette des objets et produits suivants :
• Savon en gel ou pain, sans parfum ni colorant. Vous pouvez utiliser le même produit pour le corps et le visage. Pour les premiers mois, choisissez plutôt un produit spécial pour nourrissons (en pharmacie ou parapharmacie). En cas de peau particulièrement sèche ou sensible, il existe des gels et pains sans savon.
• Pommade pour le siège
• Chlorexidine aqueuse (antiseptique pour nettoyer le cordon)
• Sérum physiologique

• Crème hydratante sans parfum
• Coton
• Les lingettes sont pratiques pour la toilette du siège de bébé lorsque vous vous déplacez. À la maison, utilisez plutôt l'eau et le savon ; certains bébés ont facilement de l'érythème fessier lorsque les lingettes sont utilisées souvent.
• L'huile d'amandes douces est aujourd'hui déconseillée à cause du risque d'allergie. Si besoin, mettez à votre bébé un peu de crème hydratante.
• D'une façon générale, évitez d'utiliser pour la peau de votre bébé des produits qui ne sont pas testés dermatologiquement (voyez l'étiquette).
Vous aurez également besoin de :
• Un thermomètre de bain
• Deux ou trois gants de toilette (bien sûr, ne pas utiliser le même gant pour le siège et pour le reste du corps)
• 2 serviettes-éponges suffisamment grandes pour envelopper votre enfant lorsqu'il sort de son bain.
• Une paire de petits ciseaux spéciaux pour couper les ongles.
• Une brosse à cheveux
• Un thermomètre médical (à utiliser si vous trouvez votre bébé grognon ou chaud).

Le landau

Le grand landau classique a disparu de la panoplie de bébé : même s'il était très confortable, il était devenu trop encombrant et peu pratique pour la vie quotidienne. Aujourd'hui, pour faire des courses, aller à l'école chercher l'aîné, prendre l'air au jardin, rendre visite à des amis, passer une journée à l'extérieur, on emmène bébé dans un combiné « landau poussette ». Celui-ci peut être très sophistiqué et faire à la fois « landau-poussette-nacelle-siège-auto ». Il y a aussi des modèles plus simples : une poussette dans laquelle le bébé peut être installé en position allongée au début et qui, par la suite, se transforme en poussette classique.

Un conseil pratique : avant d'acheter un modèle, assurez-vous qu'il tient bien dans le coffre de votre voiture, que vous pouvez facilement le ranger chez vous, et qu'il n'est pas trop encombrant pour pouvoir l'utiliser éventuellement dans les transports en commun.

Voici quelques indications générales sur les landaus et poussettes. Chaque année, il y a des nouveautés et des perfectionnements. C'est vraiment une question de goût et surtout de budget.

● **Et le sac porte-bébé ?**

C'est une solution appréciée des parents. Ils sont heureux, c'est visible, de porter leur bébé sur le ventre, de sentir sa chaleur, de lui communiquer la leur. Et évidemment, c'est la solution à bien des problèmes pratiques de déplacement.

Quant au bébé, il se sent bien également : le contact, on l'a assez dit ici même, est bon pour lui. Être porté ainsi répond aux besoins de proximité, « d'accrochage » du petit bébé ; il retrouve des sensations éprouvées avant la naissance, le balancement, la chaleur du corps et cette continuité le rassure. Lors de votre achat, assurez-vous que votre bébé sera bien blotti contre vous.

On trouve dans le commerce des sacs porte-bébé classiques, et aussi des porte-bébés hamacs, des porte-bébés adaptés au portage sur la hanche, inspirés de ce qui se fait dans d'autres cultures. Certains parents préfèrent porter leur bébé dans une écharpe, ils le trouvent plus à l'aise et mieux maintenu que dans un sac.

Les cadeaux de vos amis

Vous aurez peut-être des amis qui, avant de vous faire un cadeau, vous demanderont ce que vous aimeriez recevoir pour votre enfant. Si vous ne savez que répondre, car vous ne connaissez pas encore bien les besoins d'un bébé, voici quelques suggestions de petits et de plus grands cadeaux.

• Des chaussons ou chaussettes
• Pour mettre les premières photos de bébé, quelques petits cadres, ou un plus grand avec des aimants (pêle-mêle)
• 1 joli livre d'images que vous lui montrerez et qu'il appréciera plus tôt que vous ne pouvez l'imaginer aujourd'hui.
• 1 disque de berceuses : *Les plus belles berceuses du monde* (Mali, Japon, Russie...), avec le texte original et la traduction, un livre + CD (Didier)
• 1 Album-CD (*Chansons de France pour les petits*, Hervé Le Goff, Flammarion) pour retrouver des chansons d'enfance : *À la claire fontaine, Sur le pont d'Avignon...*
• 1 peignoir de bain avec capuchon
• 1 robe de chambre qui sera utile quand l'enfant saura bien marcher (par exemple, taille 2 ans)
• Des jouets : hochet, boîte à musique, mobile...
• 1 petit mixer

• 1 sacoche amovible que vous accrocherez au landau et où vous pourrez mettre tout ce dont un enfant a besoin pour sa promenade
• 1 pyjama
• 1 turbulette
• 1 écharpe pour porter Bébé
• Pour emporter en promenade, un thermos à biberon
• 1 parc et 1 tapis pour le garnir
• 1 tapis d'éveil : bébé l'appréciera dès 4-5 mois
• Pour les voyages en automobile, un petit siège qui s'adapte à la voiture
• 1 chaise haute transformable
• 1 lit pliant pour le voyage, facile à porter grâce à ses anses
• 1 petit siège inclinable qui permettra à votre enfant de passer en douceur de la position couchée à la position assise
• 1 bel album illustré pour noter les petits faits et les grands événements de la vie quotidienne de votre enfant : *L'Album de Bébé*, de Sophie Horay
• Enfin 1 livre bien complet sur votre enfant : soins, alimentation, psychologie, santé, etc. C'est d'ailleurs à votre intention qu'a été écrit *J'élève mon enfant.*

VOUS ÊTES ENCEINTE
Les démarches administratives et les formalités

Consultations, échographies, inscriptions, déclarations ...	
De 1 à 3 mois	1ère consultation obligatoire avant la fin de la 14e semaine Envoyez la déclaration de grossesse à la Sécurité sociale et à la CAF 1ère échographie prise en charge à 70 %
Le plus tôt possible	Inscrivez-vous à la maternité Inscrivez votre bébé à la crèche Prévenez votre employeur (pas de délai imposé)
4e mois	2e consultation obligatoire
5e mois	3e consultation obligatoire 2e échographie prise en charge à 70 % Certaines allocations ou services peuvent être attribués par la CAF (PAJE, aide ménagère) Inscrivez-vous à la préparation à la naissance
6e mois	4e consultation obligatoire Prise en charge à 100 % par la Sécurité sociale de tous les actes et examens en rapport avec la grossesse Commencez à chercher une assistante maternelle
7e mois	5e consultation obligatoire 3e échographie prise en charge à 100 % Versement de la prime à la naissance par la CAF Pour les couples non mariés, une reconnaissance de l'enfant à naître peut être faite
8e mois	6e consultation obligatoire Début du congé de maternité : envoyez à la Sécurité sociale l'attestation d'arrêt de travail Il est possible de reporter 1, 2 ou 3 semaines du congé prénatal sur le congé postnatal Préparez votre valise pour la maternité et celle de bébé : ne pas oublier un justificatif d'identité, votre carnet de maternité, votre carte vitale et d'assurance complémentaire, éventuellement votre livret de famille
9e mois	7e consultation obligatoire

Le détail de ces démarches et formalités est développé dans les pages qui suivent.
Consultez également le tableau *Votre grossesse mois après mois* (pp. 230-231).

L'ASSURANCE MATERNITÉ

L'assurance maternité permet de couvrir une grande partie des frais que va entraîner la naissance d'un enfant

● L'assurance maternité participe à la protection de la mère :

• en lui remboursant les frais médicaux, pharmaceutiques, de laboratoire et d'hospitalisation résultant de la grossesse, de l'accouchement et de ses suites ; ce sont les **prestations en nature**

• en lui accordant un congé de maternité qui peut être assorti, sous conditions, d'indemnités journalières ; ces indemnités constituent les **prestations en espèces**.

● Il existe **cinq régimes** principaux d'assurance maladie-maternité :

• le régime général prend en charge les salariés du commerce et de l'industrie

• la mutualité sociale agricole (MSA) concerne les salariés agricoles

• le régime des exploitants agricoles

• le régime social indépendant (RSI) regroupe les professions libérales, les artisans et commerçants

• les agents publics sont représentés par les fonctionnaires de l'État, des collectivités territoriales et leurs établissements publics.

● Les salariés intérimaires, gens du spectacle, journalistes, saisonniers, auxiliaires médicaux et représentants de commerce ont des conditions particulières de protection sociale. Il existe aussi de nombreux régimes spéciaux (plus de 100), tels que celui des agents de la SNCF ou de la RATP, du ministre des cultes et des congrégations religieuses, des marins, des clercs et des employés de notaire...

Qui peut bénéficier de l'assurance maternité ?

● À titre individuel
• La future mère assurée personnellement
• La femme bénéficiaire de la CMU
• L'étudiante affiliée au régime étudiant
• La femme titulaire d'une pension d'invalidité
• Les assurées volontaires.

● En tant qu'ayant droit
- La conjointe, la partenaire liée par un PACS ou la concubine d'un assuré social
- La femme à charge effective et permanente d'un assuré social avec lequel elle vit depuis au moins 12 mois
- La fille à charge d'un assuré social ou de son conjoint.

● Au titre de la CMU (Couverture maladie universelle)
En l'absence de droit ouvert à quelque titre que se soit, si vous résidez en France de façon stable et régulière depuis plus de 3 mois, vous pouvez bénéficier de la CMU. Elle est gratuite si vos revenus fiscaux sont inférieurs au plafond de 9 164 € par an. Une cotisation au taux de 8 % est demandée pour les revenus dépassant ce plafond.

L'affiliation prend effet le premier jour du mois qui suit la décision d'attribution. Lorsque la situation du demandeur l'exige, l'attribution débute le premier jour du mois du dépôt de la demande. La protection est interrompue si la vérification *a posteriori* montre que la personne ne remplit pas les conditions pour prétendre à la CMU.

La **CMU complémentaire** prend en charge le ticket modérateur. Elle est soumise aux mêmes conditions d'attribution que la CMU de base : conditions de résidence stable et régulière et des ressources fixées pour l'année 2011 à 7 771 € pour une personne seule ou 648 € mensuels.

Les demandes sont à faire au Centre de Sécurité sociale du lieu de résidence de la personne.

Que faire pour bénéficier du remboursement des soins?

● Dès que vous êtes enceinte, vous devez consulter un médecin ou une sage-femme pour passer un examen prénatal afin de **déclarer votre grossesse** avant la fin des 14 premières semaines. Cet examen comporte, en plus de l'examen médical, des analyses de laboratoire, faites à partir d'une prise de sang ; celle-ci doit être effectuée avant cette date. La déclaration est à adresser à votre centre de Sécurité sociale sans qu'il soit nécessaire d'attendre les résultats des analyses.

● Lors de cette première consultation, le praticien (médecin ou sage-femme) précise la date théorique prévue de l'accouchement et vous propose le premier entretien prénatal précoce (p. 211) ; par ailleurs, il vous remet l'imprimé « Vous attendez un enfant » constitué de 3 volets de couleur, 1 rose et 2 bleus, ainsi qu'une feuille de soins de couleur marron.

Le volet rose et la feuille de soins sont à adresser immédiatement à votre caisse d'assurance maladie. L'envoi de ces imprimés atteste que l'examen obligatoire de la déclaration de grossesse, avant la fin des 14 premières semaines, a bien été passé. Votre caisse établit alors votre dossier de maternité et vous retourne soit un carnet de surveillance de maternité, soit une série d'étiquettes.

Le carnet de surveillance se compose de feuillets détachables correspondant aux visites médicales obligatoires, à adresser lorsqu'elles ont été passées à votre caisse pour vous faire rembourser des honoraires du praticien et des frais d'examens.

La série d'étiquettes remplit la même fonction. Lors de chaque visite médicale obligatoire, vous devez coller l'étiquette sur la feuille de soins remise par le praticien et l'adresser à votre centre afin de vous faire rembourser de tous vos frais médicaux.

Les deux volets bleus sont à adresser sans délai à votre caisse d'allocations familiales. Cette dernière vous versera, selon votre situation et si vous effectuez par la suite toutes les visites obligatoires et en temps voulu, les allocations auxquelles vous pouvez prétendre.

Par ailleurs, un **carnet de santé de maternité** est remis à la future mère : il lui appartient et les informations qu'il contient sont couvertes par le secret médical.

● La Caisse d'allocations familiales enverra directement au père un **livret de paternité** lui indiquant ses droits et ses devoirs.

● Sept **visites médicales** sont obligatoires. La première doit être passée avant la fin des 14 premières semaines de grossesse ; la déclaration de grossesse avant cette date conditionne l'envoi de la prime de naissance. Les autres examens seront passés tous les mois à partir du premier jour du 4e mois jusqu'à l'accouchement. Un autre examen médical obligatoire sera passé dans les 8 semaines qui suivent l'accouchement.

● **À noter**. Les examens obligatoires peuvent avoir lieu pendant le temps de travail, les absences qui en découlent sont considérées par le Code du travail comme du travail effectif.

● La **carte de priorité** pour les transports en commun permet d'obtenir une place assise. Elle est à demander à la CAF.

● Pour déclarer et faire suivre votre grossesse, vous pouvez aussi consulter un **service de PMI** (Protection maternelle et infantile) de votre département ; les consultations sont gratuites ; c'est la PMI qui vous enverra votre carnet de santé de maternité qui pourra être complété par les praticiens que vous verrez pendant votre grossesse. Si vous consultez en urgence, les renseignements contenus dans ce carnet feront le lien entre les différents intervenants.

Les examens médicaux peuvent donc être passés chez votre médecin habituel, dans un centre de PMI ou dans tous les établissements de soins agréés (hôpital, clinique, etc.).

Attention aux dates d'envoi des certificats médicaux remis après chaque consultation obligatoire : si vous ne respectez pas les dates, cela peut remettre en cause le versement des prestations familiales.

Quand et comment bénéficier des soins résultant de la grossesse et l'accouchement ?		
Prise en charge	Conditions	Formalités
Dès la 1ère visite de constatation de la grossesse Prise en charge à 100 % des frais engagés à compter du 1er jour du 6e mois de grossesse jusqu'à 12 jours après l'accouchement	1. Être affiliée à un régime de sécurité sociale à titre : personnel, ou d'ayant droit, ou de la CMU 2. Justifier depuis moins d'1 an de : - 60 h de travail salarié au cours d'1 mois civil ou de 30 jours consécutifs ; - ou 120 h au cours de 3 mois civils ou de date à date ; - ou 1 200 h au cours de l'année civile ou de date à date	1. Déclarer sa grossesse avant la fin de la 14e semaine 2. Passer l'ensemble des 7 examens prénataux obligatoires 3. Passer la 8e consultation postnatale obligatoire dans les 2 mois après l'accouchement

● **Examen médical du père**

Le futur père peut également, au cours du 3e mois, subir un examen médical complet qui lui sera remboursé à 100%.

● **À votre sortie de la maternité**

L'établissement dans lequel a eu lieu votre accouchement vous remettra un certificat d'accouchement et un certificat de santé néonatal (1ère visite du nouveau-né) à envoyer à la Sécurité sociale, et éventuellement un certificat destiné à la CAF. Le certificat néonatal de 8 jours contenu dans le carnet de santé de l'enfant est adressé à la PMI par le médecin accoucheur.

Votre Centre de Sécurité sociale vous enverra un calendrier de surveillance de l'enfant, de la naissance à sa 6e année (vous en trouverez les détails dans *J'élève mon enfant*).

À la maternité on vous remettra également un **Carnet de santé** de l'enfant où tout ce qui concerne sa santé sera noté au fur et à mesure de son développement.

● **Dès votre retour chez vous**

La PMI est informée de la naissance au moyen du certificat néonatal de 8 jours qui lui a été adressé par le médecin accoucheur. Votre centre se mettra en rapport avec vous et vous proposera l'aide d'une puéricultrice pour tous les conseils dont vous auriez besoin.

● Sur la PMI, voyez p. 443.

Le remboursement des frais de soins

Le remboursement des soins dépend de votre régime d'assurance maladie, du secteur d'activité de votre médecin et du type d'établissement de soins choisi pour suivre votre grossesse et votre accouchement

La base de remboursement des honoraires médicaux est soumise au secteur auquel appartient le praticien consulté. La différence entre la base de remboursement et le montant du remboursement constitue ce qui est appelé le **ticket modérateur**. Si vous disposez d'une complémentaire santé, celle-ci peut le prendre en charge en partie ou en totalité selon la nature du contrat que vous aurez souscrit.

Soins remboursés par l'assurance maternité					
Statut du praticien	Visites obligatoires	Visites supplémentaires	Échographies	8 séances de préparation à l'accouchement	10 séances de rééducation postnatale
Salarié établissement public	100 %	70 %	70 % jusqu'à la fin du 5e mois 100 % au delà	100 %. Attention toutes les méthodes ne sont pas remboursées	100 %
Salarié PMI	Gratuites	Gratuites			
Libéral Secteur 1	100 %	70 %	70% jusqu'à la fin du 5e mois 100 % au-delà	100%	100 %
Libéral Secteur 2	Dépassement d'honoraires	Dépassement d'honoraires	Dépassement d'honoraires	Dépassement d'honoraires	Dépassement d'honoraires
Libéral Secteur 3	Dépassement d'honoraires important	Dépassement d'honoraires important	Dépassement d'honoraires important	Dépassement d'honoraires important	Dépassement d'honoraires important

● **Les trois secteurs médicaux**

- Le **secteur 1** est constitué des médecins qui adhèrent à la convention de la Sécurité Sociale. Ces médecins sont soumis à des obligations tarifaires fixées par la convention et les remboursements sont effectués sur le tarif de la convention de la Sécurité Sociale. Ils ne peuvent qu'exceptionnellement demander un dépassement d'honoraires.

- Le **secteur 2** comprend les médecins conventionnés dont les honoraires sont fixés librement (HL) ou le dépassement autorisé (DA). Les tarifs de ces praticiens sont supérieurs aux tarifs des médecins du secteur 1, le remboursement des frais s'effectue sur la base du tarif de référence de la

Sécurité Sociale inférieur à celui de la convention.

- Le **secteur 3** comprend les praticiens qui n'ont pas adhéré à la convention et qui ne sont donc pas soumis à l'obligation tarifaire. Le remboursement des frais se fait sur un tarif d'autorité extrêmement faible.

Quel que soit le secteur, les médecins ont une obligation légale d'affichage dans leur lieu de consultation ou d'exercice des tarifs de leurs honoraires. Les dépassements d'honoraires ne sont jamais pris en charge par la Sécurité sociale. Ils peuvent être pris en charge en totalité ou en partie par une assurance complémentaire santé.

Remboursement des frais d'accouchement	
Établissement public Clinique conventionnée	100 % du forfait accouchement – péridurale – frais de séjour
Clinique conventionnée pratiquant des dépassements d'honoraires	Dépassement variable à la charge de l'assuré(e) ou de sa mutuelle
Clinique non conventionnée	80 % du tarif d'autorité de la Sécurité sociale

Remboursement des médicaments et analyses			
Médicaments	Taux de remboursement	Analyses de laboratoire	Taux de remboursement
Vignette orange	15 %	VIH	Secteur 1 : 100 %
Vignette bleue	35 %	Amniocentèse	100 % si accord préalable de la caisse d'assurance maladie
Vignette blanche	65 %	VIH	Secteurs 2 et 3 : dépassement
Vignette blanche barrée	100 %	Amniocentèse	

● **Le dossier médical personnel (DMP)**

Le DMP est une version informatisée du carnet de santé et il est accessible via internet. Il est gratuit, individuel et facultatif, son contenu est alimenté par les professionnels et le patient lui-même. Pour l'obtenir, l'assuré doit faire sa demande auprès d'un professionnel de santé ou d'un hôpital sur présentation de sa carte vitale. Chaque détenteur se voit attribuer un numéro d'identifiant national de santé et un mot de passe. Les informations sont accessibles aux seuls professionnels autorisés par le biais de leur carte professionnelle. Les informations détenues dans le dossier sont sécurisées et le patient peut choisir d'en masquer certaines ou de fermer son dossier à tout moment. L'accès au DMP est interdit à la médecine du travail, aux employeurs, aux assureurs et aux banques.

● Sur les **prestations familiales** (les différentes allocations, comment les obtenir, leur montant, etc.), voyez pp. 451 et suivantes.

À SAVOIR SI VOUS TRAVAILLEZ

Si vous travaillez, un certain nombre de lois et de directives européennes vous protègent et vous aident

● Vous cherchez un emploi

L'employeur ne peut tenir compte de votre état de grossesse pour refuser de vous embaucher. Lors de l'entretien d'embauche (ou en réponse à un questionnaire), vous n'êtes pas tenu de révéler votre état. À l'issue de la visite d'embauche, le médecin du travail n'est pas autorisé à révéler votre grossesse à l'employeur.

Si vous êtes en période d'essai, celle-ci ne peut-être interrompue par l'employeur en raison de votre état de grossesse.

● Quand déclarer sa grossesse à l'employeur ?

Il n'y a pas d'obligation légale de date de déclaration, que se soit au moment de l'embauche (même pour un contrat à durée déterminée), pendant la période d'essai ou pendant la réalisation du contrat de travail. L'obligation existe uniquement avant de partir en congé maternité. Autrement dit, c'est vous qui décidez du moment où vous informez votre employeur, oralement ou par écrit, en précisant la date présumée de l'accouchement.. Mais vous avez intérêt à le dire le plus rapidement possible pour avoir droit à différents avantages (autorisations d'absence, protection contre le licenciement, etc.).

Vous avez également intérêt à prévenir sans tarder le **médecin du travail** pour bénéficier d'une surveillance médicale particulière.

● Peut-on s'absenter pour les consultations ?

La femme salariée a droit à une autorisation d'absence pour se rendre aux examens médicaux obligatoires dans le cadre de la surveillance médicale de la grossesse et des suites de l'accouchement. Ces absences n'entraînent aucune diminution de la rémunération et sont assimilées à des périodes de travail effectif pour le calcul de la durée des congés payés ainsi que pour l'ancienneté.

● Le travail de nuit

Il s'agit de tout travail effectué entre 21 heures et 6 heures du matin. Pendant la durée de la grossesse, l'employeur doit proposer à la salariée qui le demande, ou sur indication écrite du médecin du travail, un reclassement temporaire à un poste de jour. Le changement de poste n'entraîne aucune diminution du salaire.

En cas d'impossibilité de reclassement, le contrat de travail est suspendu et la salariée jouit d'une garantie de rémunération. Elle est composée d'allocations journalières versées par la caisse d'assurance maladie et d'un complément à charge de l'employeur. C'est à la salariée de transmettre à sa caisse, parallèlement à son arrêt de travail, l'attestation d'impossibilité de reclassement au sein de l'entreprise durant sa grossesse. L'allocation versée par la caisse d'assurance maladie n'est pas cumulable avec les indemnités journalières pour congés de maladie, maternité ou accident du travail, le complément d'éducation spéciale accordé pour une cessation d'emploi, l'allocation de présence parentale, ni le complément du libre choix du mode d'activité.

● La protection contre les produits ou agents dangereux

La présence sur le lieu de travail de certains produits ou agents dangereux (agents toxiques pour la reproduction, rayonnements ionisants, virus de la rubéole, etc.) entraîne un changement de poste ou une interdiction d'emploi des femmes enceintes et qui allaitent. Certaines professions sont particulièrement exposées comme le personnel soignant, ou intervenant auprès d'enfants, le personnel vétérinaire, ou les femmes exerçant dans des laboratoires, dans l'industrie chimique, l'imprimerie, la peinture, le pressing ou l'agriculture.

La salariée doit prévenir dès le début de la grossesse son employeur et le médecin du travail.

L'employeur est tenu de lui proposer un reclassement temporaire. Si cela n'est pas possible, le médecin du travail doit être averti par la salariée le plus rapidement possible. Un aménagement de poste ou une mutation doit être recherché avec l'employeur. En cas d'impossibilité, l'incapacité de travail est déclarée et la salariée bénéficiera des indemnités journalières et d'un complément à la charge de l'employeur. Les dispositions similaires à celles concernant le travail de nuit sont applicables (voir plus haut). Pour les femmes dont le maintien au poste de travail reste possible, le rythme et la nature de la surveillance sont de la responsabilité du médecin du travail qui doit veiller au bon état de santé de la femme et à un déroulement satisfaisant de la grossesse.

● Travail debout, port de lourdes charges

Lorsque l'activité professionnelle exige de rester debout, par exemple la vente dans les boutiques ou les magasins, un siège personnel doit être mis à la disposition de la femme enceinte. Les femmes enceintes ne doivent pas porter, traîner ou pousser des charges supérieures à 25 kilos.

● Dérogations d'horaires

La loi ne les prévoit pas. Néanmoins, il existe de nombreuses conventions collectives qui autorisent les femmes enceintes à bénéficier d'une réduction d'horaire pendant la grossesse ou une partie de celle-ci.

● À noter

- Pendant la grossesse, la durée de travail ne peut excéder 10 heures par jour.

- L'employeur ne peut exiger de vous de travailler pendant les deux semaines qui précèdent votre accouchement et les six semaines qui le suivent (voyez toutes les informations sur les repos pré et postnatal pages suivantes).

- Lors de sa reprise d'activité, la salariée doit bénéficier, dans le cadre de la médecine du travail, d'une visite post-congé de maternité dans les 8 jours qui suivent son retour ; c'est une visite différente de la consultation postnatale.

● La salariée, après son congé de maternité, devra retrouver son emploi précédent ou, à défaut, un emploi similaire. Est « similaire » l'emploi qui n'a pas subi de modifications substantielles affectant un élément essentiel du contrat de travail (rémunération, qualification).

● **Pour plus d'informations** sur les risques professionnels pour la femme enceinte, vous pouvez vous adresser aux représentants du personnel, à une organisation syndicale, à la Direction départementale du Travail, de l'Emploi et de la Formation Permanente, ou à l'Agence Nationale pour l'Amélioration des Conditions de Travail (www.anact.fr, 4 Quai des Étroits 69321 Lyon cedex 05 ; Tél. : 33 472 56 13 13 ; Fax : 33 478 37 96 90), ou en téléphonant à Info Travail Service 0 821 347 347.

● **Une femme enceinte peut-elle être licenciée ?**

Le licenciement d'une salariée enceinte est interdit par la loi. Toutefois, le code du travail accorde un caractère différent à cette protection selon la période envisagée.

Protection absolue. Pendant son congé de maternité, la salariée ne peut être licenciée.

Protection relative. Durant la période qui précède le congé de maternité et les 4 semaines qui le suivent, le licenciement est admis :

● s'il y a faute grave (par exemple : injures consécutives à un refus d'exécuter une tâche n'exigeant pas un effort incompatible avec l'état de grossesse)

● en cas d'impossibilité de maintenir le contrat de travail pour un motif étranger à la grossesse (fermeture de l'entreprise, compression de personnel, licenciement collectif).

Par ailleurs

● Le licenciement d'une salariée est annulé si, dans un délai de 15 jours à compter de sa notification, l'intéressée envoie à son employeur (par lettre recommandée avec AR), un certificat médical justifiant qu'elle est enceinte.

● Si vous avez un contrat à durée déterminée, vous bénéficiez de la même protection contre le licenciement que les titulaires d'un contrat à durée indéterminée. Le non-renouvellement du contrat (si celui-ci contient une clause de renouvellement) ne doit pas être dû à la grossesse.

● **Peut-on démissionner sans préavis ?**

Les femmes en état de grossesse médicalement attesté peuvent démissionner sans réaliser de période de préavis, donc sans avoir à payer une indemnité de rupture. En revanche, la mère ne bénéficiera pas du droit à réintégration prévu au terme du congé pour élever un enfant.

● **Allaitement et travail**

Les salariées qui reprennent leur travail alors qu'elles continuent d'allaiter leur enfant disposent d'une heure par jour à prendre sur les heures de travail et ceci pendant un an à compter de la naissance. En principe, cette heure est fractionnée en 2 périodes de 30 minutes, l'une le matin, l'autre l'après-midi. Cependant l'employeur peut permettre à la salariée de quitter son travail une heure avant l'horaire réglementaire. Légalement, cette heure n'est pas rémunérée, mais de nombreuses conventions collectives en prévoient le paiement.

● **Congé de maternité et ancienneté**

Le congé de maternité est assimilé à une période de travail effectif, d'une part pour le calcul des congés payés, et d'autre part pour déterminer les droits que la salariée tient de son ancienneté dans l'entreprise. Mais cette disposition n'interdit pas à l'employeur qui institue une prime de fin d'année, et pratique un abattement à partir d'un certain nombre de jours d'absence, de réduire cette prime en raison de l'absence pour congé de maternité.

Le congé d'adoption est assimilé au congé de maternité : il est considéré comme une période d'activité et donne les mêmes avantages d'ancienneté.

LES CONGÉS AVANT ET APRÈS LA NAISSANCE

Le congé de maternité

Avant et après l'accouchement, vous pouvez arrêter votre activité professionnelle et prendre un congé de maternité

La durée du congé varie en fonction du nombre d'enfants déjà au foyer ou à naître*. Dans le cas le plus simple, cette durée est de 6 semaines avant la naissance et de 10 semaines après, soit en tout 16 semaines. Il est possible de demander le report d'une partie du congé prénatal, dans la limite de 3 semaines, sur le congé postnatal. Ce report est fait en accord avec le médecin traitant. Pour l'obtenir, vous devez adresser un certificat médical du médecin ou de la sage-femme à la CPAM, attestant que vous pouvez continuer à exercer votre activité professionnelle. Cette demande doit être faite au plus tard la veille de la date à laquelle votre congé prénatal doit débuter. Il est possible de reporter directement les 3 semaines ou de reporter de semaine en semaine.

* Nous répondons à une question posée : oui, un enfant né après 15 semaines d'aménorrhée mais décédé compte dans le nombre d'enfants qu'on a eus. L'État civil établit un acte d' « enfant sans vie » sur production d'un certificat médical. L'extrait de l'acte figure sur le livret de famille si les parents le demandent, même si cet acte a été établi antérieurement à la délivrance du livret de famille.

Durée du congé de maternité				
Selon les cas		Période prénatale	Période postnatale du congé	Durée totale
Grossesse simple	l'assurée (ou le ménage) a moins de 2 enfants	6 semaines (3)	10 semaines	16 semaines
	l'assurée (ou le ménage) assume déjà la charge d'au moins 2 enfants ou a déjà mis au monde au moins 2 enfants nés viables	8 semaines (1) (3)	18 semaines	26 semaines
Grossesse gémellaire		12 semaines (2) (3)	22 semaines	34 semaines
Grossesse de triplés ou plus		24 semaines (3)	22 semaines	46 semaines

(1) La période prénatale peut être augmentée de 2 semaines maximum sans justification médicale. La période postnatale est alors réduite d'autant.
(2) La période prénatale peut être augmentée de 4 semaines maximum sans justification médicale. La période postnatale est alors réduite d'autant.
(3) Possibilité de report de 3 semaines sur le congé postnatal.

Le congé de paternité

Les pères qui travaillent ont droit à un congé de paternité

Il existe deux congés de paternité qui sont cumulables :
• Le congé de 3 jours à l'occasion de la naissance de l'enfant. Ce congé peut être pris dans les 15 jours qui précèdent la naissance.

• Le congé de paternité proprement dit dont peuvent bénéficier : les salariés ; les demandeurs d'emploi lorsqu'ils sont indemnisés par l'Assedic ; les stagiaires de la formation professionnelle continue rémunérés par l'État ou la Région.

● Durée du congé

Elle est de 11 jours (samedis, dimanches et jours fériés compris) ; maximum 18 jours en cas de naissances multiples.

Le congé peut succéder aux 3 jours ouvrables accordés par l'employeur, ou à des congés annuels, ou à des jours de RTT.

Il doit débuter avant les 4 mois de l'enfant. Cependant il existe des situations exceptionnelles où il peut être reporté : en cas d'hospitalisation du nourrisson, le salarié peut demander le report à la fin de l'hospitalisation. Dans ce cas, le congé doit être pris dans les 4 mois qui suivent la fin de l'hospitalisation.

● Formalités

Le salarié doit avertir son employeur au moins un mois avant la date choisie. L'employeur remplit l'attestation de salaire pour le congé qu'il transmet, accompagné d'une copie d'un extrait d'acte de naissance ou du livret de famille, à la caisse de Sécurité sociale. Le salarié peut aussi transmettre lui-même ces documents.

● Indemnités

Le montant des indemnités est calculé de la même manière que celui des indemnités maternité (p. 434).

• Il existe le même droit de congé pour l'enfant adopté.

Les congés de maternité particuliers

Que se passe-t-il si l'accouchement a lieu plus tôt que prévu ? Ou plus tard ? Si votre bébé est hospitalisé après la naissance ?... Tous ces cas, et d'autres, donnent lieu à des congés particuliers. Les voici :

Les congés de maternité particuliers				
Situation	Type de congé	Durée du congé	Moment de prise du congé	Formalités
État pathologique de la mère	Congé pathologique	14 jours, consécutifs ou non	À partir de la déclaration de grossesse et avant le début du congé prénatal	Sur prescription médicale Remise d'un arrêt de travail et d'une attestation de l'employeur
Accouchement prématuré	Congé maternité	Durée du congé non réduite	Congé prénatal non pris reporté en postnatal	Certificat d'accouchement Acte de naissance
Accouchement prématuré plus de 6 semaines avant la date théorique prévue de repos prénatal et hospitalisation de l'enfant dans un service de réanimation néonatale	Congé maternité	Durée équivalente au nombre de jours compris entre la date réelle d'accouchement et la date de début du congé prénatal théorique ; plus la totalité du congé prénatal et du congé postnatal	La totalité du congé est reportée en post-natal	Certificat d'accouchement Bulletin d'hospitalisation de l'enfant Acte de naissance
Accouchement tardif	Congé maternité	Totalité du congé prénatal prolongé et du congé postnatal	Congé prénatal prolongé jusqu'à l'accouchement et sans incidence sur la durée du congé postnatal	Certificat d'accouchement Acte de naissance
Hospitalisation de l'enfant plus de 6 semaines et reprise de l'activité de la mère	Congé maternité	Durée normale du congé de maternité	La période de la fin du congé postnatal est prise lors du retour au foyer de l'enfant si la mère a repris son travail après un congé de maternité d'au moins 8 semaines, dont 2 semaines en prénatal	Bulletin d'hospitalisation de l'enfant Acte de naissance

Indemnités ou allocations de l'assurance maternité

Le bénéfice des indemnités de repos concerne l'ensemble des femmes, quel que soit leur régime de protection sociale : le régime général, la MSA, le régime des exploitants agricoles, ainsi que le régime des travailleurs indépendants.

Les indemnités de l'assurance maternité		
Régimes de protection	Personne assurée	Prestations dues
Général et MSA	Salariée	Indemnités journalières de repos
Exploitants Agricoles (AMEXA)	Exploitante agricole	Allocation de remplacement
Indépendants (RSI)	Femme chef d'entreprise	Allocation forfaitaire de repos maternel et indemnité forfaitaire d'interruption d'activité
	Conjointe collaboratrice	Allocation forfaitaire de repos maternel et indemnité de remplacement

Comment bénéficier des indemnités de congé maternité ?

● Les salariées du régime général et de la MSA

Le montant des indemnités journalières de repos de la Sécurité sociale représente 100 % du salaire journalier net de base, diminué de 0,5 % du CRDS, dans la limite du plafond de la Sécurité sociale ; soit 77,24 € par jour maximum.

Les employeurs ne sont pas tenus de verser (sauf si une disposition de la convention collective ou du contrat de travail le prévoit) de salaire à leurs employées durant leur repos de maternité. La grande majorité continue à leur verser leur salaire complet ; dans ce cas, la Sécurité sociale verse à l'employeur les indemnités journalières de repos ; certains employeurs préfèrent ne verser que le complément de salaire laissant leurs salariées toucher directement les indemnités journalières.

Les indemnités journalières de la Sécurité sociale et les sommes provenant du maintien du salaire par l'employeur, sont imposables et doivent être déclarées dans les revenus.

Qu'il s'agisse d'un congé de maternité ou d'un congé d'adoption, les modalités pour en bénéficier sont identiques. En cas d'adoption, c'est la date de l'arrivée de l'enfant au foyer qui est prise en compte.

Les salariées : les indemnités du congé de maternité	
Conditions	Formalités
1. Avoir été immatriculée 10 mois à la Caisse de Sécurité sociale à la date présumée de l'accouchement 2. Justifier de 200 h d'activité avant le début de la grossesse ou du repos prénatal 3. Respecter un arrêt de travail au minimum de 8 semaines dont 2 avant l'accouchement 4. Avoir cotisé sur un salaire équivalent à 1 015 fois le SMIC horaire (9,40 € brut) au cours des 6 derniers mois précédant la date de début de la grossesse ou de début du repos prénatal	1. Demander à votre employeur d'adresser à votre Caisse de Sécurité sociale *dès le début de votre congé* une attestation de salaire lui permettant de calculer, à partir des 3 derniers mois, le montant de votre indemnité journalière, dans la limite du plafond de 3 031 € mensuel de la Sécurité sociale 2. Adresser une attestation sur l'honneur contenue dans le carnet de surveillance indiquant la date de votre arrêt de travail

Si vous êtes au chômage et percevez une indemnité, ou si vous avez bénéficié au cours des 12 derniers mois d'une allocation chômage, c'est votre activité avant l'indemnisation chômage qui définit les règles d'attribution et le montant de votre indemnité journalière maternité.

Vous devez déclarer au Pôle emploi-Assedic le début du congé de maternité dans un délai de 72 heures. Le versement de l'allocation sera interrompu pendant votre congé maternité et l'indemnité journalière maternité prendra le relais.

● Les exploitantes agricoles

Il n'y a pas d'indemnités en espèces sauf si la maternité contraint l'exploitante à employer une personne pour la remplacer.

Les exploitantes agricoles : l'allocation de remplacement		
Conditions	Formalités	Montant de l'allocation de remplacement
1. Etre affiliée à l'AMEXA 2. Participer à temps partiel ou complet aux travaux de l'exploitation 3. Cesser son activité au moins 2 semaines entre une période de 6 semaines avant la date d'accouchement et 10 semaines après 4. Etre effectivement remplacée	Aviser 30 jours avant la date d'arrêt de votre activité votre caisse qui vous informera sur les modalités de votre remplacement	Egal au montant des frais engagés

● Les femmes exerçant une activité indépendantes (RSI)

Les indemnités diffèrent selon le statut de la femme (chef d'entreprise ou collaboratrice de conjoint). Chacune peut bénéficier d'une allocation forfaitaire de repos maternel et d'une indemnité fofaitaire, sous certaines conditions.

Les indépendantes : allocation et indemnités			
Nature de la prestation	Femme concernée	Conditions	Montant
Allocation forfaitaire de repos maternel	Femme chef d'entreprise Conjointe collaboratrice	1. Etre inscrite au registre du commerce ou au répertoire des métiers 2. Etre à jour du versement des cotisations URSSAF 3. Interrompre son activité	2 946 € Versé en 2 fois : première moitié à la fin du 7e mois ; l'autre moitié après l'accouchement. 1 473 € à l'arrivée de l'enfant adopté au foyer
Indemnité forfaitaire d'interruption d'activité	Femme chef d'entreprise	Avoir interrompu son activité au moins 44 jours consécutifs dont 2 semaines avant l'accouchement (1)	2 192,08 € pour 44 jours
Indemnité de remplacement	Conjointe collaboratrice	Un remplacement d'au minimum une semaine comprise entre la 6e semaine avant la date de l'accouchement et 10 semaines après l'accouchement (2)	Égal au coût réel du remplacement dans la limite de 50,99 € journalier

(1) L'arrêt peut être prolongé de deux périodes de 15 jours. Pour le montant, voyez auprès de votre organisme
(2) Remplacement dont la durée peut varier en fonction du nombre d'enfants attendus ou adoptés et de l'état de santé pendant la grossesse

● En cas de **difficultés** dans votre vie personnelle et celle de vos ayants droit, certaines aides peuvent vous être accordées au titre de l'action sanitaire et sociale de votre organisme de protection.

Le congé parental d'éducation

Il est accordé à tout **salarié(e)** qui justifie d'une ancienneté d'un an dans une entreprise à l'occasion de la naissance de son enfant ou de l'arrivée à son foyer d'un enfant adopté de moins de 16 ans. Il n'est pas rémunéré.

● Le congé peut durer 3 ans. Pendant toute la durée du congé parental d'éducation, le contrat de travail se trouve suspendu et vous conservez vos droits aux remboursements de soins.

● Il faut demander ce congé, en précisant sa date de début, par courrier recommandé à l'employeur un mois avant la fin du congé de maternité. Dans le cas où vous avez repris votre travail après la fin de votre congé de maternité, un préavis de 2 mois doit alors être adressé à votre employeur. En cas de demande de prolongation, vous devez lui adresser un courrier recommandé avec accusé de réception un mois avant la date de reprise prévue lors de votre précédente demande.

Le congé d'adoption

Toute personne qui travaille (salarié, indépendant, etc.) et accueille un ou plusieurs enfants
dans sa famille a droit à un congé d'adoption

● **Durée du congé**

Elle varie en fonction du nombre d'enfants adoptés et du
nombre d'enfants à charge, et selon que le congé est partagé
ou non entre les parents adoptifs (tableau ci-dessous).

Lorsque le congé est partagé par les deux parents, il est
augmenté de 11 jours pour l'adoption d'un enfant et de 18
jours pour deux enfants. Si le congé est pris séparément, la
période la plus courte ne peut être inférieure à une durée de
11 jours. S'il est pris en même temps par les deux parents, la
somme totale des deux périodes de congé ne peut pas être
supérieure à la durée légale du congé d'adoption, soit par
exemple 10 semaines et 11 jours pour un enfant.

Le congé d'adoption peut débuter soit le jour de l'arrivée
de l'enfant dans la famille, soit 7 jours avant la date prévue
de cette arrivée.

● **Formalités**

• Pour l'adoption d'un enfant en France, vous devez transmettre à la CAF l'attestation de mise en relation du service
départemental de l'adoption indiquant le début de la période
d'adoption ou l'attestation de placement de l'enfant.

• Pour l'adoption d'un enfant à l'étranger, vous devez transmettre la photocopie du passeport de l'enfant ou le document officiel sur lequel est présent le visa accordé par le service d'adoption internationale (SAE). La date du visa représente la date de placement de l'enfant. Ce visa est indispensable pour percevoir les indemnités journalières de votre
caisse d'assurance sociale.

● **Indemnités journalières, ou allocation forfaitaire et
indemnité forfaitaire**

Voyez pages 434-435.

Durée du congé d'adoption			
Enfant adopté	Enfants à charge	Enfants après adoption	Durée du congé en semaines
1	0 ou 1	1 ou 2	10
1	2	3	18
2 ou plus		2 ou plus	22

LES FORMALITÉS APRÈS LA NAISSANCE

● **La déclaration de naissance**

Dès la naissance de votre enfant, le médecin ou la sage-
femme vous remettra un certificat attestant la naissance.
Votre mari muni du livret de famille et de ce certificat,
déclarera à la mairie de la commune où a lieu l'accouchement, la naissance de votre enfant.

La déclaration de naissance représente un événement
important dans la vie d'un couple. Même si la maternité
propose de s'en charger, bien des pères tiennent à accomplir eux-mêmes cet acte. Ils ont raison, cette déclaration
représente la naissance juridique de l'enfant, son entrée
dans la citoyenneté.

C'est à cette occasion que vous pourrez éventuellement, par une déclaration conjointe, choisir le nom de
votre enfant en décidant, par exemple, de lui donner le
nom double de ses deux parents (p. 445).

La déclaration de naissance doit obligatoirement être
faite dans les 3 jours qui suivent la naissance, et sera portée sur le livret de famille. Le jour de l'accouchement n'est
pas compté dans ce délai et, si le troisième jour est férié,
le délai est prorogé jusqu'au premier jour ouvrable suivant.

Passé ce délai de 3 jours, l'officier d'état civil n'a plus le
droit de dresser l'acte de la naissance avant qu'un jugement
du tribunal ne soit intervenu, ce qui entraîne des formalités
longues et coûteuses.

Il faudra faire des photocopies (au moins 4) du livret de
famille qui seront nécessaires pour vos démarches ultérieures, carte de priorité, allocations familiales, etc.

Si les père et mère de l'enfant, ou l'un des deux, ne sont
pas désignés à l'officier d'état civil, aucune mention ne doit
être faite à ce sujet sur les registres de l'état civil.

À signaler : la simple mention de la mère sur l'acte de

naissance suffit à établir la filiation maternelle (p. 448).

Sur le **congé de paternité**, voyez p. 432.

Sur la **reconnaissance de l'enfant**, voyez p. 444.

Sur les **prestations familiales**, voyez p. 451.

● **La surveillance médicale de l'enfant**

Au cours de la première année, 9 examens sont obligatoires : dans les 8 jours qui suivent la naissance, avant la fin du 1er mois, et au cours des 2e, 3e, 4e, 5e, 6e, 9e et 12e mois.

Au cours de la 2e année, 3 examens sont obligatoires : ceux des 16e, 20e et 24e mois. Enfin, au cours des 4 années suivantes, un examen est obligatoire tous les 6 mois.

Parmi ces examens, 3 donnent lieu à l'établissement d'un certificat de santé (ceux des 8e jour, 9e ou 10e mois et 24e ou 25e mois). Et de l'envoi de ce certificat de santé à la Caisse d'allocations familiales dépend le paiement de la PAJE et des allocations familiales.

Si vous faites suivre votre bébé dans un centre de PMI, il est bon que le médecin de votre quartier le connaisse, car c'est lui que vous appellerez lorsque l'enfant sera malade : le centre de PMI n'est pas un centre de soins ni de traitement, et il n'est ouvert qu'à certaines heures. Le carnet de santé, s'il est bien rempli, fera le lien entre les différents médecins que vous serez amenés à voir. Le **carnet de santé** est envoyé par la Caisse de sécurité sociale. Mais, le plus souvent, il vous sera remis à la sortie de la maternité.

Après la naissance		
	1ER mois	**2E mois**
Votre santé	• Pour être rapidement en forme, reposez-vous vraiment après la naissance • Si vous travaillez, vous avez droit au minimum à 8 semaines de repos. • Si vous allaitez, pensez à votre régime • Dès le 2e jour, vous pouvez faire quelques exercices	• Faites les exercices de rééducation périnéale, les abdominaux ce sera pour plus tard • Pour retrouver rapidement votre ligne, ayez un régime léger et équilibré
Examens		• Examen postnatal : examen général et gynécologique
Formalités Séc.Soc. et AF.	• À la sortie de la maternité, envoyez à la Sécurité sociale : - le certificat d'accouchement - le certificat de l'examen néonatal du bébé - le reçu des frais d'accouchement. • Envoyez à la CAF le certificat qui lui est destiné	• Remettez à la consultation ou envoyez à la Séc.Soc. avant la 8e semaine la feuille de maladie correspondant à l'examen postnatal • Envoyez à la Séc.Soc. l'attestation de reprise ou de non-reprise de travail
Formalités diverses	• Dans les 3 jours déclarez la naissance à la mairie • Faites renouveler à la mairie votre carte de priorité • Si vous désirez prendre un congé sans solde, prévenez votre employeur par lettre recommandée avec A.R • Pour les couples non mariés : la reconnaissance de l'enfant peut être faite avant ou après la naissance	
votre bébé	• Au cours des deux premières années, 3 examens sont obligatoires : au 8e jour, 9e mois et 24e mois	

QUI VA GARDER VOTRE ENFANT ?

Il existe deux modes d'accueil des enfants auxquels vous pouvez recourir selon vos besoins, votre budget et la disponibilité de l'offre : les services d'accueil familial (assistantes maternelles, garde à domicile, garde partagée, employée polyvalente) ; et les établissements d'accueil collectif (crèches, haltes-garderies, etc.).
Nous vous conseillons de vous en préoccuper dès que votre grossesse est confirmée.

L'accueil par une assistante maternelle

Il représente le mode de garde le plus répandu. L'assistante maternelle accueille à son domicile, ou dans une maison d'assistantes maternelles, des enfants âgés de 2 semaines à 6 ans. Elle a pour mission d'assurer les soins d'hygiène, l'alimentation et la sécurité de l'enfant, de contribuer à son développement et à son éducation. Avant d'accueillir un enfant, elle doit obligatoirement être agréée par le Président du Conseil général de sa résidence. Pour obtenir cet agrément, elle doit suivre une **formation** de 120 h dont 60 avant tout accueil d'enfant.

Le nombre d'enfants accueillis ne peut dépasser 4, y compris son enfant de moins de 3 ans. L'assistante maternelle peut faire partie d'un relais d'assistantes maternelles, lieu d'information et d'échange de pratiques professionnelles.

Les parents peuvent **recruter** directement l'assistante maternelle (adresses données par la mairie ou la PMI, bouche à oreille, etc.), ou bien ils peuvent avoir recours à une association agréée ou une entreprise habilitée ; les parents sont alors l'employeur. L'assistante maternelle peut aussi être salariée d'une crèche familiale (p. 440).

Lorsqu'elle est salariée du parent qui l'emploie, sa rémunération est fixée par la convention collective du travail des assistantes maternelles du particulier employeur. Si vous souhaitez trouver des exemples de rémunérations, consultez le site Internet www.assistantematernelle.biz

Le **contrat de travail** doit être écrit et répond à des normes précises tant dans la présentation que dans son contenu. Afin de vous aider à sa rédaction, voyez le modèle annexé à la convention. Enfin, l'assistante maternelle doit être affiliée à la Sécurité Sociale et avoir souscrit une assurance responsabilité civile pour les dommages causés ou subis par les enfants confiés.

Autres modes d'accueil familiaux

● La garde à domicile par une auxiliaire familiale
L'auxiliaire se consacre à l'éveil et au bien-être de l'enfant, elle l'accompagne à son rythme et en toute sécurité. L'auxiliaire assure toutes les tâches relatives aux soins courants et à l'hygiène de l'enfant : repas, change, toilette, sieste, rangement et nettoyage du matériel de puériculture.

L'auxiliaire familiale peut être recrutée directement par les parents, ou en ayant recours à une association ou une entreprise agréée. Dans ces derniers cas, l'association doit être agréée par le Conseil général et l'entreprise par le Préfet.

● La garde partagée à domicile
Il s'agit de la même forme de garde pour l'enfant mais, dans ce cas, les parents ont fait le choix de partager avec une autre famille l'activité de leur auxiliaire familiale. La garde s'effectue en alternance chez l'une et l'autre famille. Les tâches réalisées sont les mêmes dans chacune des maisons et adaptées à l'âge des enfants. L'avantage pour les familles est le partage par moitié du coût de la garde et pour les enfants d'être à deux plutôt que seul. Ce mode de garde exige par contre une entente entre les deux familles, des horaires similaires et une proximité géographique.

● Pour toute question sur l'emploi direct à domicile, vous pouvez consulter www.particulieremploi.fr

● L'employée polyvalente
La garde de l'enfant est assurée par une employée qui a aussi en charge l'entretien de la maison de la famille.

● L'activité de ces trois professionnelles fait partie du secteur des **services à la personne** et relève de la convention collective nationale des salariés du particulier employeur. La convention définit notamment les modalités du contrat de travail, de la rémunération, de la protection sociale. Elle peut être consultée sur le site internet www.legifrance.gouv.fr.

● La jeune fille au pair

La stagiaire aide familiale au pair, plus connue sous la dénomination de jeune fille au pair, est également une solution possible pour garder un enfant à temps partiel. La stagiaire doit avoir 18 ans minimum et 30 ans maximum. Elle doit suivre des cours de langue française dans un établissement d'enseignement. En contrepartie de 6 heures de travail et de présence, la stagiaire est logée et nourrie dans la famille. La répartition des horaires de travail se fait en accord avec la stagiaire, en fonction de ses heures de cours.

La rétribution se situe entre 80 et 85 € par semaine.

Elle doit être immatriculée à la Sécurité sociale et vous-même devez-vous faire immatriculer comme employeur à l'URSSAF. Vous aurez à verser des cotisations de Sécurité sociale et de retraite complémentaire (part patronale uniquement).

Attention. Le bulletin de paie est obligatoire, même pour une employée au pair.

À noter. La jeune fille au pair ne permet pas la réduction d'impôt pour l'emploi d'un salarié à domicile.

L'accueil collectif : crèches, haltes-garderies...

Il est constitué des crèches collectives (crèches d'entreprise, crèches parentales, crèches familiales, micro-crèches), des haltes garderies, des jardins d'éveil, des jardins d'enfants et des établissements multi-accueil.

Les différents modes de garde collectifs ont pour mission de veiller à la santé, à la sécurité, au développement et au bien-être des enfants qui leur sont confiés. La prise en charge des enfants est assurée par une équipe pluridisciplinaire composée notamment d'éducateurs de jeunes enfants, d'auxiliaires de puériculture, sous la direction d'un médecin, d'une puéricultrice. Pour avoir des adresses, demandez à votre mairie : elle vous indiquera les coordonnées des différents services (sociaux, PMI, associations) qui les connaissent.

Les **crèches collectives** reçoivent un maximum de 60 enfants de 2 mois et demi à 3 ans. Elles sont gérées le plus souvent par une collectivité territoriale (mairie ou département), plus rarement par des associations ou des mutuelles. Elles sont conçues et aménagées pour recevoir de façon régulière des enfants de moins de 3 ans. Elles regroupent les crèches traditionnelles de quartier et de personnel, et les crèches parentales.

• Les **crèches de quartier**, proches du domicile des parents, ont une capacité d'accueil limitée à 60 places. Elles sont ouvertes de 8 à 12 heures par jour, fermées la nuit, le dimanche et les jours fériés.

• Les **crèches de personnel** sont régies par l'employeur. Elles sont implantées sur le lieu de travail des parents, elles adaptent leurs horaires à ceux de l'entreprise. Leur capacité d'accueil est identique aux précédentes.

• Les **crèches parentales** sont gérées par des parents regroupés en association et qui s'occupent à tour de rôle des enfants avec le soutien d'un personnel qualifié. La capacité d'accueil de la crèche est de 20 places (exceptionnellement de 25 places). Leurs locaux doivent être conformes aux règlements de sécurité et permettre une surveillance des enfants. Pour connaître les crèches parentales proches de votre domicile, vous pouvez vous renseigner auprès de l'Association des Collectifs Enfant Parents Professionnels, tél : 01 44 73 85 20, ou sur leur site ACEPP.

• Les **haltes-garderies** accueillent ponctuellement les enfants de moins de 6 ans. Elles permettent d'offrir aux enfants de moins de 3 ans des temps de rencontre et d'activité communs avec d'autres enfants, les préparant progressivement à l'entrée à l'école maternelle. On distingue les haltes-garderies traditionnelles offrant au maximum 60 places et les haltes-garderies parentales de taille limitée à 20 ou 25 places.

• Les **jardins d'enfants** accueillent de façon régulière des enfants de 3 à 6 ans. Ils sont conçus comme une alternative à l'école maternelle. Ils peuvent recevoir des enfants dès l'âge de 2 ans. Leur capacité peut atteindre 80 places.

• Les **structures « multi-accueil »** proposent différents modes d'accueil des enfants de moins de 6 ans au sein d'une même structure : ce peut être des places d'accueil régulier de type crèche ou jardin d'enfants, des places d'accueil occasionnel de type halte-garderie ou des places d'accueil polyvalent utilisées tantôt à l'accueil régulier, tantôt à l'accueil occasionnel. Elles sont gérées soit par les collectivités territoriales soit par les parents.

• Le **jardin d'éveil**. C'est une structure intermédiaire entre la famille, la crèche ou l'assistante maternelle et l'école maternelle et qui est adaptée aux enfants de 2-3 ans. La capacité d'accueil recommandée est de 24 places. Le jardin d'éveil fonctionne au moins 200 jours par an. L'accueil se fait à mi-temps et pour une durée de 9 mois, 18 mois étant une durée maximale sauf pour les enfants porteurs de handicap. L'encadrement est assuré par des éducateurs de jeunes enfants, des puéricultrices, des infirmières, des psychomotriciennes et des auxiliaires de puériculture. Les enfants peuvent ne pas être propres.

• Le **service d'accueil familial**, encore appelé **crèche familiale**, emploie des assistantes maternelles agréées qui gardent à leur domicile jusqu'à 4 enfants âgés de moins de 4 ans. L'ouverture d'une crèche familiale dépend d'une autorisation délivrée par le Président du Conseil général après avis des services de la PMI.

Ce service peut être géré par une collectivité territoriale, une entreprise, une association ou une mutuelle. Il est dirigé par une puéricultrice, un médecin ou un éducateur de jeunes enfants. Ceux-ci assurent l'encadrement et l'accompagnement professionnel des assistantes maternelles. Plusieurs fois par semaine, les assistantes maternelles se rendent dans les locaux du service d'accueil afin de favoriser les échanges et la socialisation des enfants.

En ce qui concerne la participation financière, il faut vous renseigner directement auprès du service d'accueil familial retenu et vous informer sur l'option qu'il a choisie : soit une aide destinée à couvrir une partie des frais de fonctionnement qui lui est versé par la CAF, soit un financement reposant sur le complément du libre choix du mode de garde (vous le percevez et votre participation sera calculée selon des modalités propres au service d'accueil).

Lorsque les parents rencontrent des difficultés liées à la naissance, ils peuvent être aidés.

• Les **techniciennes de l'intervention sociale et familiale à domicile** (TISF, anciennement appelées travailleuses familiales) ont pour fonction de relayer ou de seconder la mère de famille dans les tâches quotidiennes du foyer, lorsque celle-ci se trouve dans l'incapacité momentanée de les effectuer (maternité par exemple) En général, l'intervention de ces personnes est limitée (1 ou 2 semaines en moyenne), mais elle peut durer plus longtemps dans des cas particuliers.

• Les **aides ménagères** assurent les travaux ménagers que la mère de famille ne peut assurer momentanément (si la situation ne justifie pas la présence d'une TISF). Elles viennent 1 ou 2 jours par semaine, ou par demi-journée.

Pour ces aides familiales, la **participation financière** de la famille est fixée d'après les revenus de la famille et le nombre d'enfants. En cas de naissance multiple (triplés et plus), ou de jumeaux si la famille compte un enfant de moins de 3 ans, la gratuité est accordée pour un certain nombres d'heures. Votre Caisse d'allocations familiales vous donnera tous les renseignements. La mairie, les services de PMI, vous donneront également des adresses d'organismes privés pouvant vous procurer une aide familiale.

Les dépenses pour la garde de l'enfant

Les dépenses pour la garde de l'enfant vont dépendre du choix du mode de garde, des ressources et du nombre d'enfants de la famille ; elles vont dépendre également des diverses aides de la CAF, des collectivités locales, de l'État, et éventuellement des employeurs. Quel que soit le mode de garde choisi, vous bénéficierez de l'aide de l'État sous la forme d'un avantage fiscal.

Les dépenses selon le mode d'accueil			
Mode d'accueil	Assistante maternelle	Garde à domicile	Crèche collective
Salaire ou participation financière	Dépend de la convention des assistantes maternelle et maximum 46,10 € brut journalier (36,31 € net) pour bénéficier du complément mode de garde	Variable et fonction de la convention du particulier employeur. Salaire horaire minimum 9,40 €	Variable en fonction des ressources, de la composition de la famille et du quotient familial référé au barème national
Congés payés	10 % du salaire sans condition d'ancienneté	10 % du salaire	
Indemnité d'entretien	Ne peut être inférieure à 2,97 € / jour		
Coût des repas	Environ 3,50 € / jour		
Cotisations sociales	Pas de cotisation si le salaire ne dépasse pas 46,10 € brut / jour	Déduction partielle des cotisations	
Part restant à charge des parents	15 % minimum	15 % minimum	15 % minimum

Les aides financières pour la garde de l'enfant

Vous pouvez bénéficier pour l'accueil de votre enfant de deux aides financières : celle de la CAF, ou de la MSA, sous la forme d'une prise en charge partielle des dépenses de garde et d'une prise en charge des cotisations sociales, variable selon le mode de garde ; et l'aide de l'État sous la forme d'un crédit d'impôt ou d'une réduction d'impôt. Pour percevoir ces aides vous devez répondre à certaines conditions et remplir diverses formalités qui varient en fonction du mode d'accueil choisi.

Les aides financières selon le mode d'accueil		
Nature de l'accueil	Aides de la CAF ou MSA	Aides de l'État (avantage fiscal)

Employeur direct d'une garde au domicile	- Prise en charge partielle du salaire de l'employée (Cmg*)
	 - Prise en charge partielle des cotisations sociales
	  enfant de – 3 ans : 50 % dans la limite de 425 € par famille
	  enfant entre 3 et 6 ans : 50 % dans la limite de 213 € par famille
		- Crédit ou réduction (1) d'impôt
		 Maximum : 50 % des dépenses engagées avec un plafond de 12 000 € majoré à 15 000 € la première année
		  - Limite de 6 000 € par famille
		 7 500 € la première année d'imposition avec cet avantage.
		 - Les aides dont le particulier a bénéficié (aide de son entreprise) doivent être déduites des dépenses engagées.

En ayant recours à une entreprise agréée	Mêmes avantages que ci dessus mais obli-gation de 16 h de garde mensuelle	Même avantage fiscal que ci-dessus
Employeur direct d'une assistante maternelle	- Prise en charge partielle du salaire de l'as-sistante maternelle (Cmg*) - Prise en charge totale des cotisations sociales	Crédit d'impôt : 50 % des dépenses engagées dans la limite d'un plafond de 2 300 € par enfant. -Maximum 1 150 € par enfant - Si résidence alternée maximum 575 € par enfant
Crèche collective	Versement d'une aide au gestionnaire (PSU) si l'établissement applique le barème national des participations familiales fixé par la CAF	Crédit d'impôt dans les mêmes conditions que pour l'accueil par une assistante maternelle

* Cmg : complément de mode de garde (p. 453)
(1) Conditions pour bénéficier du crédit d'impôt : exercer une activité professionnelle ou être inscrit comme demandeur d'emploi durant 3 mois au moins au cours de l'année du paiement des dépenses de garde de l'enfant. Si vous n'êtes pas imposable le crédit d'impôt vous est remboursé.

Paiement des frais de garde au moyen de Chèque Emploi Service Universel (CESU)

Quel que soit le mode de garde choisi, auxiliaire familiale, assistante maternelle, ou structure apparentée à la crèche collective, vous pouvez payer les frais de garde par virement, en espèces ou avec un chèque emploi service universel (CESU). Le CESU est un titre de paiement destiné à vous faciliter l'accès aux services à la personne en vous simplifiant les formalités administratives et déclara-tives du particulier employeur. Lorsque l'employeur et la salariée optent pour le CESU l'employeur n'est pas tenu de délivrer un bulletin de paye.

Pour tout renseignement www.cesu-urssaf.fr
● www.mon-enfant.fr

Ce site, crée par la Caisse d'allocations familiales, regroupe les informations sur les solutions d'accueil du jeune enfant (crèche, micro-crèche, multi-accueil, assistante mater-nelle, etc.).

SI VOUS ÊTES SEULE

Vivre seule sa grossesse est pour certaines un choix, pour d'autres une obligation. Quelle que soit votre situation, il existe un certain nombre de services et d'associations capables de vous apporter les aides morales et matérielles dont vous pouvez avoir besoin. Il ne faut pas hésiter à vous informer et à les contacter.

Pour connaître des adresses d'associations, demandez à une assistante sociale (à la mairie, à la PMI, dans votre entreprise). Dans certaines maternités, les sages-femmes mettent en rapport les mères seules, dans le cadre de la préparation à l'accouchement, et l'on voit peu à peu se constituer des groupes, s'échanger des adresses, et une vraie solidarité s'instaurer entre les futures mères.

• La femme seule bénéficie des prestations en nature et en espèces de Sécurité sociale pour elle et ses ayants droit si elle exerce une activité professionnelle salariée ou non salariée, mais seulement des prestations en nature si elle est bénéficiaire de la CMU (p. 426).

• Les mères seules à charge d'un assuré social (dans la limite d'âge prévue par la loi) bénéficient des prestations de Sécurité sociale comme ayants droit d'un assuré social.

• Les étudiantes bénéficient du régime des étudiants ; elles ont droit aux prestations de Sécurité sociale pour elles et leurs ayants droit.

• En ce qui concerne les femmes divorcées et les femmes veuves, les prestations de l'assurance maternité continuent à leur être versées pendant un an (après la transcription du divorce, ou le décès du conjoint), ou jusqu'au 3e anniversaire du dernier enfant.

• Les femmes divorcées ou veuves sont assurées sociales sans limitation de durée si elles ont plus de 45 ans et si elles ont (ou ont eu) au moins 3 enfants à charge.

• En cas de mariage postérieur à la conception ou à la naissance du bébé, la mère bénéficiera de la Sécurité sociale à partir de la date du mariage, au titre d'ayant-droit de son conjoint.

• Allocations d'aide sociale à l'enfance

Les futures mères dépourvues de ressources ou disposant de ressources insuffisantes peuvent bénéficier de diverses allocations d'aide sociale à l'enfance, et être admises dans des maisons maternelles.

Une aide financière peut être maintenue après l'accouchement ou accordée à la mère qui n'a pas assez de ressources pour vivre. Elle est cumulable avec les allocations familiales (Aide sociale à l'enfance, p. 458).

• **Aide du Pôle emploi.** Vous pouvez bénéficier d'une aide à la garde d'enfants pour famille monoparentale, destinée à favoriser une reprise d'emploi rapide et durable, si vous remplissez ces deux conditions :
- être bénéficiaire d'un minima social ou non indemnisé par le régime d'assurance chômage
- élever seule au moins un enfant de moins de 10 ans.

Pour bénéficier de l'AGEFI, vous devez faire la demande auprès du Pôle emploi dans le mois qui suit la reprise d'activité ou l'entrée en formation.

L'aide n'est accordée qu'une seule fois pendant 12 mois. L'aide est accordée pour une reprise d'emploi en CDD ou en CDI de 2 mois minimum, y compris à temps partiel, et pour une entrée en formation d'une durée au minimum de 40 heures, à condition que cette reprise d'activité ou d'entrée en formation entraîne des frais de garde d'enfants.

En cas de difficultés : l'accueil des femmes enceintes et des nouveau-nés

● Les maisons maternelles

Elles reçoivent les futures mamans pendant leur grossesse et jusqu'à 3 mois après l'accouchement. Elles leur apportent un soutien moral et matériel. Les frais de séjour sont pris en charge par l'Aide sociale à l'enfance.

● Les hôtels maternels

Ils reçoivent les mères après le congé de maternité (avec un ou plusieurs enfants) lorsqu'elles rencontrent des difficultés de logement et de ressources, pour une durée supérieure à 3 mois et, en principe, au maximum pour 1 an. Les frais de séjour sont en partie à la charge de la mère, en fonction de ses possibilités financières.

Pour avoir des adresses, les mères doivent s'adresser au service social de la mairie.

● Le placement familial

Des assistantes familiales, dépendant de l'aide sociale à l'enfance, accueillent en placement permanent des enfants sans famille ou dont les familles connaissent des difficultés momentanées. Elles sont encadrées par des puéricultrices. La famille, si elle le peut, verse une modeste participation.

À noter. Dans les départements où il n'y a pas de maisons maternelles, les hôpitaux susceptibles de recevoir les femmes enceintes doivent obligatoirement recevoir celles qui le demandent durant le mois qui précède l'accouchement et celui qui le suit, et ceci gratuitement si elles n'ont pas de ressources. Les femmes peuvent demander le bénéfice du secret à l'admission.

Renseignements divers pour les mères seules

• Les mères seules peuvent obtenir un livret de famille. La demande doit être faite à la mairie du lieu de naissance.

• Ce qui est dit sur le nom de l'enfant et sur l'exercice de l'autorité parentale, la reconnaissance de l'enfant (pp. 444 et suivantes), concerne également les mères seules.

• Lorsque la mère déclare sa grossesse, elle peut donner des informations sur le père (identité, adresse). Dans le cas où la mère, connue en tant qu'allocataire isolée, donne ces renseignements il est bien précisé que la CAF doit tenir compte de ces données (notamment une adresse différente de celle de la mère pour l'envoi du livret de pater-

nité ; mais la CAF ne doit pas suspendre les droits en cours liés à l'isolement (comme l'allocation de soutien familial, le RSA).

• Une femme seule ou divorcée a droit dans sa déclaration de revenus à porter son enfant pour 1 part pour le premier enfant, une demi part pour le second et 1 part pour chacun des suivants.

Une femme veuve avec enfant a droit pour elle-même à 2 parts, et à une 1/2 par enfant pour les deux premiers, et 1 part pour chacun des suivants à charge.

LA PMI
Protection Maternelle et Infantile

La protection maternelle et infantile (PMI) est un service départemental à la disposition des familles. La prévention occupe une place centrale dans sa mission. Le service de PMI accompagne les femmes enceintes pendant leur grossesse. Il répond aux demandes des familles sur la santé et le développement des enfants de moins de 6 ans et soutient les parents dans leur rôle éducatif.

La PMI a également une mission de protection de l'enfance en danger ou à risque. Elle a la responsabilité de l'agrément des assistantes maternelles et des établissements d'accueil de la petite enfance. Elle contribue au dépistage du handicap chez l'enfant avec le concours des services adaptés. Par le biais des centres de planification et d'éducation familiale, la PMI met à la disposition des couples des espaces de consultations gratuites, conjugales et gynécologiques.

● L'équipe de PMI

Pour mener à bien ses activités, le service de la PMI est constitué d'une équipe pluri-professionnelle qui a pour mission un accompagnement médical mais aussi psychologique. L'équipe est composée généralement :

- d'un **médecin** chargé de suivre, lors des consultations, le bon développement de l'enfant, de vérifier les vaccinations ; il agrée et évalue les assistantes maternelles en collaboration avec les puéricultrices et la psychologue ;

- de **puéricultrices**, qui assistent le médecin dans les consultations. Lors des consultations ou des visites à domicile, elles accompagnent les parents dans la compréhension des soins et des besoins de leur bébé, en apportant des réponses à leurs questions, sur l'alimentation, le couchage, le bain, les mesures de sécurité à prendre dans

la maison, etc.

Si après la naissance vous êtes inquiète pour votre retour au domicile, contactez votre centre de PMI, et indiquez leur votre date de sortie : une puéricultrice peut vous assister dans les premiers jours, une travailleuse familiale peut également vous aider ;

- d'une **psychologue** qui écoute les préoccupations des parents, comme les troubles du sommeil ou les pleurs fréquents du bébé, et leur apporte un soutien ;

- d'**éducatrices de jeunes enfants** : leur fonction est d'accueillir les enfants avec leurs parents ou leur assistante maternelle. Lors de ces séances d'accueil-jeu, elles donnent des conseils sur les jeux et l'éducation de l'enfant, elles favorisent la confiance en soi des enfants en les encourageant par des activités manuelles, de langage, de motricité...

- de **sages-femmes**, auxquelles sont confiés la surveillance et le suivi de la grossesse qu'elles assurent lors des consultations au centre et/ou au domicile de la future mère. Elles accompagnent le passage entre la maternité et le domicile. Elles guident les mères qui souhaitent allaiter. Enfin, elles réalisent des séances de préparation à l'accouchement.

● Les réseaux de périnatalité

Ils ont été créés afin d'améliorer la prévention, le bien être, la qualité des soins et la sécurité tout au long des 9 mois de la grossesse, lors de l'accouchement et après la naissance. Ils favorisent la coordination des actions à mener autour de la femme enceinte, la cohérence du suivi de la grossesse et le soutien à la parentalité.

DES INFORMATIONS JURIDIQUES

La filiation et la reconnaissance de l'enfant

La simple mention du nom de la mère sur l'acte de naissance de l'enfant
permet d'établir la filiation à son égard

La filiation, c'est l'ensemble des règles juridiques régissant
le lien de parenté qui unit l'enfant à son père ou à sa mère
et qui permet de déterminer qui sont les père et mère de
l'enfant. « *Tous les enfants dont la filiation est légalement
établie ont les mêmes droits et les mêmes devoirs dans
leurs rapports avec leur père et mère. Ils entrent dans la
famille de chacun d'eux* » mentionne le Code Civil.

Mais comment s'établit la filiation de l'enfant ?

● Vous êtes mariés

Le régime de la filiation a été récemment modifié par une
loi (16 janvier 2009). Avant cette loi, il suffisait que les
parents soient mariés pour que le mari soit automatiquement présumé être le père : tout enfant conçu pendant le
mariage était présumé par principe être l'enfant du couple,
c'est-à-dire de la mère et du père. La nouvelle loi a apporté
quelques réserves. Le mari n'est pas présumé être le père :
- s'il n'est pas mentionné dans l'acte de naissance
- si les époux étaient en période de séparation légale
(c'est-à-dire en procédure de divorce dans laquelle était
déjà intervenue l'ordonnance de non-conciliation) au
moment de la conception.

Le mari dispose de divers moyens pour rétablir cette
présomption de paternité à son profit, notamment en faisant une déclaration de reconnaissance de l'enfant.

Si un autre homme a déjà reconnu l'enfant, l'officier
d'état civil doit quand même enregistrer la déclaration du
mari (ou du concubin) et saisir le Procureur de la
République pour qu'il soit tranché sur ce conflit de paternité.

● Vous n'êtes pas mariés

La filiation peut s'établir de deux façons : à l'amiable ou par
un jugemement.

À l'amiable

Puisque la mère est désignée comme telle dans l'acte de
naissance, elle n'a pas de démarche à faire pour reconnaître son enfant. Elle a néanmoins la possibilité de le
reconnaître avant la naissance, par exemple si elle souhaite
lui transmettre son nom.

Quant au père, l'établissement de la filiation avec son
enfant peut s'établir par :

la reconnaissance faite avant, au moment de, ou après
la naissance. Il s'agit d'un acte personnel et volontaire. La
reconnaissance peut résulter d'une déclaration faite
devant un officier d'état civil ou bien d'un acte notarié.
- La « **possession d'état** ». C'est un ensemble de faits
permettant d'établir une filiation entre un individu et la
famille à laquelle il est dit appartenir (par l'éducation, l'entretien, la réputation ou le nom) ; c'est-à-dire quand il est
manifeste aux yeux de tous qu'un homme et une femme
ont, ou ont eu, un comportement de mère ou de père à
l'égard d'un enfant.

Chacun des parents, ou l'enfant, peut demander au juge
que lui soit délivré un acte de notoriété qui fera foi de la
possession d'état jusqu'à preuve contraire. Cette
démarche peut être effectuée à tout moment par les
parents, par l'enfant à sa majorité ou par toute personne
qui y a intérêt. Elle peut s'avérer nécessaire, et la loi prévoit qu'elle doit être faite, si le père est décédé avant la
déclaration de naissance, et sans avoir fait d'acte de
reconnaissance préalable. Ceci évitera alors à la mère une
action en recherche de paternité. En cas de décès du
parent prétendu, cette démarche pourra être accomplie
dans le délai de 10 ans à compter du décès.

Par un jugement

Un jugement peut établir la filiation d'un enfant à la suite
soit d'une recherche de paternité ou de maternité ; soit
d'une constatation de la possession d'état de l'enfant à
l'égard de son père ou de sa mère. La filiation peut également être établie par un jugement d'adoption plénière.

Le délai d'action de 10 ans court à compter de la date
du décès du parent prétendu, ou de la cessation de la possession d'état. Dans ce même délai de 10 ans, une action
en contestation de la possession d'état peut être intro-
duite par des tiers.

● Action aux fins de subsides

Un enfant sans filiation paternelle a désormais 10 ans, et
non plus 2 ans, après sa majorité, pour réclamer une aide
matérielle à un homme qui a eu des relations avec sa mère
au moment de sa conception (art. 342 code civil). C'est
dans ce même délai de dix ans que peut être entreprise
l'action en recherche de paternité.

Le nom de l'enfant

Si vous êtes mariés, votre enfant portera automatiquement le nom de son père
Ou, si vous êtes d'accord, soit le nom de sa mère, soit les deux noms
Si vous n'êtes pas mariés, votre enfant portera, sauf autre choix, le nom de celui qui l'a reconnu le premier et
le nom de son père si les deux parents l'ont reconnu ; si vous êtes d'accord, il pourra porter soit le nom de
l'autre parent, soit les deux noms

La loi sur le « nom de famille » a remplacé l'ancien régime dit « nom patronymique ». Cette nouvelle dénomination marque l'appartenance de l'enfant à une famille, en remplacement du seul nom du père. C'est pour tenir compte à la fois de la volonté des personnes, liée à l'évolution des mœurs, et de la Cour européenne des droits de l'homme, au nom de l'égalité des sexes, que la loi française a – lentement – évolué. À présent, en théorie, il y a égalité entre les parents et toute discrimination a disparu : le nom de famille peut désormais être transmis par le père et par la mère.

La loi fait une distinction entre la filiation établie simultanément par les deux parents au moment de la naissance, ou par un seul parent, ou séparément dans le temps. Il n'y a plus de distinction entre les couples mariés ou non mariés.

● Nom de l'enfant dont la filiation est établie simultanément par les deux parents

Lorsque la filiation est établie simultanément, c'est-à-dire dans le cas où les parents sont mariés ou si, non mariés, ils ont reconnu l'enfant en même temps, les parents peuvent faire **une déclaration conjointe du nom de l'enfant** tel qu'il figurera dans l'acte de naissance. Ils peuvent choisir de transmettre à leur enfant :

- soit le nom du père,
- soit le nom de la mère,
- soit les deux noms accolés dans l'ordre de leur choix, dans la limite d'un seul nom par parent (sauf si le nom est formé d'un prénom composé depuis l'origine et indivisible).

Il était prévu à l'origine que ces deux noms seraient séparés par un double tiret (--) pour les distinguer d'un nom composé. Mais une décision du Conseil d'État (4 décembre 2009) a abrogé cette exigence ; c'est donc le tiret simple qui est retenu, ou même le simple espace.

On peut penser que des difficultés s'annoncent pour le futur car dans quelques générations il deviendra difficile d'établir s'il s'agit d'un nom composé indivisible ou d'un double nom dont un seul peut être éventuellement transmissible...

Le choix du nom de famille est une simple possibilité ; si les parents n'ont fait aucune déclaration, ou en cas de désaccord, l'enfant portera le nom du père (qui continue ainsi de s'imposer par défaut).

● Depuis l'entrée en vigueur de la réforme, la possibilité d'accoler les deux noms est choisie dans 5 % des cas (soit 35 000 enfants sur 700 000 naissances actuelles) et ce taux est de 11 % à Paris. Ce choix concerne majoritairement les couples non mariés.

● Quel nom peut être choisi ?

Voici un exemple : Clémence Vignes et Casimir Bertou donnent naissance à Antoine, qui pourra s'appeler Antoine Vignes ou Antoine Bertou ou Antoine Bertou-Vignes ou Antoine Vignes-Bertou. Si Antoine Bertou-Vignes a un enfant avec Cécile Martel-Delmas, l'enfant pourra s'appeler soit Bertou soit Vignes soit Martel soit Delmas soit Bertou-Martel ou Vignes-Martel ou Bertou-Delmas ou Vignes-Delmas.

L'officier d'état civil ne peut donner une appréciation sur le caractère éventuellement ridicule ou péjoratif de la composition choisie.

● À quel moment le nom est-il choisi ?

Les parents qui désirent user de cette faculté doivent faire une déclaration de choix de nom, soit au moment de la naissance de l'enfant, soit postérieurement si l'enfant, reconnu par un seul de ses parents au moment de sa naissance, n'est qu'ensuite reconnu par l'autre.

La déclaration est constituée d'un document écrit, notarié ou simple acte sur papier libre, remis aux services de l'état civil lors de la déclaration de naissance. Ce nom sera le même pour tous les enfants de la fratrie, qui ont la même filiation.

● En cas d'absence de déclaration conjointe, l'enfant portera le nom du père, que les parents soient mariés ou non.

● En cas de **naissance à l'étranger** (d'un enfant dont au moins l'un des parents est français), les parents qui n'ont pas usé de cette faculté de choix du nom pourront le faire lors de la demande de transcription de l'acte, au plus tard dans les 3 ans de naissance de l'enfant

● Nom de l'enfant dont la filiation n'est établie qu'à l'égard d'un seul des parents

Dans ce cas, l'enfant prend le nom de ce parent (celui de la mère si elle seule a reconnu l'enfant). Si par la suite, la filiation est établie à l'égard du père, l'enfant conserve en principe le nom de sa mère, avec un « rattrapage » possible permettant la liberté de choix : lors de la reconnaissance par le père (ou de l'établissement du lien de filiation par un acte juridique), puis durant la minorité de l'enfant et avec son accord s'il a plus de 13 ans, les parents peuvent décider que le nom de l'enfant, qui portait le nom de sa mère, pourra être remplacé par celui du père ; ou bien que l'enfant portera accolés les deux noms du père et de la mère dans l'ordre qu'ils souhaitent, dans la limite d'un nom de famille venant de chacun d'eux (voyez ci-dessus).

Ces modifications, par déclaration à l'officier d'état civil, pourront être faites quelle que soit l'année de naissance de l'enfant.

Dans un but d'unité de nom dans la fratrie, s'il existe un enfant déjà né de ces deux parents et s'ils ont déjà fait pour lui une déclaration de choix de nom, le changement de nom ne pourra être effectué que s'il a pour but de donner au second le même nom que le premier.

● À noter
- Dans tous les cas, le choix de nom effectué par les parents est irrévocable et ne peut être exercé qu'une seule fois.
- L'accord de l'enfant âgé de plus de 13 ans est indispensable.
- La Cour de Cassation a eu l'occasion de rappeler (arrêt du 3 mars 2009) que lorsque les deux parents ont l'autorité parentale sur leur enfant mineur, l'un des parents ne peut adjoindre, à titre d'usage, son nom à celui de l'autre parent sans recueillir au préalable son accord. En cas de désaccord entre les parents, seul le juge peut autoriser cette adjonction.
- Nous n'avons parlé que des enfants nés après 2005, et donc bénéficiant de la nouvelle loi sur le nom de famille. Lorsqu'il y a déjà dans la fratrie un ou des enfants nés avant 2005, les règles d'attribution sont différentes et varient selon les situations que nous ne pouvons toutes envisager mais voici quelques exemples. Des parents peuvent exercer pour un 2e enfant la faculté de choix de nom s'ils n'avaient pas la possibilité de l'exercer pour le 1er enfant né avant 2005. Et dans le cas d'un couple marié ayant un enfant né avant le 1er janvier 2005, alors que ce dernier porte le nom du père, les parents peuvent donner à leur second enfant – ce qui vaudra pour tous les enfants à naître – né après le 1er janvier 2005 un nom différent : celui de la mère ou un double nom

● Le changement de nom
En dehors des changements par voie administrative, par requête au ministre de la Justice, garde des Sceaux (par exemple lorsqu'il s'agit d'un nom ridicule ou mal sonnant, ou encore de la francisation d'un nom étranger), aucune modification du nom ne peut intervenir.

Le changement de nom est autorisé par décret. La mention des décisions de changement de nom est portée en marge des actes de l'état civil de l'intéressé et, le cas échéant, de ceux de son conjoint et de ses enfants.

● Pour plus de détails, voici les références des lois auxquelles vous pouvez vous reporter :
- sur le nom de famille, loi du 4 mars 2002 et sur la filiation, loi du 16 janvier 2009.
- sur le changement de nom, loi du 8 janvier 1993.
Un texte de loi peut se consulter au Journal Officiel (dans toutes les bibliothèques) ou bien sur Internet : www.legifrance.gouv.fr

Mariés ? Non mariés ?

Allons-nous nous marier ? Pouvons-nous nous « pacser » ? Telles sont les questions que se posent certains couples lorsqu'une naissance s'annonce.
● Commençons par un petit rappel sur l'évolution de notre société. Aujourd'hui, les couples n'envisagent plus nécessairement de se marier avant de mettre au monde un enfant. Depuis 2006, les naissances hors mariage sont devenues majoritaires, franchissant le seuil symbolique des 50 %, et la tendance ne fait que se confirmer. Depuis sa création en 1999, le PACS (Pacte Civil de Solidarité) a constamment progressé, en particulier et majoritairement – contrairement à une idée reçue - au sein des couples hétérosexuels.
La loi s'est adaptée à l'évolution de la société. Qu'il s'agisse du nom de famille, de la filiation ou de l'autorité parentale, il n'y a désormais plus de différence entre les enfants nés dans le mariage ou hors mariage. Les termes d'« enfant naturel » et d'« enfant légitime » ont disparu de notre vocabulaire et de notre code civil : depuis 2006, et conformément à la législation européenne, les textes font référence à « l'enfant », quelles que soient les circonstances de sa naissance.

Des différences subsistent toutefois entre les couples mariés et non mariés. À titre d'exemple :
- Le père marié n'a pas de démarche à effectuer pour faire valoir ses droits sur son enfant.
- Le père marié transmet automatiquement son nom à son enfant, sans avoir à accomplir de formalité et si aucune autre démarche n'est effectuée pour ajouter ou substituer le nom de la mère.

Pour vous aider à répondre à vos interrogations sur le mariage, le concubinage, le PACS, voici quelques informations juridiques et pratiques, émises bien sûr en dehors de toute question de principe, morale ou religieuse, ou de désirs personnels, qui ne regardent que vous.

● Le mariage

Pour se marier civilement, il faut fournir à la mairie différents documents : copie intégrale de l'acte de naissance, preuve de domicile, certificat médical prénuptial, etc.

- Avant le mariage civil, il est possible d'établir un contrat chez un notaire afin de choisir le régime matrimonial du couple (principalement communauté ou séparation de biens). Ce contrat ou l'absence de contrat est spécifié dans l'acte de mariage.

- À défaut de contrat, c'est le régime de la « communauté réduite aux acquêts » qui s'applique. Les biens que les époux acquièrent pendant le mariage leur appartiennent en commun. Les époux restent chacun propriétaire des biens qu'ils possédaient avant le mariage et des donations ou legs qu'ils reçoivent individuellement pendant le mariage, sauf les effets personnels (vêtements, livres, etc.) ; ils seront tenus en commun des dettes contractées dans l'intérêt du ménage et l'entretien des enfants.

- La séparation de biens doit être établie par un contrat notarié signé avant le mariage. Chaque époux est propriétaire de ce qu'il possédait avant le mariage et de ce qu'il acquiert séparément pendant le mariage. Cependant des époux séparés de biens peuvent acquérir des biens en commun.

- Les époux ont l'obligation de nourrir, entretenir et élever leurs enfants. Ils se doivent mutuellement « respect » (ajouté par la loi du 4 avril 2006), fidélité, secours, assistance. Ils doivent contribuer aux charges du mariage à proportion de leurs facultés respectives et peuvent y être contraints en justice, même en dehors d'une procédure de divorce.

- On ne peut sortir du mariage que par une procédure de divorce.

● Le concubinage

Un homme et une femme vivent ensemble sans formaliser cette union : le concubinage (ou union libre) est aujourd'hui la situation la plus fréquente. Désormais il n'y a plus de différence entre les enfants nés dans le mariage ou hors mariage, qu'il s'agisse du nom de famille, de la filiation ou de l'autorité parentale.

Mais ne pas être mariés a des conséquences sur les formalités à accomplir lors de la naissance d'un enfant : le père doit **reconnaître son enfant** pour faire valoir ses droits ; la mère n'a pas à faire de reconnaissance puisque le simple fait de mettre au monde son enfant consacre la filiation (voir p. 444). La mère ne reconnaîtra son enfant avant la naissance que si elle souhaite pouvoir lui donner son nom.

Avant le 1er janvier 2010, on pouvait dire que le mariage donnait plus de droits aux hommes en tant que pères et aux femmes en tant qu'épouses. Une loi récente est en passe d'harmoniser cela et, dans la pratique, de simplifier le statut des parents non mariés afin qu'ils bénéficient, vis-à-vis de leurs enfants, comme du logement familial, des mêmes filières procédurales que les couples mariés.

Mais cette législation n'est encore qu'à ses débuts et le processus devrait se mettre en place progressivement.

● Le PACS

Certains couples non mariés ont choisi de souscrire un PACS. Voici quelques informations pratiques à ce sujet (pour plus de détails, il convient de s'adresser à un notaire ou à un avocat).

Un pacte civil de solidarité est un contrat conclu par deux personnes physiques majeures, pour organiser leur vie commune. Ce contrat, privé ou notarié, est déclaré devant le greffier du Tribunal d'Instance du domicile, et figure sur les actes de l'état civil en indiquant le nom du partenaire. C'est le greffier du Tribunal qui procède à l'enregistrement de la formalité et à sa transcription. Le rôle du greffier s'arrête à cette formalité. Il ne recueille pas les consentements, il ne donne pas de lecture d'articles du Code civil.

Il n'entre pas dans notre propos de faire un exposé sur les avantages et les inconvénients du PACS d'une manière générale. Du point de vue de l'enfant, qui nous intéresse ici, aucune disposition particulière n'est prévue : les parents ne seront pas considérés différemment d'un couple en simple concubinage.

Sur le plan patrimonial, si le nouveau PACS (applicable depuis le 1er janvier 2007) produit désormais des effets très comparables au mariage, il continue à présenter des différences sensibles en termes de succession et de solidarité pour les dettes courantes. On peut mettre fin au PACS par simple déclaration conjointe, ou de façon unilatérale par une lettre recommandée, qui doivent être enregistrées au greffe du Tribunal d'Instance.

Avantages et droits sociaux. Le titulaire d'un PACS a le droit d'être affilié à la Sécurité sociale de son partenaire (assurance maladie, assurance maternité, s'il ne peut bénéficier de la qualité d'assuré social à un autre titre).

En ce qui concerne le droit aux allocations sociales et familiales, les titulaires d'un PACS sont assimilés aux conjoints et concubins. Les revenus des deux partenaires sont alors cumulés pour calculer leurs droits.

● En cas de difficultés

Depuis le 1er janvier 2010, c'est le **Juge aux Affaires Familiales** qui tranche toutes les difficultés qui peuvent naître de la séparation d'un couple, qu'il soit marié, « pacsé » ou en concubinage.

Jusqu'à cette date, la loi était dans certains cas plus protectrice pour les couples mariés. Elle permettait une plus large intervention du Juge aux Affaires Familiales qui pouvait statuer sur l'ensemble des aspects concernant la famille : l'autorité parentale et les pensions pour les enfants mais aussi la contribution entre époux, le sort du logement et des biens. Pour les autres couples, la compétence du juge se limitait aux seules mesures concernant les enfants, c'est-à-dire l'autorité parentale, la résidence, le droit de visite et d'hébergement et la contribution alimentaire des parents (pension alimentaire).

Dorénavant les pouvoirs confiés au Juge aux Affaires Familiales ont été élargis et celui-ci peut prendre les mêmes mesures concernant le logement ou les enfants, qu'il s'agisse d'un couple marié ou non, que ce soit au cours de la vie commune ou à l'occasion de la séparation. Cependant des différences et des difficultés de procédures judiciaires subsistent dont nous ne pouvons faire l'exposé détaillé ici. N'hésitez pas à consulter un avocat ou notaire.

● A noter

La Cour de Cassation a précisé que tous les textes qui désignent des « conjoints » concernent uniquement des époux et ne sauraient être appliqués par extension à des partenaires de PACS ou des concubins

L'autorité parentale

La législation sur l'autorité parentale a unifié le statut des enfants nés hors mariage et ceux nés dans le cadre du mariage

Pendant des siècles nous avons vécu sous le régime de la « puissance paternelle » . Le père avait tous les droits sur son enfant, même s'il avait quitté la mère avant la naissance. Aujourd'hui, c'est ensemble que les parents exercent leur autorité : la loi ne parle plus de puissance paternelle mais d'autorité parentale.

L'autorité parentale est un ensemble de droits et de devoirs des parents ayant pour finalité l'intérêt de l'enfant. Cette autorité est exercée jusqu'à la majorité de l'enfant. La loi de mars 2002 donne les mêmes droits à tous les parents, qu'ils soient mariés, non mariés, séparés.

Les parents doivent veiller à la sécurité, la santé, la moralité, l'éducation de l'enfant afin qu'il se développe dans le respect dû à sa personne. Les parents doivent associer l'enfant aux décisions qui le concernent selon son âge et son degré de maturité. Les parents peuvent prendre des décisions importantes concernant l'enfant : inscription dans une école, sortie du territoire national, décisions à propos de sa santé, son éducation religieuse, son patrimoine...

● Lorsque les parents sont mariés, l'autorité parentale est exercée en commun par le père et par la mère.

● L'autorité parentale est également exercée en commun par les deux parents, même s'ils ne sont pas mariés, même s'ils ne vivent pas ensemble ; il suffit qu'ils aient chacun reconnu l'enfant dans la première année suivant sa naissance.

● Si la reconnaissance n'a pas été faite dans ce délai, l'autorité parentale appartient au parent qui a reconnu l'enfant en premier. Il est toutefois possible aux parents d'obtenir par la suite l'exercice partagé de l'autorité parentale. Pour cela, ils doivent faire une démarche auprès du juge aux affaire familiales (Tribunal de Grande Instance).

● La loi reconnaît à l'enfant le droit d'entretenir des relations personnelles avec ses ascendants (grands-parents), et des tiers (par exemple un beau-parent). En cas de difficulté, c'est le juge aux affaires familiales qui fixera les modalités de ces relations, en attribuant, par exemple, un droit de visite et d'hébergement.

● La séparation des parents n'a pas d'incidence sur l'exercice de l'autorité parentale. Mais le juge aux affaires familiales peut, à la demande de la mère, du père, du procureur de la République, modifier les conditions de cet exercice, en attribuant par exemple l'autorité parentale à un seul des parents.

● Une mère seule a automatiquement l'autorité parentale.

● Si un des parents décède, l'autre parent exerce seul l'autorité parentale.

● Toutes les modalités de l'exercice de l'autorité parentale sont régies par la loi du 8 janvier 1993 et par celle du 4 mars 2002

En cas de séparation des parents

Ainsi que nous l'avons évoqué, il arrive malheureusement que des couples se séparent très tôt, même pendant la grossesse. La future mère se retrouve seule à attendre son enfant. Qu'elle soit mariée ou non, il est important de réfléchir, de se donner du temps avant de prendre une décision. Agir sur un coup de tête peut compromettre l'avenir si, comme cela arrive parfois, le père revient à la naissance de l'enfant, ou même quelques années plus tard. Mais il est bien que vous sachiez ce que la loi a prévu dans votre situation.

Quelle que soit votre situation (mariés, partenaires de PACS ou en concubinage), c'est le juge aux affaires familiales qui est dorénavant compétent pour connaître de l'ensemble de votre situation.

Pour les couples qui ne sont pas mariés, le juge aux affaires familiales peut être non seulement saisi des questions relatives à l'autorité parentale, aux mesures concernant les enfants (résidence et droit de visite, pensions alimentaires) mais également sur l'attribution du logement, et cela depuis le 1er janvier 2010.

● Vous êtes mariés

Il arrive que des femmes, blessées ou déçues, par le départ de leur mari, veuillent aussitôt demander le divorce. Attendez avant de prendre la décision si elle n'est pas réellement urgente. Une procédure de divorce est une épreuve, ce n'est pas le moment de l'affronter. Il vaut mieux essayer de vivre le plus sereinement possible cette aventure qu'est la grossesse, de se concentrer sur son bébé. La naissance de l'enfant peut aussi changer la situation. Par ailleurs, quelle que soit l'attitude du conjoint, il est et il restera le père légal de l'enfant. Si le mari se dérobe à ses obligations financières, la loi accorde la possibilité de demander une pension alimentaire, en dehors de toute procédure de divorce : c'est la contribution aux charges du mariage. Pour cela, il faut saisir le juge aux affaires familiales.

● Vous n'êtes pas mariés

La situation est différente selon que le père reconnaît ou non l'enfant avant la naissance.

Le père n'a pas reconnu l'enfant

L'enfant portera le nom de celui des deux parents qui l'a reconnu le premier. En général, il n'est pas absolument nécessaire pour une femme de reconnaître son enfant avant la naissance : le simple fait de le mettre au monde établit la filiation à l'égard de la mère. Cependant, si vous souhaitez que votre enfant porte votre nom, et que vous ne connaissez pas les intentions du père à cet égard, il est préférable que vous procédiez maintenant à la reconnaissance du bébé ; car si, avant la naissance, le père reconnaît l'enfant sans que vous le sachiez, votre bébé portera son nom.

En ce qui concerne l'autorité parentale, elle est systématiquement attribuée à la mère. Le père conserve néanmoins la possibilité, s'il reconnaît ensuite l'enfant, de demander au juge aux affaires familiales un exercice conjoint de l'autorité parentale, ainsi que l'exercice d'un droit de visite et d'hébergement, comme dans le cas de parents divorcés.

Vous aurez de votre côté la possibilité, par le biais de l'action aux fins de subsides ou en reconnaissance de paternité, de faire établir la filiation de votre enfant et d'obtenir éventuellement une pension alimentaire (p. 444).

Là encore, sauf en cas d'urgence, vous aurez bien le temps d'entreprendre cette action dans quelque temps. Ne gâchez pas les plaisirs de la grossesse par les désagréments d'une procédure.

Le père a reconnu l'enfant

Vous aviez reconnu l'enfant tous les deux, alors que vous viviez ensemble mais maintenant le père est parti. Juridiquement, vous vous retrouvez, vis-à-vis de votre enfant à naître, dans la position de parents divorcés : le père dispose de l'exercice conjoint de l'autorité parentale.

En ce qui concerne le nom de votre enfant, vous pourriez choisir ensemble, lors de la déclaration à l'état civil, le nom qu'il portera : celui de son père, ou de sa mère, ou les deux accolés dans l'ordre qui vous convient (p. 445). À défaut de déclaration conjointe, c'est le nom du père qui sera attribué, sauf si la mère l'a reconnu en premier.

Si vous viviez seule, et que le père s'est finalement décidé à assumer cette naissance qui s'annonce, il paraît plus prudent que vous reconnaissiez rapidement votre enfant : cette démarche aura pour avantage de vous conférer l'autorité parentale, et de vous permettre de transmettre votre nom à votre enfant même si le père le reconnaît par la suite. Dans ce dernier cas, il sera toujours possible, lors de la naissance, de déclarer ensemble l'enfant et de choisir le nom qu'il portera.

● Et si c'est la mère qui prend l'initiative de la séparation ? Le père, s'il ne l'a déjà fait, aura intérêt à reconnaître son enfant le plus tôt possible afin de faire valoir ses droits dès la naissance. Il lui faudra demander au juge aux affaires familiales l'exercice de l'autorité parentale.

● La médiation familiale

La justice a de plus en plus souvent recours à des médiations judiciaires. Celles-ci sont proposées dans des situations de blocage, lorsque le climat conflictuel rend impossible toute communication entre les parents. Les médiateurs sont des professionnels d'horizons et de formations diverses, désignés par les juges. N'hésitez pas à solliciter une médiation, ou à accepter celle que l'on vous propose, pour éviter la radicalisation d'un conflit toujours préjudiciable à l'enfant.

L'accouchement anonyme

L'accouchement anonyme, également appelé « accouchement sous X » ou « accouchement sous le secret », est une spécificité française : la femme dispose du droit d'accoucher sans donner son nom et sans qu'il soit possible à son enfant de l'identifier dans l'avenir. Cette priorité donnée aux droits de la mère prend en considération la détresse de cette dernière lors de son accouchement.

Mais de nombreuses voix se sont élevées pour souligner le traumatisme des enfants qui se voient empêchés de connaître leurs racines. C'est pourquoi la loi du 22 janvier 2002 a créé le Conseil national pour l'accès aux origines personnelles (CNAOP). Cet organisme a une mission d'information. Il est également chargé de recevoir : les demandes à l'accès à leurs origines des enfants ; les déclarations des mères autorisant la levée du secret de leur identité ; ou encore celles de mères s'enquérant de leur recherche éventuelle par leurs enfants.

Cette loi est destinée à mieux prendre en considération les droits de l'enfant, et notamment à rendre le droit français conforme à la Convention de New York (du 26 janvier 1990) relative aux droits de l'enfant (article 7-1) et à la Convention européenne des droits de l'homme : le droit de l'enfant à connaître ses origines s'intègre dans le droit plus général du respect de la vie familiale.

Ainsi, aujourd'hui, les légitimes interrogations sur leurs origines des enfants devenus adultes ont été prises en considération. Et même si des enquêtes montrent que ceux qui parviennent à identifier leur mère avouent souvent avoir été déçus, tous disent que leur recherche a permis de les apaiser et de mettre un terme à leurs interrogations. Cette recherche leur a également souvent permis d'apprécier la chance qu'ils ont eue de rencontrer leur famille adoptive.

Ainsi la loi française essaie de prendre en considération non seulement les droits de la mère et ceux de l'enfant, mais également ceux du père et de la famille adoptante, et à concilier tous ces droits entre eux.

• En pratique

Au moment de l'accouchement, la mère désirant accoucher anonymement est invitée à laisser, si elle l'accepte, des renseignements : sur sa santé et celle du père ; sur les origines de l'enfant ; sur les circonstances de la naissance de l'enfant ; elle peut aussi laisser, **sous pli fermé**, son identité.

À l'extérieur de ce pli seront mentionnés : les prénoms donnés à l'enfant et, le cas échéant, la mention du fait qu'ils l'ont été par la mère, ainsi que le sexe de l'enfant, la date, le lieu et l'heure de sa naissance. La mère ne sera pas contrainte mais uniquement invitée à donner son identité. Ainsi, il est interdit de lui demander une pièce d'identité et de procéder à une enquête lors de l'accomplissement de ces formalités.

• Dès que la mère a manifesté l'intention de demander la préservation du secret de son admission et de son identité, elle est informée de ce qu'elle dispose, à compter de son accouchement, d'un **délai de deux mois** pour se rétracter et faire valoir ses droits.

Ce délai est strict et, au-delà, la filiation maternelle sera effacée et il sera impossible de la reconstituer. Les tentatives de contester ce délai au nom des droits de la mère ont échoué, y compris devant la Cour Européenne des Droits de l'Homme : en validant ce court délai, il a été donné priorité au droit de l'enfant de pouvoir bénéficier très rapidement d'une filière d'accueil qui ne puisse être remise en question, dès lors qu'il est établi que la mère a bénéficié d'une information suffisante.

• La femme est également informée qu'elle peut **à tout moment** lever le secret de son identité. Il lui est également indiqué qu'elle peut, à tout moment aussi, donner son identité, sous pli fermé, ou compléter les renseignements qu'elle a donnés au moment de la naissance.

Toutes ces formalités (recueil du pli fermé lors de la naissance de l'enfant, information sur les conséquences juridiques...) sont effectuées par le correspondant du CNAOP.

• Pour éviter les graves inconvénients que peut représenter pour le père un accouchement anonyme – qui permet le placement immédiat de l'enfant et son adoption par des tiers-, le père aura tout intérêt à reconnaître l'enfant avant sa naissance, ce qui lui permettra de faire valoir ses droits. Ainsi, il a été jugé par la Cour de Cassation que la reconnaissance par le père d'un enfant né ainsi lui permet de s'opposer à une adoption autorisée par le Conseil de famille.

L'accouchement anonyme n'existe qu'en France, mais divers pays étrangers ont instauré, selon un modèle allemand existant depuis 2000, un dispositif qui permet aux mères de déposer en toute discrétion leur nouveau-né dans un endroit adéquat où il sera immédiatement recueilli.

LES PRESTATIONS FAMILIALES

Pour percevoir une allocation :
vous devez la demander, compléter un imprimé, fournir les justificatifs nécessaires

Les prestations familiales sont les aides en espèces allouées aux familles en raison de la charge d'un ou plusieurs enfants nés ou à naître. Il existe 9 prestations ou allocations. Elles sont principalement attribuées par la caisse d'allocations familiales et la caisse de mutualité sociale agricole.

• Pour avoir droit à une ou des prestations, il faut résider en France et avoir à sa charge un ou plusieurs enfants résidant également en France. Il existe une exception à cette condition pour les travailleurs détachés à l'étranger. Les étrangers doivent posséder un titre de séjour justifiant de la régularité de leur séjour en France.

• Les enfants ouvrent droit aux prestations familiales jusqu'à la fin de l'obligation scolaire, soit 16 ans. Ainsi que les jeunes âgés de moins de 20 ans dont la rémunération éventuelle n'excède pas un plafond (819,82 € par mois).

• Certaines prestations sont soumises à des conditions de ressources. Les ressources prises en compte sont celles des revenus nets imposables. Cette condition s'apprécie chaque année au 1er janvier.

• Les prestations familiales sont exclues des revenus imposables, elles ne sont pas non plus soumises à des cotisations sociales, ni à la CSG.

• Le règlement de chaque prestation est mensuel.

• Les montants sont revalorisés au 1er avril de chaque année.

Ce tableau résume les conditions à remplir pour bénéficier des différentes prestations familiales. Vous trouverez le détail de ces prestations dans les pages qui suivent.

		Prestations	Conditions à remplir
AVEC CONDITIONS DE RESSOURCES	PAJE	- Prime à la naissance ou à l'adoption - Allocation de base	Faire la déclaration de grossesse avant la fin du 3e mois Passer les examens médicaux obligatoires Adopter ou accueillir en vue d'adoption un (ou plusieurs) enfant(s) âgé(s) de moins de 20 ans
		Complément de libre choix du mode de garde	Avoir un enfant de moins de 6 ans Employer une assistante maternelle agréée ou une garde à domicile Avoir une activité professionnelle minimum
		Complément de libre choix d'activité	Avoir un enfant de moins de 3 ans Avoir cessé de travailler ou travailler à temps partiel Avoir exercé une activité professionnelle minimum
		Complément familial (CF)	Avoir 3 enfants à charge de plus de 3 ans
		Allocation de parent isolé (API)	Vivre seul et avoir un ou plusieurs enfants à charge ou être enceinte
		Prime de déménagement	Famille à partir du 3e enfant (du 3e mois de grossesse au dernier jour du mois qui précède ses 2 ans) Recevoir l'AL ou l'APL
		Les aides au logement (AL)	Voir détail page 455
SANS CONDITIONS DE RESSOURCES		Allocations familiales (AF)	Avoir au moins deux enfants à charge
		Allocation de soutien familial (ASF)	L'enfant doit être à la charge d'un seul parent, orphelin ou abandonné
		Allocation journalière de présence parentale (AJPP)	Avoir un enfant malade dont l'état grave nécessite momentanément la présence d'un de ses parents auprès de lui
		Allocation d'éducation de l'enfant handicapé (AEEH)	Avoir un enfant avec un handicap de 80 %, ou de plus de 50 % nécessitant des soins de rééducation

LA PAJE
(Prestation d'accueil du jeune enfant)

La PAJE comprend : la prime à la naissance ou à l'adoption, l'allocation de base, le complément de libre choix d'activité, le complément de libre choix du mode de garde.

La prime à la naissance ou à l'adoption

● Conditions

Avoir déclaré votre grossesse avant la fin de la 14e semaine et avoir adressé l'attestation médicale délivrée à votre Caisse de sécurité sociale et à la CAF.

En cas d'adoption, l'enfant doit avoir moins de 20 ans et avoir été confié par un organisme ou une autorité étrangère agréés.

La prime à la naissance est versée au cours du 7e mois, et autant de fois que d'enfants nés d'une même grossesse (jumeaux, triplés). Elle ne peut être perçue si la grossesse s'interrompt avant le 5e mois.

La prime à l'adoption est versée pour l'adoption d'un enfant de moins de 20 ans

Prestation d'accueil du jeune enfant (PAJE) : ressources et montants		
	Plafond de ressources	Montants
Prime à la naissance	compris entre 34 103 € et 49 109 € selon la composition du ménage et le nombre d'enfants	912,12 €
Prime à l'adoption		1 824,25
Allocation de base		182,43 €

L'allocation de base

● Conditions

L'enfant doit avoir moins de 3 ans, et moins de 20 ans s'il s'agit d'un enfant adopté, et il doit avoir passé les examens médicaux obligatoires des 9 et 24 mois.

Conditions de ressources : voir le tableau ci-dessus.

● Durée

Cette allocation est versée à compter du jour de naissance de l'enfant jusqu'au mois précédant son 3e anniversaire. Et pour un enfant adopté : du mois de son arrivée au foyer, et pendant 3 ans, dans la limite de l'âge de 20 ans.

● Montant

Il est de 180,62 €. Une seule allocation est versée par famille, quel que soit le nombre d'enfants. Néanmoins plusieurs allocations de base seront versées en cas de naissances multiples ou d'adoptions simultanées de plusieurs enfants.

L'allocation de base est cumulable avec l'AJPP (allocation journalière de présence parentale p. 457). En revanche, elle ne l'est pas avec le CF (complément familial p. 455).

● Formalités

• Pour la **prime de naissance**, vous devez adresser à la CAF votre déclaration de grossesse ou les photocopies des attestations concernant l'adoption ou l'accueil en vue d'adoption de l'enfant. Si vous n'êtes pas déjà allocataire, vous devez compléter le formulaire de déclaration de situation et une déclaration de ressources en y joignant tous les justificatifs demandés. Vous pouvez télécharger et imprimer les formulaires ou les demander à votre CAF.

• Pour l'**allocation de base**, vous devez adresser à la CAF une photocopie bien lisible du livret de famille ou de l'extrait de l'acte de naissance. Vous devez demander, mais vous pouvez aussi le télécharger et l'imprimer, le formulaire PAJE à la CAF, le compléter, le signer et le remettre à votre CAF accompagné des justificatifs demandés.

• Pour l'enfant adopté, l'allocation de base vous sera versée automatiquement si vous avez bénéficié de la prime à la naissance.

Remarque : le cumul est possible avec l'ASF (voir p. 456) pour les enfants adoptés ou recueillis en vue d'adoption. Le cumul est possible avec le RSA le mois de naissance de l'enfant. Par contre, ce cumul est impossible avec le complément familial.

Le complément du libre choix du mode de garde (CMG)

Les parents qui ont recours aux services d'une assistante maternelle ou d'une auxiliaire familiale au domicile peuvent sous certaines conditions percevoir de la CAF ou de la MSA le complément du libre choix du mode de garde. Ce complément consiste en la prise en charge partielle des cotisations sociales et de la rémunération de la personne engagée pour garder un enfant de moins de 6 ans.

● **Conditions**

• avoir au moins un enfant de moins de 6 ans, né, adopté ou recueilli
• exercer une activité professionnelle qui assure un salaire minimum de 395,04 € pour un parent et de 790,08 € si vous vivez en couple
• pour les personnes non salariées, être à jour de ses cotisations vieillesse
• aucune condition financière : si le parent est handicapé et bénéficie de l'allocation pour adulte handicapé, s'il est au chômage et perçoit une allocation, s'il est bénéficiaire du RSA, ou si le couple est étudiant
• employer une assistante maternelle ou une auxiliaire familiale.

La rémunération de l'assistante maternelle ne doit pas dépasser un plafond journalier maximum égal à 5 fois le SMIC horaire, soit pour l'année 2012, 46,10 € brut. Le salaire net, hors indemnité, d'entretien divisé par le nombre global de jours (jours d'activité et jours de congés payés) ne doit donc pas dépasser 35,62 €. Pour la garde au domicile, l'employeur ne doit pas être exonéré des cotisations sociales dues.

CMG : revenus annuels et montants de l'aide				
Enfants à charge	Revenus inférieurs à	Revenus ne dépassent pas	Revenus supérieurs à	Montant de l'aide mensuelle 0 à 3ans / 3 à 6ans
1	20 281,00 €	45 068,00 €	45 068,00 €	452,75 € / 226,38 €
2	23 335 €	51 889,00 €	51 889,00 €	285,45 € / 171,27 €
3	27 033,00 €	60 074,00 €	60 074,00 €	142,77 € / 85,63 €

Une majoration de 10 % du montant du complément est appliquée si vous avez recours à un minimum de 25 h de garde le dimanche, les jours fériés ou la nuit entre 22 h et 6 h.

Le complément de libre choix (Cmg) est donné par enfant lorsqu'il s'agit d'un accueil par une assistante maternelle, il est attribué par famille lorsqu'il s'agit d'un accueil individualisé au domicile. Il est possible de cumuler deux Cmg si vous avez recours à une assistante maternelle et à une auxiliaire familiale au domicile.

Dans tous les cas, un minimum de 15 % du coût de la garde de l'enfant reste à votre charge.

CMG : prise en charge des cotisations sociales	
Garde au domicile	Assistante maternelle
La moitié des cotisations sociales mensuelles dues dans la limite de : 425 € jusqu'aux 3 ans de l'enfant 213 € entre les 3 et 6 ans de l'enfant	Prise en charge complète des cotisations sociales dues pour chaque enfant gardé

● **Formalités**

Vous devez compléter auprès de la CAF le formulaire de demande de Cmg dès le premier mois d'accueil de l'enfant. S'il s'agit d'un accueil au domicile, vous devez joindre un relevé d'identité bancaire ou postal et l'autorisation de prélèvement (qui est jointe au formulaire). Elle sera transmise à votre CAF pour lui permettre le calcul et le paiement de votre aide mensuelle.

Le complément du libre choix d'activité ou optionnel
(ex allocation de congé parental)

Pour avoir droit à ce complément, vous ou votre conjoint ne devez plus exercer d'activité professionnelle, ou l'exercer à temps partiel, pour vous occuper de votre enfant.

● **Conditions**

Il faut avoir exercé une activité professionnelle minimum. Le complément prend en compte le nombre d'enfants à charge. La période d'activité de référence est :
* dans les 2 ans qui précèdent la naissance ou l'adoption (pour un enfant)
* de 2 ans d'activité dans les 4 ans qui précèdent (pour 2 enfants)
* de 2 ans d'activité dans les 5 ans qui précèdent (pour 3 enfants et plus).

Vous ne pouvez pas demander ce complément si :
* vous ne justifiez pas d'au moins 8 trimestres de cotisations vieillesse validés au titre d'une activité professionnelle
* vous percevez déja le complément optionnel libre choix d'activité
* l'allocation adulte handicapé
* une pension d'invalidité, de retraite
* des indemnités journalières maladie, maternité, paternité ou d'accident du travail
* une allocation chômage

Toutefois, vous pouvez demander à l'ASSEDIC de suspendre ces versements pour bénéficier du complément et retrouver vos droits quand le complément ne sera plus versé.

● **Montant**

Voir le tableau ci-dessous.

● **Durée**

S'il s'agit du premier enfant, le complément est versé pendant 6 mois. A partir du deuxième enfant, il est versé jusqu'au mois précédent le troisième anniversaire de l'enfant. Toutefois, si vous reprenez votre activité entre le 18e mois et les 2 ans et demi de votre enfant, le complément sera maintenu pendant 2 mois.

● **Complément optionnel du libre choix d'activité (COLCA)**

Ce complément est réservé aux personnes bénéficiaires du libre choix d'activité à taux plein et qui ont au moins trois enfants. Le congé est d'un an.

À noter. Sous certaines conditions, les compléments libre choix du mode de garde et libre choix d'activité, ou optionnel, peuvent être cumulés si vous recourez pour votre enfant à une assistante maternelle plus une garde d'enfant à domicile et si vous travaillez à temps partiel.

● **Formalité**

Vous devez compléter, selon votre situation et votre choix, le formulaire de demande de PAJE complément du libre choix d'activité ou complément optionnel de libre choix d'activité.

Complément du libre choix d'activité	
Conditions	Montants
Taux plein (aucune activité exercée)	566,01 € par mois*
Taux partiel (exercice d'une activité d'une durée < 50 % de la durée légale du travail)	430,40 € par mois*
Taux partiel (exercice d'une activité d'une durée > 50 % mais < 80 % de la durée légale du travail)	325,47 € par mois*
Complément optionnel du libre choix d'activité (COLCA)	809,42 € par mois*

* Si la famille perçoit l'allocation de base de la PAJE, il faut la déduire du montant.

LES AUTRES ALLOCATIONS

Le complément familial, la prime de déménagement, les aides au logement, sont soumises à des conditions de ressources. Les allocations familiales, de soutien familial, de présence parentale, d'éducation spéciale n'ont pas de conditions de ressources.

Le complément familial (CF)

● **Qui peut en bénéficier ?**

Les personnes résidant en France, quelle que soit leur nationalité, ayant ou non une activité professionnelle.

● **Conditions**

Avoir au moins 3 enfants de 3 ans et plus, et ne pas bénéficier du complément de libre choix d'activité de la PAJE.

● **Durée de versement**

Le complément familial est versé à partir du 3e anniversaire de votre plus jeune enfant. Le versement prend fin dès qu'il vous reste à charge moins de 3 enfants âgés de plus de 3 ans ou dès que vous bénéficiez de l'allocation de base de la PAJE pour un nouvel enfant.

● **Montant**

Le montant du complément familial est de 166,18 € et il est soumis à des conditions de ressources variables selon le nombre d'enfants à charge (se renseigner auprès de sa caisse d'allocations familiales).

● **Formalité**

Vous devez fournir une attestation de ressources.

La prime de déménagement

C'est une prime à laquelle vous pouvez prétendre si vous avez la charge d'au moins 3 enfants nés ou à naître et si vous vous installez dans un nouveau logement ouvrant droit aux allocations de logement (allocation de logement familial ou APL).

Votre emménagement doit avoir lieu entre le 4e mois de grossesse et le dernier jour du mois précédant celui du 2e anniversaire de l'enfant.

● **Formalités**

Vous devez remplir un formulaire spécial et faire votre demande au plus tard 6 mois après la date du déménagement en fournissant à la CAF une facture acquittée d'un déménageur, ou des justificatifs de frais divers si vous avez effectué votre déménagement vous-même.

Prime de déménagement	Montants
3 enfants	957,60 €
4 enfants	1 037,40 €
Par enfant supplémentaire	79,80 €

Les aides au logement

Si vous payez un loyer, ou remboursez un prêt, ou si vous voulez accéder à la propriété pour votre résidence principale, et si vos ressources ne dépassent un certain plafond, vous pouvez bénéficier d'une des aides au logement suivantes : l'aide personnalisée au logement (APL), l'allocation logement (AL), l'allocation d'installation étudiante (Aline). Elles ne sont pas cumulables.

La plupart des conditions d'attribution sont identiques pour toutes ces prestations. L'APL est destinée à toute personne locataire d'un logement neuf ou ancien. L'AL concerne les personnes qui n'entrent pas dans le champ d'application de l'APL et qui ont des enfants (nés ou à naître), ou certaines autres personnes à charge ; ou forment un ménage marié depuis moins de 5 ans, le mariage ayant eu lieu avant les 40 ans de chacun des conjoints ; ou être étudiant. Les étudiants qui bénéficient d'Aline perçoivent ensuite l'AL.

Il ne nous est pas possible de donner ici tous les renseignements sur les conditions et formalités à remplir pour bénéficier de ces allocations. Mais vous pourrez trouver tous renseignements auprès de votre Caisse d'allocations familiales.

Les allocations familiales (AF)

• Conditions

• Les allocations familiales sont versées à partir du deuxième enfant à charge.

• Ces enfants à charge doivent être soumis, s'ils ont moins de 6 ans, aux examens médicaux obligatoires.

À noter. L'enfant à charge ne doit pas être bénéficiaire, à titre personnel, d'une ou plusieurs prestations familiales, de l'allocation logement, ou de l'aide personnalisée au logement.

• Formalités

Si vous avez déclaré à votre CAF l'arrivée de votre 2e enfant, vous recevrez une déclaration de situation à compléter afin de percevoir les prestations. Si vous n'êtes pas déjà allocataire, retirez auprès de la CAF une déclaration de situation.

• Durée

Les allocations familiales sont versées à compter du mois civil qui suit la naissance ou l'accueil d'un 2e enfant. Quand vous n'avez plus qu'un seul enfant ou aucun enfant à charge, les allocations sont interrompues à la fin du mois civil précédant ce changement de situation.

Une allocation forfaitaire de 78,36 € par mois est versée pendant un an aux familles de 3 enfants ou plus dont l'aîné atteint son 20e anniversaire.

Les allocations familiales sont versées jusqu'à 20 ans si les enfants continuent leurs études.

• Montant

Voir le tableau ci-dessous.

• Majoration unique

- Pour un enfant de plus de 14 ans (à l'exception de l'aîné des familles n'ayant que 2 enfants) : 63,84 €.

- Forfait « allocations familiales », pour les familles d'au moins 3 enfants, lorsqu'un enfant a entre 20 et 21 ans : 80,73 €. Vous n'avez aucune démarche à effectuer.

Allocations familliales	Montants
2 enfants	127,68 €
3 enfants	291,27 €
4 enfants	457,86 €
5 enfants	618,45 €
Par enfant supplémentaire	163,59 €

L'allocation de soutien familial (ASF)

Cette allocation remplace l'allocation d'orphelin.

• Qui peut en bénéficier ?

Les personnes qui assument la charge :

• d'un enfant orphelin de père et/ou de mère

• d'un enfant dont la filiation n'est pas établie légalement à l'égard de ses parents ou de l'un d'eux

• d'un enfant dont les parents (ou l'un d'eux) ne font pas face à leurs obligations d'entretien ou de versement d'une pension alimentaire (1).

Cette allocation concerne les familles adoptives jusqu'à l'adoption plénière de l'enfant. Elle est faite pour les familles ayant un enfant à charge, ou en vue de son adoption.

• Montant

Il est de 119,70 € pour un enfant orphelin de père et de mère et de 89,78 € pour un enfant orphelin de père ou de mère.

L'allocation de soutien familial est cumulable avec toutes les autres prestations, avec des conditions particulières pour l'allocation de base de la PAJE (enfant adopté).

L'allocation de soutien familial est supprimée en cas de mariage, de remariage, de concubinage ou de PACS de l'allocataire. Si l'allocation est accordée pour un enfant recueilli par des tiers, elle est maintenue, que la personne qui a la charge de l'enfant vive seule ou en couple.

1- En cas de versement partiel d'une pension alimentaire, vous pouvez recevoir une allocation de soutien familial différentielle.

L'allocation journalière de présence parentale (AJPP)

Revenu de substitution, l'allocation journalière de présence parentale est indissociable du congé de présence parentale.

● Conditions

Les salariés, les fonctionnaires, les demandeurs d'emploi indemnisés et les stagiaires rémunérés de la formation professionnelle peuvent bénéficier d'un congé de présence parentale et percevoir l'AJPP, si leur enfant est atteint d'une maladie, d'un handicap ou victime d'un accident grave rendant indispensable la présence soutenue d'un parent et des soins contraignants.

● Formalités

Vous devez déposer auprès de votre CAF une demande d'AJPP et le certificat médical détaillé sous pli confidentiel. Selon votre situation, vous joindrez soit une attestation de votre employeur précisant la date de début du congé, soit une déclaration sur l'honneur de cessation de versement des Assedic ou de cessation de formation rémunérée.

Une fois le droit ouvert, le bénéficiaire doit adresser chaque mois une attestation de son employeur indiquant le nombre de jours de congé qui ont été pris.

● Durée

Il est possible de fractionner les périodes de congés et de bénéficier d'un nombre maximum de 310 jours de congés, soit 14 mois environ, au cours d'une période de 3 ans pour une même maladie, accident ou handicap. Par ailleurs, le nombre d'allocations mensuelles versées ne peut dépasser 22 allocations.

● Montant

Voir le tableau ci-dessous.

Un complément forfaitaire mensuel pour frais, de 108,49 €, peut s'ajouter à l'allocation. Il est soumis au même plafond de ressources que le complément familial. La demande s'effectue par une déclaration sur l'honneur en indiquant le montant des dépenses engagées en lien avec la maladie, le handicap ou l'accident.

● Cumul

L'AJPP n'est pas cumulable avec les indemnités pour maternité, maladie, paternité ou adoption, pas davantage avec le complément du libre choix d'activité, le complément de l'allocation d'éducation de l'enfant handicapé, l'allocation pour adulte handicapé.

Allocation journalière de présence parentale	Montants
Personne seule	50,39 €
Couple	42,41 €

L'allocation d'éducation de l'enfant handicapé (AEEH)

Cette allocation et ses compléments sont destinés à aider les parents qui assument la charge d'un enfant ayant un handicap sans qu'il soit tenu compte de leurs ressources. Elle est accordée sur décision de la commission pour les droits et l'autonomie des personnes handicapées (CDAPH), qui appréciera l'état de l'enfant. Les détails de cette allocation sont donnés dans *J'élève mon enfant*.

LES PRESTATIONS DE L'AIDE SOCIALE

L'aide sociale à l'enfance (ASE)

L'aide sociale à l'enfance est un service du département. Sa mission consiste à apporter un soutien matériel, éducatif et psychologique aux enfants mineurs et à leur famille, ou à toute personne qui détient l'autorité parentale, lorsqu'ils sont confrontés à des difficultés médicales, sociales ou financière.

Chaque département organise librement son service ; c'est pourquoi celui-ci dépend d'une direction qui a une appellation différente selon les départements (direction de la Solidarité, direction de la prévention, direction de l'action sociale, etc.). Plusieurs services participent aux missions de l'aide sociale à l'enfance : le service spécifique de l'aide sociale à l'enfance, le service social départemental, la protection maternelle et infantile (PMI).

• L'aide sociale peut proposer aux femmes enceintes :

Une aide à domicile : elle comprend l'intervention d'une technicienne de l'intervention sociale et familiale (TISF) ou d'une aide ménagère.

Une aide financière attribuée à la mère ou au père dont les ressources s'avèrent insuffisantes, soit sous la forme d'un secours exceptionnel, soit d'une allocation mensuelle, à titre définitif ou remboursable.

L'accueil des enfants et des mères isolées

L'aide sociale à l'enfance peut prendre à sa charge, sur décision du Président du conseil général, l'accueil de futures mères et de mères avec jeune(s) enfant(s) dans des établissements publics ou privés conventionnés

Le RSA (Revenu de Solidarité Active)

Le RSA, qui a remplacé le RMI, garantit un revenu minimum aux personnes privées d'emploi et apporte un complément de revenu à celles en situation d'emploi précaire et disposant de revenus trop faibles pour assurer leur charge de famille. Il permet de cumuler sans limitation de durée une partie des revenus d'activité avec les revenus de solidarité.

Conditions

La personne doit être âgée de 25 ans ou assumer la charge d'un ou plusieurs enfants nés ou à naître. Elle doit, quelle que soit sa nationalité, résider de manière stable et effective en France. Les ressortissants européens doivent remplir les conditions exigées pour obtenir un titre de séjour. Les autres ressortissants étrangers doivent être en possession d'un titre de séjour d'au moins 5 ans les autorisant à travailler.

Sont exclus du dispositif :

les étudiants ou stagiaires, les personnes en congé parental, sabbatique ou sans solde, ou qui ont choisi de se mettre en disponibilité.

Attribution

Le RSA relève de la compétence du département dans lequel le demandeur réside ou a élu domicile. Le dépôt de la demande peut s'effectuer auprès du département, de la mairie, de la Caisse d'allocations familiales, de la Caisse de mutualité sociale agricole, des associations agréées ou de l'agence Pôle Emploi.

Droits et devoirs des bénéficiaires

Le bénéficiaire dispose d'un droit d'accompagnement social et professionnel adapté et confié à un référent unique. En retour il doit, selon sa capacité, occuper immédiatement un emploi proposé, ou rechercher un emploi, ou entreprendre les démarches nécessaires à la création de sa propre activité, ou s'engager dans des actions d'insertion.

Montant

Il varie en fonction de la situation familiale. Voyez le tableau ci-dessous.

Montant du RSA		
Situation familiale	Montant mensuel	Montant mensuel après déduction du forfait logement*
Personne seule	474,93 €	417,94 €
Avec majoration pour 1 personne à charge	712,40 €	598,42 €
Couple	712,40 €	598,42 €
Couple avec 1 personne à charge	854,88 €	716,18 €
Parent isolé	609,87 €	552,88 €
Parent isolé avec 1 enfant à charge	813,16 €	699,18 €

* Le forfait logement correspond à 56,04 € pour 1 personne, et à 112,08 € pour 2 personnes.

QUELQUES ADRESSES

● **Des informations juridiques et sociales...**

Vous êtes à la recherche d'informations concernant votre travail, le droit de la famille, des questions sociales, juridiques, etc. Voici quelques organismes à votre disposition :

• **Centre national d'information et de documentation des femmes et des familles** (CNIDFF)
7, rue du Jura 75013 Paris.
Tél. : 01 42 17 12 00.
Il existe de nombreuses antennes en France intitulées : CIDF-CEDIFF-CIDFF. www.infofemmes.com

• **Le 39 39** (0,12 € la mn)
Ce numéro de téléphone, le 39 39, permet d'obtenir une réponse à toute question administrative concernant les droits et les démarches.

• **À noter** cette adresse internet :
www.service-public.fr pour toute démarche qui ne nécessite pas la présence physique de l'intéressé.

• **Fédérations syndicales des familles monoparentales**
53, rue Riquet, 75019 Paris.
Tél. : 01 44 89 86 81. Ce numéro vous indiquera votre antenne départementale.

• **Inter-Service-Parents** (service téléphonique de la Fédération des écoles des parents et des éducateurs).
Une équipe polyvalente, spécialiste de l'écoute, composée de juristes, conseillères scolaires, conseillères conjugales, conseillères en vacances, loisirs... vous informe, dans le respect de l'anonymat.
Tél. : 01 44 93 44 88.
Fil santé jeune (numéro national pour les 12-25 ans)
Tél. : 32 24
www.filsantejeunes.com et www.epe-idf.com

• **Santé Info Droits**
Service créé et mis en œuvre par le collectif inter associatif sur la santé.
Tél : 0 810 004 333 ou 01 53 62 40 30, lundi mercredi vendredi de 14h à 18 h et mardi jeudi de 14h à 20 h.
L'équipe d'écoutants est composée d'avocats et de juristes spécialisés, soumis au secret. Leur objectif est de répondre à toute question juridique ou sociale liée à la santé.

• **Paris - Aide aux victimes**
Cet organisme vient en aide à toutes les victimes, quelle que soit l'origine de leur détresse, physique ou psychologique (accident de la circulation, agression sexuelle, etc.). Soit cet organisme prend en charge directement les personnes, soit il les oriente vers les services à même de les aider.
12 rue Charles Fourier, 75013, Paris.
Tél. : 01 45 88 18 00
www.pav75.fr
Il existe des permanences dans tous les départements. Renseignez-vous à votre mairie.

• **Violences conjugales**
Tel. : 3919. Ce numéro national est accessible du lundi au samedi de 8h à 22h, les jours fériés de 10h à 20h.

• Les particuliers peuvent prendre contact, par simple lettre, avec le **juge aux affaires familiales** (en ce qui concerne l'autorité parentale, la pension alimentaire, le droit de visite, la résidence de l'enfant), ou avec le **juge des enfants** (maltraitance, assistance éducative, problèmes de délinquance). Ces juges siègent au tribunal de grande instance. En cas d'urgence, des procédures particulières sont prévues ; dans ces cas, il vaut mieux s'adresser à un avocat.

• Dans tous les tribunaux de grande instance, des consultations juridiques gratuites sont organisées par les **ordres des avocats.**

● **Des lieux d'écoute, d'accueil, de rencontre...**

• **Association française des centres de consultation conjugale**
44, rue Danton, 94270 Le Kremlin-Bicêtre.
Tél. : 01 46 70 88 44.
Chaque centre possède un réseau de spécialistes des problèmes familiaux. www.afccc.fr

• **Fédération nationale couple et famille.**
28, Place Saint-Georges, 75009 Paris.
Tél. : 01 42 85 25 98.
couplesetfamilles@free.fr
Elle s'adresse à tous ceux qui ont besoin d'être écoutés et aidés : couples en difficulté, femme en détresse, parents, adolescents, personnes seules. 40 associations en métropole.

• IRAEC (Institut de recherche appliquée enfant-couple).
41, rue Joseph-de-Maistre, 75018 Paris.
Tél. : 01 42 28 42 85.
iraec@wanadoo.fr
Vous êtes enceinte ou vous êtes déjà parent ; vous vous posez des questions, vous pouvez aller au club parents-enfants. Vous y trouverez un lieu d'accueil et de jeu. (Adhésion annuelle)

• REAAP (Réseau d'Écoute, d'Appui et d'Accompagnement des Parents)

Ce réseau de soutien à la parentalité a pour but de mettre en commun, par le dialogue et l'échange, des actions mettant en valeur les compétences et les capacités des parents. Ce réseau existe en principe dans chaque département. Vous pouvez le consulter sur www.reaap en ajoutant le numéro de votre département .com

• La Maison verte (créée par Françoise Dolto) est un lieu d'accueil pour les enfants, les parents (et futurs parents). Les enfants y viennent accompagnés d'un adulte (père, mère, personne qui les garde) et sont accueillis dans un lieu convivial, avec la présence sécurisante de leurs parents. Dans chaque région, il y a des lieux d'accueils enfant-parents. Pour en savoir plus, vous pouvez vous adresser à la Maison verte, 13, rue Meilhac. 75015 Paris.
Tél. : 01 43 06 02 82.

• La maison de l'École des Parents (maison ouverte)
164, boulevard Voltaire, 75011 Paris.
Tél. : 01 44 93 44 76
mouverte@epe-idf.com
Ce lieu accueille les enfants de la naissance à 4 ans accompagnés de leurs parents, grands-parents, assistantes maternelles...

• Le planning familial
(Siège de la Confédération)
4, square Saint-Irénée, 75011 Paris.
Tél. : 01 48 07 29 10
mpf@planning-familial.org
C'est un lieu d'information et de documentation : contraception, conseil conjugal et familial, etc.

● L'environnement de votre enfant

• Projet Nesting, WECF France

Cité de la Solidarité Internationale
13 avenue Emile Zola
74100 Annemasse
Tél : 04 50 834 810
www.projetnesting.fr
Un site internet qui aide les futurs parents à créer un environnement intérieur sain pour leur enfant : de la rénovation au choix du mobilier, en passant par les articles de puériculture, une foule de conseils pratiques et de gestes simples à mettre en œuvre.

BELGIQUE
LA PROTECTION DE LA MATERNITÉ

La protection sociale

En Belgique, l'assurance obligatoire des soins de santé et indemnités couvre : les soins de santé, les indemnités d'incapacité de travail et d'invalidité, l'indemnité maternité, de paternité et d'adoption. Depuis 1998, tous les assurés disposent d'une carte d'identité sociale (CIS).

● Bénéficiaires

Les travailleurs salariés, les travailleurs indépendants, les étudiants, les personnes handicapées, les résidents, ainsi que leurs ayants droit à charge.

● Conditions d'ouverture des droits

Il faut s'être affilié à un organisme assureur, ou s'inscrire à la caisse auxiliaire d'assurance maladie. Le droit à l'assurance est ouvert dès l'affiliation si le paiement des cotisations est à jour et il faut que ces cotisations aient atteint une valeur minimale. Si tel n'est pas le cas, une cotisation supplémentaire doit être payée pour conserver ses droits aux soins de santé.

● Le remboursement des soins et produits pharmaceutiques

L'assuré choisit librement son médecin. Il paie directement les honoraires au médecin et se fait ensuite rembourser par l'organisme assureur qu'il a choisi. Le taux de remboursement est fixé en moyenne à 75 % du tarif de responsabilité belge.

Pour les spécialités pharmaceutiques remboursables, la participation de l'assuré est fonction de leur utilité sociale et thérapeutique.

● L'assurance maladie et indemnités en especes

Les salariés et les chômeurs indemnisés peuvent prétendre aux prestations en espèces de l'assurance maladie à condition d'avoir été assurés depuis au moins 6 mois et d'avoir totalisé 120 jours de travail.

● Congé de maternité

Le congé de maternité débute au plus tôt 6 semaines (8 semaines en cas de naissance multiple) avant la date présumée de l'accouchement et se termine 9 semaines après l'accouchement, soit 15 semaines (17 semaines en cas de naissance multiple).

Il donne lieu à une prestation spécifique appelée indemnité de maternité ; elle concerne tous les bénéficiaires du droit aux indemnités maladie.

● Montant de l'indemnité

Le montant est différent selon le statut de la personne.
- La personne salariée perçoit durant les 30 premiers jours 82 % de son salaire non plafonné. À partir du 31ᵉ jour et en cas de prolongation, le taux se trouve réduit à 75 % de son indemnité plafonnée à 91,19 € par jour.
- La personne au chômage perçoit durant les 30 premiers jours 60 % de sa rémunération plafonnée et une indemnité complémentaire plafonnée à 19,5 % de sa rémunération plafonnée, soit un maximum de 96,66 € ; et à 15 % à partir de 31 jours, soit 91,19 € maximum.
- Pour les salariées en incapacité de travail, l'indemnité s'élève à 79,5 % durant 30 jours, maximum 96,66 €, puis 75 % de ce montant à partir du 31ᵉ jour, soit maximum 91,19 €.

● Congé de paternité des travailleurs salariés

Il est de 10 jours et doit être pris dans les 4 mois suivant l'accouchement, de manière continue ou non. Pour les 3 premiers jours, le travailleur perçoit son salaire et pour les autres jours, une indemnité est payée par son organisme assureur dans la limite d'un plafond de 99,70 €.

● Congé d'adoption

Il peut être pris par le père ou la mère. Il est de 6 semaines pour l'adoption d'un enfant de moins de 3 ans et de 4 semaines pour un enfant entre 3 et 8 ans. Ces durées sont doublées si l'enfant est handicapé. Les 3 premiers jours sont à la charge de l'employeur et les autres jours sont rémunérés par l'organisme assureur. Un chômeur ne peut prétendre à cette prestation.

Le montant du congé est fixé à 82 % de la rémunération. Le montant de l'allocation est de 99,70 €.

● Organisme belge de Sécurité sociale

Assurance maladie maternité
Direction et contrôle
Institut National d'Assurance Maladie Invalidité (INAMI)
Avenue de Tervueren, 211
Tél : 02 739 71 11
Fax : 02 2 739 72 91
Courriel : bib@inami.be

Les prestations familiales en Belgique

Il existe trois régimes de prestations familiales : travailleurs salariés, travailleurs indépendants, personnel du secteur public. Pour les personnes sans profession qui ont des enfants à charge, il existe un autre régime dit de prestations non contributives sous conditions de ressources.

● **Bénéficiaires**

Pour pouvoir bénéficier des prestations familiales, il doit exister un lien entre le bénéficiaire et l'enfant et celui-ci ne doit pas avoir plus 18 ans, 25 ans en cas d'apprentissage ou de poursuite d'études supérieures. Pour les apprentis, la rémunération brute mensuelle ne doit pas dépasser : 490,09 €. Par ailleurs, l'enfant doit en principe être élevé en Belgique. Si ce n'est pas le cas, se renseigner auprès de la caisse d'allocations familiales sur les différents accords existants.

● **Allocations familiales**

Elles sont versées mensuellement à partir du premier enfant et varient en fonction du nombre d'enfants.

premier enfant : 85,07 €

deuxième enfant : 157,41 €

troisième enfant et chacun des suivants : 235,03 €

Selon l'âge, différents suppléments sont prévus sous certaines conditions : se renseigner auprès de sa caisse d'allocations familiales.

- Une majoration sociale est attribuée lorsque les revenus ne dépassent pas : 2 102,22 € pour une personne seule et 2 173,88 € pour un couple.

- Enfants de pensionnés ou de personnes au chômage depuis plus de 6 mois :

premier enfant : 43,31 €

deuxième enfant : 26,85 €

troisième enfant : 4 ,71 €

- Enfants de personnes invalides ou handicapées actives :

premier enfant : 93,18 €

deuxième enfant : 26,85 €

troisième enfant : 4,71 €

- Il existe une majoration pour famille monoparentale :

premier enfant : 43,31 €

deuxième enfant : 26,85 €

troisième enfant : 21,65 €

● Une allocation supplémentaire est prévue pour :

- l'enfant handicapé de moins de 21 ans ; elle varie de 382,73 € à 447,86 € selon son degré d'autonomie ;

- un supplément pour l'enfant atteint d'une affection variable, selon la gravité de l'affection de 74,60 € à 497,36 €.

Se renseigner auprès de sa Caisse d'allocations familiales.

● Allocation orphelin

Les orphelins bénéficient d'allocations familiales majorées si le père ou la mère ne s'est pas remarié(e), ou ne vit pas en couple.

Par enfant : 326,82 €

● Allocation de naissance

première naissance : 1 152,27 €

deuxième naissance et chacune des suivantes : 867,17 €

naissance multiple (chaque enfant) : 1 152,27 €

● Prime d'adoption : 1 152,27 €

● **Adresse de l'organisme des prestations familiales**

Office National d' Allocations Familiales pour Travailleurs Salariés (ONAFTS). Cet office dispose de bureaux provinciaux.

Rue de Trèves, 70

1000 Bruxelles

Tél : 02 237 21 12

Fax : 02 237 24 70

Courriel : info.mediation@rkw-onafts.fgov.be

LUXEMBOURG
LA PROTECTION DE LA MATERNITÉ

La gestion de l'assurance maladie-maternité et de l'assurance dépendance est assurée par la Caisse nationale de santé. Elle regroupe l'ensemble des régimes de protection sociale, c'est-à-dire la caisse maladie des salariés du secteur public, la caisse maladie des salariés du secteur privé et la caisse maladie des non salariés.

Toute personne qui exerce une activité salariée est obligatoirement protégée contre les risques : maladie, maternité, dépendance, vieillesse, invalidité, survie (survivants), accident du travail, maladies professionnelles, chômage. Les étudiants qui ne sont plus bénéficiaires de l'assurance maladie de leur famille, compte tenu de leur âge, sont également assurés.

Il existe, par ailleurs, un droit à l'assistance pour les personnes qui ne disposent pas de ressources. Pour les personnes sans protection sociale, il y a des possibilités d'assurances facultatives.

● **Assurance maladie**

Les prestations en nature

L'assurance maladie prend en charge :

- Les frais de consultation médicale. Le malade a le libre choix de son médecin et dispose de la liberté de consulter un spécialiste. Il participe financièrement, de manière modulable, selon le nombre de visites réalisées, avec une participation minimum de 5 €, sauf pour les consultations et les visites en rapport avec une hospitalisation, qui sont prises totalement en charge.

- Les soins dentaires sont pris en charge à 95 % au delà d'un montant annuel de 48,54 €.

- Les médicaments figurant sur une liste sont pris en charge selon leur classe, à 100, 80 ou 40%.

- Pour une hospitalisation, 3 classes sont prévues. Les assurés participent aux frais à raison de 12,64 € par jour d'hospitalisation en chambre de 2ᵉ classe, dans la limite de 30 jours. Il existe un forfait journalier de 4,20 € pour les médicaments.

- Les actes réalisés par les professionnels paramédicaux inscrits à la nomenclature sont pris en charge à 100 %.

Les prestations sont accordées dès le 1ᵉ jour d'affiliation pour le régime d'assurance obligatoire. Le droit est maintenu pour le mois en cours et les 3 mois suivants en cas de cessation d'affiliation, si l'assuré bénéficiait d'une protection pendant les 6 mois immédiatement précédents.

Les prestations en espèces. Elles sont accordées dès le 1ᵉ jour à condition de justifier d'une affiliation antérieure de 6 mois. Les indemnités sont égales à 100 % du salaire dans la limite d'un plafond ; elles sont versées pendant un an au plus sur une période de 104 semaines. En règle générale le salaire est maintenu pendant 77 semaines par l'employeur.

Pension d'orphelin. En cas de décès, si les parents remplissaient les conditions de 12 mois d'assurance dans les 3 ans qui précédèrent le décès, les enfants reçoivent une pension d'orphelin de père ou de mère jusqu'à l'âge de 18 ans, ou de 27 ans en cas de poursuite des études ou d'invalidité. L'orphelin de père et de mère a droit au cumul des deux pensions. Si pour les deux parents il existe un droit à pension d'orphelin mais d'un montant différent, c'est le montant de la pension la plus élevée qui est doublé.

● **Assurance maternité**

L'assurance maternité prend à sa charge les soins médicaux et les soins requis par la grossesse et l'accouchement.

Afin de bénéficier des **prestations en espèces**, la personne assurée doit justifier d'une période d'activité de 6 mois dans les 12 mois qui précèdent le **congé de maternité**. La durée de ce dernier est de 8 semaines avant la date prévue de l'accouchement et de 12 semaines après.

Le **montant** de l'indemnité est identique à celui de l'indemnité maladie, soit 100 % du salaire sans toutefois pouvoir dépasser 5 fois le montant du salaire social minimum. Par ailleurs, il est accordé à l'assurée dans les mêmes conditions de durée de stage et de montant, une indemnité en cas d'adoption d'un enfant non encore admis à la première année d'études primaires. Si l'assurée renonce à son droit, son conjoint peut faire valoir son droit à sa place.

Les prestations familiales au Luxembourg

Les prestations familiales sont délivrées aux familles qui résident au Luxembourg, ayant des enfants à charge âgés de moins de 18 ans, 27 ans en cas de poursuite d'études, et sans limitation si l'enfant présente un handicap.

● **Les allocations familiales ordinaires**

Le montant des allocations est fixé par enfant, quel que soit le nombre. Le montant de base par enfant augmente progressivement en fonction de la taille de la famille.

Les allocations sont majorées pour les enfants de plus de 6 ans (16,17 €) et de plus de 12 ans (48,52 €).

Nombre d'enfants	Montant
1	185,60 €
2	440,72 €
3	802,74 €
4	1 164,56

● **Allocation spéciale supplémentaire**

Tout enfant âgé de moins de 18 ans et présentant un taux de handicap d'au moins 50% a droit à une allocation supplémentaire d'un montant mensuel de 185,60 €.

● **Boni pour enfant**

Le boni pour enfant est une mesure fiscale attribuée sans conditions de ressources à tout parent qui a la charge d'au moins un enfant pour lequel il perçoit des prestations familiales. Le boni est versé mensuellement, le paiement se fait indépendamment de celui des allocations familiales. Son montant est de 76,88 €.

● **Allocation de maternité**

Il est attribué à la future mère, ou aux parents adoptifs, une allocation de maternité d'un montant de 194,02 € en l'absence de droit aux indemnités maternité, ou en complément lorsque son montant se trouve inférieur à cette somme. Cette allocation est versée pendant 16 semaines à partir de la 8e semaine avant la date présumée de l'accouchement. En cas d'adoption, elle est accordée pendant 8 semaines à compter de la date d'arrivée de l'enfant dans la famille.

● **Allocation de naissance**

C'est est une prestation forfaitaire versée à toutes les familles qui résident au Luxembourg à condition que la grossesse soit surveillée médicalement ; il est versé autant d'allocations que d'enfants à naître. Elle est divisée en trois parties (prénatale, naissance, postnatale), payées individuellement et soumises à des conditions distinctes. Chaque versement est de 580,03 €

Allocation prénatale. L'assurée doit se soumettre durant la grossesse à 5 examens médicaux obligatoires et à un examen dentaire. Le 1er examen doit avoir lieu dans les 3 premiers mois de la grossesse ; par ailleurs, un seul des 4 autres examens non passé peut entraîner le non versement de l'allocation.

Allocation de naissance. L'accouchement doit avoir lieu sur le territoire luxembourgeois ; et la mère doit avoir effectué un examen postnatal dans un délai de 2 à 10 semaines après la naissance.

Allocation postnatale. L'enfant doit être élevé de façon continue sur le territoire et il doit passer les 6 examens médicaux obligatoires. Elle est versée lorsque l'enfant a deux ans.

● **Allocation d'éducation**

Elle est versée aux parents qui résident au Luxembourg, ou qui restent soumis à la législation luxembourgeoise bien que résidents dans un État membre de l'Union Européenne, et qui cessent ou diminuent leur activité pour élever leur enfant.

Le montant de l'allocation reste le même quel que soit le nombre d'enfants élevés. Il s'élève à 485,01 € à taux plein et à 242,51 € pour un maintien d'activité à mi-temps.

SUISSE
LA PROTECTION DE LA MATERNITÉ

La protection sociale

En Suisse, les assurances sociales obligatoires pour la maladie, la maternité, le chômage, la vieillesse et les survivants, l'invalidité, les accidents professionnels et non professionnels sont prévues au niveau fédéral et gérées par une pluralité d'assureurs placés sous la tutelle de l'Office Fédéral des Assurances Sociales. En ce qui concerne spécifiquement la maladie-maternité, les caisses reconnues sont les caisses maladie publiques, les caisses privées, les institutions d'assurance privées soumises à la loi du 17 décembre 2004. Enfin, il existe une institution commune qui assume les coûts afférents aux prestations légales à la place des assureurs insolvables.

● **Affiliation**

Toute personne résidant en Suisse doit contracter une assurance pour les soins ou être assurée par son représentant légal dans les 3 mois qui suivent la naissance ou l'installation en Suisse. L'assurance prend effet immédiatement. L'assuré a le libre choix de la caisse maladie et celle-ci est tenue d'accepter, dans la limite de son rayon d'activité territorial, tout demandeur d'assurance.

Le montant des primes des soins de santé est fixé par l'assureur et il doit être approuvé par l'Office Fédéral de Santé Publique.

La participation aux frais pour l'assuré est composée d'une franchise annuelle de 300 FS. Il existe aussi des franchises à option. Les primes peuvent alors être réduites.

● **Assurance maladie maternité**

L'assurance maladie comprend l'assurance soins, qui est obligatoire, et l'assurance indemnités journalières, qui est facultative. La personne a le libre choix du médecin, du pharmacien, du laboratoire, de l'hôpital.

L'assurance soins comprend, entre autres, la maternité et couvre la grossesse, l'accouchement et la convalescence de la mère. Les prestations spécifiques de la maternité comprennent les examens de contrôle, effectués par un médecin ou une sage-femme (7 examens lors d'une grossesse normale), une contribution aux cours de préparation à l'accouchement, les frais d'accouchement à domicile, dans un hôpital ou dans une institution de soins semi-hospitalier, ainsi que l'assistance d'un médecin ou d'une sage-femme, les conseils en cas d'allaitement – le remboursement est limité à 3 séances – (art. 13 à 16 de l'OPAS). Aucune participation n'est demandée lorsque la grossesse se passe bien.

● **Congé de maternité**

La durée est de 16 semaines dont au moins 8 semaines après l'accouchement.

● **Assurance indemnités journalières**

Cette assurance est ouverte à toute personne âgée de plus de 15 ans et de moins de 65 ans, résidant en Suisse ou y exerçant une activité professionnelle.

- Le montant des primes pour les indemnités journalières peut être différent en fonction de l'âge d'entrée de l'assuré ou du canton.

Pour ouvrir droit aux indemnités journalières de maternité, l'assurée doit, au moment de l'accouchement, avoir été assurée durant au moins 270 jours sans interruption de travail de plus de 3 mois.

● **Adresse utile**

Office Fédéral des Assurances Sociales (OFAS)
Effingerstrasse 20 CH- 3003 Berne
Tél : 0 31 322 90 11
Fax: 0 31 322 78 80
Si vous souhaitez obtenir un aperçu des primes d'assurance de base pour votre canton, vous pouvez téléphoner au : 0 31 324 88 02.

Les prestations familiales en Suisse

Le régime des allocations familiales est unifié depuis la loi fédérale (LAFam) du 24 mars 2006, en vigueur depuis le 1er janvier 2009. Selon la nouvelle loi, les allocations mensuelles doivent être versées pour chaque enfant dans tous les cantons.

Allocation pour enfant : 200 FS versés à partir du premier enfant jusqu'à 16 ans révolus.

Allocation de formation professionnelle : 250 FS pour les enfants de 16 à 25 ans révolus.

Il s'agit d'un minimum, dans de nombreux cantons les montants versés sont plus élevés.

L'allocation de naissance et l'allocation d'adoption sont variables selon le canton.

● **Bénéficiaires**

- les salariés
- dans certains cas les personnes sans activité lucrative ayant un faible revenu

- dans certains cantons les personnes de conditions indépendantes.

Pour les allocations à la discrétion des cantons, la limite d'âge de l'enfant à charge varie de 16 à 18 ans révolus.

Dans certains cas, les allocations peuvent être versées lorsque l'enfant ne réside pas en Suisse.

● **Conseil pratique**

Toute personne qui souhaite faire valoir un droit aux allocations familiales doit en faire la demande à son employeur, qui la transmet à la caisse de compensation compétente.

● **Pour plus de renseignements**

Les caisses de compensation cantonales donnent volontiers les renseignements complémentaires souhaités. Leurs adresses se trouvent dans les dernières pages des annuaires téléphoniques.

Vous pouvez aussi consulter le site Internet de l'Office Fédéral des Assurances Sociales (www.ofas.admin.ch).

QUÉBEC
LA PROTECTION DE LA MATERNITÉ

Au Canada, en matière de protection sociale, l'administration fédérale intervient sur le plan législatif et financier et gère directement certains programmes. D'autres programmes sont assurés au niveau provincial ou municipal. La majorité des programmes sont aidés financièrement par le gouvernement fédéral qui verse des subventions lorsque la province respecte les obligations inscrites dans la loi canadienne sur la santé.

● **Assurance maladie**

Le gouvernement québécois est responsable de l'exécution des programmes d'assurance maladie. Il relève du ministère de la santé et des services sociaux. Il est administré par la Régie d'assurance maladie du Québec (RAMQ).

L'assurance maladie est financée par l'impôt.

Affiliation

Pour bénéficier des soins de santé, il faut être considéré comme résident au Québec. La personne autorisée par la loi à demeurer au Canada, qui vit au Québec et y est ordinairement présente, est un résident du Québec. Il faut, par ailleurs, être inscrit à la RAMQ. Une fois inscrit, une carte d'assurance maladie est délivrée.

Pour bénéficier des services médicaux, il suffit de présenter au praticien sa carte d'assurance maladie valide.

Des précisions complémentaires peuvent être obtenues sur le site www.ramq.gouv.qc.ca.

Étendues de la protection

L'assurance maladie prend en charge les visites, les examens, les consultations, les traitements psychiatriques, les actes de diagnostic et thérapeutiques, la chirurgie, la radiologie et l'anesthésie, effectués par des médecins généralistes ou spécialistes, réalisés en cabinet privé, en établissement de soins ou au domicile. La plupart des services de laboratoires et certains examens très spécialisés, échographie, tomographie, etc., ne sont assurés que dans les centres hospitaliers.

• Assurance médicaments

Toutes les personnes résidant au Québec doivent bénéficier d'une couverture d'assurance médicaments, soit par le régime public administré par la RAMQ, soit auprès d'un régime privé accessible dans le cadre d'un emploi. Les personnes affiliées à la RAMQ versent une cotisation calculée sur les revenus. Le montant maximal de la cotisation est fixé à 563 $ par an. Il existe une franchise à la charge de l'assuré. Les médicaments sont gratuits pour les enfants.

• Assurance parentale

Ce régime, en vigueur depuis le 1er janvier 2006, a été mis en œuvre afin de permettre aux parents de concilier leur vie professionnelle et leur vie familiale. C'est un régime d'assurance contributif et obligatoire. Les cotisations de l'assurance parentale couvrent les prestations maternité, paternité, parentale et d'adoption et sont perçues par le Revenu du Québec.

• Affiliation et Bénéficiaires

Pour bénéficier du RQAP, il faut être parent d'un enfant né ou adopté depuis le 1er janvier 2006, résider au Québec, avoir cessé de travailler ou avoir connu une diminution d'au moins 40 % de son revenu habituel, avoir un revenu d'au moins 2 000 $ au cours des 52 dernières semaines et verser les cotisations.

Les parents peuvent choisir entre deux régimes : le régime de base et le régime particulier. Voir le tableau ci-dessous.

Les **prestations de paternité** sont versées au père à l'occasion de la naissance d'un enfant. Si le père ne les utilise pas, il ne peut pas les transférer à la mère.

En revanche, les **prestations parentales** et les **prestations d'adoption** peuvent être prises par l'un ou l'autre parent, simultanément ou successivement.

La RQAP envisage une majoration des prestations pour les familles à faible revenu (inférieur à 25 921 $).

Type de prestations	Régime de base		Régime particulier	
	Durée en semaines	% du revenu	Durée en semaines	% en revenu
Maternité	18	70 %	15	75 %
Paternité	5	70 %	3	75 %
Parentales	7	70 %	25	75 %
	25	55 %		
Adoption	12	70 %	28	75 %
	25	55 %		

Les prestations familiales au Québec

• La prestation de soutien aux enfants

Il s'agit d'une aide gouvernementale versée à toutes les familles qui ont des enfants à charge âgés de moins de 18 ans.

Le montant est variable d'une famille à l'autre car il tient compte du revenu familial net, du nombre d'enfants et du type de famille (monoparentale ou non).

Pour bénéficier de cette prestation, il faut avoir un enfant à charge de moins de 18 ans, résider au Québec et avoir produit une déclaration de revenus au Québec. Le seuil de revenu pour les familles biparentales est de 45 152 $ et de 32 856 $ pour les familles monoparentales.

• La prestation supplément pour enfant handicapé

Le supplément pour enfant handicapé est versé pour aider les familles à assumer la garde, les soins et l'éducation d'un enfant dont le handicap physique ou mental est important.

Le montant est le même pour tout enfant reconnu handicapé par la régie des rentes. Le montant de l'allocation est 179 $ par mois, il est versé quatre fois dans l'année.

• Allocation orphelin

Il existe une allocation mensuelle forfaitaire de 71,32 $ pour l'enfant à charge du conjoint survivant, jusqu'à l'âge de 18 ans.

• Des précisions complémentaires peuvent être obtenues sur www.rrq.gouv.qc.ca

LES PAYS DU MAGHREB

ALGÉRIE
La protection sociale

Les salariés, dépendent de deux caisses nationales, la Caisse Nationale des Assurances Sociales des Travailleurs Salariés (CNAS) et la Caisse Nationale de Retraite (CNR), placées sous la tutelle du Ministre chargé de la Sécurité Sociale.

La CNAS gère le recouvrement de toutes les cotisations, assure la gestion des prestations des assurances sociales et des prestations familiales. Dans chaque Wilaya, la CNAS dispose d'une agence qui fonctionne comme une annexe de la Caisse Nationale.

Les non salariés dépendent de la Caisse de Sécurité Sociale des Non Salariés (CASNOS) qui assure le recouvrement des cotisations, procède à l'immatriculation et gère les prestations des assurances sociales.

Sont obligatoirement affiliées les personnes qui exercent une activité salariée ou non, qui sont en formation professionnelle, quelle que soit leur nationalité.

● **Assurance maladie : prestations en nature et en espèces**
Conditions
Voir le tableau ci-dessous.
Bénéficiaires
- Pour les prestations en nature : le salarié et ses ayants droit
- Pour les prestations en espèces : le salarié perçoit du 1e au 15e jour d'arrêt des indemnités dont le montant est égal à 50 % du salaire. A partir du 16e jour, en cas de maladie de longue durée ou d'hospitalisation, il perçoit 100 % de son salaire après déduction des cotisations et des impôts. L'indemnité est versée pour chaque jour de travail, ouvrable ou non, pendant une durée maximale de 300 jours.

● **Assurance maternité**
Congé de maternité
Un congé de maternité d'une durée de 14 semaines (6 semaines avant l'accouchement et 8 semaines après) est accordé à l'assurée salariée. Les cotisations sont à la charge pour partie par l'employeur et par le salarié.

Prestations en nature
Pour bénéficier des prestations en nature, les conditions sont les mêmes qu'en maladie. Les frais de la grossesse, de l'accouchement et de ses suites, ainsi que les frais d'hospitalisation pendant une durée de 8 jours de la mère et de l'enfant, sont remboursables à 100 % des tarifs fixés par voie réglementaire.

Prestations en espèces
L'assurée salariée en arrêt de maternité a droit à une indemnité journalière dont le montant est égal à 100 % du salaire soumis à cotisation, après déduction des cotisations de la Sécurité sociale et des impôts.

Durée de l'arrêt de travail pour maladie	Périodes de travail exigées pour percevoir les prestations en nature et en espèces
Les 6 premiers mois	- Au moins 15 jours ou 100 heures au cours du trimestre précédant la date des soins - ou 60 Jours ou 400 heures les 12 mois précédant la date des soins.
Si prolongation au-delà des 6 mois	- Au moins 60 jours ou 400 heures au cours des 12 mois précédant l'arrêt - ou au moins 180 jours ou 1200 heures au cours des 3 années qui ont précédé l'arrêt.

Les prestations familiales en Algérie

Pour percevoir les prestations familiales, les enfants doivent être à la charge du travailleur. La limite d'âge est de 17 ans, et de 21 ans en cas de poursuite des études.

• Allocations familiales

Pour un allocataire disposant de revenus inférieurs ou égaux à 15 000 Dinars algériens
- du 1er au 5e enfant : 600 DA par mois et par enfant
- à partir du 6e enfant : 300 DA par mois

Pour un allocataire disposant de revenus supérieurs : 300 DA par mois et par enfant, quel que soit son rang.

• Allocation de scolarité

Il s'agit d'une allocation annuelle versée en une seule fois pour chaque enfant scolarisé à partir de 6 ans jusqu'à 21 ans.
- Pour un allocataire disposant de revenus mensuels inférieurs ou égaux à 15 000 DA
  par enfant, du 1er au 5e : 800 DA
  - à partir du 6e enfant : 400 DA
- Pour un allocataire disposant de revenus mensuels supérieurs à 15 000 DA
  - 400 DA par mois et par enfant quel que soit son rang.

MAROC

La protection sociale

Il existe au Maroc trois régimes de protection sociale : pour les salariés du secteur public, pour les salariés du secteur privé et le régime d'assistance médicale (RAMED).

La Caisse Nationale des Organismes de Prévoyance Sociale (CNOPS) gère les salariés du régime public, la Caisse Nationale de Sécurité Sociale (CNSS) ceux du régime privé. Le RAMED est basé sur les principes de l'assistance sociale et de la solidarité nationale des populations les plus démunies.

Les personnes économiquement faibles peuvent bénéficier des soins dans les établissements de santé et les services sanitaires publics.

• Assurance maladie

Depuis la loi du 1er mars 2006, les employeurs ont l'obligation de s'affilier à la CNSS au plus tard 30 jours après l'embauche de leur salarié. Une carte d'immatriculation est délivrée aux employés. La personne qui a été assuré pendant 1 080 jours et qui ne remplit plus les conditions peut s'assurer volontairement dans les 12 mois suivants sa perte de qualité d'assuré. Le financement est assuré par une contribution patronale et salariale.

Important

Pendant une période transitoire de 5 ans renouvelable, les employeurs du privé comme du public, qui assuraient au moment de l'entrée en vigueur de la loi une assurance médicale à titre facultatif, pourront continuer à assurer cette couverture à condition d'en apporter la preuve.

Prestations en nature du secteur privé

Pour bénéficier des prestations de l'assurance maladie obligatoire, une période de cotisation de 54 jours ouvrables pendant les 6 mois précédant la maladie est obligatoire. À cette première condition viennent s'ajouter le paiement effectif des cotisations par l'employeur et l'identification des membres de la famille de l'assuré auprès de la CNSS.

Étendue de la protection

Pendant les premières années de la mise en œuvre de l'Assurance Maladie Obligatoire (AMO), il n'est pas prévu de remboursement des soins ambulatoires. Le panier de soins contient uniquement les suivis : de la maternité, de l'enfant de moins de 12 ans, des affections de longues et coûteuses, de longue durée, de l'hospitalisation.

Prestations en espèces

Pour bénéficier des prestations en espèces pour un premier arrêt de travail, le salarié doit justifier de 54 jours de cotisations au cours des 6 mois précédant l'arrêt. Les indemnités sont versées avec un délai de carence de 3 jours en cas de maladie, sans délai en cas d'accident.

Après un premier arrêt, l'assuré ne peut prétendre aux indemnités qu'après une autre période minimum de 6 jours de cotisations.

Les indemnités sont versées pendant 52 semaines au cours des 2 années consécutives qui suivent l'arrêt de travail.

Les indemnités sont égales à 66,6 % du salaire de

référence, plafonné à 6 000 dirhams par mois, perçu pendant les 6 derniers mois qui ont précédé l'arrêt de travail.

● **Assurance maternité**

Congé de maternité

Un congé de 14 semaines est accordé à la femme enceinte, dont 6 semaines minimum après l'accouchement.

Prestations en nature

L'AMO prévoit que la femme enceinte a droit pendant toute sa grossesse à l'ensemble des prestations en nature requises par son état : visites médicales, radiographies, analyses de laboratoire, etc., avant et après l'accouchement.

Prestations en espèces

L'assurée qui justifie de 54 jours de cotisations pendant 10 mois précédant la date du début du congé prénatal bénéficie d'indemnités journalières dont le montant s'élève à 100 % du salaire brut moyen plafonné à 6 000 dirhams par mois.

● **Congé de paternité**

Le père a droit à un congé de naissance de 3 jours qui est remboursé directement par la CNSS à l'employeur. L'indemnité ne peut pas dépasser le montant maximum de 692,30 dirhams.

Les prestations familiales au Maroc

Les salariés et les titulaires de pensions de vieillesse et d'invalidité peuvent y prétendre.

● **Conditions**

Le salarié doit justifier de 108 jours de cotisations pendant 6 mois d'immatriculation et percevoir un salaire minimum mensuel fixé à supérieur ou égal à 60 % du SMIG.

Il ne peut recevoir d'allocations que pour 6 enfants au plus.

L'âge limite des enfants est de 12 ans. Le versement est poursuivi lorsque:
- les enfants sont placés en apprentissage jusqu'à 18 ans
- s'ils poursuivent des études au Maroc ou à l'étranger jusqu'à 21 ans

- s'ils sont handicapés, sans limite d'âge.

● **Montant mensuel des allocations familiales**

- 200 dirhams pour les 3 premiers enfants et pour chacun
- 36 dirhams à partir du 4e enfant et pour chacun.

● **Adresse utile**

CNSS, 649, Boulevard Mohamed V -B.P. 10726 Casablanca, Tél : 022 24 40 44.

Site Web: www.cns.ma

Dans le but de faciliter les démarches, la CNSS a mis en place un portail internet gratuit permettant la télédéclaration, avec la possibilité d'échanges de formulaires ou de données et le paiement des cotisations.

TUNISIE

La protection sociale

Il existe en Tunisie quatre régimes de protection sociale : un régime général et complémentaire pour les salariés, un régime travailleurs indépendants, un régime pour les salariés agricoles, un régime pour les exploitants agricoles.

Ces différents régimes s'accompagnent de taux de cotisations différents et de prestations différentes. Compte tenu de cette spécificité, nous ne traiterons ici que la protection sociale des salariés du régime général.

La Caisse Nationale d'Assurance Maladie (CNAM) régit les assurances maladie, maternité, accidents du travail et maladies professionnelles, et la caisse nationale de sécurité sociale (CNSS) gère les assurances vieillesse, invalidité, survivants, décès, chômage et prestations familiales.

● **Assurance maladie**

Les employeurs sont tenus de déclarer leurs salariés dans le délai d'un mois à compter de la date d'embauche. En cas de défaillance, les salariés ont le droit de demander eux-mêmes leur immatriculation. Il s'agit d'un régime contributif à la charge de l'employeur et des salariés.

Pour bénéficier des prestations en nature et en espèces de l'assurance maladie-maternité, l'assuré doit justifier soit de 50 jours de travail pendant les 6 mois précédents ou de 96 jours pendant les 12 mois précédents. Les prestations sont servies à l'assuré et à ses ayants droit.

Les indemnités journalières sont versées à partir du 6e jour d'arrêt de maladie et dans la limite de 180 jours.

● Assurance maternité
Prestations en nature

Pour le suivi de la grossesse, le taux de prise en charge varie entre 70 % pour une consultation médicale et 85% pour l'achat de médicaments essentiels (100 % pour les médicaments vitaux).

L'assuré doit présenter et faire signer un bulletin de soins à chaque prestataire. Ces bulletins doivent être adressés à la CNAM dans les 60 jours qui suivent la date de consultation.

Pour l'accouchement, si l'assurée ou son ayant droit accouche dans une clinique privée conventionnée, le remboursement des frais médicaux et d'hébergement s'élève à 350 dinars et à 500 dinars pour une césarienne.

Un bulletin de naissance et un extrait d'acte de naissance doivent être adressés à la CNAM.

Prestations en espèces

L'assurée justifiant de 96 jours de travail pendant l'année civile précédant la date d'accouchement a droit à des indemnités journalières égales aux deux tiers du revenu journalier moyen, plafonné à 2 fois le SMIG, soit 479,65 dinars pendant 30 jours ; une prolongation est possible en cas de maladie consécutive à la grossesse ou à l'accouchement.

● Adresse utile

Caisse Nationale d'Assurance Maladie Takassim Ennacim, Immeuble El Kousour, Montplaisir BP 77, 1080 Tunis cedex .
Tél : (216)71952963 .

Les prestations familiales en Tunisie

Pour bénéficier des prestations familiales, les enfants doivent être à la charge du travailleur et résider à son domicile ; il s'agit des enfants légitimes, adoptés, placés en tutelle officieuse (frères et sœurs orphelins moyennant un acte notarié), donnés à titre de placement (enfant abandonné).

La limite d'âge est de 14 ans ou 16 ans pour ceux qui poursuivent leurs études, ou pour les filles qui remplacent leur mère au foyer, sans limite d'âge pour les enfants handicapés.

Les travailleurs indépendants n'ont pas droit aux prestations familiales.

● Allocations familiales

Le versement des allocations est limité aux 3 premiers enfants nés après le 1er janvier 1989. Le montant est dégressif avec le nombre d'enfants.

Montant

Premier enfant : 7,320 dinars par mois
Deuxième enfant : 6,506 dinars
Troisième enfant : 5,693 dinars

Majoration pour salaire unique

L'assuré ayant des enfants à charge qui ouvrent des droits aux allocations familiales, et dont le conjoint ne travaille pas, a droit à une majoration mensuelle versée par l'employeur en même temps que la rémunération mensuelle :

- pour 1 enfant : 3,125 dinars
- pour 2 enfants : 6,250 dinars
- pour 3 enfants ou plus : 7,825 dinars

● Allocations pour congés de naissance

À l'occasion de chaque naissance, le père salarié bénéficie d'un jour de congé dans les 7 jours suivant la naissance. Le financement de ce jour est remboursé à l'employeur par la CNSS.

● Contribution aux frais de crèche

Une prise en charge peut être octroyée aux mères exerçant une activité salariée et dont le salaire ne dépasse pas un certain montant pour 48 heures de travail hebdomadaire. Cette contribution est versée pour les enfants ouvrant droit aux prestations familiales et dont l'âge est compris entre 2 mois et 3 ans, inscrits dans une crèche agréée par le Ministère chargé de l'enfance.

● Adresse utile

Caisse Nationale de Sécurité Sociale
49 avenue Taïeb M'hiri 1002 Tunis belvédère.
Tél : (216) 71 796 744.
Fax: 00(216) 71 783 223.
Site internet: www.cnss.nat.tn .

Nous remercions le CLEISS (Centre des Liaisons Européennes et Internationales de Sécurité sociale) qui nous a fourni la documentation et les informations nécessaires à la réalisation de ces mémentos destinés aux lecteurs belges, luxembourgeois, suisses, québécois et du Maghreb.

INDEX

INDEX

INDEX

INDEX

INDEX

INDEX

LE COURRIER DE
J'ATTENDS UN ENFANT

Avez-vous des suggestions à faire ?
Une question à poser ?
Un conseil à demander ?
Souhaitez-vous faire part de votre expérience ?
N'hésitez pas à nous écrire !

Vous êtes nombreux à le faire et, grâce à Internet, notre courrier se développe et prend plus d'ampleur. Nous vous répondons comme nous répondrions à des amis, le plus vite possible et de notre mieux. Un échange constructif et enrichissant s'instaure car vous réagissez souvent à ce que nous vous écrivons, pour ajouter un commentaire, préciser votre demande, ou tout simplement nous dire que vous avez apprécié notre conseil. Ce courrier nous fait vraiment plaisir. Ecrire un livre est un long monologue, recevoir une lettre, un courriel, le transforme en dialogue et montre qu'il a atteint son but. Ces témoignages nous permettent de répondre au mieux aux attentes de nos lectrices et lecteurs. Ils sont pour toute l'équipe de *J'attends un enfant* un encouragement à poursuivre un travail qui chaque année s'amplifie.

Voici notre adresse mail

lpernoud@horay-editeur.fr

et notre adresse postale

Laurence Pernoud
Éditions Horay
22 bis, passage Dauphine
75006 Paris

Si vous y pensez, précisez le prénom de votre enfant, son âge,
l'endroit où vous habitez. Nous aurons l'impression de mieux vous connaître.

A 63

Votre enfant est né. Vous avez apprécié

J'ATTENDS UN ENFANT

Nous vous proposons de lire maintenant la suite

J'ÉLÈVE MON ENFANT

qui répond à toutes les questions que se posent
les parents.

1 Un enfant entre dans votre vie

Et soudain tout change...
Des moments privilégiés.
Des instants parfois difficiles.
Le père et son nouveau-né.

Le bien-être de votre enfant
La toilette, soins et changes,
la layette, le bain, le berceau,
le lit, la chambre.

2 Bien nourrir votre enfant

L'allaitement maternel
Allaitement maternel ? Allaitement au biberon ? Comment
choisir ? Combien de temps allaiter ? Le régime de la maman.
J'ai trop de lait. J'ai des crevasses. Et les autres questions
que vous vous posez. Le sevrage.
L'enfant nourri au biberon
Quel lait donner ? La préparation du lait.
Horaires et rations. L'heure du biberon
Réponses à quelques questions.

Comment peu à peu un enfant apprend à manger de tout
À quel âge commencer la diversification ? Ce qu'apportent
les différents aliments : céréales, viande, poisson, lait...
Des menus pour tous les âges.
Quelques difficultés possibles de l'alimentation
Pourquoi pleure-t-il ?
Comment faire accepter les changements.
Votre enfant ne veut pas manger : que faire ?
Deux situations particulières : obésité et allergie

3 La vie d'un enfant

Une journée bien remplie
Comment aider l'enfant à avoir un bon
sommeil. Les repas. Lorsqu'il pleure.
Les sorties. Les jeux et les jouets.
Le goût de la lecture se prend tôt
Quelques idées de livres.
Attention danger !
Dans la maison, hors de la maison, dans la nature. Des
mesures de prévention. La sécurité des piscines.

Voyages, vacances, nature
Bon voyage : nourrir, distraire et changer
l'enfant. La sécurité en voiture. L'enfant transporté sur un
vélo. Bonnes vacances : à la mer, à la montagne, à la cam-
pagne. Le soleil : bienfaits et dangers. L'enfant et l'animal.
La vie à la crèche
De plus en plus autonome
L'enfant apprend à manger seul, à s'habiller seul, à être propre.

4   L'enfant à la découverte du monde

Ce chapitre est la colonne vertébrale du livre, il ne parle ni de biberons, ni de couches, ni de varicelle : mois après mois, de la naissance à l'école, il raconte ce qui se passe dans la tête et le cœur de l'enfant, ce qui le pousse à faire tel geste, ce qui provoque telle attitude.
Connaître ses goûts et ses besoins permet de mieux comprendre son enfant, de mieux l'élever et d'y prendre plus de plaisir.
Ce chapitre est divisé en différents stades : de 1 jour à 1 mois, échanges et attachement ; de 1 à 4 mois, les premiers sourires ; de 4 à 8 mois, premiers jeux en famille ; de 8 à 12 mois, couché, assis, bientôt debout, etc. Chaque stade est illustré par des dessins montrant le développement et les nouvelles acquisitions de l'enfant.
Si votre bébé est prématuré
Élever des jumeaux
L'école maternelle
L'âge de l'école maternelle. Quelques difficultés. L'année d'avance.

5   Grandir et s'épanouir : l'éducation

Ce chapitre propose quelques réflexions sur des questions qui nous tiennent à cœur, sur certains faits de société et sur quelques situations difficiles.
Devenir parents aujourd'hui.
La sécurité affective. L'éducation silencieuse. La surprotection. L'autorité. Toujours coupables ? L'éveil à la religion.
Il ignore le futur, il ne connaît que le présent. Les mystères de la vie et de la sexualité. Le premier enfant. Une petite sœur est née...
Les grands-parents. L'adoption. L'agressivité : étape ou signal ? Les caprices. Les punitions. Ne l'humiliez pas.
L'enfant agité. La confiance en soi.
Les frustrations. Les disputes. Menteur !
Les non-dits familiaux. Mères fatiguées, mères énervées. Vie privée. La pudeur. Toujours plus vite.
Le bilinguisme. La politesse.
Lorsque les parents se disputent.
Si les parents se séparent. L'enfant maltraité.
Les abus sexuels. Quand un parent est malade.
Deuils et chagrins.
La consultation psychologique.
Non, tout n'est pas joué à 3 ans...

6   Un enfant en bonne santé

Le nouveau-né
Description et tests.
Les points forts de la croissance
Poids. Taille. Périmètre crânien. Dents.
La surveillance médicale régulière
Le médecin. Le carnet de santé. Contrôle de la vision et de l'audition. Les vaccinations.
Soigner son enfant
Les signes de bonne et de mauvaise santé. Quand consulter le médecin ? Que faire lorsque l'enfant a mal ? Et autres questions.
Que faire en cas de fièvre.
L'enfant et les médicaments
L'armoire à pharmacie. Le médicament n'est pas tout.
Et si l'enfant doit aller à l'hôpital
La santé de A à Z
Un dictionnaire des symptômes, maladies, et troubles du comportement, pouvant affecter la vie du jeune enfant : d'Abcès à Zona, en passant par Allergie, Bronchiolite, Cauchemar, Diabète, Dépression, Eczéma. Environnement et santé. Handicap. Régurgitation. Toux...

7   Mémento pratique

La déclaration de naissance
Le congé du père de famille.
Le livret de famille.
La Sécurité sociale
Qui peut en bénéficier ? Ce qu'il faut faire. Le congé après l'accouchement.
Cas où le congé peut être prolongé. Remboursements.
Les prestations familiales
Toutes les allocations dont peuvent bénéficier parents et enfants.
Lorsque les parents travaillent
Crèche. Assistante maternelle.
Employée de maison. Jeune fille au pair. Frais de garde et impôts.
Si vous êtes seule
L'autorité parentale
Lorsque les parents ne sont pas mariés.
En cas de séparation. Le nom de l'enfant.
Les droits de l'enfant
Des adresses utiles

CREDIT

Dessins
François Crozat 100 – 102h – 103 – 105 – 106 – 140 – 144 – 152 – 153 – 166 – 167 – 177 – 284 – 285 – 287hgd – 288 – 290 – 291 – 292 * Editions Horay 24 – 25 – 58 – 90 – 101 – 102b – 113 – 136 – 137 – 145 – 268 – 270 – 285 – 287 bd – 289 – 334 * Siudmak 343 à 349

Photographies
Dr. Althuser 129 – 132b – 133h – 154 – 215 * Dr. Benassayag 127 – 128 – 130 – 131 – 132h – 133b – 134 * Bonnier Fakta / Nielsson 125 * Boumendil 327 * Czap 162 * Digitalvision 314 – 359 – 373 – 375 – 387 – 401 * DR 361 * Fotolia 99 – 157 – 317 – 337 – 356 * Getty Eyewire 283 – 393 * PhotoDisc 69 – 77 – 277 – 380 * Graphic Obsession 414 * Dr. Layyous / Science Photo Library / Cosmos 126 * Option Photo 27 * Phanie 205 * Photo Alto 12 – 16 – 46 – 53 – 62 – 84 – 87 – 88 – 93 – 121 – 143 – 200 – 225 – 232 – 264 – 383 * Phovoir 74 – 75 * Service de génétique CHU Grenoble 177 * Steiner 370 – 371 * Stockbyte couverture – 19 – 30 – 45 – 49 – 61 – 65 – 66 – 96 – 112 – 118 – 135 – 171 – 186 – 189 – 207 – 217 – 220 – 235 – 245 – 267 – 293 – 324 – 338 – 341 – 350 – 368 – 387g – 389 * Studio X / Degene 202 / Raith 148 – 151 – 165 – 362 / Rüffler 175 – 329 – 332 – 355 – 365 * Tendance Floue 306 – 307 * Winckler 280

CONCEPTION GRAPHIQUE : 'OLO
RÉALISATION : NICOLAS MARCHAND
ICONOGRAPHIE : JULIE LÉVÊQUE-HORAY

IMPRIMÉ EN FRANCE PAR LOIRE OFFSET TITOULET
DÉPÔT LÉGAL 2013
N° D'ÉDITEUR : 1111
N° D'IMPRIMEUR : 2012102997